A PÉROLA
QUE ROMPEU
A CONCHA

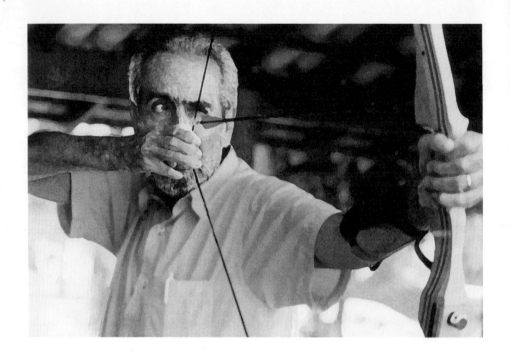

O Arqueiro

GERALDO JORDÃO PEREIRA (1938-2008) começou sua carreira aos 17 anos, quando foi trabalhar com seu pai, o célebre editor José Olympio, publicando obras marcantes como O menino do dedo verde, de Maurice Druon, e Minha vida, de Charles Chaplin.

Em 1976, fundou a Editora Salamandra com o propósito de formar uma nova geração de leitores e acabou criando um dos catálogos infantis mais premiados do Brasil. Em 1992, fugindo de sua linha editorial, lançou Muitas vidas, muitos mestres, de Brian Weiss, livro que deu origem à Editora Sextante.

Fã de histórias de suspense, Geraldo descobriu O Código Da Vinci antes mesmo de ele ser lançado nos Estados Unidos. A aposta em ficção, que não era o foco da Sextante, foi certeira: o título se transformou em um dos maiores fenômenos editoriais de todos os tempos.

Mas não foi só aos livros que se dedicou. Com seu desejo de ajudar o próximo, Geraldo desenvolveu diversos projetos sociais que se tornaram sua grande paixão.

Com a missão de publicar histórias empolgantes, tornar os livros cada vez mais acessíveis e despertar o amor pela leitura, a Editora Arqueiro é uma homenagem a esta figura extraordinária, capaz de enxergar mais além, mirar nas coisas verdadeiramente importantes e não perder o idealismo e a esperança diante dos desafios e contratempos da vida.

A PÉROLA QUE ROMPEU A CONCHA

NADIA HASHIMI

Título original: *The Pearl that Broke Its Shell*
Copyright © 2014 por Nadia Hashimi
Copyright da tradução © 2017 por Editora Arqueiro Ltda.

Todos os direitos reservados. Nenhuma parte deste livro pode ser utilizada ou reproduzida sob quaisquer meios existentes sem autorização por escrito dos editores.

TRADUÇÃO: Simone Reisner
PREPARO DE ORIGINAIS: Gabriel Machado e Marina Vargas
REVISÃO: Luis Américo Costa, Rafaella Lemos e Suelen Lopes
PROJETO GRÁFICO E DIAGRAMAÇÃO: DTPhoenix Editorial
CAPA: Mumtaz Mustafa
IMAGEM DE CAPA: © Massoud Hossaini
ADAPTAÇÃO DE CAPA: Ana Paula Daudt Brandão
IMPRESSÃO E ACABAMENTO: Lis Gráfica e Editora Ltda.

CIP-BRASIL. CATALOGAÇÃO NA PUBLICAÇÃO
SINDICATO NACIONAL DOS EDITORES DE LIVROS, RJ

H279p   Hashimi, Nadia
            A pérola que rompeu a concha/ Nadia Hashimi; tradução de Simone Reisner. São Paulo: Arqueiro, 2017.
            448 p.; 16 x 23 cm.

            Tradução de: The pearl that broke its shell
            ISBN 978-85-8041-754-8

            1. Ficção americana. I. Reisner, Simone. II. Título.

17-42776   CDD: 813
                                  CDU: 821.111(73)-3

Todos os direitos reservados, no Brasil, por
Editora Arqueiro Ltda.
Rua Funchal, 538 – conjuntos 52 e 54 – Vila Olímpia
04551-060 – São Paulo – SP
Tel.: (11) 3868-4492 – Fax: (11) 3862-5818
E-mail: atendimento@editoraarqueiro.com.br
www.editoraarqueiro.com.br

Para minha preciosa filha, Zayla.
Para nossas preciosas filhas.

"A água do mar implora à pérola
Que rompa a sua concha."

Do maravilhoso poema "Algum beijo que desejamos",
de Jalal ad-Din Muhammad Rumi,
poeta persa do século XIII

CAPÍTULO 1

Rahima

Shahla estava à porta de nossa casa, o metal verde e brilhante enferrujando nas bordas. Ela esticou o pescoço. Parwin e eu viramos a esquina e vimos o alívio em seus olhos. Nós não podíamos nos atrasar outra vez.

Parwin olhou para mim e aceleramos o passo. Andamos o mais rápido possível sem chegar a correr, para não chamar atenção indesejada. As solas de borracha batiam no chão e levantavam nuvens de poeira. A barra das saias batia nos tornozelos. Meu lenço de cabeça grudava na testa suada. Imaginei que o de Parwin também, já que ainda não tinha sido levado pelo vento.

Malditos garotos. Era culpa deles! Com sorrisos desavergonhados e calças esfarrapadas. Não era a primeira vez que nos faziam chegar atrasadas.

Atravessamos as portas correndo: azul, roxa, vinho. Pontos de cor em uma tela de barro.

Shahla acenou para que nos apressássemos.

– Rápido! – sibilava ela freneticamente.

Arfando, nós a seguimos pela porta da frente. O metal bateu contra o batente.

– Parwin! Por que você fez isso?

– Desculpe, desculpe! Não pensei que fosse fazer tanto barulho.

Shahla revirou os olhos, assim como eu: Parwin sempre deixava a porta bater.

– Por que demoraram tanto? Vocês não pegaram a rua por trás da padaria?

– Nós não podíamos, Shahla! Era lá que ele estava!

Tínhamos tomado o caminho mais longo, contornando o mercado para evitar a padaria que os meninos rondavam, ombros arqueados e olhos atentos, explorando a selva cáqui que era nossa aldeia.

Além de partidas de futebol de rua, esse era o principal esporte para os garotos em idade escolar: ficar vigiando as meninas. Eles se juntavam e esperavam que saíssemos das salas de aula. Fora da escola, um dos garotos saía em disparada em meio aos carros e pedestres para seguir a menina que tivesse chamado sua atenção. Segui-la era uma forma de demonstrar que ela lhe pertencia: *Essa garota é minha e só há lugar para um perseguidor aqui.* Naquele dia, minha irmã Shahla, de 12 anos, fora o ímã.

Os meninos pensavam que era algo lisonjeiro. As meninas, porém, ficavam aterrorizadas, pois as pessoas adorariam presumir que elas procuraram ser notadas. A verdade é que não havia muitas formas de os meninos se divertirem.

– Shahla, onde está Rohila? – sussurrei.

Meu coração palpitava enquanto andávamos na ponta dos pés até os fundos da casa.

– Ela foi levar comida à casa dos vizinhos. Madar-jan cozinhou berinjelas para eles. Acho que alguém morreu.

Morreu? Senti um aperto no estômago e voltei a me concentrar em seguir os passos de Shahla.

– Onde está Madar-jan? – indagou Parwin num sussurro nervoso.

– Ela está pondo o bebê para dormir – respondeu Shahla, virando-se para nós. – Então é melhor vocês não fazerem muito barulho ou ela vai saber que só chegaram em casa agora.

Parwin e eu congelamos. A expressão de Shahla mudou quando ela viu nossos olhos arregalados. Nossa irmã se virou e deu de cara com Madar-jan de pé bem atrás dela; ela havia saído pela porta dos fundos e estava parada no pequeno pátio pavimentado nos fundos.

– Sua mãe sabe muito bem quando vocês chegaram em casa, e também está bem ciente do tipo de exemplo que sua irmã mais velha está dando a vocês.

Seus braços estavam cruzados com força.

Shahla baixou a cabeça, envergonhada. Parwin e eu tentamos evitar o olhar furioso de Madar-jan.

– Onde vocês estavam?

Como eu gostaria de lhe dizer a verdade!

Um garoto afortunado o bastante para possuir uma bicicleta seguira Shahla, passara por nós e, em seguida, ficara nos rodeando. Shahla não prestou atenção nele. Quando sussurrei que ele a olhava, ela me mandou ficar calada, como se o simples fato de eu falar tornasse aquilo real. Na terceira vez que passou, ele chegou perto demais.

Deu uma volta à nossa frente e retornou em nossa direção. Avançou pela rua de terra, desacelerando quando se aproximou. Shahla continuou a desviar o olhar e tentou parecer zangada.

– Parwin, cuidado!

Antes que eu pudesse tirá-la do caminho, a roda dianteira do nosso perseguidor passou por cima de uma lata de metal jogada na rua, desestabilizando-o, e ele deu uma guinada para não atropelar um vira-lata. A bicicleta veio direto para cima de nós. As sobrancelhas dele estavam erguidas e a boca aberta enquanto ele lutava para recuperar o equilíbrio. Ele trombou com Parwin antes de cair sobre os degraus na frente de um armazém.

– Ah, meu Deus! – exclamou Parwin, a voz alta e atordoada. – Olhem só para ele! Levou um tombo daqueles!

– Acha que ele se machucou? – perguntou Shahla.

Ela pressionava a mão sobre a boca, como se nunca tivesse visto uma cena tão trágica.

– Parwin, sua saia!

Meus olhos se desviaram do rosto preocupado de Shahla para a bainha rasgada da saia de Parwin. A roda dentada da bicicleta havia rasgado o vestido dela.

Era o seu uniforme novo e, no mesmo instante, Parwin começou a chorar. Sabíamos que, se Madar-jan contasse a nosso pai, ele nos manteria em casa em vez de nos mandar para a escola. Isso já acontecera antes.

– Por que vocês ficam caladas quando eu pergunto alguma coisa? – questionou Madar-jan. – Não vão se explicar? Chegam tarde e com a aparência de que estavam correndo atrás de cachorros no meio da rua!

Shahla já havia falado em nosso nome diversas vezes e parecia exasperada. Parwin estava uma pilha de nervos, como sempre, e não conseguia fazer nada além de se remexer. Ouvi minha voz antes de me dar conta do que estava dizendo:

– Madar-jan, não foi nossa culpa! Havia um menino em uma bicicleta e nós o ignoramos, mas ele continuou vindo na nossa direção e eu até gritei com ele. Disse que ele era um idiota se não sabia o caminho para a própria casa.

Parwin soltou uma risadinha inadvertida. Madar-jan lançou um olhar zangado para ela.

– Ele se aproximou de vocês? – perguntou, virando-se para Shahla.

– Não, Madar-jan. Quer dizer, ele estava poucos metros atrás de nós, mas não disse nada.

Madar-jan suspirou e levou as mãos às têmporas.

– Tudo bem. Entrem e vão fazer suas tarefas de casa. Vamos ver o que seu pai tem a dizer sobre isso.

– Você vai contar a ele?! – gritei.

– Claro que sim – respondeu Madar-jan, dando um tapa em minhas costas quando passei por ela e entrei em casa. – Não temos o hábito de esconder nada de seu pai!

Nós sussurramos sobre o que Padar-jan falaria quando voltasse para casa enquanto enfiávamos os lápis em nossos cadernos. Parwin tinha algumas ideias.

– Acho que deveríamos dizer a Padar que nossas professoras já sabem desses garotos e que eles já foram repreendidos e não vão mais nos incomodar – sugeriu, ansiosa.

– Parwin, isso não vai funcionar. O que você vai dizer quando Madar perguntar a Khanum Behduri a respeito?

Shahla, a voz da razão.

– Bem, então poderíamos dizer a ele que o garoto se mostrou arrependido e prometeu não nos incomodar de novo. Ou que vamos encontrar outro caminho para chegar à escola.

– Tudo bem, Parwin. Você diz isso a ele. Já estou cansada de falar por vocês.

– Parwin não vai dizer nada. Ela só fala quando ninguém está ouvindo – repliquei.

– Muito engraçado, Rahima. Você se acha muito corajosa, não é? Vamos ver como você é corajosa quando Padar-jan chegar em casa – retrucou Parwin, amuada.

De fato, aos 9 anos, não fui muito valente quando chegou a hora de enfrentar Padar-jan. Contive meus pensamentos atrás dos lábios cerrados. No fim das contas, Padar-jan decidiu nos tirar da escola outra vez.

Pedimos e imploramos a Padar-jan que nos deixasse voltar. Uma das professoras de Parwin, amiga de infância de Madar-jan, foi até nossa casa e tentou convencer nossos pais. Padar-jan já havia cedido no passado, mas dessa vez foi diferente. Ele queria que frequentássemos a escola, mas não sabia como fazer isso em segurança. O que as pessoas diriam se suas filhas fossem perseguidas por garotos na frente de todo mundo? Seria terrível.

– Se eu tivesse um filho, isso não estaria acontecendo! – exclamava ele. – Maldição! Por que temos uma casa cheia de meninas? Não uma, não duas... mas cinco!

Madar-jan procurava se ocupar com as tarefas domésticas, sentindo o peso da decepção em seus ombros.

O humor do meu pai andava pior nos últimos tempos. Madar-jan nos mandava falar baixo e sermos respeitosas. Ela nos contou que muitas coisas ruins haviam acontecido a Padar-jan e que isso o tornara um homem raivoso. Disse também que, se nos comportássemos, em pouco tempo ele voltaria a ser como sempre fora. Contudo, ficava cada vez mais difícil nos lembrarmos de uma época em que Padar-jan não estivesse zangado e berrando.

Agora que permanecíamos em casa, recebi a tarefa extra de buscar mantimentos no armazém. Minhas irmãs mais velhas perderam a liberdade, pois chamavam atenção. Até aquele momento, eu era invisível para os meninos e não representava nenhum risco.

A cada dois dias, Madar-jan me entregava algumas notas, que eu guardava no bolsinho que ela havia costurado dentro do bolso do meu vestido para que eu não tivesse desculpa para perdê-las. Eu serpenteava pelas ruas estreitas e caminhava trinta minutos até chegar ao mercado, que eu amava. As lojas estavam sempre movimentadas, cheias de atividade.

As mulheres pareciam diferentes agora em relação a alguns anos antes. Algumas usavam longas burcas azuis, outras vestiam saias compridas e lenços de cabeça recatados. Todos os homens se trajavam como meu pai, com túnicas longas e calças largas, de cores tão monótonas quanto a nossa paisagem. Os meninos usavam pequenos chapéus ornamentados com espelhinhos redondos e arabescos dourados.

Quando eu chegava ao mercado, meus sapatos estavam novamente sujos e eu utilizava meu lenço de cabeça para me proteger das nuvens de poeira que as centenas de carros deixavam em seu rastro. Era como se a paisagem cáqui estivesse se dissolvendo no ar de nossa aldeia.

Duas semanas depois de nosso afastamento da escola, os donos das lojas já me conheciam. Não havia muitas meninas de 9 anos andando de uma loja para outra com desenvoltura. E, como observara meus pais pechincharem, achei que poderia fazer o mesmo. Discuti com o padeiro, que tentou me cobrar o dobro do que minha mãe já pagara. Briguei com o dono do armazém, que tentou me convencer de que a farinha que eu queria era importada e, portanto, sujeita a uma sobretaxa. Aleguei que poderia facilmente comprar a mesma coisa de Agha Mirwais, logo adiante, e caçoei do preço que ele pedia. O homem trincou os dentes e colocou a farinha na sacola com os outros mantimentos, murmurando palavras que nenhuma criança deveria ouvir.

Madar-jan ficou satisfeita por eu ajudar com as compras. Ela já estava ocupada o suficiente com Sitara, que dava os primeiros passos. Minha mãe mandava Parwin cuidar da caçula enquanto ela e Shahla se encarregavam das tarefas domésticas: varrer, espanar e preparar o jantar. À tarde, Madar-jan nos levava a sentar com os livros e cadernos e fazer o dever de casa que ela nos havia designado.

Para Shahla, os dias eram solitários e difíceis. Ela ansiava por ver os amigos e conversar com as professoras. Seus pontos fortes eram a intuição e a inteligência. Ela não era uma das melhores da turma, porém costumava cativar as mestras o suficiente para ser incluída na curta lista das alunas que se destacavam. Tinha uma beleza comum, mas se empenhava em cuidar da aparência. Passava pelo menos cinco minutos escovando os cabelos todas as noites, já que alguém lhe dissera que isso alongava os fios. O rosto de Shahla era considerado "agradável", nem bonito, nem inesquecível. Contudo, sua personalidade a fazia brilhar. As pessoas olhavam para ela e não conseguiam deixar de sorrir. Educada e correta, era uma das favoritas na escola. Sua maneira de olhar fazia os outros se sentirem importantes. Diante da família e de amigos, Shahla deixava Madar-jan orgulhosa, pois falava com maturidade e perguntava sobre cada parente.

– Como está Farzana-jan? Faz tanto tempo que não a vejo! Por favor, diga que perguntei por ela.

As avós assentiam em aprovação, elogiando Madar-jan por ter criado uma garota tão respeitável.

Já Parwin era outra história: ela era linda. Seus olhos não exibiam o castanho cor de lama das demais irmãs, mas ostentavam uma mistura de cinza com avelã que fazia as pessoas esquecerem o que pretendiam dizer. Os cabelos caíam ao redor do rosto em mechas onduladas, com um brilho natural. Ela era inegavelmente a menina mais bonita de toda a família.

Porém, não tinha nenhum traquejo social. Quando as amigas de Madar-jan iam à nossa casa, Parwin se encolhia em um canto, ocupando-se em dobrar e desdobrar uma toalha de mesa. Se conseguisse escapar antes que as visitas chegassem à sala, melhor ainda. Nada lhe trazia maior alívio do que evitar o tradicional cumprimento de três beijos. Suas respostas eram sempre curtas e ela nunca tirava os olhos da rota de fuga mais próxima.

– Parwin, por favor, Khala Lailoma está lhe fazendo uma pergunta! Pode, por favor, se virar? As plantas não precisam ser regadas neste exato momento!

O que faltava a Parwin em sociabilidade, ela mais do que compensava em talento artístico. Dominava o lápis e o papel com maestria. Em suas mãos, o grafite se transformava em energia visual. Rostos enrugados, um cão ferido, uma casa danificada demais para ser reparada. Parwin tinha um dom, a capacidade de mostrar o que outras pessoas não viam, mesmo que olhassem para as mesmas coisas. Era capaz de esboçar uma obra-prima em poucos minutos, mas levava horas para lavar os pratos.

– Parwin é de outro mundo – dizia Madar-jan. – Ela é um tipo diferente de garota.

– E de que isso vai lhe adiantar? Ela vai ter que sobreviver e trilhar seu caminho neste mundo – retorquia Padar-jan, embora amasse os desenhos da filha e guardasse uma pilha deles ao lado da cama para folhear de vez em quando.

O outro problema com Parwin era que tinha nascido com uma má formação no quadril. Disseram a Madar-jan que isso acontecera porque ela ficou mais tempo do que devia deitada de lado durante a gravidez. Quando Parwin começou a engatinhar, ficou claro que havia algo errado. Ela levou muito mais tempo para aprender a andar e nunca deixou de mancar. Padar-jan a levou a um médico quando ela estava com 5 ou 6 anos, mas soube que já era tarde demais.

E então havia eu. Não me importei tanto com o afastamento da escola quanto minhas irmãs. Acho que foi porque isso me deu a oportunidade de me aventurar sozinha pelas ruas sem que Shahla ou Parwin me repreendessem ou insistissem que eu lhes desse a mão na hora de atravessar a rua. Enfim eu tinha liberdade – até mais do que minhas irmãs!

Madar-jan precisava de ajuda com as pequenas tarefas externas e, nos últimos tempos, era impossível contar com o marido para o que quer que fosse. Ela lhe pedia que comprasse alguns itens no mercado no caminho de volta para casa e ele sempre se esquecia, depois brigava com ela porque a despensa estava vazia. Por outro lado, se ela ia ao bazar sozinha, ele ficava ainda mais zangado. De vez em quando, Madar-jan pedia aos vizinhos que lhe comprassem um ou dois itens, mas evitava fazer isso com muita frequência, ciente de que todos já comentavam sobre o modo peculiar de Padar-jan caminhar de um lado para outro por nossa pequena rua, gesticulando descontroladamente enquanto explicava alguma coisa aos passarinhos. Minhas irmãs e eu também nos intrigávamos com esse comportamento, mas nossa mãe disse que ele precisava tomar um remédio especial, por isso às vezes agia de maneira estranha.

Em casa, eu não podia deixar de falar sobre minhas aventuras no mundo exterior. Isso incomodava mais Shahla do que Parwin, que ficava satisfeita com lápis e papel.

– Acho que amanhã vou comprar grão-de-bico torrado no mercado. Tenho algumas moedas. Se quiser, posso trazer um pouco para você, Shahla.

Shahla suspirou e apoiou Sitara no outro quadril. Parecia uma jovem mãe exasperada.

– Esqueça. Não quero. Apenas vá e termine suas tarefas, Rahima. Tenho certeza de que você fica apenas vadiando por aí. Sem pressa nenhuma de voltar para casa, aposto.

– Eu não fico *vadiando*. Saio e faço as coisas que Madar-jan me *manda* fazer. Mas não importa... Até mais tarde.

Não queria provocar inveja em minhas irmãs. Na verdade, queria celebrar meus novos privilégios de ir e vir, de perambular pelas lojas sem supervisão. Se eu tivesse um pouco mais de tato, teria encontrado outra maneira de me expressar. Mas minha língua grande chamou a atenção de Khala Shaima. Talvez houvesse um propósito maior em minha falta de sensibilidade.

Khala Shaima era a irmã mais velha da minha mãe. Madar-jan era mais próxima dela do que de qualquer outro membro da família e nós a víamos com frequência. Se não tivéssemos crescido próximas dela, provavelmente ficaríamos assustadas com sua aparência. Nossa tia nascera com um desvio na coluna, que ondulava por suas costas como uma cobra. Embora nossos avós tivessem esperança de encontrar um pretendente antes que seu problema se tornasse óbvio demais, ela foi recusada muitas e muitas vezes. As famílias iam perguntar sobre minha mãe ou Khala Zeba, a caçula, mas ninguém queria Khala Shaima, com suas costas encurvadas e um dos ombros proeminente.

Bem cedo ela compreendeu que não iria despertar o interesse de ninguém e decidiu não se preocupar mais com a aparência. Deixou as sobrancelhas se unirem, não arrancava os pelos que cresciam no queixo e vestia as mesmas roupas sem graça dia após dia.

Então concentrou as energias nos sobrinhos e em cuidar de meus avós à medida que envelheciam. Khala Shaima supervisionava tudo: se estávamos nos saindo de maneira satisfatória na escola, se tínhamos roupas adequadas para o inverno, se nossos cabelos não estavam infestados de piolhos. Ela nos trazia esperança quando nossos pais não eram capazes de fazer determinada coisa por nós e era uma das poucas pessoas que suportavam ficar perto de Padar-jan.

Mas era preciso conhecer bem Khala Shaima para *entendê-la*. Quero dizer *realmente* entendê-la. Se não soubessem que ela tinha as melhores intenções, as pessoas poderiam ficar incomodadas com sua conversa pouco cordial, com suas críticas ferinas e a desconfiança em seus olhos semicerrados enquanto escutava. Porém, se soubessem como estranhos e familiares falaram com ela durante toda a vida, não ficariam surpresas.

Ela era bondosa comigo e minhas irmãs e sempre chegava com os bolsos cheios de doces. Padar-jan comentava, com sarcasmo, que os bolsos eram a única coisa doce em Khala Shaima. Minhas irmãs e eu fingíamos ter paciência enquanto esperávamos pelo ruído da embalagem dos chocolates. Ela costumava chegar na hora em que eu acabava de voltar do mercado, bem a tempo de receber meu quinhão.

– Shaima, pelo amor de Deus, você está estragando essas meninas! Onde consegue comprar chocolates como esses hoje em dia? Não devem ser baratos!

– Não tente parar um burro que não lhe pertence – disparava ela.

Essa era outra particularidade de Khala Shaima: todo mundo usava antigos provérbios afegãos, mas nossa tia praticamente não falava sem lançar mão de um. Isso fazia com que as conversas com ela fossem tão tortuosas quanto sua coluna.

– Não se meta, e vamos deixar as meninas retomarem o dever de casa.

– Nós já terminamos, Khala Shaima-jan – disse Shahla. – Trabalhamos nele a manhã inteira.

– A manhã inteira? Não foram à escola hoje?

Shaima franziu a testa.

– Não, Khala Shaima. Nós não vamos mais à escola – respondeu Shahla, desviando o olhar, pois sabia muito bem que estava jogando Madar-jan na fogueira.

– Como assim? Raisa! Por que as meninas não estão na escola?

Relutante, Madar-jan levantou a cabeça, deixando de fitar o bule.

– Nós precisamos tirá-las outra vez.

– Pelo amor de Deus, que desculpa ridícula arrumaram desta vez para não permitir que estudem? Um cachorro latiu para elas na rua?

– Não, Shaima. Você acha que eu prefiro que elas não vão à escola? O problema é que estão se metendo em confusão na rua. Você sabe como são os meninos. E, bem, o pai delas não fica nada satisfeito com a ideia de que virem alvo de brincadeiras. Eu não o culpo, na verdade. Você sabe, faz apenas um ano que meninas podem andar na rua. Talvez seja cedo demais.

– Cedo demais? É tarde demais! Elas deveriam ter ido à escola todo esse tempo, mas não puderam. Imagine quanto devem estar atrasadas e, logo agora que podem recuperar o prejuízo, vão mantê-las em casa para esfregar o chão? Sempre vai haver idiotas na rua dizendo todo tipo de besteira e lançando todo tipo de olhar. Pode acreditar. Se mantiverem as garotas em casa por causa disso, então não serão melhores do que os talibãs que fecharam a escola.

Shahla e Parwin se entreolharam.

– Então o que devo fazer? O primo de Arif, Hasib, disse a ele que...

– Hasib? Aquele idiota mais estúpido do que um tanque de guerra russo? Está tomando decisões relativas a suas filhas com base em algo que Hasib disse? Irmã, eu esperava mais de você.

Madar-jan bufou de frustração e esfregou as têmporas.

– Então fique aqui até Arif chegar em casa e diga a ele o que acha que devemos fazer!

– E por acaso eu disse que estava indo embora? – retrucou Khala Shaima com frieza.

Ela colocou uma almofada atrás de suas costas irregulares e se apoiou na parede. Nós nos preparamos: Padar-jan odiava lidar com as intrusões de Khala Shaima e era tão franco quanto ela a esse respeito.

– Você é um idiota se acha que é melhor essas garotas apodrecerem nesta casa em vez de aprenderem alguma coisa na escola.

– Você nunca foi à escola e veja como se deu bem – retrucou Padar-jan em tom jocoso.

– Eu tenho muito mais bom senso do que você, engenheiro-sahib.

Um golpe baixo. Padar-jan quis entrar para a faculdade de engenharia quando terminou a escola, mas suas notas não foram suficientes, então ele cursou algumas matérias gerais durante um semestre e, em seguida, abandonou os estudos para começar a trabalhar. Agora ele possuía uma oficina onde consertava aparelhos eletrônicos antigos e, embora fosse muito bom no que fazia, ainda se amargurava por não ter conseguido se tornar engenheiro, um título muito respeitado entre os afegãos.

– Maldita seja, Shaima! Saia da minha casa! Elas são minhas filhas e não preciso que uma aleijada me diga o que devo fazer com elas!

– Pois esta aleijada tem uma ideia que pode resolver seu problema: permitir que você mantenha seu precioso orgulho enquanto as meninas voltam para a escola.

– Esqueça. Apenas saia para eu não ter mais que olhar para a sua cara. Raisa, onde diabos está a minha comida?

– Qual é a sua ideia, Shaima? – intrometeu-se Madar-jan, ansiosa para ouvir o que nossa tia tinha a dizer.

No fundo, respeitava a irmã mais velha. Na maioria das vezes, Shaima estava certa. Minha mãe se apressou em fazer um prato de comida e o levou para Padar-jan, que agora fitava a janela com o olhar perdido.

– Raisa, você não se lembra da história que nossa avó nos contava? Não se lembra de Bibi Shekiba?

– Ah, sim! Mas como isso pode ajudar as meninas?

– Ela se tornou do que sua família precisava. Ela se tornou do que o rei precisava.

– O rei – zombou Padar-jan. – Suas histórias ficam mais malucas a cada vez que você abre essa sua boca horrorosa.

Khala Shaima ignorou o comentário; já ouvira outros muito piores.

– Você realmente acha que isso funcionaria para nós também?

– As meninas precisam de um irmão.

Madar-jan desviou o olhar e deu um suspiro de desapontamento. Sua incapacidade de gerar um menino era uma questão dolorosa desde o nascimento de Shahla. Ela não havia imaginado que esse fato seria trazido à tona novamente naquela noite e evitou o olhar do marido.

– Foi isso que você veio me dizer? Que precisamos de um filho? Acha que eu não sei disso? Se sua irmã fosse uma esposa melhor, talvez eu tivesse um!

– Pare de falar besteiras e me deixe terminar.

Mas ela não terminou. Apenas começou. Naquela noite, Khala Shaima começou a nos contar a história de minha trisavó, Shekiba, uma história que minhas irmãs e eu nunca tínhamos ouvido. Uma história que me transformou.

CAPÍTULO 2

Shekiba

SHEKIBA.
Seu nome significa "presente", minha filha. Você é verdadeiramete um presente de Alá.

Quem poderia imaginar que Shekiba se tornaria o nome que lhe fora dado, um presente passado de mão em mão? Shekiba nascera na virada do século XX, em um Afeganistão cobiçado lascivamente pela Rússia e pela Grã-Bretanha. Os dois países se alternavam na promessa de proteger as fronteiras que tinham acabado de invadir, como um pedófilo que professa amor por sua vítima.

Os limites entre o Afeganistão e a Índia eram traçados e retraçados de tempos em tempos, como se só estivessem riscados a lápis. As pessoas pertenciam a um país e em seguida ao outro, as nacionalidades mudando ao sabor do vento. Para a Grã-Bretanha e a União Soviética, o Afeganistão era o campo onde se desenrolava seu "Grande Jogo", a disputa de poder pelo controle da Ásia Central. Mas a disputa aos poucos chegava ao fim, os afegãos resistindo com ferocidade ao controle externo, os peitos se inflando de orgulho quando falavam sobre a própria resiliência.

Contudo, regiões do Afeganistão foram tomadas – pouco a pouco, até suas fronteiras encolherem como um suéter de lã deixado na chuva. Áreas ao norte, como Samarcanda e Bucara, haviam sido perdidas para o Império Russo. Algumas partes do sul foram conquistadas, o fronte ocidental empurrado com o passar dos anos.

Sob esse aspecto, Shekiba era o Afeganistão. Começando na infância, a tragédia e a maldade a dilapidaram aos poucos, até que ela se tornou apenas um fragmento da pessoa que deveria ter sido. Se ao menos fosse mais bonita, se fosse agradável aos olhos, talvez o pai pudesse ter nutrido a esperança de lhe arranjar um casamento apropriado quando chegasse a hora. Talvez as pessoas tivessem olhado para ela com um pouco de bondade.

Mas a aldeia de Shekiba era impiedosa. Para chegar a Cabul, fazia-se necessário cavalgar por uma semana, cruzando um rio e três montanhas. A maioria das pessoas passava a vida inteira lá, nos campos verdes rodeados por montanhas, caminhando pelas estradas de terra que ligavam um conjunto de casas a outro. A aldeia ficava em um vale, a terra escura alimentada pelo rio próximo e os picos montanhosos altos dando uma sensação de isolamento e privacidade. Havia algumas dezenas de clãs, famílias inteiras que se conheciam fazia gerações. A maioria dos habitantes tinha algum tipo de parentesco entre si e a maledicência era uma forma de se manterem ocupados.

Os pais de Shekiba eram primos em segundo grau; seu casamento fora arranjado pela avó paterna de Shekiba. Sua família, como muitas outras, vivia da terra, e cada geração a repartia para que as pessoas tivessem um lugar onde construir uma residência, caso decidissem deixar a moradia principal do clã. O pai de Shekiba, Ismail Bardari, era o mais novo de seu núcleo. Os irmãos mais velhos se casaram antes dele e ocuparam o local com suas esposas e seus filhos.

Ao concluir que não havia espaço para ele e a noiva, Shafiqa, Ismail pegou suas ferramentas e começou a trabalhar. Mas ele teve sorte, pois o pai lhe deu um lote com uma terra tão fértil que sua parcela de colheita estaria sempre garantida. Ele era o mais trabalhador e o pai queria garantir que o potencial da terra fosse concretizado. Havia muitas bocas famintas para alimentar e uma boa colheita poderia trazer renda extra da aldeia. Ao contrário dos irmãos, Ismail tinha um dom, tinha instintos: sabia qual era a temperatura certa para plantar, a frequência com que se devia lavrar o solo e a quantidade perfeita de água para fazer as plantas crescerem. Os irmãos se ressentiam por ele ser o favorito do pai. Fingiam que prefeririam viver na moradia principal. Com o passar do tempo, Ismail cercou a casa com um muro de barro e pedras para ter privacidade, como era apropriado a uma verdadeira casa afegã.

Ismail levou a ansiosa noiva para a nova casa, que era rodeada por um pequeno pedaço de terras vizinho ao de seu irmão. De pé do lado de fora, Shafiqa observava a família do marido entrando e saindo de casa; suas burcas eram pontos azuis em meio à paisagem cáqui. Quando as mulheres iam em sua direção, ela corria para dentro e se cobria, envergonhada por sua barriga estar inchada pela gravidez. Mas a sogra e as cunhadas a achavam maçante e tímida e, com o tempo, passaram a se interessar cada vez menos por ela e por seus filhos. Elas suspiravam fundo enquanto falavam com Shafiqa e sussurravam comentários maldosos para seu marido quando ela não estava por perto. Se o pai de Shekiba fosse como a maioria dos outros homens, teria dado ouvido àquelas sugestões e tomado uma segunda esposa. Mas Ismail Bardari era diferente dos outros homens e manteve a única esposa que tinha, independentemente do que a mãe e as irmãs achavam dela.

Os irmãos de Shekiba, Tariq e Munis, eram o único elo real da família com o clã. Shafiqa cuidava de Shekiba e de sua irmã mais nova, Aqela, apelidada de "Bulbul", porque sua voz suave e melódica lembrava a Ismail o pássaro canoro local. Tariq e Munis transitavam normalmente entre a casa do pai e a do avô, levando roupas, legumes, verduras e notícias. Os meninos eram queridos pelos avós e valorizados como herdeiros. A mãe de Ismail, Bobo Shahgul, costumava dizer que os garotos eram a única coisa boa produzida por Shafiqa. Os dois ouviam muitos comentários desagradáveis, mas sabiam que não deveriam compartilhar tudo que ouviam. Shekiba e Aqela não percebiam que a família do pai dava pouca importância a elas, já que passavam os dias perto da mãe. Às vezes, até perto demais.

Aos 2 anos, uma desastrada Shekiba mudou a própria vida em um piscar de olhos. Ela acordou de um cochilo no meio da manhã e foi ao encontro da mãe. Ouviu os sons familiares de alguém descascando legumes na cozinha e tropeçou no fogão. Seu pequeno pé ficou preso na bainha do vestido e ela se desequilibrou, derrubando uma panela de óleo quente com o braço antes que a mãe conseguisse alcançá-la. O óleo se derramou e derreteu o lado esquerdo do rosto de querubim de Shekiba, transformando-o em um monte de carne viva coberta de bolhas.

Shafiqa gritou e jogou água fria no rosto da filha, mas era tarde demais. O ferimento levou meses para cicatrizar. Shafiqa se esforçava para manter o rosto de Shekiba limpo, usando um composto que o alquimista local havia preparado para ela. A dor piorava à medida que a pele lutava para se recuperar. A coceira levava Shekiba à loucura, e a mãe foi forçada a enrolar as mãos da menina com um pano, principalmente quando removia a pele morta e enegrecida. Ela passou por vários períodos febris, tão severos que faziam o corpo da criança tremer e se contorcer. Shafiqa não tinha nada a oferecer, não havia nada que pudesse fazer além de rezar ao lado da filha, o corpo balançando para a frente e para trás, implorando a Alá por misericórdia.

Quando soube do incidente, Bobo Shahgul foi ver Shekiba. Shafiqa esperou ansiosa para ouvir qualquer conselho útil que ela pudesse oferecer, mas a sogra não tinha nenhum. Antes de partir, ainda sugeriu que Shafiqa deveria prestar mais atenção aos filhos e murmurou um agradecimento por aquilo não ter acontecido com um dos meninos.

A sobrevivência de Shekiba foi nada menos que um milagre, outro presente de Alá. Embora seu rosto tivesse sarado, ela não era mais a mesma. Desse dia em diante, Shekiba ficou dividida ao meio. Quando sorria, apenas metade do rosto sorria. Quando chorava, apenas metade do rosto chorava. Mas a pior parte foi a mudança na expressão das pessoas. As que viam seu perfil direito abriam um sorriso, mas, quando sua visão alcançava o outro lado, além do nariz, o rosto delas também mudava. Cada reação lembrava a Shekiba que ela era feia, um horror. Alguns recuavam e cobriam a boca aberta com a mão. Outros ousavam se aproximar e estreitavam os olhos para ver melhor. Do outro lado da rua, estranhos paravam e apontavam.

Ali. Você viu? Lá vai a menina com metade do rosto. Eu não disse que ela era horrível? Só Alá sabe o que eles fizeram para merecer isso.

Até as tias e os tios balançavam a cabeça e soltavam um muxoxo toda vez que a viam, como se estivessem mais uma vez desapontados e chocados com sua aparência. Os primos inventaram apelidos cruéis para ela: "cara de *shola*", porque sua pele lembrava o arroz mole e grumoso; "*babaloo*", ou monstro, que ela odiava mais do que todos os outros, já que também tinha medo da criatura que assustava todas as crianças afegãs no meio da noite.

Shafiqa tentava protegê-la dos comentários, das zombarias, dos olhares, mas era tarde demais para salvar a autoestima de Shekiba, uma mercadoria que as pessoas não valorizavam muito de qualquer maneira. Ela cobria a filha com uma burca quando via alguém se aproximando de sua casa ou nas raras ocasiões em que a família ia até a aldeia.

Lembre-se, Shekiba significa "presente". Você é o nosso presente, minha filha. Não deve permitir que os outros fiquem olhando feito tolos para você.

Shekiba sabia que estava horrivelmente desfigurada e que tinha sorte de ser aceita pelos familiares mais próximos. No verão, a burca era quente e abafada, porém se sentia mais segura debaixo dela, mais protegida. Não era exatamente feliz, mas ficava satisfeita por permanecer dentro de casa, longe dos olhares curiosos. Dessa forma, passava o dia sem ter que ouvir tantos insultos. Seus pais se afastaram ainda mais do clã e o ressentimento em relação ao caráter reservado de Shafiqa cresceu.

Tariq e Munis eram cheios de vida e, como tinham apenas um ano de diferença, pareciam gêmeos. Aos 8 e 9 anos, já ajudavam o pai na lida do campo e se encarregavam de pequenas tarefas na vila. Em geral, ignoravam os comentários sobre sua "irmã amaldiçoada", mas Tariq era conhecido por retribuir os insultos de vez em quando. Em uma ocasião, Munis chegou em casa com hematomas pelo corpo e um péssimo humor. Havia aguentado mais do que era capaz de suportar dos garotos locais, que implicavam com ele por causa da irmã de meio rosto. Padar-jan foi à casa do menino para se desculpar com os pais, mas nunca repreendeu Tariq ou Munis por defenderem Shekiba.

Aqela, sempre sorridente, entoava canções de ninar com sua voz doce de *bulbul* e mantinha leve o espírito da mãe e de Shekiba enquanto elas cumpriam suas obrigações. Elas eram felizes em seu mundo. Não tinham muitas posses, mas tinham tudo de que precisavam e nunca se sentiam solitárias.

Em 1903, uma epidemia de cólera arrasou o Afeganistão. Crianças se desidratavam em questão de horas e sucumbiam nos braços débeis de suas mães. A família de Shekiba não tinha escolha a não ser usar a água envenenada que corria pela aldeia. Primeiro Munis, depois os outros. A doença veio depressa e com toda a força. O cheiro era insuportável. Shekiba ficou atordoada. Viu os irmãos empalidecerem e emagrecerem em poucos dias. Aqela se calou, suas canções reduzidas a um gemido suave. Shafiqa estava desesperada e Ismail balançava a cabeça em silêncio. Chegaram notícias de que duas crianças tinham morrido na vila do clã, uma de cada um dos tios de Shekiba.

Shekiba e os pais esperaram que a própria barriga começasse a doer. Cuidavam nervosamente dos outros e se observavam, esperando descobrir quem mais ficaria doente. Shekiba viu o pai passar os braços em torno dos ombros da esposa enquanto ela se balançava e rezava. A pele de Aqela ia ficando cinza, os olhos de Tariq estavam fundos. Munis se mantinha imóvel.

Aos 13 anos, Shekiba ajudou os pais a lavar e envolver os corpos de Tariq, Munis e Aqela em panos brancos, o traje tradicional dos mortos. Ela soluçava baixinho, sabendo que seria assombrada pela lembrança de ajudar o pai choroso a cavar as sepulturas de seus irmãos adolescentes e da delicada caçula, que acabara de completar 10 anos. Shekiba e seus pais estavam entre os sobreviventes.

Pela primeira vez em anos, o clã foi até a casa deles. Shekiba viu os tios e suas esposas entrarem e saírem da casa, prestando o respeito obrigatório antes de passar ao próximo lar enlutado. Sentiam pena dos pais de Shekiba, não tanto pela perda de três filhos, mas pela decepção por Alá não ter poupado um dos meninos em vez da garota defeituosa. Felizmente, Shekiba àquela altura estava entorpecida.

Milhares de pessoas morreram naquele ano. As perdas de sua família apenas se somaram aos números da epidemia.

Uma semana depois de seus três filhos serem enterrados, Shafiqa começou a sussurrar para si mesma quando ninguém estava olhando. Ela pedia a Tariq que a ajudasse com os baldes de água. Advertia a Munis que precisava comer toda a comida do prato para crescer e ficar alto como o irmão. Seus dedos se moviam pelos fios da manta como se fizesse uma trança em Aqela.

Então passou a ficar sentada, arrancando os fios de cabelo da cabeça, um a um, até o couro cabeludo ficar nu, as sobrancelhas e os cílios desaparecerem. Sem mais fios para arrancar, passou à pele dos braços e pernas. Comia, mas se engasgava com pedaços que se esquecia de mastigar. Seus sussurros se tornaram mais altos e Shekiba e o pai fingiram não perceber. Às vezes, ela parava para ouvir algo e ria com uma alegria estranha àquela casa. Aos poucos, Shekiba se tornou mãe de sua mãe, certificando-se de que ela tomasse banho e lembrando-a de que deveria dormir à noite.

Um ano depois, no mesmo mês sombrio de Qows, a debilitada Shafiqa decidiu não acordar. Não foi nenhuma surpresa.

Ismail segurou as mãos da esposa e pensou em como elas deviam estar cansadas de tanto serem torcidas. Shekiba aproximou o rosto da face da mãe e percebeu que os olhos dela haviam perdido aquele vazio desesperado. *Madar-jan deve ter morrido fitando o rosto de Deus*, pensou Shekiba. Nada mais poderia ter lhe trazido aquele olhar de paz tão depressa.

A casa suspirou de alívio. Shekiba banhou a mãe uma última vez, tendo o cuidado de lavar sua cabeça calva e percebendo que ela havia arrancado até mesmo os pelos de suas partes íntimas. O peso da tristeza desaparecera, o cadáver era surpreendentemente leve.

No dia seguinte, Shekiba e o pai estavam de volta ao campo para arar a terra mais uma vez. Não se deram ao trabalho de avisar ao restante da família. O pai leu uma oração sobre o monte de terra e eles se entreolharam, perguntando-se em silêncio qual deles iria se juntar aos outros primeiro.

Shekiba ficou com o pai. Um primo passou por lá para informá-los de um casamento próximo e levou ao clã notícias sobre o recém-viúvo. Os abutres desceram sobre a casa poucos dias depois para oferecer condolências, mas não sem antes aconselhar o pai de Shekiba a aproveitar a oportunidade de recomeçar, com uma nova esposa. Citaram algumas famílias com filhas prontas para casar na aldeia, a maioria apenas alguns anos mais velhas do que Shekiba, mas Ismail estava tão inconsolável e esgotado que os parentes não tiveram êxito.

Shekiba cresceu tendo apenas o pai a quem recorrer, com suas palavras esparsas e seus olhos solitários. Ela trabalhava ao lado dele dia e noite e, quanto mais o fazia, mais fácil era para ele se esquecer de que ela era uma menina. Ismail começou a pensar nela como um filho, às vezes até mesmo se enganando e chamando-a pelo nome dos irmãos. A aldeia fazia comentários sobre eles. Como era possível um pai e uma filha viverem sozinhos? A piedade deu lugar a críticas e Ismail e Shekiba se isolaram ainda mais do mundo exterior. O clã não queria ser associado a eles e a aldeia tinha ainda menos interesse em um velho devastado e sua filha-filho mais devastada ainda.

Com o passar dos anos, Ismail se convenceu de que sempre vivera sem esposa e de que sempre tivera apenas um filho. Conseguia fazer isso ao ignorar todo o resto. Era o único que não via o rosto desfigurado de Shekiba e não percebia que, como uma jovem mulher, ela talvez precisasse das orientações de outra mulher. Quando ela sangrava a cada mês, ele fingia não sentir o cheiro dos trapos sujos que a filha deixava de molho, escondidos atrás de uma pilha de lenha cortada na casa de dois cômodos. E, quando a ouvia chorar, dava de ombros e dizia a si mesmo que as fungadas se deviam a uma gripe.

Ismail a levava para o campo, para ajudá-lo a cuidar de seu pequeno pedaço de terra. Ela arava, abatia animais e cortava lenha, como qualquer filho vigoroso faria pelo pai. Permitiu que ele continuasse a acreditar que a vida tinha sido sempre assim, pai e filho. Shekiba demonstrou ter força, corroborando a confiança paterna em sua capacidade de gerir a propriedade. Seus braços e ombros ficaram musculosos.

Anos se passaram. As feições de Shekiba se tornaram mais rudes, as palmas das mãos e as plantas dos pés ficaram grossas e calejadas. A cada dia, as costas de Ismail se encurvavam mais, seus olhos enxergavam menos e suas necessidades cresciam. Havia dias em que Shekiba precisava se encarregar sozinha de todas as tarefas.

Se ela fosse qualquer outra garota, provavelmente teria se sentido solitária nessa vida isolada, mas suas circunstâncias eram diferentes. As crianças nas proximidades sempre apontavam e caçoavam dela, e os pais faziam o mesmo. Sua aparência era chocante em todos os lugares, exceto em casa.

As pessoas que são atingidas pela tragédia uma, duas vezes, estão fadadas a sofrer outra vez. O destino acha mais fácil refazer o próprio caminho. Ismail foi enfraquecendo, sua voz ficando mais áspera, a respiração, mais superficial. Um dia, quando Shekiba o observava do muro de pedra e barro, ele levou as mãos ao peito, deu dois passos e caiu no chão, segurando uma foice.

Shekiba tinha apenas 18 anos, mas sabia o que fazer. Usando um pano grande, arrastou o corpo do pai para dentro de casa, parando várias vezes para segurar o tecido melhor e enxugar as lágrimas que escorriam pelo lado direito do rosto. O lado esquerdo permaneceu impassível.

Colocou o cadáver na sala e se sentou ao lado, repetindo os quatro ou cinco versos do Corão que os pais lhe haviam ensinado, até o sol nascer. Ao amanhecer, deu início à cerimônia que realizara vezes demais em sua curta vida. Despiu Ismail, tomando cuidado para manter suas partes íntimas cobertas por um pano. O ritual de lavagem deveria ter sido realizado por um homem, mas Shekiba não tinha ninguém a quem recorrer. Preferia despertar a ira de Alá a recorrer àquelas pessoas abomináveis.

Banhou o corpo rígido do pai, afastando o olhar enquanto derramava água sobre suas partes íntimas, e o envolveu em um pano, como ela e a mãe haviam feito com a irmã. Arrastou-o para fora e cavou a terra uma última vez para concluir o sepultamento de sua família. Shekiba mordeu o lábio e se perguntou se deveria cavar mais uma cova para si, pois não haveria ninguém para executar o serviço quando chegasse sua hora. Cansada demais para fazer qualquer outra coisa, proferiu algumas preces e viu o pai desaparecer sob torrões de terra – desaparecer como sua irmã, seus irmãos e sua mãe.

Caminhou de volta para a casa vazia e ficou sentada em silêncio, com medo, com raiva, mas calma.

Shekiba estava sozinha.

CAPÍTULO 3

Rahima

— Nós não seríamos os primeiros. Isso já foi feito antes – comentou Raisa.
— Você está dando ouvidos à maluca da Shaima e à história sobre sua querida avó.
— Ela não era minha avó. Era...
— Não me interessa. Só sei que essa mulher me dá dor de cabeça.
— Arif-jan, acho que seria sábio de nossa parte considerarmos essa possibilidade. Para o bem de todos.
— E que bem poderá resultar disso? Já viu as outras pessoas que fizeram o mesmo? Todas tiveram que mudar de volta em alguns anos. Não vai ajudar em nada.
— Mas, Arif-jan, ela poderia *fazer* coisas. Poderia ir ao mercado. Poderia acompanhar as irmãs à escola.
— Faça como quiser. Eu tenho que sair.

Eu ouvi atentamente do corredor, a poucos metros do quarto que compartilhávamos. Nossa cozinha ficava atrás da sala e consistia em algumas panelas e um fogão que era praticamente só um bico de gás. A casa era espaçosa, construída em uma época em que a família do meu avô tinha mais posses. Agora, as paredes estavam nuas e rachadas e a casa parecia mais com as de nossos vizinhos.

Quando ouvi Padar-jan se levantar, me afastei depressa, na ponta dos pés descalços, seguindo sem fazer barulho pelo tapete. Depois de me certificar de que ele havia saído, voltei para a sala, onde encontrei minha mãe perdida em pensamentos.

– Madar-jan?

– Ahn? Ah. Sim, *bachem*. O que foi?

– Sobre o que você e Padar-jan estavam conversando?

Ela olhou para mim e mordeu o lábio.

– Sente-se.

Acomodei-me na frente dela, de pernas cruzadas, cuidando para que a barra da saia passasse por cima dos joelhos e cobrisse minhas panturrilhas.

– Você se lembra da história que Khala Shaima contou na outra noite?

– Aquela sobre nossa tatatata...

– Você é pior do que seu pai às vezes. Sim, essa mesmo. Acho que está na hora de mudarmos uma coisa em você. Acredito que seria melhor se permitirmos que você seja um filho para seu pai.

– Um filho?

– É simples e as pessoas fazem isso o tempo todo, Rahima-jan. Pense em como você o deixaria feliz! E poderia fazer muitas coisas que suas irmãs não podem.

Ela sabia como despertar meu interesse. Inclinei a cabeça para o lado e esperei que ela prosseguisse.

– Podemos mudar suas roupas e lhe dar um novo nome. Você poderá ir até o mercado sempre que precisarmos de alguma coisa. Poderá ir à escola sem se preocupar com os meninos. Poderá participar de vários jogos. O que acha?

Parecia um sonho! Pensei nos filhos dos vizinhos: Jamil, Fahim, Bashir. Arregalei os olhos ao pensar que poderia chutar uma bola no meio da rua, assim como eles.

Madar-jan não estava pensando nos meninos da rua, mas, sim, na despensa vazia. Em Padar-jan e no quanto ele havia mudado. Tínhamos sorte quando ele trazia algum dinheiro para casa, de um trabalho ocasional. Às vezes conseguia se concentrar o suficiente para consertar um motor antigo e trazê-lo de volta à vida. Seus pequenos ganhos eram gastos, de forma desigual, em seus remédios e em alimentos e roupas para nós. Quanto mais Madar-jan pensava nisso, mais percebia como nossa situação estava se tornando desesperadora.

– Venha comigo. Não há razão para hesitar. Seu pai está tomando mais e mais... remédios ultimamente. Khala Shaima está certa: precisamos fazer alguma coisa ou vamos ficar em apuros.

Nós, as meninas, tínhamos medo de ficar doentes. Achávamos que, se isso acontecesse, precisaríamos tomar o mesmo remédio de Padar-jan, que o levava a fazer coisas estranhas e a se comportar de maneira esquisita. Em geral, ele só queria ficar em casa e dormir. Às vezes, dizia coisas sem sentido. E nunca se lembrava de nada do que falávamos. Mas era pior quando ele não tomava o remédio.

Ele já havia quebrado quase tudo que poderia ser quebrado dentro de casa. Os pratos e copos só sobreviveram porque ele não tinha energia suficiente para tirá-los do armário. Tudo que estava a seu alcance já fora jogado contra a parede e se estilhaçara: o vaso de cerâmica, uma travessa de vidro que Madar-jan ganhara... todos vítimas da guerra travada dentro da cabeça de Padar-jan.

Meu pai havia lutado ao lado dos *mujahidin* por vários anos, atirando nas tropas russas que bombardeavam nossa cidade com foguetes. Quando os soviéticos finalmente se retiraram e voltaram para seu país em colapso, Padar-jan chegou em casa e rezou para que a vida voltasse ao normal, embora poucas pessoas conseguissem se lembrar desse tempo. Isso foi em 1989.

Naquele ano, ele voltou para a casa dos pais, que mal reconheceram nele o garoto de 17 anos que saíra de casa com uma arma pendurada no ombro, em nome de Deus e da pátria. Os dois se apressaram em lhe arranjar um casamento. Aos 24 anos, já passara da época de ele ter a própria família e eles achavam que uma esposa e filhos o trariam de volta ao normal, mas Padar-jan, assim como o resto do país, havia se esquecido do que era ser normal.

Madar-jan se casou com ele pouco tempo depois de completar 18 anos. Imagino que ela tenha ficado tão aterrorizada em sua noite de núpcias quanto eu na minha. Às vezes me pergunto por que ela não me avisou, mas suponho que as mulheres não devam falar sobre essas coisas.

Enquanto o país planejava um novo começo, meus pais faziam o mesmo. Minha irmã Shahla veio primeiro, seguida de Parwin e de mim. Então foi a vez de Rohila e Sitara. Tínhamos nascido com intervalos de apenas um ano entre uma e outra e, depois que todas já estávamos andando, só nossa mãe sabia nos diferenciar. Entretanto, com uma menina após outra, Madar-jan não se tornou a esposa que Padar-jan esperava. Ainda mais profundamente decepcionada ficou minha avó, que havia parido cinco filhos e só uma filha.

A situação desmoronou em casa, assim como em todo o país, após a partida dos russos. Enquanto os guerreiros afegãos voltavam suas armas e seus foguetes uns contra os outros, Padar-jan procurou se acostumar à vida em casa. Tentou trabalhar como carpinteiro ao lado do pai, mas um homem que aprendera apenas a destruir tinha dificuldade para criar. Sons muito altos o perturbavam. Ele ficava a cada dia mais frustrado e resolveu voltar a prestar serviços para o senhor da guerra Abdul Khaliq, sob cujo comando havia lutado.

Os senhores da guerra formavam a nova aristocracia do Afeganistão. Lealdade a um homem com influência local significava uma vida melhor. Significava ter renda quando, de outra maneira, não haveria nenhuma. Não demorou muito para Padar-jan limpar sua metralhadora, pendurá-la no ombro e sair para lutar novamente, dessa vez em nome de Abdul Khaliq. De tempos em tempos, retornava para casa. Na primeira vez, descobriu que Madar-jan dera à luz mais uma menina e voltou para os campos de matança com uma fúria renovada.

Minha mãe foi deixada para trás com uma casa cheia de meninas e apenas sua amarga sogra e as cunhadas a quem recorrer. Vivíamos em uma pequena casa de dois cômodos, que fazia parte de nosso conjunto de residências. A guerra aproximava as famílias. Dois de meus tios foram mortos em combate. A esposa de meu tio morreu ao dar à luz seu sexto filho. Até ele se casar novamente, dois meses depois, minha mãe e minhas tias se encarregaram de cuidar de seus filhos. Nós deveríamos nos sentir como uma grande família. Deveríamos ser gentis uns com os outros. Mas havia muito ressentimento. Havia raiva. Havia ciúme. Havia, como no restante do país, uma guerra civil.

A família de Madar-jan vivia a alguns quilômetros de distância, mas não teria feito diferença se morassem do outro lado das montanhas Hindu Kush. Eles tinham entregado a filha a Padar-jan e não queriam interferir em seu relacionamento com a nova família. A única exceção era Shaima, a irmã deformada de minha mãe.

Deformidades não eram relevadas com facilidade, então Khala Shaima se endureceu para resistir a xingamentos, escárnio e olhares de espanto. Quase dez anos mais velha que Madar-jan, nossa tia nos dizia coisas que ninguém mais dizia. Ela contava sobre os conflitos, sobre como os senhores da guerra conquistavam e controlavam tudo, sem dó nem piedade, inclusive atacando mulheres da maneira mais indigna possível. Normalmente nossa mãe pedia à irmã que se calasse com um olhar de súplica. Afinal, éramos pequenas e não seria Khala Shaima quem teria que acalmar nossos terrores noturnos. Às vezes ela esquecia que éramos crianças e nos contava coisas que nos deixavam de olhos arregalados, temendo por nosso pai.

Quando Padar-jan chegava em casa, nós nos encolhíamos de medo. Seu humor oscilava de alegre a completamente irascível, e não dava para prever como ele estaria nem quando ia aparecer. Madar-jan se sentia sozinha e gostava das visitas da irmã, apesar das reclamações da sogra. Minha avó fazia questão de relatar ao filho quantas vezes Khala Shaima tinha ido nos visitar enquanto ele estava fora, estalando a língua em desaprovação e incitando sua ira. Era sua forma de mostrar à nora que estava no controle de nossa casa, mesmo que ela ficasse a 15 metros da residência principal.

Todos queriam ter o controle, mas não era fácil obtê-lo. O único que parecia ter algum era Abdul Khaliq Khan, o senhor da guerra. Ele e sua milícia conseguiram assumir nossa cidade e as vizinhas, obrigando seus inimigos a recuarem. Nós vivíamos ao norte de Cabul e não testemunhávamos nenhum combate havia cerca de quatro anos, mas, pelo que ouvíamos dizer, Cabul estava sitiada. As pessoas em nossa cidade balançavam a cabeça, consternadas com as notícias, mas nossas casas já estavam esburacadas e reduzidas a escombros. Já era hora de os privilegiados de Cabul provarem o que havíamos enfrentado.

Eram tempos feios. Nem posso imaginar o que meu pai devia ter testemunhado desde a adolescência. Como tantos outros, ele se anestesiava contra todo aquele horror com o "remédio" ao qual Madar-jan se referia. Turvava sua mente com o ópio que Abdul Khaliq distribuía, tão essencial para a capacidade de seus homens fazerem a guerra quanto a munição presa às suas costas.

Minha mãe se cansou do marido, mas tudo o que podia fazer era cuidar de nós, suas meninas. Khala Shaima lhe dava uma mistura, que ela tomava para não ter mais filhos depois de mim. Não sei o que era, mas funcionou durante seis anos. Quando sentiu a barriga crescer de novo, Madar-jan rezou e rezou, e fez tudo que a irmã lhe disse para fazer. Não adiantou. Decepcionada e com medo, ela deu à caçula o nome de Sitara e passou a temer o dia em que Padar-jan voltaria e descobriria que ela trouxera mais uma menina para a casa dele.

Então veio o Talibã. Eles eram apenas mais uma facção na guerra civil, mas ganharam força e seu regime se alastrou por todo o país. No início, isso não nos afetou muito, até que fomos retiradas da escola, as janelas foram cobertas e a música foi proibida. Madar-jan suspirava, mas seguia em frente, sua rotina diária pouco afetada pelos novos códigos de conduta.

Quando se espalhou a notícia de que nossa cidade havia sido dominada pelos talibãs, Abdul Khaliq chamou seus homens de volta para lutar – e defender sua honra como senhor da guerra. Seguiram-se semanas de explosões, lágrimas, enterros e, por fim, os homens voltaram para casa, vitoriosos. Nossa cidade era nossa de novo.

Padar-jan ficou em casa por alguns meses. Passava o tempo com os irmãos, tentou ajudar o pai a recuperar alguns negócios e até deu um auxílio a alguns dos vizinhos na reconstrução de suas casas. As coisas estavam indo bem, até o dia em que um garoto veio bater à nossa porta com uma mensagem para meu pai. Na manhã seguinte, ele lubrificou a metralhadora, vestiu o chapéu *pakol* e foi mais uma vez para a guerra.

Ele voltava de tempos em tempos, mas suas mudanças de humor ficavam piores a cada retorno. Nós o víamos por apenas dois ou três dias de cada vez e éramos crianças, jovens demais para compreender a fúria que trazia para casa. Ele não era mais a mesma pessoa. Até Bibi-jan, minha avó, chorava após as visitas, dizendo que havia perdido outro filho para a guerra.

Foi meu primo Siddiq quem nos contou a notícia. Ele a ouvira da boca de nosso avô.

– *Amrika*. São eles. Vieram e estão bombardeando os talibãs. Têm as maiores armas, os maiores foguetes! E seus soldados são muito fortes!

– Por que não vieram antes? – questionou Shahla.

Ela ia completar 12 anos e era sábia o suficiente para formular perguntas que nos faziam olhá-la com admiração.

Siddiq tinha 10 anos, mas demonstrava a segurança de um menino com o dobro de sua idade. Seu pai fora morto anos antes e ele crescera sob a proteção de nosso avô. Era o homem de sua casa.

– Porque o Talibã bombardeou a *Amrika*. Agora eles estão com raiva e vieram dar o troco.

Nosso avô entrou no pátio e ouviu a conversa.

– Siddiq-jan, o que está dizendo às suas primas?

– Eu só estava contando a elas sobre a *Amrika*, Boba-jan. Que eles estão disparando foguetes contra os talibãs!

– Padar-jan – perguntou Shahla timidamente –, o Talibã destruiu muitas casas na *Amrika*?

– Não, *bachem*. Alguém atacou duas torres na *Amrika*. Agora estão com raiva e vieram atrás dessa pessoa e de seu povo.

– Só duas torres?

– Sim.

Ficamos em silêncio. Parecia uma boa notícia. Um país grande e poderoso tinha vindo em nosso socorro! Nosso povo tinha um aliado na guerra contra o Talibã!

Mas Boba-jan viu nos olhos de Shahla que algo a deixara confusa e ele sabia exatamente o que era. Por que a *Amrika* ficara tão zangada se apenas duas torres foram atacadas? Metade do nosso país havia se desintegrado sob o regime talibã.

Estávamos todos pensando a mesma coisa.

Se ao menos a *Amrika* tivesse se zangado com isso também...

CAPÍTULO 4

Shekiba

SHEKIBA CONTINUOU A TRABALHAR NO CAMPO como se o pai estivesse a seu lado. Ela alimentava as galinhas e o burro e consertou o arado quando o eixo se partiu ao bater em uma pedra. A casa era silenciosa, sombria. Às vezes, o silêncio a enervava e ela tentava eliminá-lo com os sons das tarefas diárias ou conversando com os pássaros empoleirados no muro. Alguns dias, ficava satisfeita, quase feliz por ser autossuficiente. Esperava que a mãe gostasse das pequenas flores que havia plantado enquanto ouvia o *bulbul* cantar sobre a sepultura de Aqela.

Algumas coisas eram difíceis. Sem o pai por perto, Shekiba não tinha nenhuma ligação com a aldeia e seus recursos. Usava o óleo de cozinha com moderação e era parcimoniosa com o que colhia de sua plantação para não passar fome. Cavou uma pequena vala entre a casa e o muro e enterrou ali algumas batatas, para ter o que comer nos meses de inverno. Colhia os grãos e comia um pouco, deixando o resto secar para mais tarde.

A morte do pai parecia ter antecipado a chegada do inverno, segundo a distorcida noção de tempo de Shekiba. Ela não tinha muitos motivos para se preocupar com o mês ou o ano. O sol nascia e se punha e ela continuava a se ocupar de suas tarefas, preocupando-se apenas ocasionalmente com o que seria dela no futuro. Quanto tempo aquela existência duraria? Mais de uma vez, pensou em acabar com a própria vida. Uma vez, apertou o nariz e fechou a boca. Sentiu o peito se apertar cada vez mais até que, enfim, respirou fundo e continuou a viver, amaldiçoando a própria fraqueza.

E, mais uma vez, pensou em cavar a própria cova, ao lado da tumba do pai, e se deitar nela. Talvez o sombrio anjo Gabriel a visse e a levasse para junto de sua família. Shekiba se perguntou se veria Shafiqa outra vez. Se isso acontecesse, rezava para que fosse a mãe que cantava enquanto preparava as refeições, não a mulher careca de olhos vidrados que enterrara.

O inverno chegou e Shekiba se esforçou para seguir adiante, sobrevivendo com o que conseguira armazenar durante o outono. Toda vez que fazia um esforço para se despir e se lavar, percebia que suas costelas estavam mais salientes. Usava as roupas dos irmãos para proteger os ossos do quadril do chão duro. Ficou debilitada, os cabelos quebradiços e sem viço. Suas gengivas sangravam quando mastigava, mas ela mal sentia o gosto do sangue na boca.

A primavera chegou. Shekiba ansiava pelo calor do sol e pelas tarefas que vinham com ele, mas, junto com a primavera, chegou um visitante e o primeiro indício de que ela não poderia viver daquela forma por muito mais tempo.

Estava alimentando as galinhas quando viu um garoto ao longe, aproximando-se de sua casa, vindo da direção em que ficava a casa de seu avô. Ela não conseguiu identificá-lo, mas entrou e vestiu a burca. Ficou andando de um lado para outro, espiando às vezes pela porta para confirmar se ele ainda se avizinhava. Quando o menino chegou mais perto, Shekiba pôde ver que não tinha mais do que 8 anos. Ficou admirada com seu aspecto saudável e se perguntou o que os primos estariam comendo na casa principal. Mais uma vez, ficou grata pela possibilidade de se esconder sob a veste azul.

– *Salaaaaaam!* – cumprimentou ele ao se aproximar o suficiente. – Sou Hamid! Querido tio, quero falar com você!

Hamid? Quem era Hamid? Shekiba não se surpreendeu por não o reconhecer. Provavelmente muitos primos haviam nascido desde que ela perdera contato com o clã. Perguntou-se como deveria responder. Ou seria melhor ficar em silêncio? O que geraria menos perguntas?

– *Salaaaaaaam!* Eu sou Hamid! Querido...

Shekiba o interrompeu:

– Seu tio não está em casa. Ele não pode falar com você agora.

Por alguns instantes, não houve resposta. Shekiba se perguntou se Hamid teria sido alertado sobre ela. Podia até imaginar a conversa: *Mas tenha cuidado, pois seu tio tem uma filha, um monstro, na verdade. Ela é horrível, portanto não fique com muito medo. Ela é maluca e pode dizer coisas sem sentido.*

Shekiba encostou o ouvido no muro, tentando descobrir se Hamid ainda estava lá ou se já fora embora.

– Quem é você?

Shekiba não soube o que responder.

– Eu perguntei quem é você.

– Eu sou... Eu sou...

– A filha do meu tio? Você é Shekiba?

– Sim.

– Onde está o meu tio? Vim aqui para lhe trazer uma mensagem.

– Ele não está aqui.

– Onde ele está, então?

Na beira do campo. Você viu a árvore? Aquela na qual deveria haver maçãs crescendo, mas onde nada cresce? É ali que ele está. Você passou direto por ele e também por minha mãe, minha irmã e meus dois irmãos. Se tem alguma coisa para dizer a ele, pode fazer isso quando tomar o caminho de volta para casa, com toda a comida que tem lá.

Mas Shekiba não disse o que estava pensando. Ainda tinha algum bom senso.

– Eu perguntei onde ele está.

– Ele saiu.

– E quando vai voltar?

– Não sei.

– Bem, diga a ele que Bobo Shahgul quer conversar. Ela quer que ele vá até a casa dela.

Bobo Shahgul era sua avó paterna. Shekiba não a via desde antes da epidemia de cólera que levara sua família. Ela fora até a casa deles para contar ao filho sobre uma moça da aldeia, filha de um amigo. Desejava que Ismail a tomasse como esposa e talvez até voltasse para a propriedade da família com a segunda mulher, deixando a primeira naquela casa. Shekiba se lembrou de ter visto a mãe ouvindo a conversa de cabeça baixa, sem dizer nada.

– Diga a Bobo Shahgul que... que ele não está aqui agora.

Ela estava tangenciando a verdade.

– Vai dar o recado ao meu tio?

– Vou.

Shekiba ouviu os passos do menino ficarem cada vez mais distantes, mas esperou uma hora antes de sair de trás do muro, só por garantia. Ela não era a moça mais esperta do mundo, mas sabia que era apenas uma questão de tempo até a avó enviar outra mensagem.

Três meses se passaram.

Shekiba estava colocando o arreio no burro para começar a arar o solo quando viu dois homens caminhando em direção à casa. Em pânico, correu para dentro e agarrou a burca. Seu coração se acelerou enquanto esperava que se aproximassem. Colou o ouvido à parede interna, para ouvir os passos.

– Ismail! Saia e venha falar conosco! Seus irmãos estão aqui!

Os irmãos de seu pai? Bobo Shahgul estava mesmo decidida. Desesperada, Shekiba tentou pensar em algo razoável para dizer.

– Meu pai não está em casa!

– Chega de bobagem, Ismail! Sabemos que você está aqui! É muito covarde para sair de casa! Apareça ou vamos entrar à força e colocar algum juízo na sua cabeça!

– Por favor, meu pai não está em casa!

Ela podia ouvir a própria voz embargada. Será que eles forçariam a entrada? Não era tão difícil: a porta se abriria ao menor toque.

– Maldito seja, Ismail! O que pensa que está fazendo se escondendo atrás de sua filha? Afaste-se, menina, nós vamos entrar!

CAPÍTULO 5

Rahima

Madar-jan me levou para os fundos da casa com a tesoura e a navalha de Padar-jan. Nervosa, fiquei sentada enquanto minhas irmãs assistiam. Ela prendeu meus longos cabelos em um rabo de cavalo, sussurrou uma oração e, devagar, se pôs a cortar. Shahla fez uma expressão de espanto, Rohila parecia se divertir e Parwin observou apenas por um instante antes de correr de volta para dentro de casa para buscar lápis e papel. Ela começou a desenhar furiosamente, de costas para mim.

Madar-jan cortava e aparava, dobrando minhas orelhas para a frente para acertar o cabelo em torno delas. Cortou minha franja curta. Olhei para o chão ao meu redor e vi cabelo por toda parte. Ela espanou os fios que tinham caído sobre meus ombros, soprou meu pescoço e limpou minhas costas. Meu pescoço estava nu, exposto. Eu ri de entusiasmo e nervosismo. Apenas Shahla percebeu a lágrima solitária que escorreu pelo rosto da nossa mãe.

O próximo passo foram as roupas. Madar-jan pediu à mulher de meu tio uma camisa e uma calça. Não cabiam mais em meu primo e já tinham sido usadas também por seu irmão mais velho e por meu outro primo antes dele. Minha mãe mandou que eu entrasse para me vestir enquanto ela e minhas irmãs varriam meu cabelo de menina caído no pátio.

Enfiei uma perna, depois a outra. Era mais estreita e mais pesada do que as calças largas que eu costumava usar por baixo dos vestidos. Apertei o cordão na cintura e dei um nó. Vesti a túnica pela cabeça e percebi que não havia mais rabo de cavalo para puxar para fora em seguida. Corri a mão pela parte de trás da cabeça, sentindo as pontas curtas.

Olhei para baixo e vi meus joelhos ossudos marcando a calça. Cruzei os braços e inclinei a cabeça, como vira meu primo Siddiq fazer inúmeras vezes. Dei um chute no ar, fingindo que havia uma bola na minha frente. Era isso? Eu já era um menino?

Pensei em Khala Shaima. Imaginei o que ela diria se me visse daquele jeito. Será que sorriria? Estaria realmente falando sério quando sugeriu que eu fosse transformada em um menino? Ela contou que nossa trisavó tinha trabalhado nas terras da família como um garoto, que fora um filho para seu pai. Eu ficara esperando que ela chegasse à parte em que Bibi Shekiba mudou. Khala Shaima disse que voltaria e continuaria a história outro dia. Eu odiava ter que esperar.

Alisei minha camisa e voltei ao pátio para ver o que minha mãe ia achar.

– Nossa! Não é que você virou um belo rapaz? – comentou Madar-jan.

Até eu consegui detectar o traço de incerteza nervosa em sua voz.

– Acha mesmo, Madar-jan? Não pareço estranha?

Shahla cobriu a boca com a mão ao me ver.

– Ah, meu Deus! Você está igualzinho a um menino! Madar-jan, mal dá para perceber que é ela!

A mãe concordou.

– Você não vai mais precisar desembaraçar o cabelo – falou Rohila, com inveja.

Escovar o cabelo para desfazer os nós era uma dolorosa rotina matinal. O da minha irmã se embolava em uma barafunda de minúsculos ninhos que Madar-jan lutava para desmanchar com a escova enquanto Rohila gemia e se contorcia.

– *Bachem*, de agora em diante vamos chamá-la de Rahim em vez de Rahima – disse minha mãe com ternura.

Seus olhos pareciam mais pesados do que deveriam ser aos 30 anos.

– Rahim! Nós temos que chamá-la de Rahim?

– Sim, ela agora é seu irmão. Vão esquecer sua irmã Rahima e acolher seu irmão. Conseguem fazer isso, meninas? É muito importante que falem apenas Rahim e nunca mencionem que têm outra irmã.

– Para não nos esquecermos de como ela era, Parwin fez esse desenho de Rahima.

Rohila entregou a Madar-jan o esboço feito enquanto nossa mãe cortava meu cabelo. Era de uma semelhança incrível, a antiga eu, com cabelos longos e olhos ingênuos. Madar-jan fitou o desenho e sussurrou algo que não entendemos. Dobrou o papel e o colocou na mesa.

– É isso? Simples assim? Ela é um menino? – Shahla parecia cética.

– Simples assim – respondeu Madar-jan calmamente. – É assim que as coisas são. As pessoas vão entender. Você vai ver.

Ela sabia que o mais difícil seria convencer minhas irmãs. Todos os outros – professoras, tias, tios, vizinhos – aceitariam sem reservas o novo filho de minha mãe. Eu não era a primeira *bacha posh*; era uma tradição comum entre as famílias que não tinham filho homem. O que Madar-jan já temia era o dia em que eu teria que voltar a ser uma menina. Mas isso só ia acontecer quando eu começasse a me transformar em uma jovem mulher. Ainda havia alguns anos até lá.

– Ah, uau. – Parwin tinha voltado para o pátio para ver o que acontecera.

– Então, simples assim, ela é um menino.

– Não, ainda não – disse Parwin. – Ela ainda não é um menino.

– Como assim? – indagou Rohila.

– Ela tem que passar embaixo de um arco-íris.

– Um arco-íris?

– Do que está falando?

– Meu Deus, Parwin – disse Madar-jan, com um ligeiro sorriso. – Eu não me lembro de ter falado com você sobre esse poema. Como o conhece?

Parwin deu de ombros. Não ficamos surpresas. Ela não era capaz de lembrar se havia tomado o café da manhã, mas sabia coisas que ninguém esperava que soubesse.

– Do que ela está falando, Madar-jan? – perguntei, curiosa para descobrir se Parwin estava certa ou se sua imaginação corria solta naquele dia.

– De um poema antigo. Não sei se consigo me recordar da história, mas é sobre o que acontece quando uma pessoa passa por baixo de um arco-íris.

– E o que acontece? – quis saber Rohila.

– Segundo a lenda, meninas se transformam em meninos, e vice-versa.

– O quê? Isso é verdade? Isso pode acontecer mesmo?

Fiquei perplexa. Eu não havia passado embaixo de um arco-íris. Nunca tinha visto um, para falar a verdade. Como aquela mudança funcionava?

– Declame o poema, Madar-jan. Eu sei que você lembra. *Ficamos fascinados pelos espíritos...* – pediu Parwin.

Madar-jan suspirou e foi para a sala. Nós a seguimos. Ela se sentou com as costas apoiadas na parede e olhou para o teto, tentando se lembrar dos detalhes. Seu xador caiu sobre os ombros. Nós nos sentamos em volta dela e esperamos, ansiosas.

– *Afsaanah, see-saanah...* – começou ela.

Uma história, trinta histórias. E, então, ela declamou o poema:

Ficamos fascinados pelos espíritos e brincamos nos campos
Enamorados de
Índigos, alaranjados e verde-azulados.
Havia neblina no espaço
Entre seus matizes e os meus,
As cores tentando tocar Deus.
Eu invejo o arco, alongado, forte, amplo
E, enquanto um brilho se mescla a seu parceiro,
Um matiz se curvando para saudar o companheiro,
Nós, humildes servos, passamos por baixo bem ligeiro,
O arco de Rostam transforma menina em menino, faz um ser outro
Até o ar ficar seco e se cansar do folguedo
E a névoa abrir seus braços, chamando as cores para seu aconchego.

CAPÍTULO 6

Shekiba

SHEKIBA ESTAVA ENCOSTADA NA PAREDE FRIA, sentada. Era noite e o silêncio reinava na casa. Roncos vinham de todas as direções, alguns mais altos do que os outros. À tênue luz da lua, podia ver as chaleiras e panelas que tinha lavado e empilhado no canto para abrir espaço para seu cobertor. Como na maioria das noites, seus olhos estavam bem abertos enquanto os de todos os demais estavam fechados. Aquela era a hora da noite em que ela se perguntava o que poderia ter feito diferente.

Seus tios tinham invadido a casa naquele dia, recusando-se a ir embora. Agora que havia reencontrado a avó, não podia culpá-los por sua insistência. Ninguém queria desapontar Bobo Shahgul. Ela já era desagradável o suficiente quando estava satisfeita.

Os tios de Shekiba não levaram muito tempo para perceber que algo acontecera a seu pai. A casa tinha cheiro de podridão e solidão. Shekiba havia parado de varrer o chão e deixara as cascas de batata se acumularem em um canto, não se importando em jogá-las fora. Depois de um tempo, parou de sentir o cheiro. Mas não era apenas a casa: Shekiba tornara-se apática. Não se preocupava mais em lavar o vestido e, durante a maior parte do inverno, ficara encolhida sob um cobertor, deixando que o próprio mau cheiro se intensificasse. A luz do sol e o calor motivaram-na a se lavar, mas seriam necessários vários banhos para desfazer o que sucedera a ela. Após meses sem ser escovado, seu cabelo tinha se transformado em um ninho infestado de piolhos.

Shekiba estava pálida e descarnada. Por um instante, seus tios acreditaram ser um *djinn*, um espírito. Como uma pessoa de carne e osso poderia ter aquela aparência?

Perguntaram pelo pai dela, perscrutando a casa e percebendo imediatamente que ele não estava lá. Shekiba estremeceu e virou-se para o lado, querendo se esconder deles, mas ao mesmo tempo se certificando de que não se aproximassem dela. Não conseguiam vê-la, mas sentiam cheiro de medo, suor e sangue. Perguntaram de novo, mais alto e mais irritados.

Foi então que Shekiba saiu. Ela ouviu um grito e um fantasma azul correu para o muro que a resguardara da vista dos outros – o muro que seu pai construíra para proteger a família. Outro grito e, quando ela caiu no chão, mãos agarraram o fantasma, chocadas com a facilidade com que seus dedos circundavam os ossos. O fantasma queria lutar, fugir e escapar, mas os homens tinham carne nos ossos. Eles a agarraram e ela cedeu, permitindo que a enrolassem em seu cobertor e a levassem para a residência da família, praticamente da mesma maneira que ela levara o pai para o túmulo.

Quando passou pela árvore perto de onde sua família estava enterrada, Shekiba gemeu e chamou por eles. Tentou levantar a cabeça para olhar para os montes arredondados de terra.

Madar. Padar. Tariq. Munis. Bulbul.

Não viu seus tios se entreolharem, compreendendo que a família inteira estava morta, até mesmo seu irmão Ismail. Shekiba não os viu conterem as emoções e segurarem as lágrimas, não os ouviu murmurarem que deveriam ter estado lá para lavar o corpo do irmão e jogar terra em sua cova. Shekiba era a última sobrevivente – a que não deveria ter sobrevivido. Eles se perguntaram havia quanto tempo aquela garota estaria vivendo sozinha e balançaram a cabeça, envergonhados pela situação. Uma menina, sozinha! Que desonra isso poderia trazer para a família se alguém na aldeia descobrisse!

Eles a deixaram no pátio da casa e foram avisar Bobo Shahgul. Em minutos, a ágil senhora estava ao lado de Shekiba, encarando-a com seus olhos embaçados pela catarata para ver melhor a neta à qual não dava a menor importância.

– Digam a suas esposas para lavá-la. Avisem que o rosto dela vai revirar seu estômago. E mandem que elas a alimentem. Temos que lidar com esta criatura agora, se quisermos salvar nossa reputação na aldeia. Que Deus a castigue por manter o pai longe de nós. *Meu filho!* Nem mesmo nos avisou quando ele deixou este mundo! Ela vai pagar por isso.

Bobo Shahgul provou ser uma mulher de palavra. Desde que o marido morrera, dois anos antes, ela assumira de bom grado o papel de matriarca da família. Seguia à frente das noras com sua bengala, embora não houvesse nada de errado com suas pernas. Ela havia conquistado o direito de andar com a cabeça erguida, pois dera ao marido seis filhos e duas filhas. Agora era a sua vez de comandar a família com o mesmo punho de ferro ao qual sobrevivera.

Shekiba deixou-se despir e lavar. Achou que seria muito mais fácil do que resistir. As esposas mais jovens foram encarregadas da terrível tarefa de desconstruir o animal no qual Shekiba havia se transformado. Trouxeram baldes de água, cortaram seus cabelos bem curtos, maltratados demais para serem recuperados. Com as narinas ardendo, a amaldiçoaram pelos odores de cada recesso de seu corpo. Colocaram comida em sua boca e alguém moveu sua mandíbula, lembrando-a de mastigar.

Em alguns dias, a mente de Shekiba voltou ao corpo. Ela começou a ouvir o que as pessoas diziam, começou a perceber que a barriga não doía de fome. Estendeu os dedos e tocou o lenço que cobria as pontas irregulares do cabelo cortado.

Devo estar parecida com um de meus primos, pensou.

A pele estava esfolada e vermelha por causa dos banhos brutais aos quais fora submetida. As tias haviam removido a camada de sujeira com um pano áspero demais para sua pele frágil. Tinha algumas feridas, enquanto outras áreas ficaram vermelhas e irritadas, o corpo desnutrido demais para reparar os menores danos. À noite, dormia sobre um cobertor na cozinha estreita, os pés muitas vezes batendo contra uma panela, o que a fazia despertar. Pela manhã, era levada para um dos muitos cômodos da casa, onde ficava fora do caminho enquanto as esposas preparavam o desjejum.

Estou cansada de levantá-la. Peça a Farrah para ajudá-la. Minhas costas estão doendo.

Você diz a mesma coisa todos os dias! Suas costas, suas costas... Certamente não é por causa de nada que ande fazendo por aqui. O que seu marido tem feito a você? Diga a ele para ir devagar.

Risos.

Cale sua boca e pegue os braços dela. Ugh. Já estou enjoada o suficiente hoje. Não posso ficar olhando para a cara dela.

Tudo bem, mas vamos colocá-la em seu quarto. O meu ainda tem o cheiro dela de ontem e não consigo suportar.

Shekiba se deixava ser movimentada e insultada. Pelo menos não precisava participar daquela existência. Mas isso não iria durar: Bobo Shahgul tinha outros planos para ela.

Na casa da família havia uma pequena cozinha, onde as esposas faziam a comida, e uma sala principal, onde todos ficavam sentados durante o dia, as crianças brincavam e as refeições eram compartilhadas. Em torno desses dois locais ficavam quatro ou cinco quartos, cada um destinado a um dos filhos de Bobo Shahgul. As famílias dormiam juntas em um único aposento. Apenas a matriarca tinha um cômodo só para si.

Shekiba estava deitada de lado no quarto de um de seus tios quando sentiu vagamente a bengala de Bobo Shahgul cutucando sua coxa.

– Levante-se, sua garota insolente! Chega desse absurdo. Você está dormindo há mais de uma semana. Não toleramos esse tipo de comportamento nesta casa. Só Alá sabe as insanidades que sua mãe permitia.

Shekiba se retraiu. Uma das desvantagens de sua recuperação era que o corpo agora tinha energia para sentir dor. Mais uma vez a bengala cutucou sua perna. Shekiba rolou para o lado e tentou recuar, afastando-se da avó. Sua mente estava sonolenta de tanto dormir.

– Insolente e preguiçosa! Assim como a mãe!

Não havia como escapar daquela mulher. Lentamente, Shekiba conseguiu se sentar e focar os olhos na avó.

– Então, não tem nada a dizer? Desrespeitosa e ingrata. Nós lhe demos banho e a alimentamos, e você não faz nada além de ficar sentada, me olhando como uma imbecil?

– *Salaam...* – começou Shekiba, com humildade.

– Sente-se direito e ajeite as pernas. Talvez você não saiba, mas é uma menina e deve se sentar como uma.

Bobo Shahgul bateu com a bengala no braço da neta. Shekiba se encolheu e se empertigou da melhor maneira que pôde. A avó se aproximou. A garota pôde ver de perto suas rugas profundas e o amarelo de seus olhos.

– Quero que você me diga o que aconteceu ao meu filho.

Cada sílaba foi acompanhada de gotas de saliva.

Seu filho? Seu filho?, pensou Shekiba, a mente subitamente clara e focada. *Seu filho era meu pai. Quando foi a última vez que o viu? Quando foi a última vez que se preocupou em lhe mandar comida ou óleo? Você podia vê-lo no campo. Podia ver a dor em seus movimentos. Deu-se ao trabalho de lhe enviar alguma coisa? A única coisa que lhe importava era arrumar outra esposa para ele e salvar o nome da família.*

– Ele era meu pai.

Shekiba não disse o resto.

– Seu pai? E que grande valia isso teve para ele! Ele poderia ter levado uma vida decente. Poderia ter recebido uma esposa para cuidar dele, para lhe dar filhos que iriam aumentar nosso clã e trabalhar em nossa terra. Mas você fez de tudo para mantê-lo isolado, refém de uma criatura assim, tão selvagem que ninguém ia querer chegar perto de você ou dele! Primeiro sua mãe, depois você! Você matou meu filho!

Ela pressionou a bengala contra o esterno de Shekiba.

– Onde ele está? O que você fez com ele?

– Ele está com minha mãe. Está com meus irmãos e minha irmã. Eles estão todos juntos, esperando por mim.

Bobo Shahgul se enfureceu com a frieza de Shekiba. Como suspeitava, o filho havia sido enterrado sem o seu conhecimento. Seus olhos se encheram de ódio.

– Esperando por você, é? Talvez Alá tome providências para que sua hora chegue logo – sibilou.

Bem que eu gostaria, pensou Shekiba.

– Zarmina, venha pegar essa menina! Ela vai ajudá-la com as tarefas da casa. Está na hora de ela começar a fazer por merecer sua permanência aqui. Já causou sofrimento suficiente para nossa família e precisa começar a nos compensar.

Zarmina era casada com o tio mais velho de Shekiba. Tinha a força de uma mula, e a cara também. Shekiba imaginou que fora ela quem esfregara sua pele até ficar em carne viva. A mulher entrou no quarto enxugando as mãos em um pano.

– Ahhh, então finalmente podemos parar de servir essa garota como escravas! Já era tempo. Alá não gosta dos preguiçosos. Levante-se e vá para a cozinha. Pode começar descascando as batatas. Há muito trabalho a fazer.

Esse foi o início de uma nova fase na vida de Shekiba. Ela estava acostumada ao trabalho árduo, a carregar e descascar, esfregar e arrastar. Ficou encarregada das tarefas menos desejáveis da casa e as aceitou sem discutir. Bobo Shahgul queria que ela pagasse pela morte do pai. Deixava isso claro todos os dias, às vezes dizendo o nome dele e soltando muxoxos.

Por vezes, até mesmo chorava e lamentava a tragédia de sua morte.

– Ele foi levado jovem demais. Como pôde deixar a própria mãe chorando por ele? Como uma coisa dessas pôde acontecer à nossa família? Será que não rezamos o suficiente? Não seguimos sempre a palavra de Alá? Ah, meu filho querido! Como isso foi acontecer a você?

Suas noras se sentavam ao seu lado, rogavam que ela fosse forte e diziam que Alá cuidaria dele, já que a própria família não o fizera. Elas a abanavam e alertavam que todo aquele sofrimento ia acabar deixando-a doente. Mas os soluços de Bobo Shahgul vinham sem lágrimas e cessavam com a mesma facilidade com que tinham início. Shekiba seguia na tarefa de escovar o tapete. Não se dava ao trabalho de olhar para cima.

*O que aconteceu com você? Ouvimos dizer que a chamam de cara de sho-*la. *Você colocou* shola *no rosto?*

Os primos faziam a mesma pergunta repetidamente. Na maior parte das vezes, Shekiba os ignorava. Às vezes alguém respondia por ela.

Ela desobedeceu à mãe e foi isso que aconteceu. Entenderam o que eu disse? Então é melhor me obedecerem ou seu rosto vai ficar tão horrendo quanto o dela!

Shekiba se tornou um instrumento muito útil para a disciplina na casa.

Olhe o que você fez! Limpe isso ou vai dormir com Shekiba esta noite!

Não havia fim.

Alá puniu Shekiba. É por isso que ela não tem pai nem mãe. Agora, vão se lavar para as orações ou Alá vai fazer o mesmo com vocês.

CAPÍTULO 7

Rahima

Madar-jan me impediu de sair por duas semanas, para que eu me acostumasse à ideia de ser um menino antes de me aventurar fora de casa. Ela corrigia minhas irmãs quando me chamavam de Rahima e fazia o mesmo com meus primos mais novos, que nunca tinham visto uma *bacha posh*. Eles correram para suas casas a fim de contar a novidade às mães, que abriram sorrisos presunçosos. Cada uma dera ao marido pelo menos dois filhos homens, que dariam continuidade ao nome da família. Não precisavam transformar nenhuma de suas filhas.

Mas Madar-jan ignorou suas expressões e continuou com suas tarefas. Bibi-jan odiava o fato de um parente ser forçado a recorrer à tradição da *bacha posh*.

– Precisávamos de um filho em casa, Khala-jan.

– Humpf. Seria melhor se você tivesse gerado um, como as outras fizeram.

Pela milésima vez, Madar-jan se conteve para não responder.

Padar-jan mal pareceu notar a mudança. Tinha passado alguns dias fora e chegara em casa exausto. Sentou-se na sala e abriu um envelope com pequenas pelotas. Ele as apertou entre os dedos e colocou a mistura em um cachimbo. Acendeu uma das extremidades e sugou com força. Uma fumaça espessa e adocicada serpenteou ao redor de seu rosto, envolvendo-lhe a cabeça. Eu e minhas irmãs entramos em casa e o encontramos sentado ali. Estacamos de repente e dissemos olá, as cabeças baixas.

Ele nos encarou e inalou profundamente. Estreitou os olhos através da fumaça quando percebeu que havia algo diferente nas três filhas.

– Então ela fez mesmo.

E isso foi tudo o que disse sobre o assunto.

Khala Shaima foi a voz reconfortante que Madar-jan precisava ouvir:

– Raisa, o que mais você podia fazer? Seu marido passa metade do tempo delirando e não ajuda em nada. Você não pode mandar as meninas para a escola nem mesmo ao mercado porque tem medo do que aconteça. Sua sogra e suas cunhadas estão sempre falando umas das outras, ocupadas demais para ajudá-la. Essa era sua única opção. Além do mais, vai ser melhor para ela, você vai ver. O que uma menina pode fazer neste mundo, afinal? Rahim vai ficar grato pelo que você fez por ele.

– Mas a família do meu marido, eu...

– Esqueça-os! Quem não aprecia a maçã não aprecia o pomar. Você nunca vai agradá-los. Quanto mais cedo admitir isso, melhor.

Minha primeira tarefa como menino foi muito empolgante: eu tinha que ir ao mercado comprar óleo e farinha. Nervosa, Madar-jan me entregou algumas notas e ficou me observando enquanto eu me afastava pela rua. Minhas irmãs enfiaram o rosto de cada lado de sua saia, tentando me ver também. Eu olhava por cima do ombro e acenava para Madar-jan alegremente, tentando inspirar em nós duas um pouco de confiança.

As ruas eram repletas de lojas. Panelas de cobre. Roupas de bebê. Sacos de arroz e feijão. Havia bandeiras coloridas penduradas nas portas da frente. As lojas tinham dois andares, com varandas no segundo andar, onde homens se sentavam e observavam as idas e vindas dos vizinhos. Nenhum dos homens andava apressado. As mulheres, por outro lado, moviam-se com cuidado e de forma objetiva.

Entrei na primeira loja que reconheci, uma placa enorme no alto anunciando a chegada de um novo óleo de cozinha.

– Agha-sahib, quanto por um quilo de farinha? – perguntei, lembrando-me de me empertigar.

Eu não conseguia encarar o homem, então desviava o olhar para as latas empilhadas na prateleira atrás dele.

– Quinze mil afeganes – respondeu ele, mal erguendo o olhar.

Havia pouco tempo, um quilo de farinha custava 40 afeganes. Só que o dinheiro não valia mais nada agora que todos tinham sacos dele.

Mordi o lábio. Era o dobro do que eu o vira cobrar de minha mãe, e ela reclamou que estava caro demais. Não fiquei surpresa. Já tinha ido àquela mesma loja duas vezes, quando minha mãe relutantemente me mandara ao mercado, e conseguira negociar o preço para menos da metade do valor inicial.

– Isso é muito, Agha-sahib. Nem mesmo um rei poderia pagar tanto. Que tal 6 mil afeganes?

– Você acha que sou idiota, garoto?

– Não, senhor. – Estufei o peito ao ouvi-lo me chamar de garoto. – Mas sei que Agha Karim também tem farinha para vender e ele cobra muito menos. Eu não queria andar até a loja dele, mas...

– Dez mil afeganes. E ponto final.

– Agha-sahib, quero apenas 1 quilo. Oito mil afeganes é tudo o que estou disposto a pagar.

– Garoto, está desperdiçando meu tempo!

Mas eu sabia que ele não tinha mais nada para fazer – estava tirando a sujeira de debaixo das unhas quando entrei na loja.

– Então eu pago 12 mil afeganes, mas vou precisar de um quilo de farinha e de um quilo de óleo também.

– E um quilo de óleo? Você...

– Eu não sou bobo, Agha-sahib – retruquei e me forcei a encará-lo, como um menino deve fazer.

Ele comprimiu os lábios e seus olhos se estreitaram enquanto dava uma boa olhada em mim. Senti-me encolher. Talvez eu tivesse ido longe demais.

De repente ele soltou uma gargalhada.

– Você se acha muito esperto, não é? – disse o homem, com um sorriso. – De quem você é filho?

Meus ombros relaxaram. Ele vira a *bacha posh*, mas foi exatamente como Madar-jan prometera: as pessoas entendiam.

– Sou o filho de Arif. Moro do outro lado do campo, atravessando o riacho.

– Muito bem, meu rapaz. Aqui, pegue seu óleo e sua farinha e suma daqui antes que eu recobre o juízo.

Contei as notas depressa, peguei as mercadorias e me apressei em voltar para casa, para mostrar a Madar-jan. Minha caminhada acelerada se transformou em uma corrida quando percebi que não precisava ser recatada e respeitável. Um homem velho passou e experimentei olhar diretamente para ele, fitando seus olhos semicerrados, e vi que ele não reagiu a minha insolência. Animada, comecei a correr mais rápido. Ninguém me olhou duas vezes. A sensação era de que minhas pernas estavam livres, em disparada pelas ruas sem que meus joelhos batessem contra a saia e sem me preocupar com olhares de repreensão. Eu era um rapaz e parte de minha natureza era correr pelas ruas.

Madar-jan sorriu ao me ver ofegante e sorrindo. Coloquei as mercadorias diante dela e mostrei, cheia de orgulho, com quanto dinheiro voltara para casa.

– Ora, ora, parece que meu filho sabe barganhar melhor do que a mãe!

Comecei a entender por que Madar-jan precisava de um filho em casa. Algumas das tarefas que ela deixara para meu pai não eram realizadas havia meses. Agora ela podia pedir a mim.

Quando os sapatos de minha irmã descolaram, a sola de borracha se abrindo como uma boca, eu os levei até o velho que ficava em nossa rua. Com apenas três dedos na mão direita, ele conseguia consertar qualquer sapato em qualquer condição. Eu trouxe pão da padaria e persegui um vira-lata na rua. Meu pai chegou em casa, os olhos vermelhos e pequenos, e riu ao me ver.

– *Bachem*, peça a sua irmã para me trazer uma xícara de chá. E diga a ela para me preparar algo para comer também – ordenou, despenteando meu cabelo enquanto se encaminhava preguiçosamente para o canto da sala e se deitava no chão, a cabeça batendo com força na almofada.

Por um instante, fiquei confusa. Por que ele não me pedira para trazer o chá e a comida? Mas, ao caminhar para a cozinha, entendi o motivo. A primeira irmã que vi foi Rohila.

– Ei, Rohila, Padar-jan quer um pouco de chá e algo para comer. Ele está na sala.

– E daí? Por que você não faz um prato para ele? Você sabe que tem *korma-katchaloo* na panela.

– Ele não pediu *a mim*. Disse para eu pedir à minha *irmã*. Que é *você*. Além do mais, vou sair. Não leve o dia todo. Ele parece estar com fome – avisei alegremente.

Os olhos castanhos de Rohila me fitaram com raiva enquanto ela se virava para aquecer uma tigela de ensopado de batata para nosso pai. Ela estava zangada, e parte de mim sabia que eu estava sendo impertinente, mas tudo o que eu experimentava era novo e queria aproveitar. Ignorei a culpa e saí para ver se o vira-lata tinha voltado para outra brincadeira de perseguição.

Um mês depois, as aulas voltaram e meus nervos ficaram mais uma vez à flor da pele. Madar-*jan* aparou meus cabelos e falou comigo com cautela.

– Você vai ficar na sala de aula dos meninos este ano. Preste atenção ao professor e se dedique aos estudos – alertou-me, tentando fazer com que a conversa parecesse rotineira. – Lembre que seu primo Munir vai estar na mesma turma que você. Ninguém, nem o professor, nem os alunos, ninguém vai lhe perguntar sobre... sobre nada. Basta lembrar que seu pai decidiu mandar você à escola este ano. Você é um dos meninos e... e... ouça tudo o que o professor disser.

Seria diferente, eu entendi. O plano de Khala Shaima tinha funcionado bem dentro dos limites do nosso complexo familiar e até mesmo em minhas idas até o mercado. A escola, no entanto, iria colocar aquela farsa à prova e eu podia sentir o receio de minha mãe. Minhas irmãs estavam furiosas. Padar-*jan* tinha decidido que elas iam ficar em casa, embora eu pudesse muito bem acompanhá-las.

Munir e eu caminhamos juntos até a escola. Ele não era o mais inteligente dos meus primos e eu quase nunca o via, já que sua mãe mantinha os filhos longe do restante de nós. Isso provavelmente foi vantajoso para mim. Ele só precisou ser avisado uma vez que eu era e sempre fora seu primo Rahim e, em sua mente, Rahima nunca existira. Suspirei de alívio por não ter que me preocupar com a possibilidade de ele me expor para os outros.

– *Salaam*, Moallim-sahib – falei quando chegamos à escola.

O professor grunhiu uma resposta, fazendo um aceno com a cabeça enquanto cada aluno entrava. Sequei as palmas das mãos úmidas nas calças.

Senti o olhar curioso do professor me seguindo, mas podia ser apenas minha imaginação. Esquadrinhei a sala e segui logo atrás de Munir, percebendo que nenhum dos meninos parecia perturbado por minha presença. Mantive a cabeça baixa e nos dirigimos para os fundos, onde Munir e eu dividimos um banco comprido com outros três meninos. Um deles estava particularmente ávido para demonstrar quanto sabia a respeito do professor.

– Moallim-sahib é muito rigoroso. No ano passado deu notas ruins para quatro meninos só porque suas unhas não estavam limpas.

– Ah, é? – sussurrou um de seus amigos. – Então é melhor você manter o dedo longe do nariz!

– Meninos, sentem-se direito e prestem atenção! – ordenou o professor.

Ele era um homem rechonchudo, com uma careca brilhante rodeada de cabelos grisalhos e ralos, da mesma cor do bigode bem aparado.

– Vocês vão começar escrevendo seus nomes. Depois, vamos ver o que aprenderam na última aula, se é que aprenderam alguma coisa.

Logo percebi que os professores eram tão rigorosos quanto as professoras. As aulas não eram muito diferentes, tirando o fato de que havia mais cochichos e trocas de olhares do que eu vira durante as aulas das meninas. Escrevi meu nome com cuidado e, pelo canto do olho, vi Munir se esforçando para escrever o dele. Suas letras eram ligadas de maneira desajeitada e um ponto adicional tinha transformado *Munir* em *Mutir*. Pensei em corrigi-lo, mas o professor olhou em minha direção antes mesmo que eu pudesse começar a sussurrar. Ele caminhou pela sala e examinou os nomes de todos, balançando a cabeça para alguns e soltando um grunhido para outros. Poucos pareceram estar à altura de seus padrões.

Ele olhou por cima do meu ombro e pude ouvir o sibilo do ar passando por suas narinas, sua barriga lançando uma sombra sobre o meu papel. Meu nome escrito não provocou nenhuma reação, portanto concluí que eu não o havia desapontado seriamente. O caderno de Munir, no entanto, o fez gemer.

– Qual é seu nome? – perguntou ele.

– M-M-Munir.

Meu primo encarou o professor, mas logo olhou para baixo.

– *Munir* – repetiu ele dramaticamente. – Se voltar aqui amanhã e cometer um único erro que seja em seu nome, vou mandá-lo repetir o trabalho do ano passado. Entendido?

– Sim, Moallim-sahib – sussurrou Munir.

Eu podia sentir o calor que emanava de seu rosto.

Então os meninos não estavam aprendendo muito mais do que as meninas, percebi.

Depois da aula, os meninos estavam mais interessados em correr lá fora e jogar bola do que em questionar quem eu era ou de onde tinha vindo. Munir e eu voltamos para casa acompanhados de dois garotos chamados Ashraf e Abdullah. Eles moravam a meio quilômetro da casa da nossa família. Era a primeira vez que os via, embora soubesse que conheciam Munir e meus outros primos meninos.

– Qual é mesmo o seu nome? – indagou Ashraf.

Ele era o mais baixo dos dois e tinha cabelos castanho-claros e olhos arredondados. Era tão bonito que me perguntei se seria como eu, uma menina por baixo daquelas calças.

– Meu nome é Rahim.

– É, o nome dele é Rahim. Ele é meu primo – acrescentou Munir.

As advertências do professor o deixaram abalado, mas, agora que estávamos do lado de fora, ele respirava com mais tranquilidade.

– Abdullah, você já tinha visto Rahim?

O outro garoto tinha cabelos pretos, era magro e mais tranquilo do que seu vizinho.

– Não. Você é bom no futebol, Rahim?

Olhei de soslaio para meu primo e dei de ombros.

– Ah, ele joga futebol muito bem – respondeu Munir enfaticamente, me pegando de surpresa. – Aposto que ele ganha de você.

Olhei para Munir, querendo saber se a intenção dele era me armar uma cilada.

– Ah, é? – Abdullah sorriu. – Bem, ele não precisa ganhar de mim, mas seria bom se pudesse vencer Said Jawad e seus amigos. Devem estar jogando na rua agora, se quiserem se juntar a eles.

– Sim, vamos jogar com eles!

Munir apertou o passo e se dirigiu para um campo improvisado longe de nossa casa que nada mais era que uma rua lateral não usada, estreita demais para a passagem de um carro. Os meninos estavam acostumados a se reunir ali para jogar.

– Munir, não acha que devíamos...

– Vamos, Rahim. É só por pouco tempo! Vai ser divertido – interrompeu Abdullah, dando um leve empurrão em meu ombro.

Acho que eu poderia ter me saído pior. A única coisa que eu sabia fazer era correr. Por sorte, fiz isso bem o suficiente para que os meninos não percebessem que meu pé não fazia contato com a bola e que eu nunca gritava para que ela fosse passada para mim. Corri de um lado para outro, raspando os ombros nos muros de barro da viela. Eu não parava de pensar que minha mãe ou meu pai iam aparecer a qualquer momento e me arrastar de volta para casa com raiva.

Gostei de sentir a brisa no rosto. Gostei de sentir minhas pernas se esticando, buscando alcançar os outros, tentando correr na frente deles. Meus braços se agitavam, livres.

– Aqui! Passa pra mim!

– Não deixa ele passar! Agarra ele!

Eu me aproximei da bola. Havia seis pés chutando-a, tentando levá-la até o gol adversário. Meti o pé na disputa. Senti o couro contra a sola do meu pé. Chutei a bola, que voou na direção de Abdullah. Ele a parou com o calcanhar e a conduziu rumo ao gol oposto. Ele estava correndo.

Senti empolgação enquanto corria atrás dele. Gostava de fazer parte de um time. Gostava da poeira que se levantava sob meus pés.

Eu gostava de ser menino.

CAPÍTULO 8

Shekiba

A MAIOR PARTE DO TRABALHO DOMÉSTICO logo passou a ser responsabilidade de Shekiba. As esposas de seus tios descobriram que, uma vez recuperada, ela era muito capaz e podia executar até mesmo as tarefas que exigiam a força combinada de duas mulheres. Conseguia equilibrar três baldes de água em vez de apenas dois. Conseguia colocar lenha no fogão. Elas sussurravam alegremente umas para as outras quando Bobo Shahgul não estava ouvindo, não querendo parecer preguiçosas aos olhos da matriarca.

Ela tem a força de um homem, mas realiza as tarefas de uma mulher. Poderia haver pessoa melhor para ajudar na casa? Agora sabemos como deve ser viver como Bobo Shahgul!

Shekiba ouvia os comentários, mas era de sua natureza trabalhar duro. Descobriu que o pôr do sol chegava mais depressa quando se ocupava, não importava quanto a tarefa fosse cansativa. No fim do dia, as costas doíam, porém ela não deixava isso transparecer. Não queria dar a ninguém a satisfação de tê-la exaurido. Tampouco iria se arriscar a levar uma surra por não conseguir realizar seu trabalho. Naquela casa, havia muitas varas prontas a lhe ensinar que a indolência não seria tolerada.

Khala Zarmina, esposa de Kaka Freidun, era a pior. Suas mãos grossas golpeavam com uma força surpreendente, embora ela alegasse estar combalida demais para realizar as atividades mais pesadas da casa. Seu pavio era curto e ela parecia estar em treinamento para assumir o lugar de Bobo

Shahgul quando Alá finalmente decidisse levar a alma daquela velha amarga. A avó de Shekiba percebia isso e não se deixava enganar por sua falsa bajulação, mas a tolerava, mantendo Zarmina na linha com uma repreensão ocasional na frente das outras.

Khala Samina – esposa do filho mais novo ainda vivo de Bobo Shahgul, Kaka Zalmai – era, de longe, a mais moderada. Shekiba levou mais ou menos uma semana para perceber que Samina a repreendia ou batia nela apenas quando estavam na presença das outras noras. Quando ela levantava a mão, Shekiba se preparava para o castigo, mas acabou percebendo que era desnecessário. Samina golpeava como se quisesse apenas esmagar uma mosca.

Ela não quer parecer fraca, pensou Shekiba. *Mas agora sei que é.*

Shekiba ficava quieta, realizava o trabalho que lhe era destinado e tentava evitar contato visual. Não fazia nada que pudesse dar início a conversas, embora ela mesma fosse um tema frequente das discussões na casa.

Certo dia, faltando algumas semanas para o verão, Shekiba esfregava o chão quando foi interrompida por Bobo Shahgul. Kaka Freidun estava ao lado da matriarca, de braços cruzados.

Shekiba puxou instintivamente o lenço de cabeça sobre o rosto e virou os ombros para ficar voltada para a parede.

– Shekiba, quando tiver acabado de limpar o chão, vá para o campo ajudar seus tios com a colheita. Tenho certeza de que vai apreciar a oportunidade de tomar ar fresco lá fora e parece que você tem experiência com esse tipo de trabalho.

– Mas ainda tenho que preparar...

– Então prepare depressa e vá lá para fora. Já passou da hora de você ajudar a plantar a comida que ajudou a engordar sua cara.

Kaka Freidun abriu um sorrisinho afetado, concordando. Tudo aquilo fora ideia dele. Tinha visto a terra de Ismail gerar uma colheita que a maioria dos outros teria considerado impossível devido à pouca chuva na estação anterior. Ocorreu-lhe que a filha-filho do irmão poderia ter herdado seus instintos para lidar com a terra. Por que não fazer uso dela? Afinal, havia muitas mulheres para cuidar do trabalho doméstico. Bobo Shahgul concordou prontamente. O clã estava precisando de uma boa colheita. Muitas bocas precisavam ser alimentadas e, pela primeira vez em anos, suas dívidas cresciam.

Shekiba assentiu, sabendo que a nova atribuição não significaria um alívio das tarefas que já realizava. Seus dias seriam mais longos. Khala Zarmina ficou particularmente irritada com o novo arranjo, mas não se atreveu a contestar a sogra.

– Há mais coisas a serem realizadas aqui em casa! Bobo Shahgul se esqueceu do que significa cuidar da cozinha e da limpeza. Deixei uma pilha de roupas para Shekiba-e-shola fazer bainha e cerzir, mas suponho que tudo isso vai ter que esperar, já que ela vai passar o dia no campo. É melhor ela acordar mais cedo, para dar tempo de preparar o almoço também.

A família logo adotou o apelido. No Afeganistão, as deficiências definiam as pessoas, e muitos outros na aldeia também tinham ganhado nomes. Mariam-e-lang, que mancava desde a infância. Sabur-e-yek dista, que nascera com apenas uma das mãos. *Se você não obedecer a seu pai, sua mão vai cair, assim como a dele*, as mães costumavam advertir seus filhos. Jowshan-e-siyaa, ou o Negro, por causa de sua pele escura. Bashir-e-kur, o Cego, que havia perdido a maior parte da visão aos 30 e poucos anos e desprezava as crianças que riam de seu andar trôpego. Ele também sabia que os pais se juntavam à zombaria.

Shekiba secou o chão rapidamente e amarrou o lenço de cabeça sob o queixo. Ela saiu e viu que os tios estavam descansando, inclinados contra a parede externa, bebendo o chá que seu primo Hamid havia levado para eles. Shekiba se virou para avaliar o progresso que tinham feito.

Daquele lado da casa, podia ver seu antigo lar. A casa parecia pequena em comparação com a do clã.

Essa era a sensação que eles tinham ao nos observar.

Ela notou que havia novos equipamentos no campo deles e que as ferramentas do pai tinham sido transportadas para o lado do campo onde estavam. A casa fora esvaziada. Havia uma pilha com os pertences deles do lado de fora do muro construído pelo pai.

Eles estão tomando minha casa. Eles queriam nossa terra.

De repente, Shekiba compreendeu por que Bobo Shahgul mandara chamar o filho mais novo depois de tanto tempo. Seu pai estava lavrando a terra mais fértil que a família possuía e eles a cobiçavam. Queriam mais do que a cota da colheita que Ismail lhes entregava de tempos em tempos. Cobiçavam tudo. Agora não havia mais ninguém em seu caminho e estavam se apossando da casa.

Shekiba pensou que não sentiria nada, mas, por dentro, fervilhava de raiva. Ninguém pensara em consultá-la antes de jogar as coisas no lixo. Os poucos objetos restantes que haviam pertencido aos pais e aos irmãos foram descartados para dar lugar a algo novo. Será que alguém iria se mudar para lá? Shekiba percebeu que uma parte dela ainda tinha esperanças de voltar para aquela casa, viver lá de forma independente como antes. Mas, é claro, isso nunca iria acontecer.

Shekiba encontrou um recipiente e foi até o campo. Havia muito a colher. As cebolas tinham longas folhas amarelas e provavelmente já estavam secas fazia umas três semanas, a julgar pela aparência.

Por que não colheram essas cebolas?, perguntou-se Shekiba enquanto se inclinava para olhar mais de perto.

– Ei, Freidun! Olhe só o que ela está fazendo! Diga a ela para não tocar nas cebolas! Ainda não estão prontas! Essa imbecil vai arruinar a nossa colheita!

Era Kaka Shiragha, o mais magro e mais preguiçoso do grupo.

As folhas se esfacelaram entre as pontas dos dedos de Shekiba. Ela agarrou a base das folhas e começou a arrancar os bulbos da terra.

Quase tarde demais. Estão prestes a apodrecer. Não admira que nossa comida tenha o sabor que tem. Só Deus sabe o que estão fazendo com o resto da plantação.

Kaka Freidun se aproximou e examinou as três cebolas que ela já havia desenterrado. Shekiba não se virou para encará-lo. Ele resmungou alguma coisa e, em seguida, se afastou.

– Você não disse nada a ela? – berrou Shiragha.

– Cale a boca – respondeu Freidun. – As cebolas estão prontas.

Shiragha olhou para o irmão mais velho em silêncio. Os homens voltaram para o campo e grunhiram instruções uns para os outros. Eles mantinham distância de Shekiba, mas a observavam pelo canto dos olhos. Ela se movia com agilidade pelas carreiras, os dedos calejados agarrando os caules e puxando-os com apenas a força necessária para trazer o bulbo à superfície. Ela parava só para ajeitar o lenço.

Quando ela terminou uma área considerável, porém, o sol já começava a se pôr e era hora de preparar o jantar. Shekiba retomou seu posto na cozinha e ficou consternada, mas não surpresa, ao constatar que nada havia sido feito para a refeição da noite. Ela acendeu rapidamente o fogo e colocou um pouco de água para ferver. Khala Zarmina passou por ela e olhou para dentro da cozinha escura.

– Ah, aí está você! Eu ia cozinhar um pouco de arroz para o jantar, mas vejo que já está aí, então vou deixar essa tarefa para você. Só espero que lave bem as mãos... Estão imundas.

Shekiba esperou até que Zarmina tivesse se afastado e deixou escapar um pesado suspiro. Como desejava ter morrido no chão frio da própria casa antes que os tios a encontrassem...

As orações da Jumaa tinham acabado de se encerrar. Seus tios estavam voltando para casa, vindos da pequena *masjid* da cidade.

– Crianças, saiam, precisamos falar com sua avó – ordenou Kaka Freidun.

Shekiba viu os primos saírem correndo da sala principal. Kaka Shiragha olhou para ela, parecendo ponderar algo. Depois seguiu os irmãos até a sala.

Shekiba fingiu caminhar de volta para a cozinha com as roupas secas que havia retirado do varal. Antes de chegar lá, parou e se sentou no chão para dobrá-las. Dali era possível ouvir um pouco do que os tios falavam.

– Precisamos pagar essa dívida. Azizullah está perdendo a paciência conosco. Ele disse que já esperou demais.

– Hum... Quais exatamente foram as exigências?

– Falei com ele na aldeia há duas semanas e ele comentou que está precisando de uma esposa para seu filho. Quer uma das meninas da nossa família.

– Foi isso o que ele disse?

– Bem, ele disse que há uma dívida a saldar. E que andou pensando nisso com mais frequência ultimamente porque quer garantir uma esposa para o filho.

– Entendo. – A voz de Bobo Shahgul era cortante, objetiva. – Quantos anos tem o filho dele?

– Dez.

– Ele ainda tem tempo.

– Sim, mas quer deixar tudo arranjado agora.

Shekiba podia ouvir Bobo Shahgul batendo a bengala no chão enquanto pensava.

– Então precisamos fazer um acordo com ele.

– Zalmai, suas filhas têm a idade certa. Talvez uma delas. A mais velha. Ela tem 8 anos, certo? – A voz de Kaka Freidun era inconfundível.

– A filha de Shiragha tem a mesma idade – respondeu Kaka Zalmai. – E sua filha tem a mesma idade do filho de Azizullah. Ela seria uma boa opção também, o suficiente para saldar as dívidas.

– Freidun tem mais meninas do que qualquer um de nós. Faz sentido dar uma delas...

– Não acho que seja necessário enviar uma das meninas.

Houve uma pausa enquanto os filhos de Bobo Shahgul esperavam pela explicação.

– Vamos oferecer Shekiba – concluiu a matriarca.

Eu não sou uma das meninas.

– Shekiba-e-shola? Você está brincando? Ele vai dar uma olhada nela e virá atrás de nós exigindo o dobro do que lhe devemos! Oferecer Shekiba vai ofendê-lo, pode apostar!

Shekiba fechou os olhos e pressionou a parte de trás da cabeça contra a parede.

Seu nome significa "presente", minha filha. Você é verdadeiramente um presente de Alá.

– Zalmai, quero que você fale com Azizullah e lhe diga que seu filho ainda é muito jovem. Se Alá quiser, ele e o pai terão uma vida longa, com bastante tempo para arranjar um casamento adequado. Fale que seria mais útil ter alguém que possa ajudá-los em casa agora. Que uma esposa feliz tem mais filhos. Então pode oferecer Shekiba.

– E se ele recusar?

– Ele não vai recusar. Só não se esqueça de dizer que ela é muito capaz. Que tem as costas de um homem jovem e sabe cuidar de uma casa. É uma cozinheira razoável e se mantém em silêncio, agora que foi domesticada. Lembre-lhe que é uma atitude honrosa receber uma órfã e que Alá vai recompensá-lo por isso. Ela será como uma segunda esposa, sem que ele tenha que pagar o preço.

– E quanto ao trabalho que ela está fazendo aqui? Quem vai se encarregar?

– As mesmas mulheres preguiçosas que se encarregavam dele antes de Shekiba chegar! – retrucou Bobo Shahgul. – Suas esposas ficaram mimadas. Acostumaram-se a ficar à toa, tomando chá e fazendo meus ouvidos doerem com sua tagarelice. Vai ser bom elas reassumirem as funções. Isto aqui é uma casa, não o palácio real.

Os irmãos resmungaram. Eles se perguntavam se Azizullah realmente aceitaria a oferta. Mas era melhor tentar do que discutir sobre quem teria que ceder uma filha como noiva.

– Não digam nada a suas esposas ainda. Não há necessidade de causar alvoroço no galinheiro por enquanto. Primeiro, vamos discutir o assunto com Azizullah.

Shekiba se levantou do chão e correu para a cozinha antes que os tios aparecessem. Ficou aliviada por seus pais não estarem vivos para ouvir aquela conversa. Sentiu uma lágrima brotar do olho direito.

Esse é o problema com os presentes, Madar-jan: são sempre passados adiante.

CAPÍTULO 9

Shekiba

𝒜ZIZULLAH ACEITOU O NEGÓCIO.
Shekiba-e-shola embalou seus dois vestidos.
— Não faça nada que traga vergonha a esta família.
A despedida da avó não teve nenhum traço de cortesia.
Shekiba fez algo que nunca pensou que faria: levantou a burca do rosto e cuspiu nos pés enrugados da avó. A saliva atingiu sua bengala.
— Meu pai estava certo ao ficar longe de você.
Bobo Shahgul se manteve boquiaberta enquanto Shekiba se virava e começava a caminhar na direção do tio encarregado de acompanhá-la até a casa de Azizullah.
Ela sabia o que estava por vir, mas não se importava.
Também sabia que Khala Zarmina assistia. E sorria.
A bengala da avó atingiu seus ombros duas vezes antes que Kaka Zalmai erguesse a mão para conter a vingança da mãe.
— Chega, Madar-jan, não posso levar uma besta aleijada para Azizullah. Seu rosto já é ruim o suficiente. Se ele a vir mancando, com certeza vai desfazer o negócio. Vamos deixar que Alá a castigue por sua insolência.
Shekiba manteve os ombros erguidos e não vacilou. Ela não sabia o que a esperava, mas sabia que não poderia mais voltar para aquela casa. Havia fechado a porta para sempre.
— Sua criatura miserável! Alá, em toda a Sua sabedoria, marcou seu rosto como um aviso para todos! Há um monstro dentro de você! Ingrata, as-

sim como sua desprezível mãe! Já se perguntou por que sua família inteira se foi e está sepultada? É por sua causa! Você é amaldiçoada!

Shekiba sentiu algo crescer dentro dela. Virou-se lentamente e levantou a burca outra vez.

– Sim, eu sou! – Shekiba sorriu e apontou o dedo para a avó. – E, com Alá como minha testemunha, eu a amaldiçoo, avó! Que os demônios assombrem seus sonhos, que seus ossos se quebrem quando você andar e que seus últimos suspiros sejam dolorosos e sangrentos!

Bobo Shahgul arquejou. Shekiba podia ver o medo em seus olhos. Ela fitou o rosto agourento da neta e deu um passo nervoso para trás.

Kaka Zalmai deu um violento tapa no rosto de Shekiba com as costas da mão. Até os nervos insensíveis do lado esquerdo de seu rosto arderam com o golpe.

Esperto, pensou ela, tentando recuperar o equilíbrio. *Não vai deixar marca nesse lado.*

Ele segurou o braço de Shekiba com força e a arrastou para longe da casa.

– Estamos indo. Madar-jan, voltarei quando tiver me livrado deste monstro. Samina, ajude minha mãe a voltar para dentro de casa!

Shekiba não teve dificuldade em acompanhar o ritmo do tio. Permaneceu dois passos atrás e relembrou diversas vezes a cena que acabara de acontecer. Ela realmente fizera aquilo? Realmente dissera aquelas coisas?

Abriu um sorriso torto por baixo da burca.

Eles caminharam os 4 quilômetros até a casa de Azizullah em silêncio. De tempos em tempos, Kaka Zalmai olhava para trás e murmurava algo que Shekiba não conseguia compreender. Passaram pela aldeia que Shekiba não via desde pequena. Os estabelecimentos pareciam mais ou menos iguais e havia algumas pessoas caminhando por ali, burcas azuis seguindo homens que vestiam calças largas e camisas longas.

À medida que se distanciavam da terra da família, Shekiba se perguntou se tomara a atitude certa. E se ficasse sozinha de novo? O que ia fazer? Mas ela sabia: faria o que pretendera fazer meses antes.

Vou retornar para nossa terra e me enterrar junto com a minha família, decidiu.

A casa de Azizullah era grande em comparação com a de Bobo Shahgul. Admirou-se ao descobrir que apenas ele, a esposa e quatro filhos viviam ali. A residência lhe fora dada pelo pai, que tinha sido um homem relativamente rico para os padrões da aldeia. Agora, Azizullah ganhava a vida como comerciante. Comprava e vendia tudo o que tivesse valor para alguém. Fazia negócios e emprestava dinheiro conforme as necessidades. Conhecia todos na aldeia e – ainda mais importante – todos o conheciam. Sua família tinha boas conexões, com dois irmãos no serviço militar.

Foi o próprio Azizullah quem abriu o portão.

Os homens apertaram as mãos e trocaram gentilezas. Shekiba ficou logo atrás do tio, sentindo-se invisível.

Azizullah era um homem corpulento que parecia estar na casa dos 30 anos. Usava um chapéu de pele de cordeiro marrom coberto de pelos encrespados que se encaixava perfeitamente na cabeça. Seus olhos eram escuros e ele tinha uma barba espessa, mas bem aparada. As roupas e as mãos pareciam limpas.

Ele não parece um homem que trabalha, pensou Shekiba.

– Por favor, entre, Zalmai-jan. Tome uma xícara de chá comigo.

Kaka Zalmai aceitou o convite e seguiu Azizullah pelo pátio. Shekiba ficou para trás, sem saber ao certo o que fazer, até ver o olhar furioso do tio. Deu um passo e entrou em seu novo lar. Os homens foram para a sala, mas Shekiba achou melhor não segui-los. Ficou de costas para a parede, os ombros começando a doer onde a bengala de Bobo Shahgul a atingira. Mais uma vez, sorriu debaixo da burca. Quase vinte minutos se passaram antes que o tio a chamasse até a sala.

– Esta é Shekiba, Azizullah-jan. Você vai ver que ela trabalha duro e com certeza se provará útil nesta casa. Tenho certeza de que sua esposa vai ficar satisfeita com ela.

– Zalmai-jan, nós vivemos nesta aldeia há muitos anos e Shekiba-e-shola não é segredo. Eu já ouvira falar de suas cicatrizes antes que seu irmão as mencionasse. Agora quero ver exatamente o que estou trazendo para dentro de minha casa. Peça a sua sobrinha para mostrar o rosto.

Kaka Zalmai olhou na direção de Shekiba e meneou a cabeça. Seus olhos a alertaram a não desobedecer. Shekiba respirou fundo, levantou a burca e se preparou.

A reação de Azizullah foi lenta. Primeiro, viu apenas a face direita. A maçã do rosto alta. A pele com a delicadeza e a cor de uma casca de ovo. Os olhos escuros e as sobrancelhas naturalmente arqueadas o pegaram de surpresa. O monstro infame era metade bonito.

Mas, quando Shekiba virou o rosto, o lado esquerdo ficou à mostra. Ela moveu a cabeça devagar, já prevendo a reação. De repente, ocorreu-lhe que Azizullah poderia sentir uma repulsa tão grande a ponto de mandá-la de volta para a casa da avó. Ela prendeu a respiração, sem saber o que desejar.

Azizullah franziu a testa.

– Impressionante. Bem, não importa: para os nossos propósitos, o rosto dela é insignificante.

Insignificante?

– Ela tem outras doenças? Sabe falar? – continuou o homem.

– Não, Azizullah-jan. Sem contar o problema no rosto, ela é saudável. Fala, mas não o suficiente para incomodá-los. Não será uma aquisição incômoda para sua casa.

Azizullah coçou a barba. Refletiu por um momento e, em seguida, tomou a decisão final:

– Ela serve.

– Fico satisfeito que veja as coisas dessa maneira, Azizullah-jan. Realmente você é uma pessoa tolerante. Que Alá lhe conceda uma longa vida.

– A você também, meu amigo.

– Preciso ir agora. Acredito que isso encerre a dívida de minha família. E, por favor, saiba que minha mãe também manda afetuosas lembranças a sua esposa.

Kaka Zalmai falou com tanta delicadeza que Shekiba quase não o reconheceu como um membro de sua família.

– As dívidas estão liquidadas, desde que essa menina trabalhe como você disse que vai trabalhar.

E ELA TRABALHOU. SOBRETUDO POR MEDO de ser mandada de volta para a casa de Bobo Shahgul. Em pouco tempo, percebeu que estava muito melhor ali, na casa de Azizullah. Depois que Zalmai saiu, ele chamou sua esposa, Marjan, à sala.

– Esta é Shekiba. Você deve lhe mostrar as tarefas da casa para que ela possa começar a trabalhar. A família dela elogiou muito sua capacidade de manter uma casa limpa e realizar mesmo as tarefas mais pesadas. Vamos ver como ela vai se sair.

Marjan a observou com cuidado, estremecendo quando reparou em seu rosto. Ela era uma mulher de bom coração e imediatamente teve pena de Shekiba.

– Pobre menina! Que coisa terrível! – exclamou, limpando as mãos cobertas de farinha na saia, mas logo se recuperou. – Bem, deixe-me mostrar a casa. Eu estava sovando a massa, mas já terminei. Venha comigo.

Marjan devia estar perto de completar 30 anos. Shekiba calculou que ela dera à luz o primeiro filho quando tinha sua idade.

– Este é o nosso quarto. E aqui fica a área da cozinha – disse ela, apontando para uma porta do lado esquerdo.

Shekiba entrou e deu uma olhada.

– Ah, meu Deus, olhe só para seus quadris! Como um bebê vai passar por aí?

A circunferência dos quadris de Marjan era generosa, provavelmente tendo aumentado alguns centímetros a cada nova adição à família.

A declaração surpreendeu Shekiba. Ninguém jamais mencionara a possibilidade de ela ter filhos – nem mesmo em tom de galhofa. Sentiu o calor se irradiar pelo lado direito do rosto e baixou a cabeça.

– Ah, você está envergonhada! Que adorável! Bem, vamos em frente, há muitas coisas a fazer em vez de ficar conversando.

Marjan listou as tarefas a serem realizadas na casa, mas falou sem a condescendência amarga da família de Shekiba. Apesar de ter sido levada para lá como uma criada, a garota percebeu que a casa de Azizullah seria um alívio para ela. Conteve-se antes de abrir um sorriso.

Azizullah e Marjan tinham quatro filhos. Shekiba conheceu a mais nova primeiro: Manija, uma menina de 2 anos, com cachos escuros e sedosos emoldurando as bochechas rosadas. Seus olhos estavam bastante delineados com *kohl*, fazendo o branco se destacar. A garota se agarrou à mãe, os dedos minúsculos segurando-lhe a saia enquanto observava com cautela aquele rosto novo. Shekiba se lembrou de si mesma e de Aqela fazendo o mesmo com Madar-jan. Ela e Marjan se sentaram e começaram a enrolar a massa em pedaços ovalados finos e longos. Mais tarde, seriam colocados no forno, para que tivessem pão fresco.

O filho mais velho, Farid, tinha 10 anos. Ele entrou correndo na cozinha e pegou um pedaço de pão antes que Marjan pudesse repreendê-lo. E antes que pudesse ver o rosto de Shekiba. A jovem tentou imaginar qual das primas teria sido escolhida para ser a futura esposa se seus serviços não tivessem sido oferecidos em troca. Era difícil saber.

Em seguida, vieram Haris, de 8 anos, e Jawad, de 7. Eles estavam com pressa para acompanhar Farid e mal perceberam que havia uma nova pessoa trabalhando com a mãe na cozinha. Eram meninos cheios de energia, que ficavam paralisados na presença do pai. Quando Azizullah não estava por perto, porém, discutiam e provocavam um ao outro, unindo-se contra o irmão mais velho e mais forte.

As crianças pareciam ter herdado a atitude dos pais em relação à deformação de Shekiba. Depois da surpresa inicial e de algumas perguntas diretas, não pareciam mais notá-la.

Em duas semanas, a jovem já se sentia em casa com a família de Azizullah. Os meninos lembravam seus próprios irmãos, Tariq e Munis. Manija tinha cabelos escuros e encaracolados como os de Aqela. As semelhanças, porém, provocavam em Shekiba mais prazer do que dor. Era quase como se vivesse com seus irmãos reencarnados.

Você me fez um favor, avó. A única coisa decente que já fez por mim.

Assim como acontecera na casa de Bobo Shahgul, Shekiba logo passou a cuidar sozinha da maior parte das tarefas domésticas. Ela se encarregava de lavar a roupa, esfregar o chão, pegar água do poço, preparar as refeições. Entretanto, a situação ali era consideravelmente mais fácil, pois só precisava cuidar de seis pessoas. Ela percebia que Marjan estava muito mais satisfeita com seu trabalho do que desejava demonstrar. Contanto que a esposa não tivesse queixas da nova criada, Azizullah não prestava atenção nela.

Mas, quando todos iam dormir e a casa entrava em seu ritmo noturno, Shekiba ficava acordada, como a intrusa que sempre seria. Tinha vivenciado reviravoltas e mudanças antes, e sempre se ajustara. Agora, já estava acostumada à ideia de que não era verdadeiramente parte de nenhum lar nem de nenhuma família. Ela estaria protegida por aquelas paredes apenas enquanto as esfregasse até as mãos sangrarem.

Porque ela era Shekiba, o presente que poderia ser passado adiante tão facilmente quanto fora aceito.

CAPÍTULO 10

Rahima

KHALA SHAIMA NOS CONTOU como Bibi Shekiba se ajustara às mudanças em sua vida. Agora eu teria que me adaptar às alterações na minha. Teria que aprender a interagir com os meninos. Uma coisa era jogar futebol com eles, correndo a seu lado e esbarrando em seus ombros e cotovelos. Outra totalmente diferente era conversar com eles enquanto caminhávamos de volta para casa depois da escola. Abdullah e Ashraf me davam tapinhas nas costas, às vezes até passavam o braço em volta do meu pescoço, em um gesto amigável. Eu sorria com timidez e tentava não parecer tão desconfortável quanto me sentia. Meu instinto era me afastar bruscamente, sair correndo e nunca mais olhá-los nos olhos.

Minha mãe costumava erguer uma das sobrancelhas quando eu chegava em casa antes de Munir.

– Por que está em casa tão cedo? – indagou, enxugando as mãos em um pano.

– Porque sim – respondi vagamente, arrancando um pedaço do pão.

– Rahim!

– Desculpe, estou com fome!

Madar-jan se calou e voltou a cortar batatas em fatias redondas com um leve sorriso no rosto.

– Escute, Rahim-jan. Você deveria estar lá fora com os meninos, brincando. É isso que *os meninos* fazem... Entende o que estou dizendo?

Madar-jan ainda falava em círculos quando o assunto era minha mudança de menina para menino. Acho que ela tinha medo de parar de acreditar naquela farsa caso se referisse a ela de maneira muito direta.

– Sim, Madar-jan, mas às vezes eu simplesmente não quero. Eles... Eles se empurram muito.

– Então empurre de volta.

Fiquei surpresa com esse conselho, mas sua expressão me dizia que ela falava a sério. Ali estava minha mãe sugerindo exatamente o contrário do que sempre me ordenara. Eu ia ter que endurecer.

Padar-jan estava em casa havia três dias e todos se achavam com os nervos à flor da pele. Cada som, cada cheiro o irritava, provocando uma série de palavrões e alguns tabefes quando ele conseguia reunir forças. Passava a maior parte do dia sentado na sala, fumando cigarro. Nós ficávamos tontas com o fedor e Madar-jan nos mandava passar mais tempo no pátio. Ela enrolava Sitara em uma manta e a deixava aos cuidados de Shahla enquanto fazia toda a comida sozinha. Às vezes meus tios ficavam sentados com meu pai, fumando e conversando sobre a guerra, sobre os vizinhos e o Talibã, mas nenhum deles fumava tanto quanto Padar-jan.

– Como você acha que seria a vida se Kaka Jamaal fosse nosso pai? – perguntou Rohila um dia.

Shahla estava tirando a roupa do varal junto com ela e, ao ouvir a pergunta, se deteve.

– Rohila!

– O que foi?

– Como pode dizer uma coisa dessas?

Eu escutei tudo, mas mantive a atenção nas bolinhas de gude à minha frente. Dei um peteleco numa e a observei mandar a outra para longe demais, à esquerda. Bufei de frustração. A pontaria de Ashraf era muito melhor do que a minha.

Basta focar o lugar para onde você quer que ela vá, ensinara Abdullah. *Você está olhando só para a bolinha à sua frente. Tem que olhar para o alvo.*

Quando ele pegou minha mão, fiquei paralisada. Ele me mostrou como posicionar os dedos, recolhendo o mindinho junto à palma para que não ficasse no caminho. Eu ainda me perguntava o que minha mãe diria se nos visse daquele jeito. Aquilo também era aceitável?

Abdullah tinha razão. Quando comecei a olhar para o ponto que era meu objetivo, as jogadas melhoraram. As bolinhas batiam umas nas outras e rolavam para fora do círculo. Eu teria vencido Abdullah naquele dia. Bem, talvez não Abdullah, mas certamente Ashraf. Minha mira estava melhorando.

– É só uma pergunta, Shahla. Não precisa ficar tão chateada!

Shahla lançou um olhar de repreensão para Rohila.

– Não é *só* uma pergunta. Se fosse *só* uma pergunta, eu gostaria de ver você fazê-la na frente de Padar-jan. Além do mais, Kaka Jamaal sempre parece muito zangado. Mesmo quando está rindo. Já notou como as sobrancelhas dele se movem?

Ela inclinou a cabeça para o lado e franziu as sobrancelhas, curvando-se na direção de Rohila, que caiu na gargalhada.

– Você não pode querer outro pai – interveio Parwin.

As risadas de Rohila silenciaram quando ela se virou para ouvir o que Parwin estava pensando.

– Isso bagunçaria tudo – acrescentou Parwin.

Eu me endireitei. Meu lado esquerdo estava rígido de tanto ficar inclinada em uma única posição.

– O que você quer dizer, Parwin? – perguntei.

– Você não pode simplesmente ter Kaka Jamaal como pai sem fazer um monte de outras mudanças. Isso significaria também que Khala Rohgul seria sua mãe, e Sabur e Munir, seus irmãos.

Parwin era a filha favorita de Padar-jan – isto é, se ele tivesse que escolher uma. Talvez ele já tivesse sofrido tantas decepções quando ela nasceu que o fato de ser menina não o feriu tanto quanto nas outras duas vezes. Porém, mais do que isso, havia algo no temperamento e nos desenhos dela que o acalmava. Talvez esse fosse o motivo para Parwin ser mais complacente com ele. Ou quem sabe o contrário.

– Em todo caso, é melhor você parar de falar antes que alguém a ouça – alertou Shahla.

Sitara havia começado a choramingar e a se contorcer em sua manta. Com muita habilidade, Shahla a colocou apoiada no ombro. Ela estava prestes a entrar na adolescência e seu corpo perdera a forma andrógina. Estranhamente, Rohila parecia estar dois passos à frente dela. Madar-jan fizera com que ela passasse a usar sutiã havia um ano e meio, quando seus seios começaram a aparecer de forma impertinente sob os vestidos.

Experimentei o sutiã dela uma vez, só por curiosidade. Rohila o esquecera no banheiro de novo. Madar-jan já lhe dera uma bofetada uma vez por ser tão indecente. Ainda assim, ela o esqueceu. Coloquei-o na frente do corpo e tentei entender como funcionavam as alças e presilhas. Enfiei os braços pelas alças e tentei prendê-lo na parte de trás, as mãos desajeitadas buscando cegamente encaixar o fecho. Depois de alguns minutos, desisti e olhei para os pedaços de pano frouxos sobre meu peito reto.

Estufei o peito para ver se conseguia preencher os pequenos bojos, mas percebi que não era o que eu queria. Em vez disso, ficava sentada no chão, de pernas cruzadas e confortável, enquanto minhas irmãs se tornavam mulheres.

Mais tarde naquela noite, respondi a uma batida à porta. Padar-jan estava deitado na sala, roncos altos ressoando em seu peito. Às vezes, ele roncava tão alto que Rohila ria e Shahla instintivamente tapava a boca da irmã para abafar o som. Parwin balançava a cabeça, decepcionada com o comportamento de Rohila. Madar-jan lançava olhares de repreensão para as duas meninas e Shahla arregalava os olhos em uma declaração de inocência.

Havia um homem no portão da frente. Eu o reconheci como um dos amigos de meu pai. Tinha uma aparência rude e a textura de sua pele lembrava o reboco de nossas paredes.

– *Salaam*, Kaka-jan.

– Vá chamar seu pai – ordenou ele simplesmente.

Corri para dentro de casa, respirando fundo antes de cutucar o ombro de Padar-jan. Eu o chamei várias vezes, cada vez mais alto, até que o ronco se interrompeu e ele começou a esfregar os olhos injetados.

– Que diabos há de errado com você?

– Desculpe-me, Padar-jan. Kaka-jan está no portão.

Seus olhos começaram a recuperar o foco. Ele se sentou e coçou o nariz.

– Está bem, *bachem*. Vá buscar minhas sandálias.

Eu era seu filho e tinha permissão para acordá-lo quando o assunto fosse importante. Vi as sobrancelhas de Shahla se erguerem. Ela também notara a diferença.

Fui para o pátio ouvir a conversa dos dois. Sentei-me longe das vistas do visitante, longe do portão, onde eles estavam, pois o homem não aceitara o convite para entrar.

– Abdul Khaliq convocou todo mundo. Vamos nos reunir pela manhã e partir. Estão bombardeando uma área ao norte daqui e parece que vão ganhar terreno se não nos defendermos. Eles falam muito sobre essa área. Parece que os americanos vão nos enviar armas ou algo assim.

– Os americanos? Como sabe disso? – indagou Padar-jan, de costas para o portão.

– Abdul Khaliq se reuniu com um dos homens deles na semana passada. Eles querem aquelas pessoas fora daqui. Ainda estão procurando aquele árabe. Seja qual for a razão, pelo menos vão nos ajudar.

– Quando partimos?

– Ao amanhecer. Perto da grande rocha, na estrada que vai para leste.

Padar-jan ficou fora por dois meses, mas dessa vez foi diferente para mim. Eu sentia orgulho de saber que meu pai estava lutando ao lado de um gigante como os Estados Unidos. Meu avô não tinha tanta certeza de que era uma boa ideia. Ele parecia mais desconfiado dos americanos, só que eu não entendia o porquê.

Khala Shaima estava sentada na sala quando cheguei em casa naquela tarde. Desde a minha transformação, eu só a vira uma vez, antes de as aulas começarem.

– Aí está você! Estou envelhecendo só de esperar por você, *Rahim-jan* – disse ela, enfatizando a nova pronúncia do meu nome.

– *Salaam*, Khala Shaima!

Fiquei feliz por vê-la, mas estava nervosa, com receio do que ela ia dizer sobre meu progresso.

– Venha se sentar ao meu lado e me diga o que tem feito. Sua mãe obviamente não conseguiu mandar suas irmãs de volta para a escola, apesar de termos arquitetado um plano que deixasse todos satisfeitos, até mesmo o drogado do seu pai.

Ela olhou de soslaio para Madar-jan, que suspirou e colocou Sitara para mamar no peito esquerdo. Parecia já estar cansada dessa conversa.

– Tenho ido às aulas e Moallim-sahib tem me dado boas notas, não é, Madar-jan?

Eu queria que Khala Shaima ficasse satisfeita, sobretudo porque fora ela quem me proporcionara aquelas novas liberdades.

– Sim, ele está se saindo bem.

Um pequeno sorriso. Shahla e Parwin estavam na sala removendo pedrinhas do meio das lentilhas. Shahla tinha catado duas vezes mais que a irmã, que arrumava suas lentilhas em pilhas de diferentes formatos. Rohila estava resfriada e dormia no quarto ao lado.

– Bem, sinto muito por não ter vindo antes para ver como vocês estavam. Minha saúde não tem andado muito boa. Detesto ficar impossibilitada de fazer o que quero.

– Está se sentindo melhor agora, Khala-jan? – perguntou Shahla educadamente.

– Sim, *bachem*, mas por quanto tempo? Meus ossos estão cansados e doloridos e o ar estava tão tomado de poeira no mês passado que, a cada respiração, eu tinha um ataque de tosse. Às vezes, tossia tanto que achava que meus intestinos iam sair do corpo!

Era assim que Khala Shaima explicava as coisas.

– Mas chega de falar sobre os velhos. Você sabe que suas irmãs não têm tanta sorte quanto você, Rahim.

– Shaima! Eu já disse que, quando as coisas se acalmarem, vou poder mandar as meninas de volta para a escola.

– Se acalmarem? Se acalmarem onde? Nesta casa ou em todo o país? E quando acha que isso vai acontecer, porque, que eu me lembre, essas crianças passaram a vida sob o disparo de foguetes! Pelo amor de Alá, nem consigo mais me lembrar de um dia em que este país não estivesse em guerra.

– Eu sei disso, Shaima-jan, mas acho que não compreende minha situação. Se o pai delas as proíbe de...

– O pai delas que vá comer merda!

– Shaima!

Shahla e Parwin ficaram paralisadas. Isso era mais do que esperávamos, mesmo vindo de Khala Shaima.

– Você fica tão na defensiva em relação a tudo que diz respeito a ele! Abra os olhos, Raisa! Não enxerga o que ele é?

– O que ele é? É meu marido! – berrou Madar-jan, mais alto do que já ouvíramos. – E você tem que entender isso! Por favor! Você não acha que eu sei melhor do que qualquer outra pessoa o que ele é e o que ele não é? O que posso fazer?

– Seu marido é um idiota. É por isso que me preocupo com essas meninas perto dele. Sente-se conosco e você será um de nós. Sente-se com uma panela no fogo e você vai ficar enegrecida.

– Shaima, por favor!

Minha tia suspirou e cedeu.

– Está bem. Está certo, então, Raisa. Mas é por isso que continuo vindo aqui e insistindo com essas meninas. Alguém precisa se opor a ele.

– E quem melhor do que...

– É isso mesmo – retrucou Khala Shaima com satisfação.

Ela voltou sua atenção para mim. Shahla e Parwin retomaram sua tarefa, só que em um ritmo mais lento, abaladas pelo grito de Madar-jan.

– Então me conte – continuou minha tia. – Está se adaptando bem? Nenhum problema com os meninos?

– Não, nenhum problema, Khala-jan. Tenho jogado futebol e sou melhor do que meu primo Munir, acho.

– E ninguém disse nada a você sobre a *bacha posh*?

– Não, Khala-jan.

– Ótimo. E que tipo de coisas você tem feito para ajudar sua mãe?

– Rahim tem ido ao mercado para mim. Os comerciantes fazem preços melhores para ele.

– Não se esqueça de dizer, Madar-jan, que estou trabalhando para Agha Barakzai e ele tem me dado um pouco de dinheiro!

– Eu ia chegar lá, Rahim. Você sabe que Agha Barakzai tem uma pequena loja na aldeia, certo? Bem, ele está precisando de ajuda com algumas tarefas externas, então pedi a Rahim que fosse até lá ver se conseguia algum trabalho. Agha Barakzai quase não enxerga mais com seus olhos ruins.

– Você é um menino trabalhador! Isso, sim, é que é novidade!

Khala Shaima bateu as palmas das mãos.

– Sim, eu ando por toda a cidade e ninguém me incomoda. Posso fazer qualquer coisa! Ontem até encontrei o amigo de Padar, Abdul Khaliq.

Madar-jan se enrijeceu e olhou para mim.

– Quem você encontrou?

– Abdul Khaliq – repeti, mais baixo dessa vez.

Khala Shaima parecia tão descontente quanto minha mãe. Eu me perguntei se tinha feito algo errado.

– Ele disse alguma coisa?

– Não muito. Ele me comprou um lanche e falou que eu estava indo muito bem.

Madar-jan olhou de novo para a irmã, que balançou a cabeça.

– Raisa, seus filhos não devem se aproximar desse tipo de homem. Nem mesmo Rahim!

– Fique longe dele, Rahim – ordenou minha mãe, os olhos arregalados e sérios. – Está entendendo?

Eu fiz que sim. Minhas irmãs ficaram inquietas durante o silêncio que se seguiu.

– Khala Shaima, pode nos contar mais sobre Bibi Shekiba? – pediu Parwin.

– Bibi Shekiba? Ah, vocês querem saber mais? Bem, deixem-me ver se consigo me lembrar de onde parei...

Assim que Khala Shaima se inclinou para trás e fechou os olhos para começar a contar mais um pouco da história, ouvimos a porta se abrir. Minha avó paterna raramente ia nos visitar, mas Padar-jan partira havia dois meses e ela sentiu que era seu dever verificar se estávamos bem, ainda mais depois de ver Khala Shaima entrar mancando pelo portão da frente. Minha tia tratava Bibi-jan com respeito, mas dava para perceber que era uma atitude calculada, sem nenhuma afeição. Minha avó, por outro lado, não se sentia na obrigação de ser cortês com Shaima.

– *Salaam* – disse ela ao entrar.

Minha mãe se levantou subitamente, assustando Sitara, que estava quase dormindo. Ela ajustou a parte de cima do vestido e foi até a porta para cumprimentar a sogra.

Khala Shaima não se apressou, mas fez o esforço de se levantar para cumprimentar minha avó.

– *Salaam*, Khala-jan. Como está sua saúde? Bem, espero.

Ela quase soou sincera. Eu e minhas irmãs beijamos as mãos de Bibi-jan. Ela se sentou diante de minha mãe e Shahla trouxe da cozinha uma xícara de chá.

– Ah, você está aqui, Shaima-jan! Que gentileza da sua parte aparecer de novo tão depressa.

Dava para intuir o que estava implícito na fala de minha avó: *Você aparece com uma frequência exagerada*. Khala Shaima não disse nada.

– Não teve notícias de Arif-jan? Sabe quando eles vão voltar?

Madar-jan balançou a cabeça.

– Não, Khala-jan, nada. Rezo para que voltem logo.

– Nesse meio-tempo, conversei com Mursal-jan e soube que a família dela concordou em dar a mão da filha em casamento a Obaid.

Obaid era irmão de meu pai. Essa notícia era surpreendente.

– Obaid-jan? Ah, eu não sabia...

– Sim. Então vamos nos preparar para a chegada dela. Realizaremos o *nikkah* em dois meses, *inshallah*. Será uma bênção. A segunda esposa lhe dará mais filhos e fará nossa família crescer.

– Eles já têm cinco filhos, *nam-e-khoda* – disse Madar-jan suavemente.

– Mas apenas dois meninos. Meninos são bênçãos, e Obaid quer mais filhos homens. É melhor ter mais filhos do que tentar mudar a filha. Enfim, agora você já está sabendo. Pode ser que Fatima lhe peça ajuda para preparar um lugar para a nova esposa. É uma notícia feliz e vamos todos participar.

– Claro, Khala-jan. É uma notícia maravilhosa.

A voz de Madar-jan era suave. Khala Shaima observava a conversa com os olhos semicerrados.

– Se Alá quiser, haverá mais notícias assim no futuro – disse ela, meneando a cabeça.

Minha avó voltou a ficar de pé e caminhou até a porta.

– Bem, isso é tudo por enquanto. Shaima-jan, mande meus cumprimentos à família, por favor. Imagino que já esteja de saída, pois está ficando tarde.

– A senhora é muito gentil, Khala-jan. Faz com que me sinta tão bem-vinda aqui que é difícil ir embora.

Vi os ombros de Bibi-jan se enrijecerem, assim como a troca de olhares de Madar-jan e Khala Shaima. Minha tia balançou a cabeça. Isso significava más notícias para nossa casa.

– Vamos, meninas, deixem-me contar mais sobre Bibi Shekiba. Vou lhes explicar com que facilidade as mulheres passam de um lugar para outro, de uma casa para outra. O que acontece uma vez acontece duas vezes, e depois uma terceira vez...

CAPÍTULO 11

Shekiba

*A*ZIZULLAH ESTAVA SENTADO NA SALA com o irmão, Hafizullah. Havia outros dois homens com eles, mas Shekiba não sabia seus nomes e nunca os vira antes. Tinham turbantes brancos na cabeça e usavam calças largas e túnicas azul-claras. Hafizullah vestia um colete marrom sobre a túnica, com as contas de oração pendendo do bolso.

– Shekiba, Padar-jan quer a comida pronta em vinte minutos – anunciou Haris. – Disse que eles vão sair em breve, então é melhor não demorar muito.

Shekiba assentiu, nervosa, sabendo que o arroz ficaria um pouco cru. Acrescentou mais óleo à panela, torcendo para que a gordura extra amolecesse os grãos.

Haris se inclinou por cima do ombro de Shekiba e tentou pegar um pedaço de carne da tigela ao lado dela. A jovem ergueu o braço direito instintivamente e o agarrou pelo pulso.

– Sabe que não deve fazer isso, Haris. Não antes de eles terem comido.

Seu tom de voz era suave, mas firme. Haris era de longe o seu favorito entre as crianças. Às vezes ele ficava sentado com ela quando se cansava dos irmãos. Ela não se incomodava que ele lhe fizesse companhia. Pelo contrário, gostava de sua tagarelice e das histórias que ele contava sobre o professor.

– Só um pedaço! – implorou Haris.

– Se você ganhar um pedaço, seus irmãos vão querer também quando o virem lamber o molho dos dedos.

– Não, eu prometo! Não vou dizer a eles que comi um pedaço! Vou lamber os dedos aqui, antes de voltar lá para fora!

Haris já era um grande negociador.

– Tudo bem, então. Mas só um...

Ele já havia arrebatado o maior pedaço antes que Shekiba pudesse terminar a frase.

– Haris!

Ele sorriu, as bochechas estufadas por causa da carne de cordeiro. Que sorte ela tivera por viver em uma casa onde era possível comer cordeiro! Shekiba suspirou e fingiu estar zangada.

– Sobre o que estão falando na sala, afinal? – indagou ela.

– Você não sabe? O rei está chegando!

– O rei? – perguntou Shekiba. – Que rei?

– Que rei? O rei Habibullah, é claro!

– Ah.

Shekiba não tinha ideia de quem era o rei Habibullah. Fazia anos desde a última vez que o pai demonstrara interesse por qualquer coisa além das paredes de sua casa.

– Ele está vindo para cá?

– Vindo para cá? Você está louca, Shekiba? Ele vai para a casa de Kaka Hafizullah.

O irmão de Azizullah tinha conseguido assegurar para si um posto por ser simpático à monarquia. Trabalhava como inspetor regional e se reportava às autoridades na capital, Cabul. Durante anos trabalhara como um leal representante e viajava com frequência ao palácio para se reunir com os conselheiros do rei. Ele disputava a atenção régia na esperança de se tornar *hakim* em sua província. Esse título trazia consigo um poder bem atraente, por isso Hafizullah costumava oferecer substanciosas refeições e elogios excessivos a qualquer pessoa que tivesse influência.

Azizullah não tinha paciência para essas relações de alto escalão, mas gostava dos benefícios secundários de ter um irmão estrategicamente posicionado. As pessoas da aldeia tratavam Azizullah com deferência, esperando cair nas graças de Hafizullah. Era assim que a influência passava da monarquia às mais insignificantes casas na área rural.

Embora Shekiba não soubesse nada a respeito desses assuntos diplomáticos, também ficou encantada com a perspectiva de o rei fazer uma visita à aldeia. Imaginou cavalos, roupas suntuosas e guardas ao lado do monarca.

Ajeitou o lenço na cabeça e serviu xícaras de chá fresco, na esperança de enganar o apetite dos convidados por mais alguns minutos. Levou uma bandeja até a sala e manteve a cabeça baixa, com o intuito de ser o mais discreta possível.

– É uma grande honra. Essa é a oportunidade pela qual eu estava esperando. Em nome de Alá, cobrei muitos favores e garanti os ingredientes necessários para oferecer um excelente banquete esta noite. Realizaremos o *qurbani*; uma cabra será abatida em nome do rei. Não estou medindo despesas.

– Como vai pagar por isso? Quantas pessoas vão estar com ele? Haverá pelo menos dez bocas pretensiosas a alimentar!

– Há um preço a pagar por tudo, mas é uma chance que eu não poderia deixar escapar. Sharifullah já é *hakim* desta província por tempo suficiente. Foi muita sorte ele ter viajado ao outro lado do país para o funeral de um primo.

– Muita sorte para você! – Azizullah riu. – Mas não para o primo dele!

– Esqueça o primo dele, querido irmão. O que importa é que essa é uma oportunidade para nossa família alcançar o próximo nível. É o que o nosso pai gostaria de ter visto, que Alá o perdoe e o mantenha em paz. Se eu for nomeado *hakim*, controlaremos toda a província! Imagine a vida que teremos.

– Você seria um excelente *hakim*, sem dúvida. E, pelo que ouvi, muitas aldeias estão descontentes com as decisões de Sharifullah.

– O sujeito é um frouxo. O reino esqueceria completamente nossa província se não fosse pelas colheitas que nossa terra produz a cada estação. Sharifullah não fez nada por nós! Quando Agha Sobrani e Agha Hamidi disputaram aquela terra à margem do rio, foi dele a ideia idiota de que cada um ficasse com metade.

Shekiba ouvia tudo enquanto recolhia as xícaras de chá vazias e colocava o prato de castanhas mais perto dos homens.

– Agora, nem Sobrani nem Hamidi o respeitam. Estão igualmente insatisfeitos. Ele deveria ter dado a terra para Hamidi. Sua alegação era razoável e sua família tem mais influência do que a de Sobrani. Era melhor ter apoio total de Hamidi e ser objeto da ira apenas de Sobrani!

Uma lógica irrefutável. Shekiba saiu da sala em silêncio. Já estava acostumada aos animados discursos de Hafizullah e o achava de certa maneira divertido. Ao mesmo tempo, era grata a Alá por não a ter colocado sob sua custódia, pois tinha certeza de que, em casa, ele era um bruto.

Assim que saiu da sala, percebeu uma mudança no tom de Hafizullah. Ela se deteve e inclinou a cabeça na direção da sala.

– E como vão as coisas com sua nova criada? Shekiba-e-shola está cumprindo seus deveres em casa?

– Muito bem – respondeu Azizullah. – Marjan não se queixou muito dela.

– Humpf. Aquela família deve ter ficado aliviada por se livrar dela. Eu soube que Bobo Shahgul sofreu muito com o falecimento do filho. Não suportava ter a neta em casa porque ela era uma lembrança constante do filho morto.

– Está sabendo mais do que eu, hein? A menina não fala da família. Na verdade, ela quase não fala. Tem bom senso.

– Pelo menos Marjan não precisa se preocupar com a possibilidade de você tomá-la como segunda esposa! – brincou Hafizullah, batendo a mão com força na coxa.

– Verdade, ela não é para casar. É forte e faz o trabalho de um homem. Às vezes esquecemos que ela é uma menina. Sua força me deixa impressionado. Há poucos dias, eu a vi carregando três baldes de água e andando ereta, como se não fizesse nenhum esforço. Os tios me contaram que ela cuidava da propriedade do pai junto com ele.

– Mais útil do que uma mula. Muito bom – comentou Hafizullah. – O que aconteceu ao pai dela? Lembro-me de tê-lo visto logo depois de seus filhos serem levados pelo cólera. Ele parecia arrasado. Era um homem sensível demais.

– O irmão me disse que ele não vinha se sentindo bem nos últimos meses. Agha Freidun contou que os dois tiveram uma conversa e que ele sabia que a hora do irmão estava chegando. O pai de Shekiba fez arranjos para a filha morar com Bobo Shahgul e distribuiu sua terra, suas ferramentas e seus animais entre os irmãos.

Os olhos de Shekiba se arregalaram.

Que mentira! Meu pai nunca fez isso!

Depois da morte da esposa, Ismail não se encontrara com os irmãos. Shekiba se perguntou se essa história fora ideia de Kaka Freidun ou de Bobo Shahgul. A família se precipitou como aves de rapina sobre qualquer coisa que seu pai tivesse deixado.

Aquela terra deveria ser minha. Meu avô a deu a meu pai. Meu pai não queria ter nenhuma relação com a família. Eu deveria ser a dona daquela terra.

Shekiba imaginou onde estaria a escritura. Era um documento simples, assinado pelo avô, pelo pai, alguns parentes distantes e um ancião da aldeia para confirmar a transação. Seus tios deviam estar procurando por ela quando despejaram o conteúdo da casa do lado de fora.

– Shekiba? O que está fazendo aqui?

As xícaras de chá estremeceram nas mãos assustadas de Shekiba. Marjan tinha surgido atrás da jovem, que estava completamente distraída, e ficou intrigada ao vê-la paralisada perto da sala.

– Eu só... *chai*... – murmurou ela e se dirigiu para a cozinha, a cabeça baixa para ocultar o olhar magoado.

O cheiro de cominho e alho dominou a sala. Azizullah e o irmão compartilharam a refeição, arrancando nacos de pão sem fermento e se servindo de porções de arroz e carne. Shekiba se perguntou se sobraria algo para o resto da família. Era difícil conseguir carne, mesmo naquela casa, e parecia que os homens iam dar cabo do estoque da semana em apenas uma refeição.

Ela começou a divagar enquanto secava as panelas. O que aconteceria se ela tentasse reivindicar a terra? O pensamento quase a fez rir. Imagine só: uma jovem mulher requerendo a propriedade do pai, arrancando-a das garras cobiçosas dos tios. Tentou se visualizar levando a escritura ao juiz local. O que ele faria? O mais provável seria que a pusesse para correr. Que a chamasse de louca. Talvez até mesmo a mandasse de volta para sua família.

Mas e se ele não fizesse nada disso? E se a ouvisse? Concordasse com ela? Talvez achasse que era seu direito ficar com as terras do pai.

Marjan estava na cozinha com ela, catando o arroz para separar as pedrinhas.

– Khanum Marjan? – disse Shekiba humildemente.

– Sim?

Marjan fez uma pausa e a encarou. Shekiba falava tão pouco que era impossível não prestar atenção.

– O que acontece a uma filha quando o pai... se o pai tem alguma terra... se ele não tiver...

Marjan comprimiu os lábios e inclinou a cabeça. Podia adivinhar a pergunta que se escondia na fala desconexa da jovem.

– Shekiba-jan, está fazendo uma pergunta absurda. As terras de seu pai vão para a família dele, já que seus irmãos estão mortos, que Alá lhes conceda a paz.

A resposta de Marjan foi contundente, mas era a realidade, não importava o que dissessem as leis. Sua franqueza deu a Shekiba confiança para falar abertamente:

– E quanto a mim? Não sou herdeira das terras por direito? Também sou filha dele!

– Você é *filha* dele, não filho. Sim, a lei diz que as filhas podem herdar uma parte do que o filho herdaria, mas a verdade é que mulheres não reivindicam terras. Seus tios, irmãos de seu pai, com certeza assumiram a propriedade.

Shekiba soltou um suspiro de frustração.

– Minha querida, você está sendo irracional. O que acha que ia fazer com um pedaço de terra? Em primeiro lugar, está vivendo aqui agora. Aqui é o seu lugar. Além disso, você não é casada e nenhuma mulher poderia viver sozinha! Isso é simplesmente absurdo.

Eu vivi sozinha naquela terra por meses. Não me parecia absurdo. Era o meu lar.

Mas Marjan não sabia disso. Shekiba não se atrevia a contar os detalhes, consciente de que o que fizera não deveria ser mencionado. Não havia por que dar à aldeia mais motivo para fofocas.

– E se eu fosse um filho? – perguntou, sem querer deixar o assunto de lado por completo.

– Se você fosse um filho, herdaria a terra. Mas você não é, não pode ser, e sua vida agora é aqui, como parte desta casa. Está fazendo perguntas que não vão gerar nada além de irritação. Já chega!

Marjan precisava colocar um ponto final na discussão. Se o marido as ouvisse, com certeza desaprovaria. Se esses eram os pensamentos que povoavam a mente de Shekiba, Marjan ficava grata por ela não falar com mais frequência.

Mas eu sempre fui filha e filho do meu pai ao mesmo tempo. Ele mal reparava que eu era uma menina. Sempre fiz o trabalho que um filho faria. Não sou considerada apta a ser uma esposa. Então qual é a diferença? Que parte de mim é uma menina?

Shekiba trincou os dentes.

Eu vivi sozinha. Não preciso de ninguém.

A família de Azizullah tinha sido relativamente bondosa com ela, mas Shekiba estava inquieta. Sentia um novo ressentimento em relação à sua família.

Não posso continuar assim para sempre. Preciso encontrar uma maneira de ter minha vida.

CAPÍTULO 12

Rahima

Por vezes demais perdi a oportunidade de aprender com a história de Bibi Shekiba. Ela estava determinada a construir uma vida para si, e eu parecia determinada a desconstruir a que tinha.

Eu me pergunto quanto tempo teria vivido como menino se Madar-jan não nos tivesse visto naquele dia. A maioria das crianças que se tornavam *bacha posh* mudava de novo para menina quando começava a menstruar, mas minha mãe me deixara continuar a ser um menino, mesmo sangrando. Minha avó alertou que isso estava errado. *No próximo mês*, Madar-jan prometia. Mas eu era útil demais para ela, para minhas irmãs, para toda a família. Ela não conseguia abrir mão de alguém que podia fazer por ela o que meu pai não fazia. E eu estava feliz por continuar a jogar futebol e praticar taekwondo com Abdullah e os meninos.

Padar-jan gostava de sua comida picante e nós não tínhamos mais pimenta em casa. Essa situação mudou tudo para mim.

Abdullah, Ashraf, Munir e eu vínhamos caminhando por nossa pequena rua. Os meninos nos acompanhavam e, em seguida, continuavam até as próprias casas, menores do que a nossa, mas num mau estado similar. Os vizinhos não estavam morrendo de fome, mas todos pensávamos duas vezes antes de jogar sobras de comida para um vira-lata. Havia anos que agíamos assim. Em alguns dias, andávamos preguiçosamente. Em outros, éramos ruidosos e apostávamos corrida até a lata de lixo, a velha senhora, a casa com a porta azul.

Abdullah e eu éramos próximos. Em nosso círculo de amigos, nós dois tínhamos algo diferente. Algo um pouco além. Com o braço sobre meu ombro, ele se inclinava e provocava Ashraf. Eu era uma *bacha posh*, mas já estava nessa situação fazia tempo demais, como um hóspede que se sente tão à vontade que não quer ir embora.

Foi Ashraf quem começou. Ele dera um chute para cima, bem alto, embora não tanto quanto acreditava que fora. Tentamos lhe dizer que ele mal conseguira chegar à nossa cintura, mas ele jurava que o pé passara perto de nosso rosto. Munir balançou a cabeça; estava cansado de treinar com Ashraf.

Nós éramos fãs de artes marciais. Tínhamos visto algumas revistas com lutadores em diferentes poses, com os pés acima da cabeça, os braços esticados para a frente. Queríamos ser como eles e folheávamos as páginas para imitar as posições.

Já havíamos lutado assim antes. Todos nós. De brincadeira, sem pensar muito. Eu havia começado a amarrar um pano bem apertado por cima de meus minúsculos seios. Não queria que os meninos os notassem nem que fizessem comentários sobre eles. Já era estranho o suficiente que minha voz não tivesse começado a mudar, como a deles. De vez em quando, eu aparecia com hematomas. Uma vez, torci o tornozelo tentando me desviar de um chute de Ashraf. Durante uma semana, fui e voltei da escola mancando. Eu disse a Madar-jan que havia tropeçado em uma pedra, sabendo que não poderia lhe contar como aquilo realmente acontecera.

Mas valia a pena. Valia a pena por aquele momento em que Abdullah me encurralava ou torcia meu braço por trás e eu podia sentir sua respiração em meu pescoço. Em algum lugar dentro de mim, eu sentia formigamentos por estar tão perto dele. Não queria que ele me soltasse, mesmo que meu braço parecesse estar sendo deslocado. Eu estendia a mão e agarrava o outro braço dele, tateava seus músculos adolescentes se flexionarem sob meus dedos. Quando ficava perto o suficiente para aspirar o cheiro dele, o cheiro do suor em seu pescoço, eu me sentia ousada e viva. Era por isso que, na maior parte das vezes, era eu quem começava a luta. Eu amava aquelas sensações.

E era isso que estávamos fazendo quando Madar-jan saiu da casa da vizinha com um punhado de pimentas vermelhas na mão direita e a ponta do xador na mão esquerda. Não poderia ter sido pior. Ela nos viu no exato momento em que ele me deu uma rasteira. Perdi o equilíbrio e caí. Olhei para cima e vi Abdullah abrir um belo sorriso e, mais uma vez vitorioso, montar em mim, gargalhando.

– Rahim!

Ouvi a voz de minha mãe, aguda e horrorizada. Pelo canto do olho, identifiquei seu vestido cor de vinho desbotado. Senti um aperto no estômago.

Abdullah devia ter visto minha expressão, pois ficou de pé de um pulo e olhou para minha mãe. O rosto dela confirmava que algo estava errado. Ele estendeu a mão para mim, para que eu pudesse me levantar.

– Está tudo bem – murmurei e me ergui, tirando a poeira das calças e tentando evitar o olhar acusador de minha mãe.

– *Salaam*, Khala-jan – cumprimentou Abdullah.

Ashraf e Munir se lembraram das boas maneiras e fizeram o mesmo. Ela se virou abruptamente e atravessou nosso portão.

– O que aconteceu? Sua mãe parece zangada.

– Ah, não é nada. Ela está sempre reclamando que eu volto para casa com as roupas imundas. Mais roupa para lavar, você sabe.

Abdullah parecia cético. Ele conhecia a cara de brava de uma mãe e sabia que havia algo mais naquele caso.

Eu não queria ir para casa. Sabia que Madar-jan estava aborrecida, mas, se demorasse a enfrentá-la, as coisas seriam piores.

Eu não conseguia encarar Abdullah, pois já sentia meu rosto corar. Minha mãe enxergara algo diferente do que as outras pessoas viam. Ela vira a filha deitada embaixo de um menino no meio da rua. Poucas visões seriam mais vergonhosas.

Ouvi o barulho de algo sendo triturado e vi pimentas vermelhas, esmagadas por minha sandália, diante do nosso portão. Onde Madar-jan as deixara cair. Catei quantas pude e entrei.

– Madar-jan, vou me lavar para o jantar – avisei.

Vi que ela estava na cozinha e queria sondar o terreno sem de fato ter que encará-la.

Ela não me respondeu, o que entendi como um mau sinal.

Minhas mãos começaram a tremer. Eu deveria saber que, mesmo vestida como um menino, não podia ter deixado as coisas irem tão longe.

E se minhas tias ou meus tios tivessem me visto? Era possível que isso tivesse acontecido. Eu dificilmente teria notado, com Abdullah em cima de mim.

Eu me perguntei se ela contaria a Padar-jan. Seria o meu fim. Meu cérebro estava a toda e um pânico incontrolável me dominou. Deixei as pimentas esmagadas sobre a mesa e fui me lavar, como disse que faria. Tentei bolar um plano para me livrar daquela confusão. Entrei na cozinha com o rosto ainda molhado.

– Madar-jan?

– Hum.

– Madar-jan, o que você está fazendo? – perguntei, a voz humilde e vacilante.

– O jantar. Vá terminar seu trabalho agora que acabou de se envergonhar no meio da rua.

Fiquei um pouco aliviada ao ouvi-la dizer isso. Agora eu podia começar a me defender.

– Madar-jan, nós só estávamos brincando.

Ela ergueu o olhar da panela em que mexia a comida e me encarou. Seus olhos estavam semicerrados e os lábios, apertados.

– Rahim, você sabe muito bem que aquilo não deveria ter acontecido. Ou pelo menos pensei que soubesse. Isso já foi longe demais.

– Madar-jan, eu...

– Não quero ouvir nem mais uma palavra. Converso com você mais tarde. Agora tenho que preparar o jantar do seu pai ou terei um segundo desastre em minhas mãos.

Fui para o outro cômodo e fiz meu dever de casa durante algum tempo antes de decidir sair para ver se Agha Barakzai precisava de minha ajuda à tarde. Eu não desejava ficar por perto enquanto a ira de minha mãe estivesse fervilhando. Ele me manteve ocupada até a noite e, quando voltei para casa, descobri que Madar-jan não havia deixado comida para mim.

Ela me viu examinando as panelas vazias.

– Sobrou um pouco de sopa. Você pode comê-la com um pedaço de pão.

– Mas, Madar-jan, não há nada nessa sopa, apenas cebolas e água. Não sobrou nenhuma carne?

– Nós comemos tudo. Talvez na próxima vez sobre um pedaço para você.

Sentindo o estômago roncar dolorosamente, de repente fiquei muito irritada.

– Você poderia ter guardado alguma coisa para mim! É assim que me trata? Quer que eu passe fome?

– Não estou certa sobre o tipo de apetite que você tem! – sussurrou ela com severidade.

Padar-jan surgiu naquele momento, esfregando os olhos.

– Qual é o motivo de toda essa gritaria? O que está acontecendo, *bachem*?

Olhei bem para minha mãe e falei sem pensar:

– Ela não guardou nem um único pedaço de carne para mim. Quer que eu coma caldo de cebola e pão! Eu estava trabalhando na loja de Agha Barakzai e, quando volto para casa, não tem jantar para mim!

Joguei o que havia ganhado sobre a mesa, como prova. As notas se agitaram no ar e se espalharam de forma dramática.

– Raisa! Isso é verdade? Não há nada para meu filho comer?

– Seu filho... Seu filho...

Madar-jan se atrapalhou, tentando encontrar uma explicação razoável para aquela punição. Mas ela não foi rápida ou esperta o suficiente para inventar uma versão alternativa de imediato. E, por mais que estivesse zangada, não teve coragem de me jogar na fogueira.

Previ o que ia acontecer e desejei poder retirar o que dissera. Vi o rosto de meu pai se avermelhar de raiva. Vi a cabeça dele se inclinar e os ombros se erguerem. Ele começou a brandir os braços, tomado de ódio.

– Meu filho está com fome! Veja o dinheiro que ele trouxe para casa! Nem assim você é capaz de oferecer um pouco de comida para ele? Que tipo de mãe é você?

Houve um estalo quando o dorso de sua mão atingiu o rosto de Madar-jan. Ela cambaleou com o golpe. Meu estômago deu um nó.

– Padar!

– Encontre alguma coisa para ele comer ou vai passar fome por um mês! – gritou ele.

Padar-jan bateu nela novamente. Uma gota de sangue escorreu do lábio de minha mãe. Ela cobriu o rosto com as mãos e se virou para o outro lado. Eu tremi quando ele me encarou. Pelo canto do olho, vi Shahla e Rohila espiando do outro lado do corredor.

– Vá, *bachem*. Vá até a casa da sua avó e lhe peça que prepare alguma coisa para você comer. Não deixe de contar a ela o que sua mãe fez. Não que ela vá se surpreender.

Assenti e fitei minha mãe, grata por ela não retribuir meu olhar.

Naquela noite, pensei em Bibi Shekiba. Eu gostava de me comparar a ela, de sentir que era tão corajosa, forte e honrada quanto ela, mas, em meus momentos de maior honestidade, eu sabia que não era.

CAPÍTULO 13

Shekiba

A IDEIA AMADURECEU POR ALGUM TEMPO antes de Shekiba pensar em seguir adiante. A conversa com Marjan deveria tê-la desencorajado, mas não foi o que aconteceu. Tudo o que ela havia absorvido fora que, oficialmente, tinha o direito de reivindicar pelo menos uma parte das terras do pai.

Ficava acordada todas as noites pensando na escritura. Um simples pedaço de papel com um punhado de assinaturas que, no entanto, carregava tanto peso. Onde seu pai o teria guardado? Shekiba fechou os olhos e se imaginou em casa. Ouviu o barulho do trinco do portão, o metal enferrujado. Imaginou o canto onde o pai dormia, os cobertores arrumados, preparados para as noites frias. Visualizou o banco de cozinha de sua mãe e os casacos dos irmãos, dobrados e empilhados em uma prateleira.

Deve estar em um dos livros dele, pensou Shekiba. Como tinha sido a única pessoa a cuidar da casa, conhecia cada centímetro dela. Pensou na prateleira e em como havia desistido de espaná-la depois que a mãe morreu. Padar reunira três ou quatro volumes ao longo dos anos e era lá que os mantinha.

Quando se lembrou disso, quase bateu em si mesma por perceber como era óbvio.

Mas como vamos saber, Padar-jan?

Todas as respostas estão no Corão, bachem.

O pai ensinara todos os filhos a ler, primeiro com o Corão, em seguida com os livros que possuía. Ela acompanhava o dedo calejado do pai percorrendo as palavras. Às vezes os irmãos traziam um jornal após suas aventuras na aldeia e as crianças se revezavam debruçando-se sobre as páginas e tentando decifrar o significado das palavras e frases. Era difícil, mas Padar-jan pacientemente os deixava cometer erros, espiando por cima do ombro deles quando vacilavam e ajudando-os a preencher as lacunas.

Está no Corão, ela percebeu. Quais eram as chances de seus tios ainda não o terem encontrado? Bem improvável – mas talvez houvesse a possibilidade de que aqueles estúpidos não tivessem se dado ao trabalho de procurar o documento. Certamente nem passava por sua cabeça que Shekiba tivesse coragem de reivindicar as terras.

Isso significava que ela estava pensando em voltar para sua casa – uma tarefa nada fácil.

E, se encontrasse a escritura, o que faria com o documento? Não podia pensar em mostrá-lo aos tios e ter uma discussão racional. Não, teria que levar a escritura até o juiz local, para que pudesse expor seus argumentos.

Bem como Azizullah e seu irmão haviam debatido. Uma disputa como aquela precisava ser resolvida por um representante legal, portanto o plano de Shekiba era ainda mais complexo. Como encontraria essa pessoa?

E como iria a todos esses lugares? Precisaria passar um dia inteiro fora de casa. Perguntou-se se Marjan a deixaria sair sozinha. Depois daquela conversa, era difícil imaginar que a mulher apoiasse sua ideia. Teria que pensar em uma alternativa.

Dois dias depois, Shekiba se aproximou de Marjan enquanto ela tricotava um suéter para Haris. Ensaiou a pergunta em sua mente antes de pigarrear.

– *Salaam*, Khanum Marjan – disse, tentando manter a voz firme.

– *Salaam*, Shekiba – respondeu Marjan, mal erguendo os olhos das agulhas que se cruzavam sem parar em suas mãos.

– Khanum Marjan, queria lhe pedir uma coisa.

– O que é, Shekiba?

– Estava pensando se poderia tirar um dia para visitar minha família. Não vejo meus parentes há vários meses e gostaria de visitá-los. Semana que vem é o Eid e sei que vai ser um período bastante atribulado por aqui, então talvez esta semana?

Ela cruzou as mãos atrás do corpo para parar de torcê-las.

Marjan parou de tricotar e pousou as agulhas no colo. Ela parecia confusa.

– Sua família? Minha cara, desde que veio para cá, você nunca mencionou sua família. Eu estava começando a achar que você era tão fria que não tinha nenhum afeto por eles! Como é que agora quer visitá-los?

– Ah, sinto muita falta deles... – afirmou, esforçando-se ao máximo para soar sincera. – Entretanto, em meus primeiros dias aqui, não achei que seria adequado fazer tal pedido.

– E agora?

– Bem, agora estou aqui há alguns meses e com o feriado chegando... queria fazer uma visita à minha avó, por respeito.

Shekiba se perguntou se estava dando motivos para uma boa risada ao onisciente Alá ou se seria castigada por suas mentiras.

– Sua avó...

Marjan suspirou pesadamente e pressionou as têmporas com os dedos.

Shekiba se preparou para o que viria.

– Temos muito que preparar para o feriado. Precisamos assar biscoitos, cozinhar muitas refeições, a casa tem que estar impecável... – disse ela, listando as tarefas que as aguardavam. – Contudo, acho que é mais do que adequado você fazer uma visita a Bobo Shahgul. Afinal de contas, ela é sua avó. Vou falar com Azizullah e transmitir seu pedido.

Shekiba tentou não sorrir. Inclinou a cabeça em sinal de gratidão.

– Obrigada, Khanum Marjan, fico muito grata.

De tempos em tempos, Shekiba se dava conta de como era dolorosamente ingênua. O dia seguinte foi uma dessas ocasiões.

Quando Marjan entrou na cozinha, Shekiba estava sentada no chão, com uma pilha de batatas diante de si. Ela parou de descascar ao ouvir seu nome.

– Shekiba, Azizullah concorda... Ei, menina! O que há de errado com você?

Marjan olhou para Shekiba e congelou. Ela fincou as mãos nos quadris e estreitou os olhos.

– Hã? O que foi, Khanum Marjan?

Shekiba fitou a pilha diante de si, perguntando-se o que teria ofendido tanto a dona da casa.

– É assim que uma menina se senta? – questionou Marjan, apontando para as pernas abertas de Shekiba.

A jovem olhou para si mesma. Estava encostada na parede e tinha os joelhos dobrados, a pilha de batatas no vale formado pela saia entre suas pernas.

– Pelo amor de Deus, tenha alguma decência! Ajeite-se antes que as crianças a vejam! Ninguém lhe ensinou como se sentar?

Shekiba ajeitou a saia e dobrou as pernas debaixo do corpo, olhando para Khanum Marjan à espera de aprovação.

– Assim está melhor. Ouvi dizer que você tinha passado a agir como um filho para seu pai, mas não achava que tivesse ido tão longe.

– Sim, Khanum Marjan.

Shekiba sentiu metade do rosto corar.

– Agora, o que era mesmo que eu estava dizendo? Ah, sim. Azizullah autorizou que você preste os respeitos à sua avó antes dos feriados. Você vai acompanhá-lo na próxima sexta-feira, quando ele for à aldeia para as orações da Jumaa.

Azizullah ia levá-la?

– Khanum Marjan, agradeço muitíssimo, mas não quero incomodar seu marido. Consigo ir por conta própria, assim não o desvio do caminho dele.

Marjan a encarou, incrédula. Shekiba nunca deixava de surpreendê-la. A menina era bastante útil e eficiente em casa, mas, quando se tratava de bom senso, não tinha absolutamente nenhum.

– Quer sair andando pela aldeia sozinha? Perdeu o juízo?

Shekiba permaneceu em silêncio. Sua mente se acelerou.

– Ele vai levá-la, como você pediu, e vai se juntar a você na visita a sua família, embora seus tios costumem aparecer por aqui nos feriados. Azizullah vai acompanhá-la de volta para casa. Você não pode ficar andando por aí como um vira-lata!

Shekiba tinha feito coisas demais sozinha enquanto vivia com o pai, antes de seus tios a arrancarem de lá. Não lhe ocorrera que teria que ser acompanhada por alguém. O pânico comprimiu-lhe o peito. Não havia previsto essa possibilidade.

– Eu... Eu não queria incomodar...

– Bem, se não queria incomodá-lo, não deveria ter levantado a questão.

Marjan saiu exasperada. As contestações bizarras de Shekiba estavam lhe dando nos nervos.

Shekiba ficou refletindo. Poderia dizer a Marjan que não queria mais ir. Pareceria estranho, mas poderia funcionar. Ou talvez, quando estivesse lá, pudesse pedir permissão para recolher alguns pertences na casa do pai. Mas e quanto a levar a escritura a um *hakim*, o juiz local?

Talvez outro dia. Porém, mesmo que conseguisse sair mais um dia, teria que ser acompanhada. E não fazia ideia de onde encontrar o *hakim*.

Ela precisaria refletir com cuidado. *Uma coisa de cada vez*, pensou.

A Jumaa chegou e Shekiba se preparou. Ela precisaria de toda a sua determinação para encarar a família outra vez, sobretudo a avó. Mas era sua única esperança de colocar as mãos na escritura.

Marjan a instruíra a estar pronta pela manhã, pois Azizullah não esperaria por ela. Ele meneou a cabeça quando a viu esperando junto à porta da frente, usando uma burca e de cabeça baixa.

– *Salaam* – disse ela em voz baixa.

– Vamos – respondeu ele, abrindo a porta e saindo na frente.

Eles não conversaram no caminho para a *masjid*. Shekiba andava alguns passos atrás dele, prestando atenção na rua. Tentou memorizar tudo o que via no trajeto até lá. A rua era larga e empoeirada, mas ladeada por árvores altas. Havia um punhado de casas espalhadas em ambos os lados, a vários metros umas das outras. Eram todas cercadas por muros de barro de 2 metros de altura que garantiam a privacidade. Shekiba viu fileiras de plantações nos quintais e conseguiu distinguir batatas, cenouras e cebolas, mesmo ao longe. O tempo estava seco e as plantas sofriam, logo as famílias provavelmente sofriam também.

A *masjid*, três lojas e uma padaria constituíam o centro da aldeia. A fachada das lojas era modesta, com vitrines opacas e letreiros escritos à mão. A padaria não era bem um estabelecimento: o padeiro ficava sentado junto à parede de outra loja e tirava pães redondos, dourados e quentes de seu *tandoor*, enterrado no chão. O cheiro de pão fresco que vinha do círculo aberto no chão fez Shekiba ficar com água na boca. Duas mulheres estavam esperando seu *naan* assar. Shekiba se lembrou de ter passado por ali quando o tio a levara para Azizullah como pagamento por sua dívida.

Shekiba, o presente, pensou ela com tristeza.

Azizullah passou pela *masjid* e a levou até uma pequena casa a cerca de 250 metros. Ele bateu à porta da frente.

– *Salaam*, Faizullah-jan – disse ele com a mão no peito.

– Agha Azizullah, que bom vê-lo! Está indo fazer as orações da Jumaa?

– Certamente. Mas tenho um favor a lhe pedir. Esta é minha criada. Vou levá-la para visitar sua família depois que terminarem as orações e gostaria de saber se poderia incomodar sua esposa e pedir-lhe que cuidasse dela até eu voltar. Não posso deixá-la na rua.

– Ora, mas é claro! Ouvi dizer que você ficou com a neta de Bobo Shahgul, aquela que só tem metade do rosto. Mande-a ficar no pátio. Não é uma boa ideia deixar uma menina ociosa na praça.

Shekiba foi levada até um banco perto do anexo onde ficava a latrina. Ela encostou a cabeça na parede. O cheiro do local era sufocante, mas não se atreveu a mudar de lugar, com medo de irritar sua anfitriã invisível.

Não chegou a ver a esposa nem os filhos do homem, mas podia ouvi-los do lado de dentro. Chorando. Rindo. Correndo.

Os sons de uma família.

Eu poderia sair agora, pensou Shekiba. *E se eu abrisse a porta e fosse embora? Saindo daqui, sou capaz de encontrar minha casa. Eu poderia procurar a escritura e talvez até estar de volta antes do fim das orações.*

Mas Azizullah provavelmente descobriria que ela não ficara lá. Ou a dona da casa notaria que a burca havia desaparecido do pátio e contaria a ele. E depois? Shekiba temia irritar Azizullah, sobretudo porque tinha medo de ser mandada de volta para a casa de Bobo Shahgul. Nada seria pior. Pelo menos nada que ela pudesse imaginar.

Azizullah retornou e agradeceu ao amigo por permitir que Shekiba ficasse lá. Ele fez um sinal com a cabeça para a jovem e os dois retomaram a estrada de terra, dessa vez em direção à casa de Bobo Shahgul. Quando chegaram, Hamid foi até o portão.

– *Salaam!* – cumprimentou.

– *Salaam, bachem*. Onde está seu pai? Seus tios? Eu não os vi nas orações da Jumaa. Eles não foram?

– Não, *sahib*. Não, e você precisava ouvir o que Bobo-jan disse a eles por serem tão preguiçosos.

Hamid era incapaz de guardar algo para si.

Azizullah riu.

– Bem, que Alá perdoe seus pecados, mesmo que sua Bobo-jan não perdoe. Diga a eles que Kaka Azizullah e sua prima vieram fazer uma visita.

Hamid levou-os para o pátio e correu para dentro, anunciando sua chegada em um volume que rivalizava com o *azaan* do mulá, o chamado à oração.

– Bobo-jaaaaaaan! Boboooooooo! Kaka Azizullah trouxe Shekiba de voooolta!

Shekiba ficou ainda mais em pânico e se virou para encarar Azizullah. Ele realmente a levara para apenas uma visita ou a devolvia para viver naquela casa? Será que Marjan tinha reclamado dela? De seu modo de se sentar? De suas perguntas estranhas? As palmas de suas mãos ficaram suadas. A burca a sufocava.

A atenção de Azizullah se voltara para um arbusto em floração. Ele estava examinando as pétalas e não pareceu ouvir o anúncio de Hamid.

Kaka Freidun apareceu à porta, parecendo perturbado.

– Agha Azizullah, seja bem-vindo! Como é bom vê-lo.

Kaka Freidun estendeu os braços em saudação. Os dois homens se abraçaram e trocaram os costumeiros beijinhos no rosto.

– Como você está? Como está sua família?

– Todos bem, obrigado. E vocês? Bobo Shahgul vai bem de saúde, espero.

– Ah, só as dores comuns por causa da idade e dos filhos rebeldes – brincou o tio, lançando-me um olhar furioso.

Ele acha que fiz algo errado. Já está pronto para me castigar.

– Sua família é abençoada por tê-la nessa idade. Ainda lamento a morte de minha mãe, que Alá a tenha, e já se passaram dois anos que ela se foi.

– Que Alá a perdoe e o paraíso seja seu lugar de descanso – disse Freidun. – Por favor, entre. Tome uma xícara de chá conosco.

Eles caminharam em direção à casa e Shekiba ficou alguns metros atrás. Ela se sentia deslocada e inquieta. Estava no pátio de sua família, mas continuava a vestir a burca. Por ora, preferia estar coberta.

– Azizullah-jan, não nos vemos há algum tempo. Espero que esteja tudo bem em sua casa.

A declaração de Freidun era mais uma pergunta. Ele tentava adivinhar a razão por trás da visita.

– Sim, sim, está tudo bem. E você? Como vai a família? Como está a propriedade? As plantações têm gerado frutos este ano?

– Dentro do que se pode esperar com a falta de chuvas. Os céus secos não ajudam, mas temos esperança de obter pelo menos o suficiente para sobreviver.

– Ouvi queixas semelhantes de outras pessoas nos arredores da cidade. E onde está Bobo Shahgul? Está descansando?

– Ela foi se deitar depois de terminar suas orações – respondeu Freidun. – Você quer falar com ela?

Mais uma vez ele parecia preocupado.

Kaka Zalmai e Kaka Shiragha apareceram no pátio, suas expressões semelhantes à do irmão. Azizullah se levantou e os homens se abraçaram e trocaram breves cortesias.

Os tios fingiram não notar a presença de Shekiba. Ela sabia que deveria entrar pela porta dos fundos e ir ao encontro das mulheres, mas não tinha muito interesse em fazer isso.

– Shekiba queria fazer uma visita à família, já que o Eid é na próxima semana. Ela estava sentindo falta de todos e queria dizer olá, sobretudo a Bobo Shahgul.

Os tios não conseguiram esconder a surpresa. Depois de um momento, Kaka Freidun meneou a cabeça de modo presunçoso.

– Ah, entendo. Não estou surpreso. Bobo Shahgul é muito amada por todos os netos.

Ele acha que eu me arrependo da maneira como saí. É ainda mais burro do que sua esposa.

– Ela deve estar prestes a acordar e sem dúvida ficará surpresa ao vê-la – disse Freidun.

Os lábios de Shekiba se apertaram de frustração.

– Bem, você veio de longe. Vamos entrar e tomar uma xícara de chá, caro amigo. Bobo Shahgul com certeza ficará feliz por passar um tempo com sua querida neta! – comentou Freidun com malícia.

Zalmai e Shiragha trocaram um sorrisinho.

Shekiba se sentia como uma marionete, os braços e pernas comandados pelo tio. O que mais poderia fazer? Cada movimento seu era motivado pelo desejo de ficar longe daquela casa. Se Azizullah a visse como uma menina insolente, ela corria o risco de ser devolvida à família.

Suas pernas obedeceram e ela caminhou lentamente pela porta dos fundos da casa. Passou pelo filho de Khala Samina, Ashraf, que carregava uma bandeja de xícaras fumegantes e tigelas com passas e castanhas, estremecendo de nervosismo.

Shekiba adentrou o corredor e fez uma pausa. Deveria mesmo se encontrar com a avó? Será que eles iriam ver onde ela estava? Ergueu a burca e a deixou pender por trás da cabeça.

Khala Samina apareceu no corredor. Ela era magra, menor do que as cunhadas.

– *Salaam*, Shekiba – disse Samina em voz baixa. – Ela sabe que você está aqui. Está esperando por você.

– *Salaam*.

– Shekiba...

A jovem se virou e olhou para a tia, que estava coçando a testa. Ela deu alguns passos na direção de Shekiba e baixou a voz:

– Ela é uma velha rabugenta. Não lhe dê motivo. Ela não conhece nenhum outro meio de se entreter.

Shekiba aquiesceu, sentindo de repente a garganta se apertar. A voz de Samina era suave, um tom raramente usado quando alguém se dirigia a Shekiba. De repente, sentiu um enorme vazio causado pela ausência de sua mãe.

– Obrigada, Khala Samina.

A tia fechou os olhos por um instante e meneou a cabeça em reconhecimento antes de retomar o trabalho na cozinha.

Shekiba andou mais alguns metros até o quarto de Bobo Shahgul. Viu através da cortina de gaze que a avó estava sentada em uma cadeira, com a bengala na mão. Os dedos ossudos seguravam a madeira com força.

Ela sabe que estou aqui. Não tenho escolha agora.

Shekiba afastou a cortina e se deparou com o olhar gélido da avó.

– Ora, ora... Olha só quem decidiu perturbar nossa paz mais uma vez.

– *Salaam*.

Shekiba decidiu seguir o conselho de Samina e tentar não contrariar a velha.

– *Salaaaaam* – respondeu Bobo Shahgul, com ironia. – Sua menina idiota. Como se atreve a vir aqui? Como se atreve a pisar nesta casa?

Shekiba se conteve. Já enfrentara coisas piores. Tudo o que tinha a fazer era resistir à tentação de responder à altura.

Você precisa ir até sua casa e pegar a escritura. Não se esqueça do motivo que a trouxe aqui. Não deixe que a velha a distraia de seu objetivo.

– *Eid mubarak*, Bobo-jan.

– Como se eu precisasse ver essa cara – respondeu ela, virando-se, enojada. – Não há o Eid para uma criatura desrespeitosa como você, que se atreve a afrontar a avó que a recebeu, mesmo depois que você roubou o filho dela.

A avó se levantou sobre os pés estropiados, movida pela raiva.

– Meu pai era um homem sensato, que tomava as próprias decisões.

Shekiba sabia que o golpe viria, mas não se mexeu.

A bengala de Bobo Shahgul acertou em cheio seu ombro.

Ela está mais fraca do que alguns meses atrás, percebeu Shekiba.

– Bobo-jan, como está sua saúde? Está me parecendo um pouco frágil, que Deus nos livre!

Um segundo golpe. Ela estava se esforçando mais.

– Sua besta! Saia da minha casa!

– Como quiser – respondeu Shekiba, virando-se e saindo de cabeça erguida.

Ela não dissera nada. E nada poderia ter deixado Bobo Shahgul mais furiosa.

Shekiba se deteve na cozinha. Perguntou-se se Khala Samina teria ouvido a conversa.

– Querida menina, há algo em você que deixa aquela velha louca.

Ela ouvira.

– Khala Samina, quero pegar algumas coisas na casa de meu pai. Não vou demorar muito.

Shekiba olhou na direção da sala. Ouviu os homens rindo.

Samina balançou a cabeça.

– Faça o que acha que precisa fazer, você não é mais criança. Mas saiba que há muitas pessoas dispostas a tornar sua vida mais difícil. Cabe a você achar uma maneira de facilitar as coisas para si mesma.

Shekiba assentiu, perguntando-se qual das duas era a mais ingênua.

– Não vou demorar muito – garantiu, baixando a burca e saindo pela porta dos fundos.

Atravessou os campos rapidamente, olhando por cima do ombro a cada meio minuto para ver se alguém a seguia. Depois de cerca de 20 metros, deu uma leve corrida, esperando não atrair atenção. A casa do pai parecia menor do que ela lembrava. Sentiu o coração se acelerar ao se aproximar do portão enferrujado.

Por um segundo, viu o pai em pé do lado de fora, o rosto voltado para o céu, enxugando o suor da testa com as costas da mão. Ouviu a mãe chamar os irmãos. Viu o rosto de pássaro canoro de Aqela na janela da frente, observando o pai trabalhar no campo.

Deveria existir uma palavra para descrever sua experiência, a maneira como o estômago se retorcia de ansiedade por estar em um lugar do qual sentia tanta falta, perto de pessoas que sentiam tanta saudade dela quanto ela sentia delas. Foi uma sensação que começou doce e terminou amarga, assim que Shekiba percebeu que estava de pé sobre as cinzas daqueles tempos perfeitos, ainda que breves.

Ninguém havia ocupado a casa ainda, mas parecia que alguém tentava fazer melhorias. Rachaduras nas paredes tinham sido cobertas com argila. Uma nova tábua fora pregada sobre a mesa lascada do lado de fora. No interior, as duas cadeiras maciças haviam desaparecido, assim como os poucos cobertores que ela deixava espalhados para fazer de conta que os pais e irmãos ainda dormiam ali.

Shekiba tentou imaginar qual dos abutres estaria interessado na casa, mas deixou o pensamento de lado por ora.

Precisava encontrar o Corão. Os livros do pai não tinham sido tocados. Continuavam na prateleira torta, acima do lugar onde Padar-jan dormia. Ela olhou pela janela, quase esperando ouvir as vozes iradas dos tios.

Pestanejou para conter as lágrimas e usou um banquinho para alcançar a prateleira de cima. Seus dedos alcançaram a borda e tatearam cegamente.

Achei.

Puxou uma ponta de tecido e o livro deslizou em sua direção. Ela o segurou com ambas as mãos e desceu do banco. O Corão estava envolto em um tecido verde-esmeralda bordado com fio de prata. Era o *desmaal*, ou pano de casamento, de sua mãe. Shekiba espanou a poeira e beijou o livro sagrado, em seguida o tocou no olho esquerdo e no direito, como seus pais haviam ensinado.

Por que mantemos o Corão lá em cima, no alto, Madar-jan? É tão difícil alcançá-lo!

Porque nada está acima do Corão. É assim que demonstramos nosso respeito pela palavra de Alá.

Shekiba desdobrou o pano e abriu a primeira página.

Tariq. Munis. Shekiba. Aqela.

Ao lado de cada nome, Padar-jan tinha escrito a lápis o mês e o ano de nascimento.

Shekiba folheou o livro, as páginas com as bordas desgastadas. O volume se abriu na segunda sura. Ela reconheceu o versículo que o pai citava com frequência. Passou os dedos pela bela escrita e ouviu a voz dele: *Isso significa que estimamos muitas coisas neste mundo, mas há ainda mais à nossa espera no paraíso.*

O documento caiu em suas mãos. Pergaminho amarelado, com duas colunas de assinaturas floreadas. Ela reconheceu o nome do avô. Era a escritura!

Os sentidos de Shekiba ficaram mais aguçados agora que ela conseguira o que fora buscar. Deu uma olhada rápida ao redor e colocou a escritura de volta nas páginas do Corão. Era hora de voltar para a casa da família, antes que sua escapada incitasse fúria. Cobriu o livro novamente com o *desmaal* e o enfiou de maneira imperceptível sob a camisa.

Alá, perdoe-me, pensou.

Quando saiu pelo portão enferrujado, viu Kaka Shiragha do outro lado do campo.

Preguiçoso, pensou, olhando para o tio. *Os outros teriam vindo atrás de mim.*

Shiragha a encontrou na porta.

– O que você estava fazendo naquela casa? – quis saber ele.

– Estava rezando.

Shekiba passou por ele e voltou para a sala, torcendo para que Azizullah estivesse pronto para ir embora.

– Onde você estava? Bobo Shahgul disse que sua visita foi agradável, porém breve. – Azizullah tomou o último gole de chá. – Precisamos ir embora. Já tomamos muito seu tempo.

– O tempo com o amigo é tempo bem gasto – disse Zalmai de maneira cortês, fitando Shekiba com desconfiança.

Shiragha assentiu. Ele não fora abençoado com as habilidades sociais dos irmãos.

– Vocês são muito gentis. Por favor, transmitam meus cumprimentos ao resto da família. Estou certo de que os verei na *masjid* para as orações do Eid na próxima semana.

– É claro que sim.

– Sem dúvida.

Shekiba seguiu Azizullah pelo pátio até a rua. Os tios a observaram ir embora, cochichando uns com os outros.

Eles fingiram muito bem, pensou Shekiba, certa de que todos se perguntavam o que a fizera voltar à casa da família.

CAPÍTULO 14

Rahima

— É CLARO QUE ELE BATEU NELA DE NOVO! Por que você tinha que dizer uma coisa daquelas? Você sabe como ele é!

Shahla estava dobrando as roupas no pátio, os olhos se alternando entre as peças e Sitara, que traçava círculos na terra com uma pedra.

– Eu não queria que aquilo acontecesse... Eu só estava... Eu só queria...

– Bem, você tem que pensar antes de dizer qualquer coisa. Ela não conseguia nem levantar o braço esta manhã. Só Deus sabe o que ele fez com ela.

Mordi o lábio. Eu havia ido até a casa de minha avó, como meu pai ordenara. Tinha esperança de que ele tivesse deixado Madar-jan em paz, mas não. Sua ira venenosa nunca se dissipava, não sem a droga. Queria que Shahla parasse de me contar o quanto ele fora perverso com nossa mãe. Mas eu precisava ouvir. Precisava saber o que tinha acontecido.

– Você arruinou tudo. Você não pensa nos outros. Está tão ocupada sendo um menino que se esqueceu do que pode acontecer a uma menina. Agora todas teremos que pagar por seus erros egoístas.

– Isso não tem nada a ver com você. Ele estava com raiva de Madar-jan, então pare de se preocupar consigo mesma.

Shahla continha as lágrimas.

– Você acha que tudo isso afetou apenas Madar-jan? Acha que tudo vai acabar aí? Bem, não vai acabar, não. O que você faz afeta todas nós.

– Do que está falando?

– Você sabe o que todas nós somos? Somos *dokhtar-ha-jawan*, mulheres jovens. Eu, Parwin. Até você, *Rahim*. Até você.

Ela estava zangada. Eu nunca vira Shahla tão alterada. Sitara ergueu o olhar, sentindo a tensão.

– Ele bateu nela outra vez. Parwin e eu ficamos com medo de olhar, mas ouvimos. Ele ficou gritando que não bastava ela ter fracassado como esposa, agora estava fracassando também como mãe.

Eu me lembrei dela encolhida de medo. O rosto de nosso pai estava vermelho de raiva, os olhos esbugalhados.

– Ela deve ter caído no chão. Seu ombro está muito machucado. Eu não sei. Ela tentou acalmá-lo, mas ele estava... bem, você sabe como ele fica. Então ela disse alguma coisa que o fez parar.

– O que ela disse? – perguntei baixinho.

– Ela disse que estava cuidando de todas nós. Disse que esta era uma casa cheia de *dokhtar-ha-jawan* e que não era fácil. De repente, ele ficou em silêncio. Então começou a andar de um lado para outro, falando que sua casa estava cheia de mulheres jovens e que isso não era certo.

– O que não é certo?

– Você não sabe o que as pessoas dizem? Que não é certo manter *dokhtar-ha-jawan* em casa.

– E o que se deve fazer com elas?

Senti que a conversa estava tomando um rumo nada agradável.

– O que você acha? Casá-las, é claro. É isso que está na cabeça dele agora. E tudo porque você não sabe se comportar. Acha que, só porque está vestindo calças e amarrando uma faixa sobre os seios todas as manhãs, ninguém vai se importar com o que faz. Mas você não é mais uma criança. As pessoas não vão mais fingir. Você não é diferente de mim e de Parwin.

– Você acha que ele quer nos casar?

– Não sei o que ele está pensando. Depois dessa discussão, ele desapareceu e ainda não voltou. Só Deus sabe onde está.

Parwin saiu de casa com a segunda leva de roupas e começou a pendurar lençóis no varal. Ela alcançava a corda com dificuldade. Jogava a maioria dos lençóis por cima, depois os puxava pelas pontas, do outro lado. Shahla parecia prestes a ajudá-la, mas então se deteve e mudou de ideia. Quando concluiu a tarefa, Parwin olhou para o céu, bloqueando o sol com a mão, e murmurou algo bem baixinho.

Lembrei-me de uma conversa que ouvira certa vez. Khala Shaima e minha mãe achavam que estávamos todas dormindo, mas eu tinha dificuldade para pegar no sono.

– É por isso que é importante que essas meninas frequentem a escola, Raisa. Caso contrário, nunca terão nada. Seja sensata. Olhe para mim e pense no que pode acontecer a Parwin.

– Eu sei, eu sei. Eu me preocupo com ela mais do que com as outras.

– E com razão. Apesar de tudo o que Madar-jan fez, eu fui preterida. Todas as amigas com quem ela falou, todas as orações especiais... E agora olhe para mim, enrugada e sozinha. Sem filhos. Às vezes acho que foi melhor seu marido passar tanto tempo ausente, aquele inútil. Pelo menos assim tenho mais oportunidades de vir aqui e passar algum tempo com suas filhas.

– Elas adoram tê-la por perto, Shaima. Esperam ansiosamente por suas histórias. Você é a melhor parente que elas têm.

– Elas são boas meninas. Mas seja realista: antes que você se dê conta, terá que considerar seriamente os pretendentes. Exceto para Parwin. Terá sorte se aparecer alguém interessado nela.

– Ela é uma menina bonita.

– Bobagem. O porco-espinho se sente tocando veludo quando acaricia as costas do filhote. Você é a mãe dela. Parwin-e-lang. É o que ela é. Alá é testemunha de que eu a amo tanto quanto você, mas é assim que as pessoas a chamam, e você tem que ser honesta consigo mesma e admitir isso. Assim como eu sou Shaima-e-kup. Sempre fui Shaima, a corcunda. Se ela for à escola, pelo menos terá alguma coisa. Pelo menos poderá pegar um livro e ler. Pelo menos terá a chance de conhecer algo diferente destas quatro paredes e do cheiro do ópio do pai.

– Ela seria uma boa esposa. E uma boa mãe. É uma menina especial. A maneira como desenha, é como se Deus guiasse suas mãos. Às vezes acho que ela ainda fala com os anjos, como costumava fazer quando era um bebê.

– Os homens não precisam de meninas *especiais*. Você deveria saber disso.

Eu não conseguia imaginar Parwin casada, mas também o mesmo se aplicava ao restante de nós. Depois disso, acabei pegando no sono. Sonhei com meninas usando véus verdes, centenas delas, subindo a montanha ao norte de nossa cidade. Uma torrente esmeralda na trilha até o cume, onde, uma a uma, caíam do outro lado, os braços estendidos como asas que deveriam saber voar.

Em uma casa de três cômodos, eu sabia que não conseguiria evitar minha mãe por muito tempo. Vi seu lábio inchado, o rosto triste e torci para que ela percebesse o meu remorso.

– Madar-jan... Eu... Eu sinto muito, Madar-jan.

– Está tudo bem, *bachem*. A culpa é tanto minha quanto sua. Veja só o que fiz com você. Eu deveria ter colocado um fim nisso há muito tempo.

– Mas não quero que você...

– A situação vai mudar em breve, tenho certeza. Temo que ela não esteja mais em minhas mãos. Vamos ver que *nasib*, que destino, Deus reservou para nós. Seu pai age sem pensar, e não ajuda nada ter sua avó sussurrando coisas no ouvido dele.

– O que você acha que ele vai fazer? – perguntei, nervosa.

Fiquei aliviada por minha mãe não estar com raiva de mim. Ela estava deitada de lado, com minha irmãzinha perto dela. Resisti à vontade de me aninhar junto das duas.

– Os homens são criaturas imprevisíveis – respondeu Madar-jan, a voz cansada e derrotada. – Só Deus sabe o que ele vai fazer.

CAPÍTULO 15

Shekiba

SHEKIBA ESTAVA DIANTE DE UM NOVO DILEMA. Queria levar a escritura ao *hakim* local, mas não sabia se Azizullah permitiria algo assim. Talvez permitisse. Os homens, afinal, eram criaturas imprevisíveis.

Decidiu não pedir permissão a Azizullah, mas isso significava que precisaria ir sozinha até o *hakim* da cidade. Ouvira o nome dele em conversas entre Azizullah e seu irmão, Hafizullah, mas não fazia ideia de onde encontrar o homem. E ainda havia a questão de como chegar até ele. Que desculpa poderia dar dessa vez?

– Como foi a visita à sua família? – perguntou Marjan.

– Foi agradável – respondeu Shekiba.

Ela estava com os braços afundados até os cotovelos em água quente com sabão, lavando as roupas das crianças.

– E como estava Bobo Shahgul? Ela está bem de saúde?

– Sim.

Infelizmente, pensou.

– E o resto da família? Você viu todos eles? Todos os seus tios?

– Kaka Zalmai, Shiragha e Freidun. Os outros continuam no Exército.

Marjan parou perto dela, um dedo sobre os lábios enquanto ponderava a respeito de algo. Shekiba evitou seu olhar propositalmente.

– Sabe, semana passada, no *hammam*, me encontrei por acaso com Zarmina-jan, a esposa de seu tio. Ela disse que ficou surpresa por você querer visitar sua família por ocasião do Eid.

Os músculos do pescoço de Shekiba se retesaram.

– Ela disse que você não se adaptou bem à casa de Bobo Shahgul após a morte de seu pai.

Khala Zarmina, o que está tramando?

– Você ficou com raiva por ter sido mandada para cá?

Shekiba balançou a cabeça.

– Bem, espero mesmo que não. Esse foi um arranjo com o qual todos concordaram, então espero que não tenha a intenção de adotar o mesmo tipo de comportamento aqui nesta casa.

Shekiba sentiu uma queimação no estômago.

– Este lugar é diferente – disse ela, a voz amarga.

– Ótimo. Pois saiba que não toleramos comportamentos desrespeitosos. Não quero que meus filhos aprendam essas coisas!

Shekiba aquiesceu.

Mas Marjan estava desconfortável com a presença dela. Talvez Khala Zarmina tivesse dito algo mais.

Shekiba preparou o jantar da família e comeu em silêncio na cozinha. Ela gostava de ouvir as crianças implicando umas com as outras. Em meio ao ruído, ouviu Marjan dizer a Azizullah que tinha algo a discutir com ele mais tarde.

Shekiba sabia que a conversa seria sobre ela.

À noite, ouviu os gemidos suaves de Marjan e soube que Azizullah estava possuindo sua esposa. Isso era algo que Shekiba conhecera na casa da avó. De onde dormia, na cozinha, escutava os mesmos grunhidos ofegantes através da parede e via Kaka Zalmai sair satisfeito do quarto, enquanto Samina evitava o olhar de Shekiba e se ocupava dos filhos. As mulheres costumavam brincar sobre o assunto quando as crianças não estavam por perto, mas não se importavam que Shekiba ouvisse.

– Você está trabalhando nesse suéter há mais de uma semana, Zarmina! Está perto de terminar?

– Parece com o que ouço você dizer ao seu marido no meio da noite, Nargis!

Risos e uma mão batendo nas costas de alguém. Shekiba escutava atentamente, intrigada pelos raros momentos de camaradagem entre as mulheres.

Nargis riu e respondeu sem hesitar:

– Mahtub-gul mal consegue enxergar além de seus enormes seios para saber o que está acontecendo lá embaixo.

Mais risos. Samina olhou na direção de Shekiba e pareceu desconfortável com sua presença. Zarmina notou e ergueu a xícara de chá.

– Eu não me preocuparia com ela, Samina querida. Lembre-se, ela era o filho do pai, então é bom que aprenda como são as coisas da boca das mulheres. Imagine se você não tivesse a mínima ideia do que a noite de núpcias lhe reservava! Deixe que ela aprenda.

Samina estalou a língua.

– Saber só piora as coisas.

Shekiba pensava com frequência naquelas palavras. O que poderia ser pior? Fosse o que fosse, suas tias faziam parecer péssimo, mas tolerável. Afinal, estavam rindo.

Ouvir os suspiros ofegantes e suaves de Marjan não foi nenhuma surpresa – era o que acontecia entre marido e mulher, e a forma como as mulheres engravidavam. Essa parte Shekiba já havia entendido.

Depois de alguns momentos, os grunhidos cessaram e Shekiba escutou os sons de uma conversa. Pressionou o ouvido contra a parede.

– E Zarmina lhe disse que ela fez isso?

– Sim. Agora sei por que Bobo Shahgul estava tão ansiosa para fazer esse arranjo. Ela não queria ter essa menina em casa.

– Nunca confiei naqueles sujeitos. Principalmente Freidun. Eles têm a si mesmos em alta conta, mas nenhum deles chega nem à metade do homem que o pai foi. Sua mãe tem razão em ficar sempre de olho.

– Mas o que vamos fazer com Shekiba-e-shola? É verdade, ela faz o trabalho da casa muito bem, mas tenho medo de que se volte contra nós como fez com a própria avó. E se ela ameaçar amaldiçoar nossa família também?

Amaldiçoar a família?

– Hum... Interessante.

– E Zarmina disse que, embora realizasse as tarefas como um filho, a menina tem o espírito de uma mulher selvagem. A última coisa de que esta casa precisa é atrair escândalos e rumores.

– E o que você acha que devemos fazer?

– Acho que você deve mandá-la de volta.

– Mandá-la de volta?

– Sim! Pelo bem de todos nesta casa. Leve-a de volta e diga aos tios que vão ter que saldar a dívida de outra maneira. Não podemos ficar com ela.

– Entendo.

Marjan foi esperta por abordar o assunto naquele momento, em que Azizullah se sentia extenuado e relaxado.

– Mas não devemos dizer a eles que é por isso que estamos mandando Shekiba de volta. Zarmina me pediu que mantivesse nossa conversa em segredo.

– Aposto que sim.

Eles ficaram em silêncio. Shekiba se sentiu traída e, em seguida, se perguntou por que se surpreendera com as acusações da tia.

O que ela quer? Será que Zarmina me quer de volta? Por quê?

– Vai ser uma pena perder a ajuda dela, mas tenho um mau pressentimento em relação a essa garota. Não consigo tirar as palavras de Zarmina da cabeça.

Shekiba se lembrou do comportamento nervoso de Marjan nos últimos dois dias e quase riu.

Por alguns momentos, saboreou a ideia de ser considerada uma ameaça tão terrível.

– Se eu a levar de volta, vou gerar uma desavença entre as famílias, o que não é de nosso interesse – disse Azizullah. – Pelo que vi de suas terras, já sei que virão novamente bater à nossa porta para pedir dinheiro emprestado. Nenhum deles sabe cuidar de uma plantação. Mas tenho outra ideia.

– Qual?

– Preocupe-se com as crianças e em cuidar da casa. Eu não disse que vou resolver a questão?

A janela de oportunidade de Marjan estava se fechando rapidamente. Azizullah voltava a ficar impaciente.

– Deixe-me falar com Hafizullah sobre isso – continuou Azizullah. – Pode haver uma maneira de nos livrarmos dessa menina, se ela a incomoda tanto. E, ao mesmo tempo, poderemos garantir nossa posição na comunidade. Há mudanças a caminho e Hafizullah tem grandes aspirações.

Shekiba manteve olhos e ouvidos atentos nos dias seguintes, à procura de qualquer pista do que poderia ser a intenção de Azizullah. Ele passava a maior parte do tempo fora de casa, sem dúvida se encontrando com Hafizullah para discutir seu plano misterioso. Shekiba foi ficando cada vez mais amedrontada.

Mulheres que levavam escândalo ou problemas para uma casa não eram toleradas. Mesmo uma menina ingênua como Shekiba sabia disso. Ela começou a temer pela própria vida.

Tentou avaliar sua situação por meio de Marjan.

– Khanum Marjan – disse Shekiba baixinho.

Marjan estava remendando meias e se sobressaltou ao som da voz de Shekiba.

– Eu... Desculpe-me! Não quis assustá-la! Vou preparar o jantar.

– Ah, Shekiba! – Marjan levou a mão ao peito e balançou a cabeça. – Por que se move sorrateiramente desse jeito? Vá preparar o jantar. Azizullah vai estar com fome quando retornar da rua.

Shekiba hesitou por um momento antes de se atrever a falar:

– Khanum Marjan, posso lhe fazer uma pergunta?

Marjan olhou para ela em expectativa.

– Quando a senhora... Quando a senhora falou com Khala Zarmina... o que ela falou? Quero dizer, sobre mim.

Marjan se voltou para as meias e olhou para Shekiba de soslaio.

– Que importância isso tem?

– Eu gostaria de saber.

– Ela disse que você tem o hábito de discutir.

– Discutir? Com quem?

– Não sabe?

– Eu não discuti com ninguém lá. Fiz tudo o que me pediram. Acredite em mim.

– Bem, parece que está discutindo agora, não é?

– Não – respondeu ela com firmeza; estava desesperada para se defender. – Não estou discutindo! Mas o que quer que ela tenha dito sobre mim não é verdade!

– Shekiba, diminua o tom de voz! Esqueça o que ela disse. Concentre-se em suas tarefas.

Shekiba sentiu-se impotente. Retirou-se para a cozinha a fim de preparar o jantar, irritada e frustrada, mas se esforçando para não demonstrar os sentimentos.

Dois dias depois, Azizullah chegou em casa com o irmão. Eles se sentaram na sala e almoçaram arroz com berinjela. Shekiba procurava freneticamente por desculpas para se demorar perto da porta da sala, ansiosa para ouvir a conversa entre os dois.

– Eles vão viajar com cerca de trinta pessoas. Pedi que a casa estivesse pronta. Não estamos poupando despesas.

– Sua casa vai lhes servir bem, meu irmão. Melhor do que a nossa, que é tão simples. Tem comida suficiente para a noite?

– Sim, cobrei todos os favores que me deviam na cidade e vamos ter uma refeição que será um destaque até mesmo para o rei! Está me custando mais do que eu esperava, mas acho que vai ser uma grande oportunidade. Para nós dois, não se esqueça.

Hafizullah estava cheio de confiança.

– Estarei lá com certeza e, se houver algo que possamos fazer, nós faremos – prometeu Azizullah. – Mas há algo que eu gostaria de oferecer ao rei.

– Ah, é? E o que seria? – indagou Hafizullah, ainda mastigando um bocado de comida.

– Eu gostaria de oferecer ao rei Habibullah uma criada de presente.

O coração de Shekiba começou a bater acelerado.

– Uma criada? Que criada?

– Eu não tenho tantas assim – brincou Azizullah.

– Você quer dizer Shekiba-e-shola?

– Sim, ela mesma.

– Ah, não sei, irmão, você realmente acha que é sábio fazer uma oferta tão desinteressante ao rei? Você pode irritá-lo, sabe disso.

– Ela é uma boa criada e vai servir muito bem ao palácio. Não há uma maneira de fazer dela um gesto generoso?

Shekiba, o gesto. Shekiba, o presente.

Ela se sentiu insignificante e descartável ao ser descrita dessa forma. Mais uma vez.

– Bem, deixe-me pensar a respeito. É possível, suponho. Quer dizer, ele não precisa ver o rosto dela... mas pode haver uma utilidade para essa garota no palácio, no fim das contas. Pensando bem... acabei de ter uma conversa com um general. Você conhece o general Homayun, não conhece?

– Conheço, aquele idiota imprestável que só pensa em dinheiro. O que você estava fazendo com ele?

– Ele pode ser um idiota imprestável que só pensa em dinheiro, mas provavelmente vai ser promovido, então cuidado com o que diz sobre ele. É melhor ter esse idiota como amigo do que como inimigo. Ele me disse que foi encarregado de recrutar soldadas para ajudar na guarda do harém de Habibullah. O rei não confia em homens para vigiar suas mulheres e reuniu um grupo de moças que são mantidas como homens. Assim ele não precisa temer que os guardas tirem proveito de suas mulheres.

– Ah, que solução brilhante! Estou lhe dizendo, meu irmão, essa menina é perfeita para cumprir esse papel. Ela anda e respira como um homem, segundo minha esposa.

– Então vamos cuidar disso – declarou Hafizullah. – Vou falar com o general, para que possamos deixar a comitiva informada a respeito do presente antes de você oferecê-lo ao rei Habibullah. É uma visita histórica para nossa cidade e você estará deixando sua marca. Creio que você pode esperar que isso vá lhe trazer um ótimo retorno.

Shekiba tinha ouvido o suficiente. Caminhou de volta para a cozinha com as pernas bambas. Sua cabeça estava girando.

O rei? O palácio?

Palavras estranhas para ela.

Shekiba, a que tem meio rosto. A menina-menino que anda como um homem.

Percebeu que não era inteira em nenhum sentido.

CAPÍTULO 16

Rahima

KHALA SHAIMA GOSTAVA DE FAZER SUSPENSE. Eu tentava imaginar o que teria acontecido a Bibi Shekiba quase tanto quanto pensava o que ia ser de nós. Pelo visto, nós duas estávamos prestes a deixar nossa casa.

Padar-jan passou mais tempo longe nas semanas seguintes. Quando por fim voltou, estava carrancudo e berrava mais ao dar as ordens. Até o canto suave de Parwin, que ele costumava apreciar em segredo, o irritava. Madar-jan tentava acalmá-lo com refeições prontas e uma casa tranquila, mas ele sempre achava algum motivo para explodir.

Comecei a passar mais tempo na loja de Agha Barakzai. Era minha maneira de evitar os meninos sem explicar o que estava acontecendo. Eu tinha medo de que minha mãe resolvesse me mudar de volta para menina e me perguntava como Abdullah e Ashraf reagiriam. Odiava estar distante deles, principalmente de Abdullah, mas temia ficar por perto.

À noite, eu permanecia acordada, pensando em Abdullah e me lembrando do dia em que Madar-jan nos pegou brincando de luta. Tinha sido emocionante, até o momento em que ela gritou meu nome. Eu me arrepiava ao pensar no rosto de Abdullah sobre o meu, suas longas pernas prendendo meus quadris debaixo dele, suas mãos segurando meus pulsos. E seu sorriso. Corei no escuro do quarto.

Eu tentava compensar Madar-jan pelo que havia feito. Esforçava-me ao máximo para manter Padar-jan distraído na presença dela, mesmo que isso significasse ele gritar comigo. Embora tivesse sido dispensada das tarefas domésticas ao me tornar uma *bacha posh*, tentava ajudar quando a via descascando batatas, lavando a roupa ou batendo a poeira dos tapetes.

Shahla não me dirigia mais do que algumas palavras por dia. Ainda estava irritada e podia sentir, pelo humor de Madar-jan, que teríamos problemas. Ela ficava em silêncio na presença de Padar-jan, levando-lhe chá ou comida e se retirando antes que nosso pai se desse conta de que ela era uma daquelas mulheres jovens que ele tinha mantido em casa por tempo demais.

Minha avó começou a nos visitar com mais frequência. Ela estava intrigada com a nova onda de inquietação em nossa casa e queria ver por si mesma. Madar-jan se esforçava para ser gentil.

– Diga a meu filho que eu quero falar com ele. Quando ele chegar em casa, diga para ir me ver.

– Claro. Sobre o que a senhora quer falar com ele?

– E isso é da sua conta? Basta dizer a ele o que mandei.

Madar-jan sabia qual era o assunto. Talvez dessa vez seu marido estivesse mais interessado em levar outra esposa para casa.

Quando Padar-jan foi conversar com minha avó, eu fiquei ouvindo. Fingi estar jogando bola no pátio e, aos poucos, chutei-a cada vez mais longe, até ficar bem do lado de fora da sala dela. Escutava sua voz estridente com clareza. Era mais difícil de entender meu pai, que às vezes murmurava.

– *Bachem*, já passou da hora. Você deu a ela muitas oportunidades de lhe dar um filho e ela falhou. Agora vamos lhe arrumar uma segunda esposa para que você possa finalmente aumentar essa família.

– E onde vou colocá-la? Temos apenas um quarto para todas as meninas. Não temos dinheiro para construir nada atrás de casa nem para comprar outra residência na cidade. Encontrar uma segunda esposa é fácil, o difícil é conseguir dinheiro e espaço.

– E Abdul Khaliq? Ele não prometeu ajudá-lo quando você precisasse?

Padar-jan balançou a cabeça.

– Os homens estão precisando de armas e suprimentos. Não há dinheiro sobrando.

– Duvido que não haja. Ouvi falar sobre o que ele faz. Ouvi as pessoas na cidade comentarem sobre seus cavalos, suas esposas, todos os seus filhos. Ele tem muito dinheiro!

– Madar, cuidado com o que diz! Ele é um homem poderoso e você não deve tomar parte em nenhum falatório sobre ele, entendeu?

– Não fui eu que comecei esse falatório. Há muitas línguas comentando. É o que estou tentando lhe explicar – retrucou ela, irritada por ser silenciada pelo filho.

– De qualquer forma, vou fazer algumas mudanças em casa em breve e as coisas vão melhorar para o meu bolso. Está na hora de me livrar de algumas das meninas.

– E como pretende fazer isso?

– Vigie Raisa enquanto eu estiver fora e vou encontrar uma maneira de cuidar do resto.

Shahla e Madar-jan tinham razão: Padar-jan estava prestes a abalar nossa família.

Onze dias depois, Abdul Khaliq apareceu em nossa casa com outros sete homens. Eles chegaram em dois utilitários pretos, os pneus levantando nuvens de poeira na rua. Abdullah viu os carros e soube imediatamente a quem pertenciam, pois a maioria das pessoas em nossa cidade andava a pé.

Foi Munir quem abriu o portão da frente e indicou nossa casa. Nem mesmo meu pai esperava por ele. Meu primo assistiu boquiaberto enquanto Abdul Khaliq e sua comitiva passavam. Dois dos homens tinham armas negras penduradas no ombro. O senhor da guerra era corpulento e tinha quase 50 anos, a julgar pelas rugas ao redor dos olhos e pela barba grisalha. Usava um turbante branco e uma túnica bege sobre calças largas. Uma antena saía do bolso do colete cinza, outro sinal de que aquele homem era diferente das pessoas comuns. Ele foi a primeira pessoa em nossa cidade a possuir um celular. Poucos tinham acesso a qualquer tipo de telefone.

Quando recebíamos um visitante, costumávamos enviar um dos homens até o portão da frente para saudá-lo. As pessoas não iam simplesmente entrando, pois as mulheres da casa poderiam estar andando pelo pátio com a cabeça descoberta. Mas foi a estupidez de Munir ou a presença de Abdul Khaliq que mudou essa rotina. Ele e seus homens estavam em nosso pátio, avaliando a situação. Eu os avistei e reconheci Abdul Khaliq do bazar. Corri para dentro, para avisar minha mãe e enviar meu pai ao encontro do amigo.

– Padar-jan, Abdul Khaliq está aqui... com um monte de gente.

Meu pai ficou tenso e deixou o jornal de lado.
– Do que está falando? Onde?
– Lá fora. No pátio. Ele trouxe sete homens. E armas.
Meu pai franziu a testa e se levantou mais rápido do que o habitual.
– Diga à sua mãe para preparar algo para nossos visitantes – disse, saindo para receber o senhor da guerra.
Madar-jan nos ouviu e ficou na cozinha, parecendo perturbada. Olhou para a porta de nosso quarto, onde Shahla e Rohila estavam colocando Sitara para dormir. Parwin descascava cebolas aos pés da mãe, pois era a única que não ficava com os olhos irritados e lacrimejantes durante essa tarefa.
– Ele vai querer mais do que apenas chá – previu Parwin, sem olhar para cima.
Madar-jan olhou para Parwin quase como se tivesse ouvido uma profecia nas palavras da filha. Ela mordeu o lábio e pegou algumas xícaras.
– Leve isso para eles, Rahim-jan – pediu ela, nervosa.
Levei a bandeja, esforçando-me para que minhas mãos não tremessem. Quando entrei na sala, senti os olhares deles me perfurando, a conversa interrompida de repente. Os homens haviam se espalhado. Abdul Khaliq estava acomodado na almofada em frente a meu pai, inclinado para trás, seus dedos percorrendo agilmente um colar de contas de oração. De cada lado dele se encontravam dois homens mais velhos, as barbas com mais fios brancos do que pretos. Os homens armados ficaram mais perto da porta. Não olhei para o rosto deles e tentei manter meu olhar longe de suas armas também. Ajoelhei-me, coloquei uma xícara diante de cada um e saí da sala o mais rápido possível, para poder ouvir do corredor. Madar-jan estava fazendo o mesmo.
– Arif-jan, vim aqui hoje para discutir um assunto importante e honrado com você. Por esse motivo, trouxe os homens mais velhos de minha família, além de outros parentes que você já conhece. Tenho certeza de que se lembra de meus primos, de meu pai e de meu tio. Você lutou comigo durante muitos anos e eu o respeito por isso. De homem para homem, nós dois sabemos que existem tradições em nossa cultura.
– Você me honra com sua visita, *sahib*, e me orgulho de ter lutado sob sua liderança. Realizamos grandes feitos para nosso povo graças a você.
Eu nunca tinha ouvido Padar-jan falar daquela maneira com ninguém. Abdul Khaliq o deixava tenso.

– E estou honrado por receber sua família em minha humilde casa – continuou meu pai. – Queridos tios, fico grato por terem viajado até aqui para serem nossos convidados.

Os homens menearam a cabeça em reconhecimento à cortesia de meu pai. O pai de Abdul Khaliq pigarreou e começou a falar, com a voz rouca e a língua ligeiramente presa:

– Meu filho faz comentários muito positivos sobre você e, claro, sua família é muito respeitada na cidade. Conheço seu pai há muitos anos, Arif-jan. Ele é um bom homem. É por isso que tenho certeza de que também vamos chegar a um acordo. Como você sabe, meu filho se orgulha de cumprir seus deveres como muçulmano. E um dos deveres que Alá planejou para nós é formar famílias e cuidar das mulheres e crianças.

Senti meu coração martelando no peito. Madar-jan estava atrás de mim, uma das mãos em meu ombro e a outra cobrindo a boca, como se tivesse medo de soltar um grito.

– Claro, querido tio...

A voz de Padar foi sumindo, como se ele não soubesse o que dizer. Abdul Khaliq se pôs a falar:

– E você veio até mim recentemente para falar de suas preocupações, pois tem mulheres jovens em casa e não tem dinheiro suficiente para sustentá-las. Andei refletindo sobre sua situação e estou aqui para lhe oferecer uma solução.

O pai de Abdul Khaliq olhou para o filho. Seus olhos diziam: *Deixe que eu falo.*

– Devemos pensar sempre no que é melhor para todos. Nesse caso, você tem uma jovem filha que meu filho gostaria de honrar fazendo dela sua esposa. Nossa família é grande e muito respeitada, como você bem sabe. Seria bom para sua filha juntar-se a ela, e uma união entre nós seria motivo de celebração. É claro que, como consequência, você também teria mais recursos para sustentar sua família.

– Minha filha?

– Sim. Se pensar bem, tenho certeza de que verá que é a escolha mais sensata.

– Mas a minha mais velha tem...

– Não estamos aqui por sua filha mais velha, Arif-jan. Estou falando de sua filha do meio. A *bacha posh*. Meu filho manifestou interesse por ela.

– A *bacha posh*...

– Sim. E não fique tão surpreso. Você a manteve como uma *bacha posh* muito além do tempo aceitável; está violando a tradição.

Eu me virei e encarei minha mãe, completamente pálida. Padar ficou em silêncio. Eu sabia que ele estava se perguntando como Abdul Khaliq sabia sobre mim, mas as notícias corriam. Lembrei-me do dia no bazar, da maneira como Abdul Khaliq olhou para mim e de como sorriu e assentiu quando o homem a seu lado se inclinou e sussurrou algo em seu ouvido.

Minha mãe apertou meu ombro e passou os braços em torno de mim. Ela balançava a cabeça, torcendo para que o marido recusasse aquele homem, rezando para que fizesse isso de uma forma que não ofendesse nem o senhor da guerra nem seus guarda-costas.

– Com todo o respeito, senhor... é só que... bem, ela é uma *bacha posh*... mas tenho duas outras filhas mais velhas do que ela. E, como o senhor disse, somos um povo de tradições e, em geral, as filhas mais jovens não são dadas em casamento antes da mais velha... Eu só acho que...

Houve uma longa pausa antes que o pai de Abdul Khaliq falasse de novo, lentamente:

– Você está certo. Seria impróprio dar a mão de sua filha do meio em casamento sem que as outras também estivessem casadas.

Por um segundo, consegui respirar. Mas foi apenas um segundo.

– Mas isso pode ser facilmente arranjado – continuou ele. – Meus primos estão aqui, Abdul Sharif e seu irmão, Abdul Haidar. Eles também estão em busca de esposas. Nós podemos arranjar para que cada um deles tome uma de suas filhas. Eles são homens fortes, saudáveis e cuidarão bem das meninas, que agora são jovens mulheres e não devem ser mantidas ociosas em casa. Permita que esses homens tragam honra para sua casa e aliviem seus problemas.

– Abdul Khaliq, queridos tios, sabem que eu os tenho na mais alta conta, mas... mas trata-se de uma questão... bem, a tradição diz que devo consultar minha família, como você fez. Não posso tomar essas decisões sem a presença de meu pai e dos membros mais velhos de minha família.

O pai de Abdul Khaliq concordou:

– É razoável. Isso não é problema. Voltaremos daqui a uma semana. Por favor, providencie para que seu pai e os demais estejam aqui para que possamos falar com eles.

Essas palavras podiam ter soado como um pedido, mas Padar-jan sabia que eram uma ordem. Eles não aceitariam "não" como resposta.

Assim que o último homem saiu, Madar-jan correu até meu pai.

– Arif, o que você vai fazer? As meninas são tão jovens!

– Não é da sua conta o que vou fazer! Elas são minhas filhas e vou fazer o que é adequado para elas, já que você não é capaz.

– Arif, por favor, Rahim tem apenas 13 anos!

– E ele está certo! Ela não deveria mais ser uma *bacha posh*! É uma jovem mulher e é uma vergonha deixá-la nas ruas, trabalhando para Agha Barakzai nessa idade. Você não se preocupou nem um pouco com a honra dela, não é? Sabe o que isso significa para o nome de minha família?

Madar-jan se conteve para não responder. Se meu pai soubesse...

– Você tem algum plano melhor? Não temos dinheiro, Raisa! Você só pensa em si mesma. E já viu o que acontece com meninas que ficam na casa dos pais por tempo demais. As pessoas falam delas. Há maledicência. Ou pior! O que você vai fazer se bandidos vierem e tomarem suas filhas à força? Aquele homem, aquela família, eles podem sustentar suas filhas! Podem dar a elas uma vida respeitável!

Madar-jan procurou uma maneira de argumentar. Mas grande parte do que o marido acabara de dizer era verdade. Ela mal conseguia nos alimentar com o dinheiro que ele trazia para casa. Os irmãos de Padar-jan não estavam em melhor situação, para não mencionar as duas viúvas e seus filhos.

– Posso pedir à minha irmã, Shaima, para estar aqui quando eles voltarem. Ela conseguiria argumentar com eles.

– Khanum, se a insolente da sua irmã ousar colocar os pés nesta casa nesse dia, juro que corto a língua dela e faço aquela corcunda sair rolando pela rua!

Madar-jan estremeceu ao ouvi-lo falar de Khala Shaima dessa maneira.

– Abdul Khaliq é um homem poderoso e está em posição de melhorar a sorte de nossa família – prosseguiu Padar-jan. – Esse é um assunto que vou discutir com meu pai. Você deve se preocupar apenas em consertar o que fez. É hora de Rahim voltar a ser menina.

Não havia mais nada que minha mãe pudesse dizer a ele. Padar-jan fora intimidado por Abdul Khaliq e, pelo que tínhamos ouvido, parecia que ele mesmo tinha plantado essa ideia na mente do senhor da guerra. Lembrei-me do que Shahla me falara sobre a discussão entre nossos pais.

Ele deseja isso, percebi. *Meu pai quer nos casar.*

Esse pensamento me causou um arrepio. Eu compreendi algo que minha mãe já sabia: os homens podiam fazer o que quisessem com as mulheres. Não havia como deter o que Padar tinha começado.

CAPÍTULO 17

Shekiba

O REI HABIBULLAH HAVIA ASSUMIDO o trono em 1901, quando Shekiba completou 11 anos. Isso aconteceu dois anos antes da epidemia de cólera que matou sua família e metade da aldeia. Era tudo o que ela sabia sobre o homem. Shekiba não passava de uma menina de uma pequena aldeia que não sabia nada sobre o palácio nem sobre a vida na capital, Cabul.

Depois de ouvir o plano brilhante de Hafizullah para ela, Shekiba ficou apavorada. Não havia nenhuma razão para acreditar que a vida no palácio seria melhor do que a que levava ali. Quanto mais poderosas eram as pessoas, mais mal podiam lhe causar. Shekiba passou a noite em claro, mordendo o lábio, os dedos confirmando a presença da escritura sob o cobertor.

Tenho que falar com o hakim. É minha única chance.

Shekiba não tinha certeza de quando seria a visita do rei, mas sabia que seria em breve. Não havia nada a perder. E tinha um plano.

Enfiou a escritura sob o vestido e saiu sorrateiramente do quarto à primeira luz da manhã. O *azaan* soou, chamando a cidade para a oração. Ela se lembrava do caminho da casa de Azizullah até o centro da aldeia. Havia alguns estabelecimentos por lá e sem dúvida alguém seria capaz de lhe dizer onde ficava a casa do *hakim*.

Ouviu os roncos de Azizullah e se moveu com cuidado, passando pela porta do quarto do casal. Felizmente, ele não costumava acordar para as orações da manhã, alegando que as compensaria à tarde. As crianças ainda dormiam.

Shekiba vestiu a burca e abriu devagar o pesado portão. Estava fora do pátio. Parou por um momento, esperando para ver se ouvia o som de passos vindo. Como não escutou nada, respirou fundo, fez uma rápida oração e saiu pela pequena rua de terra. Shekiba caminhava depressa, tentando não olhar para trás, pois isso poderia atrair mais suspeitas. Mas ainda não havia ninguém na rua e os dois burros do lado de fora nem sequer zurraram quando a viram.

Agha Sharifullah, o *hakim*. Shekiba torceu para que alguém na cidade fosse capaz de lhe explicar como chegar até ele – e estivesse disposto a fazê-lo. Ensaiou mentalmente seu apelo pela milésima vez e imaginou o que a mãe teria achado daquele plano.

O céu estava claro quando ela chegou ao centro da aldeia e passou por uma família de cinco, a mãe e as crianças seguindo atrás do pai, provavelmente a caminho de uma visita a parentes. Do outro lado da rua, eles a olharam com curiosidade, mas não disseram nada. Shekiba soltou o ar, aliviada, quando enfim sumiram de vista.

Alguns momentos depois, dois homens saíram de uma casa e começaram a andar à frente dela. Eles olharam para trás e comentaram algo. Shekiba baixou a cabeça e diminuiu o passo, querendo se manter mais distante dos dois. O homem mais jovem apontou para ela e balançou a cabeça. O mais velho fez um gesto de concordância e tocou as contas de seu *tasbih*.

– Khanum, quem é você? – gritou.

Shekiba manteve o olhar baixo e diminuiu ainda mais o passo.

– Khanum, aonde está indo sozinha? Quem é você?

Shekiba ficou em dúvida se deveria perguntar àqueles homens se conheciam Hakim-sahib. Parou, com medo de se aproximar mais deles.

– Khanum, isso é muito errado! Seja quem for, não deveria vagar por aí sozinha – alertou ele. – De que família você é?

Shekiba acabou soltando a língua e respondeu, trêmula:

– Sou da casa de Agha Azizullah.

– Agha Azizullah? Mas você não é Khanum Marjan. Quem é você? – questionou o homem mais velho.

– Khanum Marjan não está bem – mentiu ela. – Fui enviada para buscar um remédio.

– Enviada para buscar um remédio? Ora, isso é um absurdo. – O jovem se virou para o mais velho. – Agha Azizullah é um grande amigo, mas não consigo imaginar onde estava com a cabeça.

– Isso é estranho mesmo – disse o outro, balançando a cabeça. Então tomou uma decisão: – Siga-nos até a cidade. Vou falar com Azizullah mais tarde.

Shekiba assentiu e caminhou cerca de 5 metros atrás deles, agora duplamente em pânico. Com certeza àquela altura Marjan já teria descoberto sua ausência e informado Azizullah. Será que sairiam à sua procura? Embora aquele homem parecesse acreditar em sua história, estava claro que falaria sobre o assunto com Azizullah. Apesar de Azizullah já ter planos para se livrar dela, poderia agir de forma muito pior se ficasse com raiva ou se Shekiba o envergonhasse.

Eles a levaram até o dono do armazém da aldeia, que também era o farmacêutico local. Ela entrou atrás do homem mais velho.

– *Salaam*, Faizullah-jan.

– *Wa-alaikum as-salaam*, Munir-jan. Como vai?

Então é Munir que vai contar tudo a Azizullah.

Eles trocaram amabilidades antes de Munir comentar sobre a presença de Shekiba.

– Azizullah enviou esta moça para pegar um remédio para sua esposa. Eu a encontrei andando sozinha pela rua. Consegue acreditar em uma coisa dessas? Acho que o homem perdeu o juízo.

Faizullah balançou a cabeça.

– Sem dúvida está distraído com a visita do rei Habibullah – opinou o farmacêutico. – É daqui a apenas dois dias e tenho certeza de que o irmão lhe confiou várias tarefas.

Daqui a dois dias?

– Que doença ela tem? – perguntou Munir.

Shekiba confirmava ou negava arbitrariamente enquanto ele recitava alguns sintomas. Ela saiu com um pequeno frasco contendo uma mistura de ervas e Faizullah anotou a compra em seus registros.

Azizullah vai me matar, Shekiba de repente se deu conta. Tinha ido longe demais.

– Desculpe-me, *sahib* – disse ela, já do lado de fora.

Não havia nenhuma razão para se deter agora.

– Preciso entregar um documento a Hakim-sahib.
– O quê? Que tipo de documento?
– Fui instruída a discutir esse assunto apenas com Hakim-sahib.
O homem mais jovem parecia indignado.
– Padar, isso é ridículo!
– Realmente! – concordou o pai.
Shekiba aguardou, nervosa.

Por fim eles indicaram a casa de Hakim-sahib, que, como Shekiba imaginara, ficava na parte central da aldeia. Já estavam cansados dela e decidiram deixar que encontrasse o próprio caminho. Azizullah que resolvesse os próprios problemas.

Um rapaz atendeu ao portão e Shekiba pediu para falar com Hakim-sahib. O menino a olhou com curiosidade antes de correr de volta para o pátio. Pouco depois, um homem desconcertado, com uma barba grisalha, apareceu. Ele espiou pela porta entreaberta.

– Por favor, estimado Hakim-sahib, vim até aqui lhe fazer um importante pedido.
– Você? Quem é você e o que está fazendo aqui? Não há ninguém com você?
– Não, *sahib*. Mas eu tenho um documento que preciso lhe mostrar.
– Quem é você? Quem é seu marido?
– Eu não tenho marido.
– Quem é seu pai?

Ele ainda não havia aberto a porta por completo, pois não tinha nenhum interesse em convidar uma garota desacompanhada para adentrar seu pátio.

– *Sahib*, este documento é do meu pai. Seu nome era Ismail Bardari.
– Ismail? Ismail Bardari?
– Sim, senhor.
– Você é filha dele? Você é aquela que...
– Sim, sou eu. Por favor, *sahib*, eu tenho a escritura das terras de meu pai.

As palavras saíram de um só fôlego. Então ela ouviu seu nome:
– Shekiba!

A jovem quase não reconheceu Azizullah. Ela se virou e o viu andando depressa em direção à casa de Hakim-sahib, que abriu a porta. Azizullah estava a 100 metros. Shekiba se voltou para o juiz e falou rapidamente, as palavras rápidas e furiosas:

— Por favor, *sahib*, eu tenho a escritura das terras de meu pai e sou o único filho vivo dele. Quero reivindicar minha herança. Aquelas terras deveriam pertencer a mim, mas meus tios querem tomá-la sem terem direito.

Os olhos do *hakim* se arregalaram.

— Você quer o quê? Azizullah-jan, que Alá lhe conceda uma vida longa.

Shekiba não teve muitas esperanças depois de ouvir seu tom exasperado. Ela pegou o documento que levava debaixo da burca.

— É a minha terra e o meu direito. Por favor, *sahib*, basta olhar para a escritura e o senhor vai ver...

Hakim-sahib pegou o documento da mão dela e o examinou. Seus olhos se voltaram para Azizullah, que se aproximava depressa.

— Por favor, Hakim-sahib, não possuo mais nada. Não tenho mais ninguém. Essa terra é tudo o que...

Um violento golpe na lateral de sua cabeça. Shekiba cambaleou.

— Maldita seja, menina!

Um segundo golpe fez Shekiba perder o equilíbrio.

Ela ficou deitada de lado, encolhida. Suas mãos se levantaram instintivamente para cobrir a cabeça debaixo da burca. Ela olhou para Hakim-sahib. Ele estava balançando a cabeça.

— Azizullah-jan, qual é o problema com essa moça?

— Hakim-sahib, aqueles malditos irmãos Bardaris me deram essa *coisa* como pagamento por suas dívidas e nunca fui tão enganado em toda a minha vida! – gritou ele, apontando para Shekiba. — Nós lhe demos comida e um teto, e veja como ela nos retribui!

Ele deu um chute em Shekiba. Ela gemeu.

— O que você está fazendo? Que tipo de garota sai escondida de casa? Não tem vergonha?

— Que história é essa sobre uma escritura? – quis saber o *hakim*.

— Que escritura?

— Essa menina veio até aqui para reivindicar as terras do pai.

— Reivindicar o quê? A estupidez dessa garota não tem fim?

Ele se virou para Shekiba e a chutou mais uma vez no flanco.

A dor a deixou furiosa.

– Só estou aqui para reivindicar o que é meu por direito! Eu sou filha do meu pai e aquela terra deveria pertencer a mim! Meu pai nunca teria escolhido seus irmãos em meu lugar! Ele nunca fez isso!

– Uma família de tolos! – berrou Azizullah.

A seguir jogou os braços para cima, exasperado.

O *hakim* suspirou pesadamente e soltou um muxoxo.

– Menina, você não sabe nada sobre as tradições – disse ele e rasgou a escritura em pedaços.

CAPÍTULO 18

Rahima

A TRADIÇÃO NÃO PERDERA IMPORTÂNCIA desde o tempo de Bibi Shekiba. Nossa casa ficou tensa durante toda a semana. As mãos de Madar-jan tremiam. Ela deixava cair garfos e comida enquanto sua mente vagava, tomada por preocupações. Eu a pegava observando minhas irmãs e a mim. Shahla balançava a cabeça e Parwin fazia comentários que levavam minha mãe a irromper em lágrimas:

– Os pombos parecem tristes hoje. Como se todos os seus amigos tivessem voado para longe e agora não tivessem ninguém com quem conversar.

Parwin ergueu os olhos do papel. Ela havia desenhado cinco pássaros, cada um voando em uma direção.

Minha mãe olhou para o desenho, cobriu a boca com a mão e foi falar com Padar-jan. Ouvimos gritos e o som de vidro se quebrando. Ela voltou para junto de nós, os lábios trêmulos e uma pá de lixo cheia de cacos nas mãos.

Meu pai falou com nosso avô e convocou meus tios para se juntarem a nós em casa. Kaka Hasib, Jamaal e Farid apareceram, junto com Boba-jan. Eles tinham uma postura solene. Eu me perguntei o que Padar-jan teria dito a eles.

Como prometido, a família de Abdul Khaliq voltou à tarde. Minhas irmãs e eu pusemos Sitara para olhar pela janela e nos dizer o que via.

– Muitas pessoas – disse ela.

Madar-jan ficou conosco no quarto, deixando a discussão para os patriarcas da família. Ela tentara várias vezes falar com meu pai, mas sem sucesso. Ele não estava interessado em ouvi-la. Ela ficou parada à porta e esticou o pescoço para ouvir pelo corredor. Em nossa pequena casa, podíamos ouvir cada palavra da conversa.

– Obrigado, Agha-sahib, por vir hoje e se juntar a seus filhos para esta importante discussão – disse o pai de Abdul Khaliq. – Nossa família leva esses assuntos muito a sério e viemos com as melhores intenções. É uma questão de honra. Nós nos conhecemos há muitos anos. Nossos pais nasceram e foram enterrados no mesmo solo. Somos quase parentes.

– Tenho um grande respeito por sua família, sempre tive – afirmou Boba-jan simplesmente. Cabia aos pretendentes conduzir a conversa.

– E é por essa razão que viemos a esta casa. Acreditamos que sua neta será uma excelente esposa para meu filho, Abdul Khaliq, um homem que esta aldeia aprendeu a respeitar e apreciar por defender nosso povo e nossas casas durante anos.

– Nosso povo tem uma dívida de gratidão. Ele demonstrou grande coragem.

– Então concordam que ele seria um marido honrado para sua neta.

– Bem... – respondeu Boba-jan devagar.

Eu podia imaginar os olhos de meu pai sobre ele, esperando que dissesse o que tinham combinado.

– Com todo o respeito, Agha Khaliq... nós temos preocupações, que acredito que meu filho, Arif, tenha expressado na semana passada. Entendo que estejam falando de Rahim. Concordamos que ele... ela foi mantida como uma *bacha posh* por tempo demais e que deve voltar a ser o que Alá criou. Mas, ainda assim, há duas irmãs antes dela e, como você sabe, a tradição determina que...

– Nós compreendemos e já falamos sobre suas duas outras netas. Aqui estão novamente meus sobrinhos, Abdul Sharif e Abdul Haidar. Cada um deles ficará honrado de tomar uma filha como esposa. Será ainda melhor para fortalecer os laços entre as famílias.

– Hum... – murmurou Boba-jan, considerando a proposta.

Meu pai pigarreou.

– Minha segunda filha... vocês provavelmente não sabem, mas ela nasceu com uma perna defeituosa. Ela manca...

– Não importa. Em todo caso, ela não será a primeira esposa. Já vi mulheres mancas terem filhos. Deveriam ficar satisfeitos, portanto. De outro modo, dificilmente conseguiriam casá-la.

– Sim, dificilmente...

Três filhas casadas de uma só vez seria um fardo enorme tirado dos ombros ineptos de meu pai. Enquanto sua mente contemplava a ideia, meu tio Farid falou:

– Abdul Khaliq Khan, *sahib*, sua proposta nos honra, mas... minha família também tem tradições. Não quero insultá-lo, porém há algo que tem sido passado de geração em geração...

– Eu respeito as tradições. Do que se trata?

Percebi certa irritação na voz de Abdul Khaliq. Ele estava perdendo a paciência com nossa família, depois de ter sido obrigado a fazer uma segunda viagem. Tinha conseguido a última esposa com muito menos trabalho.

– Bem, minha família tradicionalmente pede um alto preço por nossas filhas e estou envergonhado por tratar de questões de dinheiro com um homem como o senhor, mas é algo que não posso varrer para debaixo do tapete. Isso remonta a gerações e romper com o que faziam nossos antepassados...

Meu pai devia estar nervoso. O preço da noiva era a parte crítica que ele e os irmãos haviam discutido.

Pela cara de minha mãe, percebi que era mentira do meu tio. Ela tentava adivinhar se Abdul Khaliq estava acreditando naquela história.

– Quanto?

– Perdão?

– Quanto querem pela noiva?

– É... Como eu disse, fico constrangido por ter que discutir isso, mas é um valor bem alto. O preço é... 1 milhão de afeganes.

Minha mãe e eu quase engasgamos ao ouvir a quantia. Nunca tínhamos ouvido falar de um número tão alto!

– Um milhão de afeganes? Entendo – respondeu Abdul Khaliq, virando-se para um dos homens com uma arma pendurada no ombro. – Bahram – disse ele simplesmente.

Ouvimos a porta se abrir e fechar. A sala ficou em silêncio até Bahram voltar. Abdul Khaliq estava cansado de toda aquela bajulação.

Ouvimos um baque surdo. O senhor da guerra voltou a falar:

– Isso deve cobrir o preço. Tem o bastante aí para cobrir o preço de cada uma de suas três filhas. É claro que, como família, vamos dividir com vocês parte da produção das terras ao norte. Talvez isso seja de seu interesse.

Eu sabia que os olhos de meu pai estavam esbugalhados diante da promessa de ópio. Minha mãe balançou a cabeça.

– Agora só precisamos escolher a data do *nikkah* para essas três uniões, não concordam?

– Eu... Eu acho... Abdul Khaliq, *sahib*, que tal um casamento? Uma celebração, talvez?

Normalmente havia algo: convidados, comida, música.

– Não acho que seja necessário. Eu e meus primos já tivemos festas de casamento. O mais importante é que o matrimônio seja realizado da maneira adequada, com um mulá. Para isso, vou trazer meu amigo Haji-sahib. – Ele fez um aceno com a mão na direção da bolsa. – Agora que esse assunto está resolvido, tenho certeza de que vão concordar que o *nikkah* é a parte mais importante.

Meu pai, meu avô e meus tios ficaram em silêncio. Minha mãe e eu sentimos o estômago se contorcer, sabendo que eles não conseguiriam resistir ao que Abdul Khaliq estava oferecendo: mais dinheiro do que nossa família já vira e a promessa de um fornecimento constante de ópio. Cobri o rosto com as mãos e pressionei a cabeça contra a parede.

Desvencilhei-me dos dedos cerrados de Madar-jan e a deixei ali, atordoada. Três filhas. O fato de eu ter me transformado em menino não me protegera. Na verdade, me colocara bem na frente daquele senhor da guerra, que agora exigia minha mão em casamento. Mal entrando na adolescência, eu ia me casar com um guerreiro de cabelos grisalhos que tinha sacos de dinheiro e homens armados sob seu comando.

Minhas irmãs olharam para mim, já chorando. Shahla tremia.

– É terrível, Shahla! – Eu soluçava. – Sinto muito, sinto muito mesmo! É tão horrível!

– Eles concordaram mesmo?

– É... É como você falou... É muito... Eles estão dando muito dinheiro a Padar...

Eu não conseguia formar as frases direito. Mas Shahla compreendeu. Vi seus olhos se encherem de lágrimas e seus lábios se comprimirem antes de ela dar as costas para mim. Ela estava com raiva.

– Que Alá nos ajude – disse minha irmã.

Eu queria estar lá fora com Abdullah. Desejei estar correndo atrás de vira-latas com ele ou jogando bola na rua. Imaginei o que ele diria se soubesse que eu estava prestes a me casar.

Naquela noite, sonhei com Abdul Khaliq. Tinha vindo me buscar. Curvava-se sobre mim com uma vara na mão, rindo e me puxando pelo braço. Ele era forte e eu não conseguia fugir. As ruas estavam vazias, mas, conforme eu passava pelas casas, os portões se abriam, um por um. Minha mãe. Khala Shaima. Shahla. Bibi Shekiba. Abdullah. Cada um deles estava em uma soleira e assistia a tudo balançando a cabeça.

Olhei para seus rostos. Estavam tristes.

– Por que não estão me ajudando? – gritei. – Não veem o que está acontecendo? Por favor, não podem fazer alguma coisa? Madar-jan! Khala Shaima! Bibi-jan! Perdão! Shahla, me perdoe!

– Alá escolheu isso como seu *nasib* – respondia cada um deles quando chegava sua vez. – Esse é o seu *nasib*, Rahima.

CAPÍTULO 19

Rahima

Abdul Khaliq Khan era um homem inteligente. Um homem inteligente com muitas armas. Sabia exatamente o que fazer para conseguir o que queria. Meu pai nunca tinha visto tanto dinheiro e preferiria ópio a comida, mesmo que não se alimentasse havia dias. De que lhe serviam suas filhas, afinal?

Nós éramos jovens, mas não tão jovens. Shahla tinha 15 anos, Parwin, 14, e eu, 13. Éramos botões de flor que tinham começado a desabrochar. Estava na hora de sermos levadas para nossos novos lares, assim como Bibi Shekiba.

Meu pai foi até nosso quarto e ordenou que minha mãe fizesse um *shirnee*, algo doce que ele pudesse servir aos convidados para mostrar que nossa família havia concordado com o arranjo. Nós não tínhamos muito, então Madar-jan lhe deu uma pequena tigela de açúcar, molhada de lágrimas, que ele pegou e colocou diante do pai de Abdul Khaliq. Os homens se abraçaram e se parabenizaram. Nós, meninas, nos reunimos em torno de Madar-jan, buscando conforto umas nas outras.

O acordo foi rápido. Abdul Sharif era um homem que parecia rude, de cerca de 30 anos, e seu irmão, Abdul Haidar, devia ser alguns anos mais velho. Abdul Sharif tinha uma esposa em casa, mas ficou satisfeito por tomar a segunda, especialmente porque o preço da noiva fora pago por seu primo. Abdul Haidar já tinha duas esposas em casa. Parwin seria a terceira.

Voltem daqui a duas semanas para o nikkah, dissera Padar-jan, seus olhos se alternando entre os convidados e a bolsa preta no chão.

Shahla estava tão zangada que não falou comigo por quatro dias.

Tentei conversar, mas ela se recusava a olhar para mim.

— Por que você tinha que deixar Padar tão furioso? Não quero ir com aquele homem! Parwin também não quer! Estávamos bem! Me deixe em paz. Vá ficar com Abdullah agora!

Eu estava atordoada. Minha irmã, no entanto, tinha razão: eu havia provocado a situação sem pensar em mais ninguém. Queria ter permissão para lutar com Abdullah, caminhar ao lado dele até a escola e sentir seu braço sobre meu ombro. A culpa era minha.

— Sinto muito, Shahla. Sinto muito de verdade! Não queria que nada disso acontecesse! Por favor, acredite em mim!

Shahla enxugou as lágrimas do rosto e assoou o nariz.

Parwin nos observava, os lábios formando um biquinho.

— Um por um, os pássaros voam para longe... — disse ela calmamente.

Olhei para ela, a perna esquerda dobrada sob o corpo e a direita estendida à sua frente. Eu me perguntei como seu marido iria tratar uma esposa manca. Dava para ver nos olhos de Shahla que ela estava pensando o mesmo.

Shahla me culpava. Se eu não tivesse provocado Padar-jan naquele dia, ele e Madar-jan não teriam discutido. E nós não teríamos sido prometidas à família de Abdul Khaliq.

Eu me perguntava se faria alguma diferença. Tentava imaginar se uma pequena mudança na sequência dos acontecimentos teria alterado os rumos que nossas vidas tomaram. Se eu não tivesse deixado que Abdullah, o doce e forte Abdullah, me imobilizasse na rua na frente de minha mãe, não teríamos brigado. Eu jantaria com minha família. Meu pai seguiria fumando o pouco ópio que restava e não pensaria em reclamar com Abdul Khaliq sobre a necessidade de casar as filhas.

Talvez eu pudesse ter continuado a ser um menino, correndo ao lado de Abdullah, fazendo caretas pelas costas de Moallim-sahib, meus cabelos sendo despenteados por meu pai quando eu passava por ele. Como se me quisesse por perto.

Mas esse não era o meu *nasib*.

– Está tudo nas mãos de Alá, minhas meninas. Deus tem um plano para vocês. O que quer que esteja em seu *nasib* vai acontecer – dissera minha mãe, soluçando.

Eu me perguntei se Alá não queria que nós mesmas escolhêssemos nosso *nasib*.

Vigiada por meu pai, mesmo relutante, Madar-jan fez três cestas de *shirnee*, cada uma com um bloco de açúcar em forma de cone e alguns doces comprados na loja de Agha Barakzai. Ela envolveu as cestas com uma camada de tule que havia comprado com parte do dinheiro pago pelas noivas. Cortou pedaços de seu vestido mais bonito e arrematou as laterais com uma renda que ganhara de presente. Três grandes quadrados, um para cada cesta. Eram nossos *desmaal*, tão importantes quanto os doces. Padar assentiu em aprovação. Madar evitou seu olhar. Observei meus pais e imaginei se seria daquela forma o relacionamento entre nós e nossos maridos. Ou se eles seriam mais como Kaka Jamil, que nunca parecia levantar a voz, cuja esposa sorria mais do que qualquer outra mulher na família.

Eu me perguntava por que eles eram diferentes.

Padar quase nunca prestava atenção ao que acontecia em casa. Nem sequer dava importância ao fato de Madar-jan dormir no quarto conosco em vez de a seu lado. Ele se ocupava em contar dinheiro e fumar ópio pelo menos duas vezes ao dia. Abdul Khaliq cumprira sua promessa e meu pai estava desfrutando de sua parte do trato.

– Eu trouxe um frango para casa, Raisa! Não se esqueça de mandar um pouco para minha mãe, e não apenas os ossos, entendeu? E, se a carne estiver seca e dura como da última vez, você vai sentir o peso da minha mão.

Minha mãe não tinha comido mais do que alguns bocados desde que nossos pretendentes haviam ido embora e seus olhos pareciam pesados. Ela era cortês com meu pai, com medo de irritá-lo e arriscar perder as filhas mais novas também.

Enquanto isso, Madar-jan teve que desfazer o que havia feito comigo. Ela me deu um dos vestidos de Parwin e um xador para esconder meu cabelo de menino. Entregou minhas calças e túnicas para a esposa de meu tio, para que os filhos dela usassem.

– Você é Rahima. Você é uma menina e precisa se lembrar de se comportar como uma. Preste atenção em como anda e em como se senta. Não olhe as pessoas nos olhos, especialmente os homens, e mantenha a voz baixa.

Ela parecia querer dizer mais, mas se conteve, a voz embargada.

Meu pai olhava para mim como se estivesse diante de uma nova pessoa. Como não era mais seu filho, ele preferia me ignorar. Afinal de contas, eu não seria dele por muito mais tempo.

Eu me demorava perto de Shahla, levava comida para ela e a ajudava em suas tarefas. Sentia remorso pela forma como tudo tinha acontecido e queria que ela soubesse o quanto eu lamentava por tê-la empurrado para a casa de Abdul Sharif. Eu lhe disse tudo isso enquanto ela olhava para outro lado. Mas minha irmã era boa demais para ficar magoada por muito tempo. E nós não tínhamos muito tempo.

– Talvez possamos nos ver. Quer dizer, eles são todos da mesma família. Talvez seja como aqui e nós possamos nos ver todos os dias: você, eu e Parwin.

– Espero que sim, Shahla.

Os olhos redondos de minha irmã estavam pensativos. De repente percebi o quanto ela se parecia com nossa mãe e senti vontade de me sentar mais perto dela. Eu me sentia melhor com seu ombro tocando o meu.

– Shahla?

– Hum?

– Você acha que... Você acha que vai ser horrível? – perguntei, a voz abafada para que Madar-jan e Parwin não ouvissem.

Shahla olhou para mim, depois para o chão. Ela não respondeu.

Khala Shaima foi nos visitar. Ela ouvira rumores pela cidade de que Abdul Khaliq e seu clã haviam visitado nossa família duas vezes e concluiu que meu pai estava tramando algo. Ela cerrou os punhos e os nós dos dedos empalideceram quando Madar-jan lhe contou, aos prantos, que as três filhas mais velhas iam se casar na semana seguinte.

– Ele fez isso de verdade. Aquele asno deve ter feito um grande negócio para si mesmo, tenho certeza.

– O que eu podia fazer, Shaima, com uma sala cheia de homens de cabelos grisalhos? E ele é o pai delas. Como eu poderia tê-lo impedido?

– Cada homem é senhor da própria barba – disse a irmã, balançando a cabeça. – Você tentou falar com ele?

Madar-jan apenas encarou-a. Khala Shaima meneou a cabeça, compreendendo.

– Um conselho de asnos, foi isso que se reuniu aqui. Basta olhar para essas meninas!

– Shaima! O que eu deveria fazer? Claramente isso é o que Alá escolheu como o *nasib* delas...

– Ora, que se dane essa história de *nasib*! *Nasib* é o que as pessoas culpam por tudo que não podem consertar.

Eu me perguntei se Khala Shaima estaria certa.

– Já que você sabe tanto, diga-me o que teria feito! – gritou Madar-jan, exasperada.

– Eu teria insistido para estar presente. E teria dito à família de Abdul Khaliq que as meninas ainda não estão em idade de casar!

– Isso teria resolvido tudo, não é? Você sabe com quem estamos lidando. Ele não é um camponês. É Abdul Khaliq Khan, o senhor da guerra. Seus guarda-costas estavam sentados em nossa sala com metralhadoras. E Arif concordou com o plano. Você acha, sinceramente, que eles teriam escutado o que eu tinha a dizer?

– Você é a mãe delas.

– E isso é tudo o que sou – concluiu Madar-jan com tristeza. Achando que não podíamos ouvi-la, acrescentou em voz baixa: – Há apenas uma coisa que eu poderia fazer.

– O quê?

Madar-jan olhou para baixo e sussurrou:

– Uma morte na família impediria que houvesse casamento por pelo menos um ano.

– Uma morte? Raisa, de que diabos está falando?

– Acontece o tempo todo, Shaima. Você e eu já ouvimos histórias. Lembra-se de Manizha, que vivia do outro lado da aldeia?

– Raisa, você enlouqueceu! Pense bem no que está dizendo! Acha que atear fogo em si mesma vai resolver algum problema? Acha que meninas órfãs estariam em melhor situação do que meninas casadas? E o que aconteceria às mais novas? O que acha que elas vão fazer sem a mãe? Pelo amor de Deus, veja suas cunhadas! Há duas viúvas neste complexo familiar e seus cunhados já estão de olho nelas.

Meu coração batia tão alto que eu tinha certeza de que elas podiam ouvi-lo.

– Eu não sei mais o que fazer, Shaima!

– Você tem que encontrar uma maneira de recusar a proposta deles, de fazer com que Arif recuse.

– É fácil falar, Shaima! Por que você não vem para o *nikkah*? Traga sua boca grande e quero ver o que vai fazer, então.

– Estarei aqui, Raisa. Não pense que não virei.

Madar-jan parecia exausta. Ela apoiou a cabeça na parede e fechou os olhos; as olheiras haviam escurecido desde o dia anterior.

Nós nos reunimos em torno de Khala Shaima.

– Minhas meninas, deixem-me contar a vocês um pouco mais sobre Bibi Shekiba. Por mais que deteste pensar assim, a história dela é também a história de vocês. – Ela suspirou e balançou a cabeça. – Acho que todos nós carregamos conosco a história de nossos antepassados. Onde foi que paramos?

CAPÍTULO 20

Shekiba

Dois dias se passaram até que Shekiba conseguisse ficar de pé. Seu lábio estava inchado e ferido, as pernas e costas, cobertas de hematomas, e cada respiração repuxava suas costelas em diferentes direções.

Não era seu *nasib* reivindicar as terras do pai. Em vez disso, Azizullah a arrastou de volta para casa e a surrou por uma hora. Toda vez que seus golpes diminuíam, ele gritava e bufava pela humilhação que ela havia lhe causado. O acesso de raiva recomeçava e ele a golpeava de novo, atirando-a para a esquerda e para a direita.

Marjan ficara assistindo da porta, balançando a cabeça. Ela tapou os olhos com uma das mãos e, quando não suportou mais assistir, virou-se de costas e saiu. Shekiba nem notou; sua mente estava à deriva havia muito tempo.

Marjan vinha vê-la três vezes por dia, levando chá e pão. Ela ajudava Shekiba a se sentar e lhe dava de beber, colocando pequenos pedaços de pão molhado em sua boca. Esfregou uma pomada nas costas de Shekiba e em seus lábios cortados.

– Menina estúpida... Eu avisei você para não se envolver nesse tipo de assunto. Agora olhe só o que fez a si mesma – murmurou ela várias vezes.

Shekiba desejou que Azizullah a tivesse matado. E se perguntou por que ele não o fizera.

Ela não o via, mas ouvia sua voz. Seu humor estava péssimo e as crianças o evitavam. Marjan não podia fazer o mesmo.

– Certifique-se de que ela esteja de pé e pronta hoje. Sem desculpas.

– Ela está fraca, mas vou ver o que consegue...

– Fraca? Se ela é tão fraca, por que estava andando pela cidade, seguindo Munir e seu filho? Por que eu a encontrei à porta do *hakim*? Ela é uma mentirosa e quanto antes nos livrarmos dela, melhor. Sem desculpas. Ela vai ficar de pé e pronta hoje!

Shekiba escutou tudo e a situação começou a ficar mais clara. Aquele era o dia em que o rei Habibullah faria uma visita a Hafizullah. Aquele era o dia em que ela seria dada de presente mais uma vez.

Azizullah saiu de manhã bem cedo e Marjan se queixou por uma hora antes de ir até Shekiba.

– Vamos. Hora de se lavar.

Shekiba foi colocada de pé por uma mulher com metade de sua altura, mas o dobro de sua largura. Marjan a guiou até o banheiro e deixou que ela deslizasse até o chão.

– Sua garota estúpida, você trouxe mais trabalho para mim! Deus sabe que não vai durar no palácio, se usar de artimanhas como essa.

– Eu só queria o que devia ser meu. Você teria feito o mesmo – afirmou Shekiba com voz inexpressiva.

– Não, não teria! Você acha que é a única menina que deveria ter herdado alguma terra? Meus irmãos dividiram a nossa e nem um metro quadrado foi destinado a mim. É assim que as coisas são! Ou você aceita, ou morre. É simples.

– Então é melhor eu morrer.

– Talvez sim, mas não hoje. Agora tire a roupa para tomar um banho decente.

Azizullah voltou ao entardecer com o humor muito melhor.

– Que dia tivemos hoje! Hafizullah se superou! Nunca vi tanta comida. Eu até conheci alguns conselheiros do rei. Boas pessoas, com grande influência. Acho que essa visita vai trazer bons frutos para nossa família e nossa cidade. Nós nos aproximamos do rei Habibullah, que certamente vai se lembrar da hospitalidade com que foi tratado aqui.

– Você falou com o rei também?

– Claro que falei! Que pergunta é essa? Ele é um homem sábio; isso pude ver de imediato. Mas eles vão embora bem cedo amanhã, então acho que a menina deve ser ofertada hoje à noite, durante o jantar, para que todos possam ver que grande presente estamos oferecendo ao rei! Vamos deixar nossa marca, enquanto Hafizullah deixará a dele. Traga a menina! Não quero ficar sentado aqui conversando com você agora. Quero voltar antes do jantar.

– A menina está pronta – disse Marjan, saindo da sala para buscar Shekiba.

Ela a encontrou sentada com as costas apoiadas na parede fria, as pernas debaixo do corpo.

– Levante-se, Shekiba. Está na hora.

Ela olhou para Marjan, inexpressiva. Depois de um momento, ergueu-se, ignorando a dor que se irradiou pelas costelas. Marjan conduziu-a pelo cotovelo até a sala. De repente, parou no meio do corredor.

– Shekiba, ouça o que vou lhe dizer. Você é uma menina sem pai nem mãe, sem irmãos ou tios para cuidar de você. Obedeça à palavra de Deus e deixe que Ele cuide de você. Tire a cabeça das nuvens e compreenda seu lugar *neste* mundo.

– Eu não tenho lugar *neste* mundo, Khanum Marjan.

Marjan sentiu um arrepio. As palavras de Shekiba eram frias, resolutas. Ela se perguntou se aquela menina meio maluca teria enlouquecido de vez. Os avisos de Zarmina ecoaram em sua mente e ela decidiu manter a boca fechada. Se Shekiba ia ter um acesso de loucura, era melhor não provocar sua ira.

Azizullah estava em pé diante da porta para o pátio, vestindo um colete verde e azul sobre a túnica. Seu rosto e sua voz estavam firmes:

– Se essa menina tiver algum juízo na cabeça, não vai me causar problemas esta noite. Caso se atreva a mancar, mesmo que discretamente, corto suas pernas.

O alerta foi dado. Marjan mordeu o lábio e entregou a burca a Shekiba, que a vestiu e seguiu seu senhor com passos resignados.

CADA PASSO FAZIA SEUS HEMATOMAS e vergões doerem. No entanto, Shekiba mantinha o ritmo, machucada demais para arriscar mais castigos. Em vinte minutos eles se aproximaram de uma casa com cavalos e soldados armados do lado de fora. Os animais eram altos e musculosos, os rabos se sacudindo de um lado para outro casualmente. Mas o que chamou a atenção de Shekiba foi o que estava atrás deles. Pela primeira vez na vida, Shekiba viu uma carruagem: quatro rodas grandes, um assento almofadado e belos entalhes nas laterais.

O rei, concluiu.

Eles passaram pelo portão da frente e entraram em um pátio que tinha quase o dobro do tamanho do pátio de Azizullah. Shekiba não pôde deixar de olhar ao redor. Havia bancos e vários arbustos com lindas flores roxas. Da sala vinha o som de homens rindo alto.

Ela andou até os fundos da casa, para entrar na cozinha.

– Fique do lado de fora, nos fundos. Comporte-se ou vou deixar os soldados lhe darem uma lição.

Azizullah entrou na sala e se juntou outra vez ao grupo. Shekiba fechou os olhos e tentou escutar a conversa. O céu já estava quase escuro quando finalmente ouviu algo que dizia respeito a ela.

– Vamos sair de manhã para voltar a Cabul. O caminho é longo, mas esperamos chegar em casa ao anoitecer.

– Emir-sahib, o senhor e seus estimados generais nos honraram com sua visita à nossa humilde aldeia. Desejamos que haja muitas outras no futuro.

– Com o projeto das estradas, viajar vai ficar mais fácil. Acreditamos que sua aldeia vá estar mais envolvida nos projetos de agricultura que foram iniciados. Emir-sahib tem uma nova equipe de engenheiros que estão analisando nossa situação atual.

– Tudo o que pudermos fazer aqui para ajudá-lo, estamos às suas ordens. Eu nasci e cresci na aldeia, assim como meu querido irmão Azizullah. Nossas raízes aqui são respeitadas pela aldeia e podemos servir como seus representantes para qualquer coisa de que possa precisar.

– Já deixou isso bem claro, Hafizullah-sahib. Sua consideração é muito apreciada.

Shekiba detectou uma ligeira irritação naquela voz rouca.

– Espero que sim, general-sahib. E espero que aceite o presente de meu irmão para emir-sahib. É uma pequena lembrança.

– Sim, ele mencionou isso mais cedo. A criada vai seguir com nossa comitiva de manhã para ser levada ao palácio.

– Excelente. Por favor, general-sahib, a viagem amanhã será longa e o senhor vai precisar de força. Coma mais alguns doces...

A esposa de Hafizullah foi até o pátio e encontrou Shekiba curvada sobre um banco. Ela era uma mulher pequena, o rosto marcado pela preocupação e pela fadiga. A julgar por sua aparência, havia se encarregado da maior parte dos preparativos para a visita do rei. A mulher estalou a língua, consternada.

— Alá misericordioso. Venha comigo, menina. Vou lhe mostrar onde pode dormir até partirem amanhã de manhã.

Shekiba se acomodou no chão, no canto de um quarto escuro. Viu duas pequenas figuras encolhidas respirando suavemente. Eram as filhas de Hafizullah, mas não chegou a conhecê-las, pois, nas primeiras horas da manhã, a dona da casa foi acordá-la. Shekiba deu um salto quando sentiu a mão em seu ombro.

— Acorde. Os homens estão partindo.

Shekiba esperou que os olhos se focassem. Ouviu os sons dos cavalos e de homens conversando do lado de fora da casa.

Ela se levantou, guardou o Corão sob o vestido e saiu para ser levada até o novo lar.

CAPÍTULO 21

Rahima

MAL HAVIA ESPAÇO EM NOSSA PEQUENA CASA para a família de Abdul Khaliq. Eles queriam que os três *nikkah* acontecessem ao mesmo tempo e levaram com eles a mãe de Abdul Khaliq, uma mulher de cabelos grisalhos, lábios caídos e olhos semicerrados. Ela precisava de uma bengala, mas se recusava a usar uma, preferindo se apoiar no antebraço da nora. Eles também chegaram com Haji-sahib, um mulá. Ao ouvir o nome dele, Khala Shaima zombou.

– Haji-sahib? Se ele é *haji*, então eu sou uma *pari*! – exclamou Khala Shaima, que ninguém descreveria como uma mulher estonteante.

O título de *haji* era dado a qualquer um que tivesse feito a peregrinação religiosa a Meca, a casa de Deus. Segundo Khala Shaima, Haji-sahib concedera o título a si mesmo depois de fazer uma visita a um santuário ao norte de nossa cidade. Mas, como era um amigo próximo de Abdul Khaliq, ninguém contestava suas credenciais. Os dois homens conversavam amigavelmente do lado de fora.

Shahla manteve a cabeça baixa e suplicou à nossa chorosa mãe que não a deixasse ir. O corpo de Madar-jan tremia, a voz presa na garganta apertada. Shahla era mais do que uma filha; era a melhor amiga de Madar-jan. Elas dividiam as tarefas domésticas, o cuidado com as crianças e todos os seus pensamentos.

Parwin era sua menina especial. Parte de minha mãe se agarrara à previsão de Khala Shaima de que ninguém iria querer Parwin como esposa. Às vezes, saber que teria o canto e os desenhos da filha ao seu lado para sempre a reconfortava.

E eu era a ajudante de Madar-jan. Sua *bacha posh* corajosa e criadora de problemas. Sei que ela se questionava se tomara a decisão certa. Se eu fosse um pouco mais esperta, teria lhe dito que fora a melhor coisa que me acontecera, que desejava poder ser uma *bacha posh* para sempre.

A família estava lá para reivindicar as três noivas. Ficamos esperando para ouvir o que Khala Shaima ia dizer.

Haji-sahib começou com uma oração. Até mesmo Madar-jan uniu as mãos e inclinou a cabeça para participar. Eu tinha quase certeza de que cada um rezava por um propósito diferente. Eu me perguntava como Alá ia resolver isso.

– Vamos começar com uma *dua*, uma oração. *Bismillah al-rahman al--rahim...*

Todos repetiram. Em seguida, Haji-sahib recitou uma sura do Corão:
– *Yaa Musabbibal Asaabi.*

Depois de alguns instantes, ouvimos Khala Shaima interrompê-lo:
– *Yaa Musabbibal Asbaabi.*

Houve uma pausa. A sala ficou em silêncio.
– Khanum, tem algum motivo para interromper Haji-sahib?
– Sim, tenho. Mulá-sahib está lendo a sura incorretamente. *Ó causador das causas*, é o que o versículo diz. Não *causador dos dedos*. Tenho certeza de que ele gostaria de saber que estava cometendo um erro tão flagrante, não é mesmo, Haji-sahib?

O mulá pigarreou e tentou recomeçar de onde havia parado. Pensou bastante, mas recitou o verso da mesma forma, com erro e tudo:
– *Yaa Musabbibal Asaabi.*

Khala Shaima corrigiu-o de novo:
– *Asbaabi*, mulá-sahib.

Seu tom era o de uma professora exasperada. Isso claramente não passou despercebido.

Eu temia que Padar-jan cumprisse a ameaça de cortar a língua de Khala Shaima. Fiquei nervosa por ela.

– Shaima-jan, por favor, tenha um pouco de respeito pelo nosso estimado mulá – pediu Boba-jan.

– Eu tenho enorme respeito por ele – retrucou ela com ironia. – E tenho respeito ainda maior por nosso Corão, como estou certa de que é o caso de todos aqui. Que grande desserviço seria recitarmos o verso da maneira incorreta.

Mais uma vez o mulá suspirou e limpou a garganta.

— *Yaa Musabbibal Asbaabi. Yaa Mufattihal Abwaabi.*

— Assim está melhor — interrompeu-o Khala Shaima em voz alta.

Eu pude notar a satisfação em sua voz.

Ouvimos os homens darem início ao *nikkah* na sala ao lado. Padar-jan estava dando seu nome completo, o nome de seu pai e o nome de seu avô para serem escritos no contrato de casamento.

Parwin tentou se mostrar forte ao ver o estado da mãe. Khala Shaima, nossa única defensora no *nikkah*, havia se posicionado estrategicamente entre meu avô e a mãe de Abdul Khaliq. Ninguém sabia como lidar com sua presença. Padar-jan bufou de frustração, mas achou melhor não fazer uma cena na frente dos convidados.

Eu, Shahla e Parwin havíamos formado um círculo unido na sala ao lado e Madar-jan falou suavemente:

— Minhas filhas, rezei para que este dia não chegasse tão cedo para vocês, mas ele chegou, e temo que não haja nada que eu ou Khala Shaima possamos fazer para impedir. Acho que essa é a vontade de Deus para vocês. Não tive muito tempo para prepará-las, mas vocês são mulheres jovens — disse ela, mal acreditando nas próprias palavras. — Seus maridos terão expectativas em relação a vocês. Como esposas, vocês têm uma obrigação para com eles. Não vai ser fácil no começo, mas... mas, com o tempo, vocês vão aprender a... a tolerar essas coisas que Alá criou para nós.

Quando Madar-jan começou a chorar, nós choramos também. Eu não queria entender o que minha mãe estava falando. Parecia algo terrível.

— Por favor, não chorem, minhas meninas. Essas coisas são parte da vida. As meninas se casam e passam a pertencer a outra família. O mundo é assim. Da mesma maneira que eu vim para a casa de seu pai.

— Posso vir aqui de vez em quando, Madar-jan? — indagou Parwin.

Nossa mãe expirou lentamente, a garganta apertada.

— Seu marido vai querer você em casa, mas espero que ele seja um homem de bom coração e a traga às vezes para ver sua mãe e suas irmãs.

Isso era tudo que ela podia prometer. Parwin e eu nos sentamos uma de cada lado de Madar-jan, que acariciou nossos cabelos. Pousei minhas mãos em seu joelho. Shahla se ajoelhou à nossa frente, a cabeça apoiada no colo de nossa mãe. Nossas outras duas irmãs assistiam a tudo nervosas; Rohila entendia que algo estava prestes a acontecer.

– Agora, minhas meninas, há mais uma coisa. Vocês precisarão lidar com outras esposas. Tratem-nas bem e eu rezarei para que elas sejam bondosas com vocês. As mulheres mais velhas costumam ter ciúmes de garotas mais jovens, portanto tenham cuidado ao confiar nelas. Cuidem bem de si mesmas. Comam, tomem banho, façam as orações e cooperem com os maridos. E com as sogras. São essas as pessoas que vocês precisarão manter satisfeitas.

Uma voz gritou do cômodo ao lado:

– Traga a menina mais velha! O marido, Abdul Sharif, está esperando. Que seus passos juntos como marido e mulher sejam abençoados. Parabéns a ambas as famílias.

– Shahla! – chamou meu pai sem a menor cerimônia.

Minha irmã enxugou as lágrimas e colocou bravamente o xador sobre a cabeça. Beijou o rosto e as mãos de minha mãe antes de se virar para nós. Eu a abracei com força e senti sua respiração em meu ouvido.

– Shahla...

Foi tudo o que consegui dizer.

Em seguida, chegou a vez de Parwin. Eles recomeçaram tudo, um novo contrato. Para seguir a tradição, repetiram as perguntas, escreveram os mesmos nomes.

– Agha-sahib – interrompeu Khala Shaima outra vez –, Alá deu à minha sobrinha uma perna manca e posso afirmar, melhor do que qualquer outra pessoa, que não é fácil viver com essa deficiência. Seria bom para a menina que ela tivesse algum tempo para ir à escola, para aprender a lidar com o problema físico antes de se tornar uma esposa.

O pai de Abdul Khaliq foi pego de surpresa pela súbita objeção, assim como os outros presentes.

– Isso já foi discutido e acho que meu sobrinho foi mais do que generoso ao concordar em dar a essa menina a chance de ser a esposa de um homem respeitado. A escola não vai corrigir sua perna manca, assim como não corrigiu sua corcunda. Vamos prosseguir.

O *nikkah* foi reiniciado.

– Tragam a menina! Que Alá abençoe este *nikkah* e Abdul Khaliq, que tornou isto possível. Que Deus lhe dê muitos anos, Abdul Haidar, por concordar em tomar uma esposa na tradição do nosso amado Profeta, que a paz esteja com ele. E uma esposa com deficiência, ainda por cima. Você é mesmo um grande homem, Abdul Haidar. Que alívio isso deve representar para sua família, Arif-jan.

Madar-jan beijou a testa de Parwin e se levantou lentamente, como se o chão a puxasse para baixo. Minha irmã também se ergueu e ajeitou a perna esquerda da melhor maneira possível. Nossa mãe sussurrou para Parwin coisas que detestou dizer:

– Parwin-jan, minha doce menina, lembre-se de fazer suas tarefas na nova casa. Pode não haver tempo para desenhar... e cante baixinho e apenas para si mesma. Eles vão falar coisas a você, assim como os outros sempre falaram, sobre sua perna, mas não dê importância, minha filha.

– Agha-sahib, você está fazendo este homem esperar. Por favor, entregue a ele sua noiva – ordenou o mulá.

– Tragam a menina!

A voz do meu pai era fria e ruidosa enquanto ele tentava reafirmar seu controle. O atraso de Madar-jan o diminuía diante do mulá e da família de Abdul Khaliq, como se o comportamento de Khala Shaima já não tivesse sido suficiente.

– Por favor, minha doce filha, lembre-se das coisas que eu lhe disse. Que Alá cuide de você agora – choramingou Madar, secando as lágrimas de Parwin e, em seguida, as suas.

Ela arrumou o xador de Parwin e a fez ajustá-lo bem abaixo do queixo antes de conduzi-la pelo corredor até a sala, onde minha irmã se tornou a esposa de um homem tão velho quanto meu pai.

Fiquei sentada no quarto com Rohila e Sitara. Ouvi Parwin tentando disfarçar seu problema, levantando a perna esquerda para que não se arrastasse pelo chão, como sempre fazia. Nossos primos sempre zombavam dela, assim como as crianças do bairro. Mesmo durante os poucos meses em que frequentou a escola, as colegas imitavam seu andar e a professora duvidava que ela conseguiria aprender algo, como se as habilidades de caminhar e ler estivessem relacionadas. Eles não iam tratá-la bem, nós sabíamos. Nossos corações se partiam.

– Rahim, para onde Parwin está indo? – perguntou Sitara.

Olhei para minha irmã mais nova. Ela ainda me chamava pelo nome de *bacha posh*.

– É Rahima – corrigiu Rohila.

Seus olhos vazios continuaram colados à porta, desejando que Parwin voltasse.

– Rahima, para onde Parwin foi? – perguntou Sitara novamente.

– Ela foi... Ela foi viver com uma nova família.

Eu não conseguia enunciar uma frase que juntasse "casamento" ou "marido" ao nome de minha irmã. Parecia estranho. Como uma menina usando os sapatos da mãe.

Eu sabia que Madar-jan estava observando Parwin de trás da porta. Suas vozes sumiram aos poucos depois que elas saíram. Fui até a janela para ver minha irmã uma última vez. Por causa do problema na perna, ela era mais baixa do que qualquer outra menina de 14 anos e parecia ter metade do tamanho do novo marido. Estremeci ao pensar como seria estar a sós com ele.

– Quando ela vai voltar?

Olhei para Rohila e Sitara, o rosto inexpressivo. Madar-jan retornou, extenuada. Eu era a próxima. Khala Shaima não tinha conseguido salvar minhas irmãs da família de Abdul Khaliq. Eu sabia que não deveria ter esperanças, mas tinha.

Gostaria de dizer que enfrentei a situação com uma expressão firme, como fizeram Shahla e até mesmo Parwin, pelo menos para poupar minha mãe. Gostaria de poder fazer algo. Afinal de contas, tinha sido um menino durante anos. Meninos deveriam defender a si mesmos e à sua família. Eu era mais do que apenas uma menina, pensei. Era uma *bacha posh*! Praticara artes marciais com meus amigos na rua. Não precisava me submeter como fizeram minhas irmãs.

Meu pai teve que me arrancar dos braços de minha mãe enquanto eu chorava, o xador caindo de minha cabeça e revelando meu cabelo absurdamente curto. A família de Abdul Khaliq assistiu a tudo consternada. Aquilo não era um bom presságio. Meu pai cravou os dedos em meu braço. Na verdade, só sei disso porque vi os hematomas depois.

Tentei libertar meus braços, chutar, torcer o corpo para me desvencilhar. Não era o mesmo que brincar de luta com os meninos. Meu pai era mais forte do que Abdullah.

Tudo o que conseguimos fazer foi constranger meu pai. Madar-jan chorou, os punhos cerrados e impotentes. Khala Shaima balançou a cabeça e gritou que aquilo, *tudo* aquilo, estava errado, era pecado. Só parou quando meu pai lhe desferiu um tapa no rosto. Ela cambaleou para trás. Nossos convidados apenas observaram, achando que fora merecido. Meu pai havia se redimido aos olhos deles.

Minha resistência não mudou nada, só tornou a situação ainda mais difícil para minha mãe. E para Khala Shaima.

Meu pai me entregou a Abdul Khaliq. Minha sogra observava com um olhar crítico; teria muito trabalho para me endireitar.

E meu marido sorria com malícia enquanto eu me contorcia nas garras de meu pai. Como se estivesse gostando do que via.

Assim foi meu casamento.

CAPÍTULO 22

Shekiba

— *V*amos começar pelo mais importante. Você precisa de um bom banho.

Shekiba estava diante de uma mulher robusta de cabelos pretos bem curtos. Ela parecia ter 20 e poucos anos. Usava calças largas, botas e uma camisa com botões. Se não fosse por sua voz, Shekiba teria acreditado que ela era um homem. Desde que avistara Cabul até aquele momento, Shekiba estava perplexa.

Jamais poderia ter imaginado um lugar como aquele. Todas as casas e estabelecimentos de sua aldeia caberiam no centro de Cabul. Havia ruas ladeadas totalmente de lojas, toldos listrados e homens caminhando pelo labirinto de ruelas. Havia casas com portões coloridos. As pessoas se viravam e erguiam as mãos, em reconhecimento respeitoso à passagem da comitiva do rei. Cabul era um espetáculo!

Quando o complexo régio surgiu diante de seus olhos, Shekiba ficou boquiaberta. O portão de entrada era ladeado por pilares de pedra, camada após camada antes de o palácio em si surgir. Através da entrada principal, um largo caminho seguia e circundava a imponente torre. Shekiba esticou o pescoço para ter uma boa visão.

Aquela torre praticamente toca o céu!

A fachada do palácio era decorada com entalhes e arcos, polidos e reluzentes. Arbustos e folhagens adornavam o caminho, inclusive o pórtico que atravessava a torre. O palácio era uma construção imponente, com mais janelas do que Shekiba já tinha visto, e incomparável em tamanho com qualquer outra residência que tivesse contemplado.

Soldados montavam guarda em cada canto. Foi só quando chegaram à entrada do palácio que Shekiba viu o rei Habibullah. Durante a viagem até Cabul, ele ficara à frente da caravana, na magnífica carruagem que estava estacionada do lado de fora da casa de Hafizullah. Quando eles desembarcaram, Shekiba foi levada em outra direção, mas o viu de relance entrando pela porta principal.

Esse é o rei, pensou.

Era um homem atarracado, com uma barba espessa. Usava um uniforme militar com uma fileira de medalhas afixadas no lado esquerdo do peito e borlas nos ombros. Uma larga faixa amarela ia do ombro direito ao quadril esquerdo e cobria algumas estrelas de sua jaqueta. Um cinto listrado com fecho em forma de medalhão contornava sua barriga e ele usava um chapéu alto de lã de ovelha que acrescentava uns 10 centímetros à sua altura. Os soldados estavam em posição de sentido para o retorno do rei Habibullah.

Shekiba imaginou se algum dia cruzaria com ele naquele lugar enorme.

– Siga-me.

Um soldado a levou para a parte de trás do palácio, até um pátio verdejante e majestoso. Os olhos de Shekiba se arregalaram. Ali havia pequenos lagos artificiais, arbustos floridos e árvores frutíferas. Eles seguiram por um pequeno caminho que dava em uma construção de pedra menor, mas ainda assim muito maior até mesmo do que a casa de Agha Azizullah. O soldado bateu à porta e um guarda a abriu.

– Leve-a. Ela vai ser guarda junto com vocês. Prepare-a.

O guarda assentiu e esperou que o soldado se virasse antes de abrir a porta por completo.

– Entre.

Uma mulher! Shekiba ficou imóvel.

– Eu disse para você entrar! O que está fazendo de pé aí?

As pernas de Shekiba se descongelaram e ela seguiu a mulher-homem para dentro do cômodo. Três mulheres estavam sentadas em almofadas no chão, todas mais velhas que Shekiba, porém mais jovens do que as esposas de seus tios. Pararam de falar assim que ela entrou. Shekiba notou que havia outros quatro guardas na sala. Seriam mulheres também?

– Bem, vamos dar uma olhada em você. – A mulher levantou a burca de Shekiba e deu um passo para trás. – Ora, ora, mas que rosto você tem. Imagino que tenha sido por isso que a mandaram para cá. Senhoras, esta é a nossa mais nova guarda.

Shekiba ficou ainda mais surpresa ao descobrir que todos os guardas naquela casa eram, na verdade, mulheres vestindo roupas masculinas. Ghafur parecia encarregada das cinco guardas. Era noite e ela percebeu o esgotamento no rosto de Shekiba. Mandou que ela descansasse e disse que seu trabalho começaria na manhã seguinte. Pela primeira vez em muito tempo, Shekiba dormiu profundamente, rodeada de mulheres que fingiam ser homens.

Sua transformação começou ao amanhecer. Ghafur a levou para a área de banho e cortou seus cabelos espessos e cheios de nós. Ela foi instruída a se banhar e recebeu um conjunto idêntico ao que a outra usava. Shekiba olhou com espanto para as calças e mal pôde acreditar que agora devia usá-las. Deslizou uma perna para dentro, depois a outra, abotoando-as na cintura. Também lhe deram uma roupa de baixo espartilhada, que achatava seus modestos seios. Vestiu-a também. As botas eram pesadas. Shekiba ficou de pé e olhou para baixo. Em seguida, passou as mãos pelos cabelos curtos.

Deus dois passos e se virou. Sentia as pernas livres e corou ao fitar o gancho de suas calças. Tateou as nádegas e estremeceu ao pensar que suas formas ficariam bem visíveis naquelas calças largas. Até então só vira mulheres usando saias, com bastante tecido para disfarçar as curvas e reentrâncias que ficavam escondidas debaixo.

Entretanto, havia algo libertador em seus novos trajes. Ela levantou a perna direita e depois a esquerda. Lembrou-se dos irmãos e de como eles corriam pelos campos com suas calças folgadas.

Ghafur logo percebeu o que se passava.

– É estranho no início, mas logo você se acostuma. Com o tempo, o uniforme se torna confortável.

– O que estamos guardando?

Ghafur riu.

– Não lhe disseram nada? Nós somos guardas das mulheres do rei Habibullah.

– De suas esposas?

– Não exatamente. Suas mulheres. Essas são as mulheres com quem ele se diverte, mulheres a quem recorre quando fica de mau humor.

Shekiba deve ter parecido confusa, então Ghafur acrescentou:

– Os homens podem ter mais do que apenas suas esposas, minha cara. Às vezes elas não são suficientes.

Shekiba tinha certeza de que não havia compreendido, mas decidiu manter a boca fechada por ora. Ghafur olhou para ela, pensativa.

– O que aconteceu com seu rosto?

Instintivamente, Shekiba olhou para baixo.

– Eu me queimei quando era criança.

– Hum... E onde está sua família?

– Minha aldeia fica a um dia de viagem daqui. Meus pais estão mortos. Meus irmãos e minha irmã também.

Ghafur franziu a testa.

– Não tem outros parentes?

– Eles me passaram adiante como pagamento de uma dívida. E o homem que me recebeu me deu de presente ao rei.

– E agora você é uma de nós. Seja bem-vinda, Shekiba. Mas aqui você será Shekib, entendeu? Deixe-me apresentá-la às outras.

QUATRO MULHERES-HOMENS GUARDAVAM o harém do rei. Shekiba se pegou olhando para o rosto delas da mesma forma que tantos outros tinham olhado para o seu. Mas por uma boa razão. Ghafur era, na verdade, Guljaan. Ela era a líder do grupo, não só por ser mais alta e mais ruidosa, mas também porque estava no palácio havia mais tempo do que as outras. Era a mais satisfeita com sua função e parecia se orgulhar de fazer um bom trabalho. Seu rosto era suave, mas as sobrancelhas indomáveis e um arco fino e penugento sobre o lábio superior lhe davam a aparência de um homem jovem, cheio de entusiasmo por seu importante cargo.

Ghafur vinha de uma família pobre de uma aldeia nas proximidades e fora entregue ao palácio em troca de uma vaca. Era o meio da tarde e sua mãe estava ocupada com os filhos mais novos. Ghafur costurava quando o pai a interrompeu: *Vamos visitar sua avó*. Ela se perguntou por que os outros não iriam também, mas deu de ombros e seguiu o pai 2 quilômetros pela estrada, até ser entregue a um homem de túnica e calças cinza. O pai ordenou que ela seguisse as instruções do estranho e se virou, voltando para sua família. Ela chorou e gritou ao perceber que não veria a mãe e os irmãos novamente.

Ghafur foi levada ao palácio e viu um guarda entregar uma vaca ao homem de cinza. Era um animal razoável, de aparência não muito doentia e suficiente para satisfazer as necessidades de sua família. Ela percebeu de imediato o que o pai havia feito e se perguntou se a mãe sabia do plano. Amaldiçoou-o por tê-la enganado e teve medo do que aconteceria a ela, uma adolescente, nas mãos de estranhos.

Não demorou muito, porém, para Ghafur apreciar a troca feita pelo pai. Sentia muita saudade da mãe e dos irmãos, mas a vida atrás dos muros do palácio, mesmo para uma criada, era melhor do que a vida em casa. As surras eram menos frequentes, a comida, mais abundante, e ela ganhara alguma autoridade.

O rei precisava de guardas para vigiar o harém, mas acreditava que nenhum homem estava acima das tentações. Durante meses, andou de um lado para outro, debatendo aquele dilema tão complexo quanto as disputas tribais no vale de Kurram. Quando um conselheiro surgiu com o plano de vestir mulheres como guardas do sexo masculino, o rei o recompensou por sua ideia genial e ordenou que ele preenchesse as posições o mais rápido possível.

Ghafur apreciava o conforto da vida no palácio. Tudo o que precisava fazer era desistir de ser mulher, uma troca fácil. Duas meninas foram recrutadas junto com ela, mas duraram apenas dois ou três meses. Uma delas discutiu com uma das mulheres do harém e a outra, Benafsha, era tão bonita que o rei gostou de imediato dela e decidiu que também deveria ser protegida. Ela deixou os cabelos crescerem e assumiu sua nova posição como concubina.

Depois vieram duas irmãs: Karima, que se tornaria Karim, e Khatol, rebatizada de Qasim. Dessa vez, os representantes do rei fizeram uma escolha mais sensata, recrutando meninas altas o suficiente para passarem por homens, mas sem graça o bastante para não atraírem a atenção do rei. Karim e Qasim vinham de uma família de quatro meninas. A mãe chorou convulsivamente quando lhes disse que não tinham condições de sustentar todas as filhas e que o pai arranjara para que as duas fossem levadas para o palácio do rei, onde teriam uma vida muito melhor. Obedientes, elas aceitaram a decisão dos pais em meio a lágrimas e deixaram sua casa de mãos dadas.

Karim era dois anos mais velha e cuidava da irmã. Ela logo superou a timidez e se tornou a segunda em comando, discutindo com Ghafur para que não fossem dominadas completamente. Qasim era mais discreta e sentia saudades da família. Tinha 3 centímetros a mais que a irmã, mas encolhia os ombros, o que fazia Ghafur cutucá-la toda hora nas costas até ela aprender a ter a postura de um guarda.

Tariq, a mais nova aquisição, era diferente das outras. Realizava bem suas tarefas, mas sonhava em ser notada pelo rei e recrutada para sua corte de mulheres. Era a mais baixa do grupo e tinha o rosto mais redondo, com cabelos castanhos aos quais, segundo lhe disseram, nenhum homem poderia resistir. Ela não falava de onde o elogio viera, mas se recusava a permitir que o uniforme masculino estragasse suas chances. Fazia questão de balançar os quadris ao caminhar e pestanejava à aproximação do rei. De todas as mulheres do harém, a que ela mais protegia era Benafsha, sentindo que tinha afinidade com a ex-guarda que despertara o interesse do rei.

Ghafur e Karim reviravam os olhos para ela com frequência, mas toleravam suas fantasias ocasionais. Cada uma tinha a própria maneira de lidar com aquela situação.

Ghafur apresentou Shekiba a algumas concubinas do rei, as mulheres que o mantinham satisfeito. Benafsha era a mais jovem do grupo. Ela sabia por que Tariq a preferia em detrimento das outras, mas se recusava a revelar qualquer detalhe sobre o rei. Sempre que Tariq lhe perguntava sobre o monarca, ela balançava a cabeça e ajeitava a saia. Era a mais branca de todas e tinha olhos castanho-claros com íris salpicadas de verde. Tariq sabia por que ela atraíra a atenção do rei: era a mais bonita, agora que o rosto de Halima havia começado a aparentar sua idade.

Halima, a mais velha do grupo, dera ao rei duas filhas ao longo dos anos. As meninas tinham 2 e 4 anos e uma semelhança impressionante com a mãe. Ela acariciava seus cabelos e suspirava melancolicamente, percebendo que o rei a solicitava com menos frequência e tentando imaginar o que isso significaria para ela e para as filhas. Era gentil e maternal e atenuava os conflitos entre as outras.

Benazir, a mais morena, tinha olhos de ébano que, nos últimos dias, se enchiam de lágrimas com facilidade. Ela estava grávida e aterrorizada.

Sua barriga começava a aparecer, mas ela se sentia enjoada havia semanas, incapaz de manter no estômago mais do que alguns bocados de arroz por vez. Ela ficava olhando para as paredes e se sobressaltava quando Halima colocava a mão em seu ombro.

Sakina e Fatima eram mais vigorosas, mas menos bonitas do que as outras. Fatima tivera um menino, o que lhe dava certa vantagem em relação às outras. Elas eram cordiais o suficiente, mas, ao contrário da benevolente Halima, costumavam instigar conflitos no harém. Sakina, em particular, desprezava Benafsha, sabendo que sua posição no harém declinara consideravelmente com a chegada da sedutora rival. E Benafsha sabia como jogar esse fato na cara de Sakina quando achava necessário. Shekiba concluiu que era melhor manter distância dessas duas, pois seus instintos lhe diziam que elas seriam implacáveis nos comentários sobre seu rosto.

Havia outras, segundo lhe disseram. Ela iria conhecê-las no dia seguinte.

A vida no harém era relativamente simples. Shekiba ouviu com espanto o que as mulheres faziam. E, o mais importante, o que não faziam: não cozinhavam nem carregavam baldes de água do poço, não cuidavam dos animais nem passavam horas descascando legumes.

– Quem faz todo o trabalho doméstico, então? – perguntou Shekiba a Ghafur enquanto observavam Sakina e Benazir passarem ruge nas bochechas e tingirem os lábios com cerejas trituradas.

– As criadas encarregadas. Todo mundo tem uma função no palácio. Os guardas, as criadas, as concubinas e nós. Todos fazemos a nossa parte no Arg.

Ghafur estava sentada com o tornozelo direito cruzado sobre o joelho esquerdo. Ela se sentia confortável na posição de homem.

– Arg?

– O Arg-e-Shahi. Você não sabe o que é o Arg? – Ghafur riu com a satisfação de alguém que um dia também fora igualmente ignorante. – Isto aqui é o Arg-e-Shahi, o palácio! O Arg é a sua nova casa, Shekib-jan!

CAPÍTULO 23
Rahima

— TIRE O XADOR.

Mantive o rosto virado para a parede e recolhi as pernas debaixo do corpo. O quarto era tão pequeno que eu podia ouvir cada respiração rouca.

Abdul Khaliq estava à porta, com as mãos na cintura. Daquele ângulo, ele parecia gigantesco. Deu dois passos e fechou a porta.

– Eu mandei tirar o xador.

Baixei a cabeça e disse a mim mesma para respirar. Rezei para que ele ficasse frustrado e fosse embora, como fizera no dia anterior.

– Não vou tolerar insolência. Ontem deixei passar. Foi meu presente para você, para mostrar que posso ser gentil. Hoje as coisas serão diferentes. Você está na casa de seu marido, *minha* casa. Vai se comportar como uma esposa deve se comportar.

Eu estava dividindo uma casa com a terceira esposa de Abdul Khaliq. Eu era a quarta. As outras viviam em residências separadas dentro do mesmo complexo, todas interligadas. Já era quase noite quando chegamos ao lugar, e eu não vi muita coisa. Bibi Gulalai, a mãe dele, insistira em me usar como bengala para chegar ao carro. Ela era velha e eu não era rude o suficiente para recusar, embora só respondesse suas perguntas com uma ou duas palavras. Ela estava me avaliando.

Bibi Gulalai me levou a um pequeno cômodo no fim de um corredor. Aquele seria meu quarto, disse ela. Bem em frente à minha porta, havia um banheiro como eu nunca vira: moderno, com água corrente e um vaso sanitário.

A esposa número três era Shahnaz. Eu só a vi por um instante, antes de ser levada para meu quarto. Ela virou as costas para mim e foi embora, nem um pouco interessada em apresentações.

– Essa é Shahnaz. Você vai conhecê-la de manhã, quando ela lhe mostrar a casa.

Em meu quarto havia uma almofada no canto, um travesseiro e uma pequena mesa.

– Vamos lhe mandar um prato de comida esta noite. Amanhã você se tornará parte de sua nova casa – informou Bibi Gulalai presunçosamente.

Eu duvidava.

Quase berrara no dia anterior quando Abdul Khaliq entrou no quarto. Estava agachada no canto. Ele limpou a gordura da boca com as costas da mão; tinha acabado de comer. Meu prato estava intocado.

– Você não comeu? Minha esposa não está com fome?

Ele deu uma risadinha.

Eu não disse nada.

Ele se agachou a meu lado e levantou meu queixo com dois dedos. Seu toque era áspero. Desviei o olhar. Ele tirou meu xador e acariciou a parte de trás da minha cabeça.

– Amanhã – prometeu, e saiu do quarto.

Eu tremia de medo.

A noite chegou e foi embora, e eu não dormi. Fiquei me revirando no colchão, atenta ao som de passos, uma mão na maçaneta, uma batida. Pensei em minha mãe, em minhas irmãs. Imaginei se Shahla e Parwin estariam por perto. Rezei para que estivéssemos no mesmo complexo e eu as visse de manhã, todas as manhãs. Fiquei pensando no que Rohila estaria dizendo a Sitara, que a cada dia fazia mais perguntas que não sabíamos como responder. Desejei estar deitada aos pés de Khala Shaima, ouvindo-a contar mais um capítulo da história de Bibi Shekiba.

Mais do que qualquer outra coisa, desejei estar de volta à escola, Moallim-sahib de costas para nós, Abdullah e eu trocando olhares entediados, chutando um ao outro por baixo da mesa, inclinando nossos cadernos para que o outro visse a resposta certa.

Eu gostaria de estar em qualquer lugar que não fosse ali.

Quando minha bexiga não suportava mais, entreabri a porta. Dei uma olhada no corredor, vi que estava vazio e saí furtivamente para ir ao banheiro. Shahnaz me pegou no caminho.

– Bom dia – disse ela.

Parecia alguns anos mais velha do que Shahla, com traços que combinavam com a inexpressividade de sua voz. Era magra e uns 5 centímetros mais alta do que eu. Carregava, apoiado no quadril, um bebê de não mais do que 6 meses.

– *Salaam* – respondi, com cautela.

Eu sabia quem ela era e me lembrei das advertências de minha mãe.

– Seu nome é Rahima?

Eu assenti.

– Muito bem, Rahima, Bibi Gulalai me pediu para lhe mostrar a casa. Então vamos começar. Você já ficou escondida em seu quarto por tempo suficiente.

Shahnaz não parecia nem um pouco interessada em mim, mas fora encarregada de cumprir uma tarefa e, como Madar-jan nos aconselhara, estava fazendo o que sua sogra – *nossa* sogra – ordenara.

– Moro nesta casa há três anos. Disseram-me que eu não a dividiria com mais ninguém. Este quarto é para meus filhos e para mim. Aqui é a cozinha. Esta é nossa sala. Aquele corredor leva ao resto das casas, as melhores. Espero que você faça sua parte na cozinha e na limpeza. Como pode ver, já tenho muito que fazer. – Ela se deteve e olhou para mim com atenção. – Seu cabelo... Por que está cortado tão curto?

– Eu sou uma *bacha posh*. Quer dizer, eu era uma *bacha posh*.

– Nunca vi uma *bacha posh* antes. Por que você foi transformada em menino?

– Minha mãe teve apenas filhas e minha família precisava de um filho.

– Então eles a vestiram de menino? E você saía de casa assim?

Percebi mais curiosidade do que desaprovação em sua voz. Isso me deu confiança para continuar a conversa. Algo nela me lembrava Shahla, e eu já sabia que precisaria desesperadamente de uma aliada ali.

– Saía. Eu ia à escola. Fazia serviços fora de casa para minha mãe. Eu até trabalhava e levava algum dinheiro para casa. Estava aprendendo a consertar aparelhos eletrônicos – gabei-me.

Isso era mais do que eu fazia para Agha Barakzai, mas Shahnaz não saberia a diferença.

– Bem, não espere ser tratada como o filho especial aqui.

Assim que ela falou, percebi que era o que eu estava secretamente esperando.

– Quem mais mora aqui no complexo? – perguntei, esperando que meu rosto não demonstrasse decepção.

O bebê começou a chorar, as mãos pequeninas batendo no rosto da mãe. Shahnaz me levou para a sala, onde começou a amamentar o bebê.

– Nossa casa é uma de três. Cada esposa tem a sua. Ou pelo menos era assim até você chegar. A primeira esposa é Badriya. Ela tem a maior casa, com o quarto no segundo andar. A segunda é Jamila. Ela também vive na maior residência, mas no andar de baixo. O quarto de Abdul Khaliq fica na casa principal. Pensei que você o tivesse conhecido na noite passada, mas tenho certeza de que o conhecerá em breve.

Ignorei aquele último comentário, com medo de pensar o que significava. A lembrança do toque dele me fez estremecer.

– Onde... Onde Bibi Gulalai mora?

– No complexo ao lado, mas ela vem sempre aqui, para ficar de olho nos assuntos do filho mais velho. Especialmente porque ele passa muito tempo fora. Tenha cuidado com Bibi Gulalai. Ela comanda tudo com mão de ferro.

– E o resto?

– Que resto?

– Quero dizer, os primos dele, Abdul Sharif e Abdul Haidar.

Tinha medo da resposta. Rezei para que ela me dissesse que também moravam ao lado.

– Ah, fiquei sabendo o que aconteceu. Então é verdade? Às vezes Safiya entende a história toda errada. Ela me contou que duas de suas irmãs se casaram ao mesmo tempo. E uma delas manca, certo? Não consigo imaginar como eles arranjaram um acordo assim. Bem, Abdul Sharif mora do outro lado da colina, a cerca de 5 quilômetros daqui. Abdul Haidar mora do outro lado daquele muro. Ele vem sempre aqui, já que é o braço direito de Abdul Khaliq.

Parwin estava perto! Do outro lado do muro. Imaginei o que estaria fazendo e se sabia que eu me achava a apenas alguns metros dela. Shahla... Shahla tinha sido levada para mais longe.

– Abdul Sharif costuma vir aqui?

– Vem, mas não com tanta frequência quanto o irmão. Mas, se acha que vai ver suas irmãs, é melhor não alimentar muitas esperanças. Eles não trazem as esposas quando vêm aqui. As mulheres desta família não saem muito. Acostume-se a estes muros. Eles vão ser tudo que você vai ver.

Shahnaz se cansou de mim e foi pôr o bebê para dormir. Ela tinha dois filhos: um menino de 2 anos e a menina de 5 meses que vi em seus braços.

Semanas mais tarde, descobri que Abdul Khaliq a trouxera de uma aldeia do Sul. Ele e seus homens tinham ido até lá para lutar contra as forças do Talibã, que foram forçadas a recuar. A aldeia fora salva, então Abdul Khaliq e seus homens sentiram que haviam conquistado o direito de tomar o que quisessem. Saquearam casas, assediaram mulheres. Não havia ninguém para defender a aldeia. A maioria dos homens morrera na guerra. Os soldados pegaram tudo o que lhes chamou a atenção. No caso de Abdul Khaliq, Shahnaz. Ela não via a família desde o dia de seu *nikkah*.

Poderia ter sido pior, disse ela. Pelo menos ele a tomara como esposa. Shahnaz tinha ouvido falar de muitas mulheres violentadas e deixadas com suas famílias. Não havia nada pior do que isso.

Eu pensava na aldeia de Shahnaz com frequência, pois meu pai devia ter participado daquela missão. E me perguntava se ele teria pilhado, como fizeram os outros. Preferia acreditar que não.

Eu poderia começar com a limpeza, disse Shahnaz. Ela precisava dar banho no filho. Comecei a varrer o chão como tinha visto minhas irmãs fazerem. A vassoura parecia estranha em minhas mãos e esperei por alguém que me liberasse da tarefa. Como Shahnaz não voltou, interrompi a tarefa e fui para meu quarto me lamentar. Sentia falta de minha antiga vida.

Em pouco tempo já era noite novamente. Bibi Gulalai foi comer conosco, ao redor do pano estendido no chão da sala. Shahnaz havia preparado ensopado e arroz. Lembrei-me de dobrar as pernas debaixo do corpo e de me sentar como uma dama. Sentia minha sogra me analisando. Ajudei Shahnaz a retirar os pratos e lavar a louça antes de voltar para meu quarto. Bibi Gulalai ficou sentada na sala com uma xícara de chá, observando o neto brincar com uma colher de pau.

Esperei pelo som de sua partida, mas ela não foi embora. Minha porta se abriu.

– Seu marido quer você. Deve ir até ele e servi-lo como esposa. Shahnaz vai levá-la até lá.

Como não me levantei, ela veio até mim e me puxou pela orelha para que eu ficasse de pé.

– Não ouviu o que eu disse? Quer que eu repita?

Minha orelha torcida doía sob seus dedos nodosos. Gritei e tropecei até ficar de pé. Shahnaz estava no corredor. Ela parecia ligeiramente entretida.

Atravessamos o corredor e entramos na casa principal. Se estivesse menos nervosa, eu teria reparado mais no ambiente a meu redor. Lembro-me de pensar que os corredores eram largos, os tetos, altos. Passamos por muitas portas. Eu nunca tinha imaginado uma casa tão grande!

Shahnaz apontou para uma porta e me mandou ir em frente e bater. Antes que eu pudesse fazer qualquer pergunta, ela se virou e desceu as escadas. Corri atrás dela e agarrei seu braço.

– Shahnaz, por favor, deixe-me voltar com você!

Ela desvencilhou o braço e me olhou, irritada.

– Me solte! – sibilou. – Seu marido pediu pela nova esposa. Vai cometer um grande erro se o deixar esperando. É o melhor conselho que posso lhe dar.

– Por favor, Shahnaz-jan! Estou com medo!

Entrei em pânico. Não queria ficar sozinha ali. Queria voltar para meu quarto escuro e meu pequeno colchão. Eu me sentia deslocada e odiava usar vestido. Não me parecia antinatural, era estranho. Eu era uma *bacha posh*! Assim como Bibi Shekiba, guarda do palácio!

– Você é idiota? Entre lá ou vai se arrepender. Vai ser punida de uma maneira pior do que poderia imaginar.

Ela foi embora e me deixou no corredor procurando desesperadamente opções inexistentes.

Abdul Khaliq devia ter me ouvido. Ofeguei e dei um pulo para trás quando a porta se abriu. Minha reação o fez sorrir. Ele fez sinal para que eu entrasse. Hesitei, mas, temendo que Shahnaz estivesse certa, obedeci.

Em visitas posteriores, eu iria perceber que o quarto de Abdul Khaliq se parecia com a ideia que eu tinha de um palácio. O colchão ficava sobre uma plataforma de madeira alguns centímetros acima do chão. Havia uma suntuosa poltrona no canto e um tapete vinho lindamente tecido cobria o chão. Duas janelas davam vista para o pátio, onde três homens armados montavam guarda.

Entrei, apavorada demais para ver qualquer coisa além de Abdul Khaliq. Ele já estava confortável em sua cama, sentado, recostado em travesseiros.

– Tire o xador – ordenou.

Olhei para o chão e fiquei imóvel. Tive vontade de arrancar o xador assim que Madar-jan o colocou em mim, mas agora, com Abdul Khaliq me fitando daquela forma, não conseguia tirá-lo. Observei-o pelo canto do olho e percebi sua expressão intrigada, porém exasperada.

– Ouça – disse ele, inclinando-se para a frente.

Sem o turbante, vi que seus cabelos combinavam com a barba grisalha. Ele usava uma túnica de algodão bege e calças. Suas pernas estavam estendidas. O quarto era iluminado por um abajur na mesa de cabeceira.

– Talvez você não tenha recebido nenhuma instrução a respeito do que é ser uma esposa. Pelo que vi das mulheres de sua família, isso não me surpreende. Deixe-me explicar como as coisas são por aqui. Eu sou seu marido e esta é sua casa. Quando eu pedir alguma coisa, você obedece. Em troca, receberá proteção e terá o privilégio de ser esposa de Abdul Khaliq.

Mais uma vez ele mandou que eu me aproximasse. Lutei contra a onda de náusea e dei dois passos em sua direção. Eu estava a seu alcance. Meus músculos se enrijeceram.

Ele virou meu rosto na direção do seu. Estava tão perto que eu podia ver as rugas em sua pele. Via cada fio de suas sobrancelhas. Tentei manter meus olhos baixos.

– Entende o que estou dizendo?

Assenti. A imagem dos guarda-costas e de suas armas passou por minha mente. Eu estava apavorada.

– Ótimo. Agora, faça o que mandei e tire o xador.

Ele mesmo poderia ter feito isso. Mais tarde, refleti e percebi que ele poderia ter feito todas as coisas que me mandou fazer, mas isso não teria servido a seu propósito. Uma por uma, ele me fez tirar todas as peças de roupa que eu estava usando. Primeiro o xador, depois as meias, a calça, o vestido. A cada peça, eu tremia mais. Quando minhas calças caíram no chão, comecei a chorar, o que não o perturbou nem por um segundo. Eu me sentia humilhada. Fiquei diante dele, fraca e vulnerável, os braços tentando cobrir o máximo que pudessem.

Ele meneou a cabeça em sinal de aprovação, os lábios úmidos de desejo.

– Você não é mais uma *bacha posh*. Esta noite vou lhe mostrar que você é uma mulher, não um menino.

CAPÍTULO 24

Rahima

Só de pensar nele eu ficava nauseada. Odiava aquela sensação. Odiava seu hálito, seu bigode, seus pés calejados. Mas não havia escapatória. Ele me chamava quando tinha vontade e me obrigava a fazer o que queria. Felizmente, não costumava durar mais do que alguns minutos. Desejei que Madar-jan tivesse me explicado o que esperar, mas em seguida pensei que, se ela tivesse feito isso, eu nunca teria sobrevivido até o *nikkah*.

No dia seguinte, Shahnaz parecia ter pena de mim. Ela devia saber. Meu rosto corou quando nossos olhos se encontraram.

Minhas entranhas doíam. Esfolada e com raiva, quase chorei ao urinar naquele extravagante vaso sanitário ocidental.

Shahnaz me pediu para preparar o almoço da família. Ela precisava cuidar dos filhos. Fui até a cozinha e examinei os legumes e verduras na bancada, quase grata por ter uma tarefa que manteria minha mente afastada do que eu tinha suportado. Havia latas de farinha e açúcar também. Pensei em minha mãe e suspirei. Desde que fora transformada em uma *bacha posh*, eu tinha sido dispensada de todas as tarefas da cozinha. Se meu pai visse seu "filho" envolvido com elas, teria um ataque de fúria e viraria a casa de cabeça para baixo. Então eu não fazia ideia de como preparar nem mesmo uma refeição simples.

Tentei pensar nas coisas que minha mãe e Shahla cozinhavam. Até Parwin sabia fazer uma refeição decente, embora passasse mais tempo esculpindo batatas do que propriamente cozinhando-as.

Resolvi fazer um ensopado de batatas. Coloquei o arroz na água, como tinha visto minha mãe fazer. Tentei me concentrar, mas meus olhos se voltavam para a janela da cozinha, com vista para o pátio. Vários meninos, dois deles parecendo ter quase a minha idade, jogavam bola. Eles gritavam e provocavam uns aos outros. Senti meu coração bater acelerado, desejando estar com eles em vez de debruçada sobre uma panela de metal, com cascas de batata grudadas nos dedos.

Eu me perguntei quem seriam aqueles meninos. Reparei que não seria um grande desafio derrotá-los no campo, pois davam chutes desajeitados, mal fazendo contato com a bola.

– Rahima! Por que está sentada assim? Pelo amor de Deus, não tem vergonha?

A voz de Shahnaz me sobressaltou. Olhei para baixo e uni as pernas, dobrando os joelhos. Eu estava sentada como um menino refestelado sob o sol de verão. Senti uma súbita dor entre as coxas.

– Ah, desculpe, eu só estava...

– Tenha um pouco de decência!

Baixei a cabeça, meu rosto corando novamente. Xinguei a mim mesma. Graças a Deus minha mãe não testemunhara aquilo. Ela me alertara repetidas vezes para me comportar como uma menina educada em minha nova casa, só que eu tinha vivido como um menino durante anos. Havia muitas coisas a desaprender.

Nossa sogra foi almoçar conosco. Ela chegou claudicando, apoiando-se no ombro de um menino, provavelmente seu neto. Beijei suas mãos e murmurei uma saudação, seguindo o exemplo de Shahnaz. Sua visita foi uma surpresa para mim, mas não para a outra esposa. Olhei-a em busca de orientação. Ela não foi de muita ajuda.

– Bibi Gulalai fez a mesma coisa comigo – sussurrou Shahnaz. – Quer ver se você está sendo uma boa esposa. Vá em frente e traga a comida e os pratos. Sente-se com ela.

Shahnaz foi até a sala e falou delicadamente com Bibi Gulalai.

– Khala-jan, com sua permissão, vou alimentar o bebê. Desculpe-me por não poder ficar aqui na sala, mas sua nova nora preparou o almoço.

Servi a comida, como Shahnaz sugerira, pensando comigo mesma que ela já alimentara o bebê pouco antes que a sogra chegasse. Mas me esqueci disso depressa assim que comecei a colocar as batatas em uma travessa.

Nada se parecia com a comida que minha mãe preparava. Minhas mãos tremiam quando as depositei sobre o pano. Bibi Gulalai tocava suas contas de oração, observando todos os meus movimentos. Quando servi o ensopado de batata e o arroz, ela disse:

– Uma xícara de chá teria sido um bom começo. Parece que você está querendo nos apressar para o almoço.

– Eu... sinto muito. Posso lhe trazer uma xícara de...

– Sim. Traga uma xícara de chá primeiro. É assim que se deve tratar um convidado.

Levantei-me, fui até a cozinha, enchi um bule com água e o pus no fogo. Depois coloquei folhas de chá no bule e procurei por toda parte até enfim encontrar uma xícara.

– Colocou cardamomo?

Eu suspirei.

– Não, Khala-jan. Desculpe, eu me esqueci do cardamomo...

– Chá sem cardamomo?

Ela balançou a cabeça em sinal de desapontamento e se recostou.

– Talvez sua família beba chá assim, mas nós...

– Não, minha mãe sempre coloca cardamomo.

Ela estreitou os olhos.

– Como eu ia dizendo... – ela não gostou nem um pouco da interrupção – nós preferimos o chá com cardamomo. Portanto, preste atenção na próxima vez.

Assenti em silêncio enquanto ela tomava um gole de seu chá sem sabor, a desaprovação evidente em seu olhar. Observei o vapor emanar do arroz.

– Bem, por que não provamos agora a comida que você preparou?

Coloquei um pouco de arroz no prato dela. Grandes nacos grudentos. As batatas pareciam um pouco mais razoáveis. Rezei para que os olhos dela estivessem cansados o suficiente para não enxergar com clareza o que eu tinha feito com o arroz. Ela comeu dois bocados e balançou a cabeça, demonstrando frustração.

– Está frio. A comida não fica saborosa quando está fria. E devemos comer grãos de arroz, não bolas. Quanto tempo você deixou cozinhar?

– Eu não... Eu não sei...

– Tempo demais. Tempo demais. E as batatas ainda estão duras! – Ela suspirou fundo. – Shahnaz! Shahnaz, venha aqui!

A outra esposa veio até a sala, as sobrancelhas erguidas de curiosidade.
– Sim, Khala-jan?
– Essa menina não sabe cozinhar! Você experimentou essa comida? Está horrível.
– Não, Khala-jan, não experimentei. Ela insistiu em fazer o almoço, então permiti. Se eu soubesse, teria ficado feliz em preparar algo para a senhora.

Encarei Shahnaz e comecei a me dar conta de que ela não era tão afável quanto eu imaginara. Ela evitou meu olhar. Tive vontade de dar um soco na cara dela, mas me contive.

– Isso não é verdade! Ela me mandou preparar o almoço. E tinha acabado de alimentar o bebê! Você fez isso de propósito!

– Rahima, esse tipo de comportamento era exatamente o que me preocupava. Você é uma criança selvagem, não uma mulher adequada para meu filho, mas ele a tomou como esposa e agora teremos que dar um jeito em você. Preste bem atenção: você vai se comportar como uma esposa respeitável e aprender a cuidar da casa. Aquele chilique que deu na casa de seu pai não será tolerado aqui. Estou indo embora agora, mas saiba que vou ficar de olho em você.

Ela se levantou e caminhou, vacilante, até a porta. Não disse mais nada e deixou a porta bater ao sair.

Shahnaz jogou o cabelo para trás e foi para o quarto, uma expressão de satisfação no rosto. Ela havia me armado uma cilada.

Madar-jan, você tinha razão. E provavelmente isso é apenas o começo.

Mais tarde, naquele mesmo dia, confrontei Shahnaz:
– Por que você fez isso?
– Fiz o quê?
– Poderia ter me avisado. E mentiu para ela. Você queria que eu passasse vergonha.
– Do que você está falando? Eu não disse nenhuma mentira!

Lembrei-me de um dos ditados favoritos de Khala Shaima: *Um mentiroso não tem memória.*

– Não fique chateada, Rahima. Logo você vai aprender. Deus sabe que eu aprendi.

Shahnaz era um emaranhado de contradições. Estava irritada por ter que dividir a casa comigo. Já era ruim o bastante ter ficado com a menor delas. As outras esposas tinham mais filhos e seus casamentos haviam sido arranjados por Bibi Gulalai. Apenas Shahnaz e eu tínhamos sido escolhidas pelo próprio Abdul Khaliq, algo que sua mãe claramente não aprovava. Num dia Shahnaz era amarga, mas no seguinte se sentava e conversava comigo como se fôssemos velhas amigas. Ela se sentia sozinha, eu percebi, e tinha saudade de suas irmãs tanto quanto eu tinha das minhas.

– Sabe por que ela não gosta de você? – perguntou-me Shahnaz um dia.

– Porque sou uma má esposa?

– Não. – Shahnaz riu. – Embora isso não melhore nem um pouco as coisas. Ela odeia você porque queria que Abdul Khaliq tomasse a filha do irmão dela como quarta esposa. Em vez disso, ele se casou com você.

– Por que não se casou com a prima?

– Era o que ele ia fazer. Pelo menos foi o que ouvi dizer. Mas algo mudou algumas semanas atrás e ele deu uma desculpa para a família do tio. Em seguida, ficamos sabendo que ele tinha arranjado um *nikkah* com outra pessoa: você. E o irmão de Bibi Gulalai ficou muito decepcionado, pois ele já havia cortejado sua filha.

Eu sabia que não podia confiar em Shahnaz nem em nada do que ela dissesse, mas também me sentia só. Ela era a única pessoa por perto a maior parte do tempo. Seu filho, Maruf, logo se afeiçoou a mim e eu passava o tempo ensinando-lhe a chutar uma bola. Shahnaz me observava com desconfiança, como se esperasse que eu fizesse algo errado.

E, de alguma forma, eu aparentemente fazia *tudo* errado. Eu me sentava errado, cozinhava errado, limpava errado. Tudo que eu queria era voltar para a escola, para minha família, para meus amigos. Eu me sentia desajeitada usando saia, com os seios pontudos no sutiã que minha mãe havia comprado para mim antes do *nikkah*. Queria amarrar os seios bem apertados outra vez. Em vários dias, era exatamente isso que eu fazia: passava uma longa tira de tecido ao redor do peito e a prendia bem firme, tentando impedir que a feminilidade plena aflorasse.

Minha sogra aparecia com frequência. Se a casa não estivesse limpa de acordo com seus padrões, ela me puxava pela orelha e me obrigava a esfregar o chão enquanto observava. Shahnaz sempre colocava a culpa em mim, e Bibi Gulalai ficava mais do que satisfeita em acreditar em qualquer coisa que ela dissesse.

Abdul Khaliq voltava, tão determinado quanto a mãe em fazer de mim uma esposa adequada. Eu odiava sentir seu hálito em meu rosto, meu pescoço. Seus dentes eram amarelados e sua barba, áspera. Às vezes eu tentava me desvencilhar, contorcendo o corpo para me livrar dele, como os lutadores que via nas revistas. Porém, quanto mais eu lutava, mais violento ele era. E o pior de tudo era seu sorrisinho. Como se gostasse quando eu resistia. Isso não devia me surpreender. Afinal, ele era um homem da guerra.

Toda vez eu me sentia suja e fraca. Odiava ficar impotente debaixo dele. Eu deveria ser a esposa daquele homem, e isso mudava tudo. Eu não deveria resistir. E a expressão em seu rosto me dizia que lutar só iria piorar a situação.

Passei muitas noites encolhida de lado, chorando em silêncio e esperando que amanhecesse para que o homem que ressonava a meu lado se espreguiçasse e saísse.

CAPÍTULO 25

Rahima

— PROVE. ESTÁ VENDO? NÃO TEM SABOR. Você tem que adicionar um pouco de sal. Tudo fica melhor com um pouco de sal. Humm.

Shahnaz mexeu a panela mais uma vez, os tomates se desmanchando no óleo quente. Ela estava me ensinando a preparar alguns pratos básicos. Não era fácil, mas percebi que ela reagia bem aos elogios. Era muito melhor do que confrontá-la.

– Está vendo a diferença? Agora toque a batata. Ela deve estar macia. Viu? Está cozida. Meu Deus, fico abismada por você não saber nem isso. Deve ter sido muito mimada em casa. Espero que suas irmãs não sejam tão desajeitadas na cozinha!

Eu não estava nem um pouco preocupada com isso. Shahla e Parwin cozinhavam quase tão bem quanto Madar-jan. Mas a menção a elas machucou meu coração. Fazia duas semanas que tínhamos sido tiradas de casa. Imaginei o que minha mãe estaria fazendo. Podia visualizar meu pai dormindo na sala, com um sorriso satisfeito, nuvens de fumaça inebriante em torno dele e de sua barriga dilatada de tanta comida.

– Shahnaz, o que devo fazer para ver minhas irmãs? Sinto muita falta delas! Parwin está tão perto... Posso visitá-la?

– Não é a mim que você tem que perguntar. Peça a seu marido. Ou a sua sogra.

Eu não tinha certeza se era realmente uma boa ideia ou se ela estava montando outra armadilha para mim.

Eu via minha sogra quase todas as tardes. Em meu terceiro dia no complexo, fui chamada até a casa principal, mas, dessa vez, pela primeira esposa de meu marido, Badriya, pois havia roupas para lavar. Ela era também prima em segundo grau de Bibi Gulalai e, portanto, a esposa favorita. Abdul Khaliq a tratava bem, já que era boa para ele e existia uma relação familiar a respeitar. Mas, conforme ele foi acrescentando esposas novas e mais jovens a seu complexo, começou a passar cada vez menos noites em sua cama. Esse era um ponto de discórdia, embora eu não conseguisse entender por quê.

Badriya não era nem um pouco bonita. Suas bochechas eram caídas e tinha duas verrugas acima da boca em uma disposição que, a meus olhos, lembrava a letra *tay*. Seu rosto era tão largo quanto os quadris, mas ela não precisava ter boa aparência. Agora na casa dos 30 anos, estava mais rechonchuda, a circunferência dos quadris alargada pelos cinco filhos e duas filhas que, orgulhosamente, dera ao marido. Bibi Gulalai amava os netos que Badriya lhe dera e se gabava deles para as outras esposas. Isso alimentava as tensões entre as esposas de Abdul Khaliq e mantinha a vida interessante para Bibi Gulalai.

– Certifique-se de que ela faça um bom trabalho, Badriya. Essa menina tem muito a aprender. Não se esqueça de que ela era uma *bacha posh*. Dá para acreditar? Uma *bacha posh* nessa idade! Não me admira que não faça a mais vaga ideia de como se portar como uma mulher. Olhe só para seu jeito de andar, o cabelo, as unhas! A mãe dela deveria se envergonhar de si mesma.

Badriya se ressentia de Abdul Khaliq ter me tomado como quarta esposa, mas ele era um senhor da guerra e essa era uma prática comum, por isso ela segurava a língua, como uma boa esposa faria. De qualquer maneira, Badriya não tinha nada do que se queixar. Morava na melhor casa do complexo, com uma cama de verdade e sofás na sala. Uma cozinheira e uma criada cuidavam de todas as tarefas domésticas. Ela era a esposa mais estimada, com quem Abdul Khaliq debatia, e fazia questão de que as outras soubessem disso.

A vida no complexo seguia um ritmo e uma rotina. As mulheres cuidavam dos filhos, enquanto Abdul Khaliq cuidava dos negócios, fossem lá quais fossem. Não houvera nenhum conflito armado nos últimos tempos, mas quase todos os dias ele e seus guarda-costas saíam em três carros utilitários pretos, levantando nuvens de poeira. Sua comitiva o cercava enquanto ele caminhava, assentindo quando ele dava ordens e mantendo-se afastados das mulheres do complexo. Servidos pelas criadas que Abdul Khaliq havia trazido, os homens faziam as refeições juntos na sala do senhor da guerra, um cômodo atapetado repleto de almofadas e travesseiros sobre os quais se reclinavam, lambendo os dedos e bebendo chá em meio a uma discussão dos assuntos do dia. Ao término, as mulheres e as crianças consumiam as sobras. As criadas se alimentavam na terceira rodada, esperando que tivesse escapado comida suficiente dos muitos dedos gananciosos antes delas.

As mulheres nunca saíam do complexo. As crianças brincavam juntas e brigavam juntas como irmãos e irmãs, mas subdivididas. Os meios-irmãos se davam bem na maior parte do tempo, mas uma partida casual de futebol podia se transformar, em questão de segundos, em uma briga na qual os filhos da primeira esposa se uniam contra os da segunda. O mesmo se aplicava às meninas, que se tornavam traiçoeiras em um piscar de olhos.

Badriya não teve nenhuma dificuldade em me colocar para trabalhar. As outras também não viam nenhum problema. Embora houvesse muitas criadas no complexo, as mulheres pareciam ter um prazer especial em me fazer assumir as tarefas mais servis, especialmente porque eu me atrapalhava. Eu varria o chão, lavava as fraldas e limpava os banheiros ocidentais da melhor maneira ao meu alcance. No fim do dia, minhas mãos queimavam e tudo que eu queria fazer era me deitar. Na maioria das vezes, isso não era possível. Abdul Khaliq me chamava a seu quarto para repetir a noite anterior. E a noite antes dessa.

Minhas entranhas ardiam, eu caminhava como se um caco de vidro estivesse preso a minha roupa íntima. Às vezes eu acordava no meio da noite, tomada pelas lembranças. Era impossível voltar a dormir. Apertava com força as coxas uma contra a outra e me encolhia, rezando para que ele se cansasse de mim. Queria que minha menstruação viesse mais vezes, mas eu começara a menstruar havia apenas seis meses e os sangramentos ocorriam com pouca frequência. Minha única fuga era treinar minha mente para divagar enquanto estava com ele. Fechava os olhos ou me concentrava em uma mancha na parede, como se procurasse ver formas nas nuvens.

Durante o dia, eu vigiava os muros do complexo, na esperança de ter um vislumbre de minha irmã. Pedia a Deus para que Parwin entrasse mancando em nosso pátio, sem avisar, e me surpreendesse com uma visita, um desenho, um sorriso. Eu não suportava pensar em como seriam seus dias. Torcia para que ela não tivesse que fazer todas as coisas que eu era obrigada a fazer. As pernas de Parwin se moviam com lentidão, de maneira desajeitada. Ninguém gostava disso. Se as pessoas em torno dela fossem iguais às que me rodeavam, com certeza seria castigada. Eu já fora esbofeteada mais de uma vez por um trabalho insatisfatório.

Não suportava saber que minha irmã estava logo ali, do outro lado do muro. Queria vê-la. Queria olhar para um rosto que me conhecesse, que me amasse. Até que não pude mais aguentar e criei coragem para pedir licença a Bibi Gulalai quando a vi andando pelo pátio.

– Khala-jan! Khala-jan! – disse, ofegante, correndo atrás dela.

Minha sogra se virou, já aborrecida. Quando a alcancei, ela não perdeu tempo e me deu um tapa na cara.

– Por que está gritando e correndo assim? Meu Deus, você não tem absolutamente nenhuma ideia de como se comportar! Ainda não aprendeu nada por aqui?

Meu rosto ardeu e minha boca se entreabriu enquanto eu procurava um pedido de desculpas que não a deixasse ainda mais irritada.

– Perdoe-me, Khala-jan, mas eu queria conversar antes que a senhora saísse. Bom dia. Como está se sentindo? – perguntei, sem me importar de verdade, mas tentando mostrar a ela que tinha boas maneiras.

– Você veio correndo pelo pátio como um cão raivoso para me perguntar isso?

Com ela eu não tinha a menor chance.

– Khala-jan, eu queria lhe fazer um pedido. Sinto muito a falta de minhas irmãs. Faz semanas que não as vejo, nem nenhuma outra pessoa de minha família. Será que poderia ver pelo menos minha irmã Parwin? Ela está bem aqui ao lado e eu...

– Você não foi trazida para cá para brincar com sua irmã e afastá-la de suas responsabilidades também. Já basta não ser capaz de fazer o que é exigido de você aqui! Esta é sua família agora. Pare de pensar em qualquer outra coisa e vá terminar suas obrigações. Sua irmã já não deve ser de grande ajuda lá, com aquela perna manca. Nem pense em piorar as coisas ainda mais.

– Por favor, Khala-jan, só quero vê-la por alguns momentos. Prometo que vou terminar todo o meu trabalho. Já lavei o chão e bati os tapetes para tirar a poeira esta manhã. Eu poderia ir até lá e ajudá-la com o que ela precisa fazer...

Outro tapa na cara. Dei um passo para trás e senti meus olhos se encherem de lágrimas. Eu sempre me surpreendia com a força daqueles dedos enrugados.

– É melhor você aprender a ouvir o que eu digo na primeira vez que eu digo.

Ela virou as costas para mim e saiu do pátio balançando a cabeça.

Eu não deveria ficar surpresa, mas fiquei. Minha irmã estava tão perto, mas daria no mesmo se estivesse do outro lado do país. Bibi Gulalai me fez pensar ainda mais em como ela estaria fazendo as tarefas com sua "perna manca". Rezei para que as outras esposas tivessem alguma compaixão por ela, que houvesse pelo menos um rosto bondoso.

No complexo de Abdul Khaliq só havia uma pessoa verdadeiramente gentil comigo: sua segunda esposa, Jamila. Embora Badriya e Shahnaz se mostrassem amigáveis, bastava metade de um dia com cada uma para perceber quem eram de verdade. Badriya, com sua enorme casa no segundo andar, desprezava todo mundo, sobretudo eu, a jovem que chegara por último.

– Badriya era assim comigo também – disse Shahnaz um dia, quando voltei para casa aos prantos. – Não é fácil ser a esposa mais velha.

– Por que não? Ela tem tudo! A melhor cozinheira, as melhores criadas, a melhor casa!

– Não se trata de nada disso. Abdul Khaliq não a *quer*. Ele não a procura agora que está bastante ocupado com você. Ele costumava fazer o mesmo comigo, e ela odiava. Tinha raiva de mim.

– Mas... Mas eu não quero que ele me procure. Ficaria feliz se ele me ignorasse. O que ela faz para ele não a procurar?

Shahnaz riu e seus olhos se iluminaram.

– É simples: basta ficar velha. Já reparou que Abdul Khaliq não gosta de comida do dia anterior? Os homens querem algo fresco, quente, recém-saído do forno.

Ela inclinou a cabeça e abriu um sorriso malicioso.

Naquela noite, rezei para que Alá me fizesse ficar velha, tão velha quanto Badriya, que parecia mais velha do que minha mãe.

Mas Shahnaz era tão implacável em relação a mim quanto Badriya. Ela também odiava ser procurada por Abdul Khaliq, só que não era muito melhor quando me via indo em direção aos aposentos dele. Batia as panelas, bufava se eu lhe perguntasse algo e fechava a porta do quarto com estrondo. No dia seguinte, me encarregava de mais tarefas além das usuais, mesmo se eu era chamada para limpar a casa de Badriya.

Jamila era a única diferente. Tinha as segundas melhores acomodações do complexo e morava no térreo, no fim do corredor que saía da casa de Badriya. Fora dada a Abdul Khaliq por sua família como sinal de gratidão. Ninguém sabia ao certo o motivo desse agradecimento – esse assunto só era mencionado em termos muito vagos –, mas ela parecia bastante contente com o arranjo. Dera a ele três filhos e duas filhas, deixando-o satisfeito por cumprir sua parte do acordo.

Aos 30 anos, Jamila era muito mais bonita do que Badriya e até mesmo do que Shahnaz, que era pelo menos dez anos mais jovem que ela. Seus olhos brilhavam com gentileza e bom humor quando falava. As advertências de minha mãe foram sábios conselhos no que dizia respeito às outras esposas do complexo, mas, assim que conheci Jamila, soube que podia confiar nela.

Eu a conheci por último. Ela me encontrou por acaso quando eu saía da casa de Badriya.

– Você deve ser Rahima! Sim, é ainda mais jovem do que Badriya previu.

– Eu não sou tão jovem assim!

Estava cansada e suada e não precisava de mais ninguém fazendo comentários sobre mim.

– E quem é você? – acrescentei.

– Parece que você começou bem – brincou ela, sorrindo gentilmente. Sua reação me envergonhou. – Eu sou Jamila. Vivo nesta parte da casa com meus filhos. Meu filho Kaihan deve ter a sua idade. Minha filha Laila também. Você já os conheceu?

Balancei a cabeça. Eu ainda não tinha conhecido ninguém da minha idade e me perguntei se Laila seria tão gentil quanto a mãe.

– Laila! – chamou ela. – Laila-jan, o que está fazendo?

– Zarlasht sujou as roupas, Madar-jan! Eu as estou trocando!

– Venha até aqui por um segundo, *janem*, e traga Zarlasht com você. Quero que vocês conheçam uma pessoa.

Ouvi passos. Laila realmente devia ter mais ou menos a minha idade, talvez uns dois anos mais nova, mas o bebê em seu colo escondia a diferença. Era parecida com a mãe, com olhos e cabelos da cor da noite, escuros e intensos em contraste com o diáfano lenço verde-esmeralda. Ela me olhou com curiosidade. Zarlasht tinha cerca de 1 ano. Vê-las me fez pensar em Shahla e Sitara. Quando bebê, Sitara passava tanto tempo nos braços de minha irmã quanto nos de minha mãe.

– Essa é Rahima-jan – disse Jamila, tirando Zarlasht dos braços da filha. – Você se lembra do *nikkah* do qual ouvimos falar na semana passada? Essa é a esposa de seu pai.

Laila ergueu uma das sobrancelhas.

– É mesmo?

Fiquei parada, incapaz de ostentar um título que parecia pesado demais para meus ombros.

– É, então você vai vê-la outras vezes por aqui.

– Por que seu cabelo é tão curto, como o de um menino?

Senti-me corar e desviei o olhar. Não tinha certeza do quanto deveria contar. Talvez não fosse boa ideia dizer a todos que eu havia sido uma *bacha posh*.

– Era... Era assim que eu ia à escola! – respondi, esperando que a explicação bastasse, mas principalmente querendo que Laila soubesse que eu tinha ido à escola.

– Escola?! – exclamou ela. – Você ia à escola assim? Madar-jan, ela se parece com Kaihan, não acha?

– Você foi uma *bacha posh*, não foi? – perguntou Jamila. – Foi o que ouvi dizer. Bibi Gulalai mencionou isso antes do *nikkah*. Meus filhos nunca viram uma *bacha posh*, mas lembro que uma prima do meu vizinho também foi. Quer dizer, até completar 10 anos. Então ela voltou a ser menina.

– O que é uma *bacha posh*?

– Laila-jan, explico mais tarde. Por ora, só queria que você conhecesse Rahima-jan. E esta é Zarlasht, minha filha mais nova.

Mais passos soaram no corredor enquanto eu tentava não olhar muito para Laila, que me lembrava de como eu sentia falta de minhas irmãs.

– Kaihan! Hashmat! Parem de correr aqui dentro! Vocês estão fazendo as paredes tremerem! – Jamila se virou para mim e explicou: – Hashmat tem mais ou menos a mesma idade do meu filho. Ele é filho de Badriya.

Olhei para Hashmat e senti um nó no estômago. Ele desviou o olhar de Jamila para mim e deu um sorriso torto.

– E quem é você? – perguntou ele sem rodeios, deixando evidente que tinha a língua presa.

Lembrei-me de tê-lo visto antes, de ter ouvido sua voz. Em mais de uma ocasião, havíamos jogado futebol na rua, a algumas quadras da escola. Minha voz sumiu. Eu me perguntei se ele também teria me reconhecido.

– Esta é Rahima, a nova esposa de seu pai – repetiu Jamila.

Virei o rosto e abaixei a cabeça, evitando seu olhar. Jamila ficou surpresa com meu recato, considerando a maneira como eu havia falado com ela alguns momentos antes.

– Ah... Sim, ouvi falar de você. Você é... Ei, você não é... Você é amigo de Abdullah, não é?

Eu não sabia como responder. Fiquei nervosa e olhei para Jamila. Eu sabia que isso pareceria estranho para todos. Nenhuma menina da minha idade deveria ser chamada de "amigo de Abdullah". Jamila olhou para Laila, que parecia mais confusa agora do que antes.

– Esqueça isso, Hashmat – disse intuitivamente. – Ela é esposa de seu pai e você deve respeitar isso. Ninguém quer ouvir nada diferente saindo de sua boca.

Olhei para o chão, compreendendo por que ele me parecia tão familiar. Lembrei-me dele empurrando os outros meninos para abrir caminho até a bola, a boca aberta e as unhas sujas arranhando quem estivesse em seu caminho. Ele só tinha amigos porque os meninos temiam não ser amigos do filho de Abdul Khaliq, uma lição que haviam aprendido com os pais. Tínhamos resolvido evitá-lo e também seu grupo. Já fazia um ano que eu não o via.

– Você é uma menina?! – exclamou ele. – Que tipo de garota é você? É você, não é? É por isso que não está respondendo!

– Hashmat! Quer que eu conte para sua mãe...

– Olhe só para isso! Ainda tem cabelo curto e tudo! Que tipo de esposa é você? Ficava correndo pelas ruas com Abdullah e sua gangue. Não é de admirar que não conseguissem marcar um único gol!

Ele falava com tamanha empolgação que voavam gotículas de saliva. Cobri meu rosto com o véu, querendo me proteger daquele ataque molhado.

– Hashmat! Eu disse que já chega!

– Talvez Abdullah também seja uma menina! Talvez todos vocês sejam! – disse ele, dando gargalhadas.

Mais tarde, quando Hashmat não estava mais por perto, pensei em muitas coisas inteligentes para dizer.

Porém, em vez de falar qualquer uma dessas coisas naquele momento, eu corri. Corri com os panos de limpeza ainda na mão, os olhos marejados. Queria ficar longe de Hashmat, desse menino que me conheceu como eu ainda gostaria de ser: um garoto tão livre quanto ele. Odiei o fato de ele morar ali. Sabia que sempre traria o assunto de volta. Sempre olharia para mim e zombaria da menina que costumava ser menino.

Quando cheguei a meu quarto e bati a porta, me perguntei se Hashmat voltaria a encontrar Abdullah. Imaginei o que ele ia dizer e senti um aperto no coração. Eu não queria que Abdullah me visse como uma menina, como a esposa de Abdul Khaliq, como a madrasta de Hashmat.

Coloquei as mãos no rosto e chorei.

CAPÍTULO 26

Rahima

Eu ESTAVA ENLOUQUECENDO SÓ DE PENSAR em Parwin. Meses se passaram e não havia nenhum indício de que eu teria permissão para vê-la. Sabia onde ficava o complexo adjacente e colava o ouvido no muro entre as duas casas para tentar escutar a voz dela ou até mesmo ouvir alguém falando dela. Eu não podia passar muito tempo lá fora, senão Bibi Gulalai viria atrás de mim para me dar alguma tarefa que ninguém mais queria fazer. Nos últimos tempos, ela começara a andar com uma bengala, uma mudança motivada tanto por seu andar instável quanto pelo desejo cada vez maior de me disciplinar.

Esperei um mês antes de fazer outro movimento. Precisava reunir coragem para tentar de novo e encontrar uma maneira de sair de nosso complexo. Fui para fora de manhã bem cedo, quando costumava cuidar da roupa. Peguei o balde e atravessei o pátio tão casualmente quanto pude. Minha garganta estava seca enquanto eu inspecionava a área. Havia algumas criadas aqui e ali, mas ninguém parecia prestar atenção em mim. Meu marido tinha saído mais cedo e só estaria de volta dali a muitas horas.

Cheguei cada vez mais perto do portão da frente, as palmas das mãos suadas.

Não hesite, disse a mim mesma e abri o portão para sair. Esperei, mas não ouvi nada. Ninguém havia percebido.

O complexo ficava em uma rua de terra que eu não via desde o dia de meu casamento. Olhei para a direita e vi o conjunto adjacente, onde Parwin vivia. Peguei a burca que tinha escondido no balde e a vesti. Caminhei depressa e tentei abrir o portão deles, mas estava trancado.

Bati de leve. Àquela hora do dia, apenas as criadas se achavam no pátio, e era com isso que eu contava. Se pudesse fazer com que uma delas abrisse o portão, encontraria o caminho até minha irmã. Esperei um pouco, mas ninguém respondeu. Tentei de novo, um pouco mais alto dessa vez.

Na terceira tentativa, com gotas de suor escorrendo pela minha nuca, ouvi passos e resmungos. Dei um passo para trás quando vi o portão se abrir.

– *As-salaam-alaikum* – cumprimentou-me, com cautela, uma mulher mais velha.

Suas roupas surradas me fizeram concluir que era uma das criadas. Tentei olhar além dela, para dentro do complexo. Ela estreitou os olhos e reduziu um pouco mais a abertura do portão.

– Perdoe-me, não a reconheço. Está aqui para ver alguém?

Pigarreei e torci para que minha voz não me traísse.

– *Wa-alaikum as-salaam*. Sim, sou a irmã de Khanum Parwin. Eu vim lhe fazer uma visita.

– Ah, Khanum Parwin! Sua irmã? Seja bem-vinda, seja bem-vinda, mas... você veio sozinha? – perguntou ela, curiosa.

Olhou atrás de mim, esperando ver um acompanhante.

– Minha sogra, Bibi Gulalai, ia me acompanhar e estaria aqui se não fosse pela dor nas costas. Ela teve que descansar. Mas me disse para vir sem ela – menti, tentando manter a voz firme. – Minha irmã está por perto? Só quero vê-la por alguns minutos.

A mulher parecia confusa. Era de fato estranho uma das esposas de Abdul Khaliq aparecer no portão da frente desacompanhada, mas quem iria imaginar que uma menina fosse mentir sobre uma coisa dessas? Ela optou por não causar problemas a uma das esposas de Abdul Khaliq e abriu o portão para me deixar passar.

– Acho que ela ainda está em seu quarto. Vou lhe mostrar onde é – disse a mulher.

O complexo era muito menor do que o de Abdul Khaliq, mas com uma configuração semelhante. Meus olhos procuraram Parwin. Eu não podia acreditar que tinha chegado tão longe! Passamos por algumas crianças de não mais do que 6 ou 7 anos. Elas olharam para mim, mas estavam muito ocupadas com suas brincadeiras para se importar com a estranha de burca.

— Quem é essa com você, Rabia-jan?

Eu me detive, assim como a criada.

— Bom dia, Khanum Lailuma. Essa é a irmã de Khanum Parwin. Ela veio da casa ao lado para fazer uma visita.

— Sozinha? Você é esposa de Abdul Khaliq? — perguntou Lailuma, franzindo a testa em desaprovação.

— Sim — respondi.

Disse a mim mesma para parecer confiante.

— Alguém sabe que está aqui?

— É claro! Como expliquei a Rabia-jan, Bibi Gulalai ia me acompanhar, mas estava com muitas dores nas costas. Eu só queria fazer uma breve visita à minha irmã. Faz muito tempo que não a vejo.

— Bem, isso é... Não acho que...

— Estou muito feliz em conhecê-la! Já ouvi falar muito sobre a família vizinha ao lado do nosso complexo, mas ainda não tive a oportunidade de conhecer ninguém. Eram seus filhos as crianças que vi há pouco no pátio? Tão adoráveis, que Alá os abençoe!

Lailuma foi desarmada pela bajulação, que para mim soou muito mais como algo que Shahla diria do que como qualquer coisa que eu conseguiria inventar.

— São, sim, obrigada. É uma pena não termos sido apresentadas. Bem, vá em frente, mas não se demore, porque sua irmã tem tarefas a cumprir.

— Claro! Não quero atrapalhá-la — respondi, tão docemente quanto possível.

Rabia suspirou e me apressou, querendo voltar logo para seus afazeres. Seguimos por um pequeno corredor e, assim que viramos, eu a vi.

Parwin estava de costas para nós, mas eu a vi mancando, um balde na mão. A água espirrava enquanto ela andava, deixando um rastro pelo caminho.

— Parwin! — gritei, correndo até ela.

Minha irmã se virou, perplexa. Ela deixou cair o balde no chão e eu vi a criada balançar a cabeça diante de sua falta de jeito.

— Rahima? Rahima! O que está fazendo aqui? — exclamou ela, com os olhos marejados, quando atirei meus braços ao redor de seu corpo magro.

– Vim visitá-la! Senti tanto sua falta, Parwin! – Voltei-me e vi que Rabia já se afastava, arrastando os pés pelo corredor. – Vamos para algum lugar! Quero conversar com você antes de ter que voltar.

Parwin assentiu e me levou até seu quarto, um pequeno espaço retangular sem janelas. Era ainda menor do que o cômodo onde eu dormia. Fechamos a porta e Parwin se deixou cair sobre o colchão com um suspiro. Ela parecia exausta.

– Parwin, eu queria ver você há tanto tempo, mas eles não me deixaram vir! Tudo que querem que eu faça lá é trabalhar e trabalhar, e estou tão cansada disso! Eu esfrego o chão, lavo a roupa e...

Minha voz vacilou quando percebi que a vida de minha irmã provavelmente não era muito diferente da minha. Eu estava sendo egoísta ao me lamentar com ela.

– Eu sei, Rahima. É horrível aqui também – sussurrou ela. – Rezo todos os dias para alguma coisa acontecer e eu poder voltar para casa. Sinto falta de Madar-jan, de Shahla e das meninas! Sinto falta até de Padar-jan!

Eu queria discordar dela, mas, estranhamente, também sentia saudades de nosso pai, embora o culpasse por nos fazer passar por tudo aquilo.

– Como é sua vida lá, Rahima? Eles a deixaram vir aqui hoje?

– Eu vim escondida, Parwin. Pedi muitas vezes, mas Bibi Gulalai não permite. Então hoje simplesmente vim até aqui. Eu disse à criada que tinha permissão.

– Ah, não! Não vão perceber que você não está lá? O que vão fazer com você?

Eu já havia pensando nisso e esperava que meu plano desse certo.

– Eu já me meti em apuros algumas vezes. Na última, Bibi Gulalai ameaçou me mandar de volta para nossos pais. Estou torcendo para que, caso ela descubra que eu vim até aqui, faça exatamente isso. Quero voltar para casa. Odeio viver aqui!

– Você acha mesmo que eles vão mandá-la de volta?

Parwin parecia duvidar. Percebi que minha irmã estava diferente: o rosto mais magro, os olhos sem o brilho de antes, as faces marcadas por manchas escuras.

– Não sei, mas realmente queria vê-la. E achei que valia a pena tentar – acrescentei, com um sorriso.

— Queria que eles me mandassem de volta também — disse ela, melancólica.

— Você... Você está bem aqui? Eles são bons para você?

— Eu preferia estar em casa. Você se lembra daqueles pássaros que costumavam sobrevoar nosso quintal? Lembra-se de como Shahla ficou irritada quando suas fezes caíram na roupa lavada? Duas vezes no mesmo dia! Foi tão engraçado!

Ela estava olhando para além de mim. Vendo algo que não existia mais.

— Parwin, você ainda desenha? Desenhou alguma coisa nova? Sinto falta de ver seus trabalhos.

Ela balançou a cabeça.

— Há muita coisa para fazer e eu não quero decepcionar ninguém aqui. Tenho que manter minhas tarefas em dia. Em todo caso, não sinto vontade de desenhar.

Aquela não era a Parwin que eu conhecia. Tomei suas mãos nas minhas e tentei pensar no que dizer. Havia perguntas que queria fazer, mas as respostas só iriam nos magoar. Olhei para ela, que sorriu sem jeito. Ela falou de Rohila e Sitara, contou histórias sobre as duas como se as tivesse visto poucos dias antes. Eu me perguntei como seria seu marido. Será que ela precisava suportar as mesmas coisas que eu?

— Khala Shaima disse que Rohila provavelmente vai para a escola agora. Não é maravilhoso? Ela vai adorar.

— Khala Shaima? Você a viu? Falou com ela?

Parecia que Parwin tinha perdido a sanidade.

— Sim, ela veio aqui. Cerca de duas semanas atrás. Eu só a vi pelo portão da frente por alguns instantes, depois ela foi embora. Ela perguntou por você também, mas eu disse que não nos vimos.

— Ela veio aqui? Por que não foi me ver também?

— Ela tentou.

Claro, eles a impediram. Provavelmente não queriam que eu contasse a Khala Shaima como me tratavam.

— O que mais ela disse?

— Disse que Padar-jan continua o mesmo, só que está mais feliz agora que pode conseguir muito mais droga. E Madar-jan e as meninas estão bem. Nós não conversamos por muito tempo. Eu queria que ela pudesse ficar e me contar mais de suas histórias. Eu gostava muito de ouvir sobre Bibi Shekiba, você não gostava? Penso muito nela agora.

Eu pensava nela mais do que qualquer um poderia imaginar e me perguntava com frequência o que ela teria feito em meu lugar. Ou o que eu teria feito no lugar dela. Ou se havia alguma diferença, no fim das contas.

– Parwin, talvez nós devamos fugir! – sussurrei, interrompendo sua falação. – Assim como eu escapei esta manhã. Poderíamos ir embora!

Se eu soubesse naquele momento o que o futuro nos reservava, teria feito exatamente isso. Teria fugido com ela no meio da noite. Pelo menos ela teria uma chance.

– Rahima, você está sempre se metendo em confusão. Eu estou bem aqui. É muito trabalho, mas está tudo bem. Madar-jan disse que deveríamos fazer o que fosse exigido de nós, e eu faço. Você vai se complicar se tentar qualquer coisa.

Senti um aperto na garganta ao ouvi-la falar dessa maneira. Ela não era mais a mesma, mas percebi que não havia saída para nós, sobretudo para ela. Parwin não chegaria muito longe do complexo com o problema na perna.

Vozes no corredor ficaram mais altas.

– Onde ela está? Quem a deixou entrar?

– Ela veio sozinha? Bibi Gulalai sabe disso?

Ouvi passos e percebi que meu tempo se esgotara, e mais rápido do que eu imaginara. Não me dei ao trabalho de me virar para ver quem tinha ido atrás de mim. Beijei o rosto de minha irmã e apertei suas mãos quando a porta se abriu.

– Sinto muito, Parwin. Sinto muito por tudo isso. Eu não estou longe de você, Parwin, lembre-se disso, está bem? Eu não estou longe de você!

Não tirei os olhos dela enquanto era arrastada com força. Parwin parecia estranhamente serena em meio aos gritos.

– Um por um, os pássaros voam para longe... – disse ela baixinho, observando-me ser levada mais uma vez.

CAPÍTULO 27
Rahima

Bibi Gulalai espumava de raiva. Alguém tinha me visto deixando o complexo. Essa pessoa alertou Badriya, que, provavelmente com muita satisfação, relatou o ocorrido à minha sogra. Não importava. Só me fez odiá-las ainda mais. Badriya era mais maldosa do que eu imaginara. Rezei para um dia ter a oportunidade de acertar as contas com ela. Não era de admirar que Hashmat fosse um imbecil.

Mas eu havia provocado aquelas punições. Pedira para ser castigada. A cada golpe, a cada xingamento, eu tinha esperança de ouvir Bibi Gulalai dizer que não suportava mais e que ia me mandar de volta para minha mãe. Cobri a cabeça com os braços e esperei para ouvir as palavras que ela dissera da última vez. Como isso não aconteceu, falei eu mesma:

– Se sou tão horrível, então por que não me manda de volta?

Ela se deteve. Naquele momento, percebi que não fora muito esperta. Ela sabia que era isso que eu queria e se recusou a satisfazer meu desejo, mesmo que isso envergonhasse minha família e a mim diante de toda a nossa comunidade. Ela decidiu que ia se encarregar pessoalmente de dar um jeito naquela esposa irritante. O tiro saíra pela culatra, mas pelo menos eu vira Parwin. Ou o que restava dela. Minha irmã, tão diferente e delicada em seu modo de ser, fora completamente mudada pela nova vida. Eu sabia que, em parte, a culpa era minha. Tudo aquilo tinha acontecido por causa de mim, a *bacha posh*, e por causa da discussão que tivera com minha mãe. O resto da culpa estava sobre os ombros viciados de meu pai.

Pensei em Shahla. Será que ela ainda me culpava? Ela me perdoara no dia de nossos *nikkah*, mas me perguntei se as coisas seriam diferentes agora. Talvez fossem melhores para ela do que para Parwin e para mim. Shahla tinha o dom de agradar as pessoas, de fazê-las sorrir. Não conseguia acreditar que alguém pudesse maltratá-la.

A relação entre mim e Bibi Gulalai azedou para sempre. Ela concentrava suas energias em tornar minha vida insuportável. Meu marido obtinha de mim o que queria, fazia comigo o que queria e deixava o resto de minha existência nas mãos da mãe. Ele estava muito ocupado para se importar com os detalhes agora que tinha negócios ainda mais lucrativos com alguns estrangeiros. Seu poder e sua influência em nossa área cresciam e, com eles, sua agressividade e seu domínio. Nós, as quatro esposas, compartilhávamos o medo de que seus punhos nos golpeassem.

Nos últimos tempos, eu também me preocupava porque, fazia duas semanas, eu acordava todas as manhãs com fortes náuseas. Fiquei temerosa e, por fim, decidi falar com Jamila, que me encarou e suspirou.

– Deixe-me ver seu rosto – pediu ela, tomando meu rosto em suas mãos.

Ela virou minha cabeça de um lado para outro, examinando minha pele e meus olhos. Soltei um gemido quando ela tocou em meus peitos inchados.

– Sim, parece que é isso mesmo. Você vai ser mãe, Rahima-jan.

Suas palavras gentis me surpreenderam. Por alguma razão, essa possibilidade não tinha me ocorrido.

– O quê? Como você sabe?

– Rahima-jan, quanto tempo já se passou desde seu último mal-estar mensal?

Ao pensar nisso, percebi que não me lembrava da última vez que havia sangrado. Acontecia de forma tão irregular que eu nunca conseguia me lembrar das datas. Dei de ombros.

– Bem, parece que você está grávida. Os enjoos vão passar, você vai ver, mas outras coisas vão mudar em seu corpo.

Fiquei tonta. Jamila me pegou pelo braço e me fez sentar em um banquinho no pátio.

– Está tudo bem, *dokhtar-jan* – garantiu ela. – Toda mulher passa por essa situação. Todas nós. Isso vai ajudá-la, você vai ver. Seu marido e sua sogra vão ficar satisfeitos. Ter filhos é dever de uma esposa.

Um dever que Parwin não havia cumprido. Talvez fosse por isso que eles tornavam sua vida tão desgraçada. Perguntei-me se Bibi Gulalai iria me tratar melhor ao saber da gravidez.

– Não quero que ninguém saiba! – sussurrei.

Eu não desejava que ninguém olhasse para mim de forma diferente. Estava envergonhada.

– Não diga nada a ninguém. Não seria adequado, de qualquer maneira. Nós não falamos sobre essas coisas. Fique quieta, faça seu trabalho e deixe que Alá cuide do resto. Em poucos meses você vai ver seu filho, se Alá assim o quiser. Que Deus lhe dê saúde – sussurrou ela ao final.

Eu não fazia ideia do que me esperava. Jamila parecia preocupada, mesmo quando tentou me confortar. Em sua sabedoria, não me falou das coisas preocupantes que tinha testemunhado antes de se casar. Seu tio havia se casado com duas garotas mais ou menos da minha idade. Quando o primeiro filho de uma delas nasceu, ela sangrou durante três dias até suas veias ficarem secas e não haver mais o que sangrar. O bebê, sem ninguém que o amamentasse, morreu dez dias depois. A segunda esposa sobreviveu ao parto, mas o bebê dilacerou seu corpo imaturo, deixando um buraco em seu rastro. Seu marido, enojado com o constante gotejamento de urina por suas pernas, declarou que ela era "impura" e a mandou de volta para a família, para que vivesse escondida do mundo, desonrada. Mães muito jovens não costumavam suportar bem a gravidez e o parto, mas Jamila não quis me assustar.

Segui os conselhos dela, mas, em pouco tempo, Shahnaz reconheceu a forma como meu nariz se torcia quando sentia cheiro de comida.

– Você está grávida! – Ela riu com arrogância. – Agora você vai ver como a vida pode ser realmente dura!

Alguns dias eu a odiava mais do que a Bibi Gulalai. Ela contou a novidade para Badriya, sabendo que aumentaria o rancor da outra por mim. Se eu trouxesse um filho para o complexo de Abdul Khaliq, seu marido e sua sogra poderiam não me tratar mais como uma humilde criada da casa. Mas eu duvidava que haveria alguma mudança. Bibi Gulalai olhava para mim como se eu fosse um cão infestado de pulgas latindo a seus pés.

Só que havia sempre surpresas à espera e, um mês depois, tive permissão para receber visitas. Eu não tinha certeza se era porque minha sogra ficara sabendo que eu engravidara. Fiquei chocada ao ver Khala Shaima em nosso pátio, olhando em volta, desconfiada. Atrás dela estava Parwin, segurando o xador bem preso no queixo e mantendo os olhos baixos, um exemplo de recato. Deixei cair a pilha de roupas que carregava e corri até elas. Era tão bom ver seus rostos, embora eu rezasse para que não percebessem a mudança no meu. Eu não queria contar a novidade a elas.

Segurei com força a mão de Parwin. Khala Shaima não permitiu que eu beijasse sua mão. Agarrou meus ombros e me examinou, avaliando as mudanças acontecidas nos últimos meses.

Khala Shaima balançou a cabeça e suspirou quando viu meu rosto cheio e a barriga arredondada. Faltavam três meses para meu bebê nascer. Ela não pareceu nem um pouco surpresa.

– Você está se sentindo bem?

Eu assenti. Não falamos mais sobre o assunto. Fiquei grata por isso.

Satisfeita por eu estar pelo menos inteira e alimentada, ela me puxou de lado para que nós três pudéssemos conversar com alguma privacidade. Eu tinha muitas perguntas a fazer. Ela era meu único elo com minha vida passada.

Nosso primeiro encontro teve um tom agridoce. Ou doce-acre, o que melhor representasse a ordem das coisas. Fiquei empolgada por tê-las comigo, mas sabia o quanto seria doloroso quando elas partissem. Parwin e eu não podíamos nos aproximar de Khala Shaima.

– Como está Madar-jan? Por que ela não veio com você?

– Sua mãe está bem. Você sabe como ela é: dá um jeito dentro de casa, mas está há tanto tempo sob o controle de seu pai que às vezes se esquece de andar com os próprios pés.

– E Rohila e Sitara? – perguntou Parwin. – Elas perguntam por nós?

– É claro que perguntam! Elas são suas irmãs. Isso não mudou só porque vocês agora estão morando em outro lugar! Não acreditem nas idiotices que algumas pessoas dizem sobre meninas pertencerem a outras pessoas. Bobagem! Meninas pertencem a suas famílias e sempre pertencerão. Vocês têm uma mãe e duas irmãs e nada vai mudar isso. Não importa com *quem* estejam casadas.

Nós concordamos, mas olhei ao redor rapidamente para me certificar de que ninguém pudesse nos ouvir. Eu conhecia Khala Shaima o bastante para saber que seus comentários inflamados eram uma fonte de problemas.

– Mas por que Madar-jan não veio? Ela está bem? Sente a nossa falta?

– É claro que sente! Ela... Bem, é melhor vocês saberem. Ela se entristeceu muito depois que vocês se foram. Ficou tão transtornada que começou a usar a droga de seu pai.

– Ela o quê?

– É isso que acontece às vezes. Ouçam, meninas, quando a situação se torna difícil, as pessoas procuram uma fuga. Todo mundo precisa de um escape. Às vezes é difícil encontrar o caminho certo. A fuga de seu pai é essa maldita droga, e agora sua mãe também está recorrendo a ela. Era apenas uma questão de tempo. Está bem diante dela todos os dias.

Fiquei furiosa. Madar-jan ia se igualar a nosso pai. Eu a imaginei de olhos vidrados, roncando no sofá, enquanto Rohila cuidava de nossa irmã mais nova.

– E todo aquele dinheiro? O que estão fazendo com ele? – indaguei, com amargura.

– Eles o dividiram. Naturalmente, seu pai ficou com a maior parte, mas deu um pouco para seus tios e seu avô. Eles se refestelaram com boas refeições, se exibindo por toda a aldeia, achando que isso ia mudar a maneira como as pessoas os encaravam. Só Deus sabe com o que mais ele o está gastando. Só sei que sua mãe nem viu a cor dele.

– E quanto a Shahla? Sabe algo sobre ela?

– Não. Perguntei a seu pai, pois ele tem mais contato com aquela família do que qualquer outra pessoa, mas ele respondeu apenas que ela está bem. Nunca mais a viu. A pobrezinha está tão longe... Pelo menos vocês têm uma à outra.

– Mas, Khala Shaima, eu nunca vejo Parwin! Ela está bem perto, mas é como se estivesse do outro lado do mundo.

– Humpf. Ainda? Bem, então vou ter que aparecer mais vezes para que possamos nos ver. Fora isso, como estão tratando vocês, meninas? Parwin?

– Estou bem, Khala-jan. Eles estão me tratando muito bem – respondeu Parwin com tamanha doçura que ninguém teria acreditado.

Os olhos de Khala Shaima se estreitaram.

– Sua sogra bate em você? Você tem comido o suficiente?

– Ela é gentil comigo, Khala Shaima. Ela me mostra como fazer as coisas e eu como bastante. De qualquer maneira, na maior parte do tempo não tenho fome.

Khala Shaima se voltou para mim, sem saber como interpretar as respostas de Parwin.

– Eu estou bem, Khala-jan. Minha sogra, Bibi Gulalai, me bateu algumas vezes, mas descobri como mantê-la satisfeita. Além do mais, ela não consegue bater com muita força, aquela velha bruxa – completei, baixando a voz instintivamente. Bibi Gulalai sempre aparecia quando eu menos queria sua presença.

– Ela é uma bruxa mesmo – comentou Khala Shaima. – Malditos sejam esses homens que se casam com meninas tão novas.

– Khala Shaima, você pode prometer que virá mais vezes? Sinto tanto a sua falta! – falei, do fundo do coração.

Parwin aquiesceu.

– Claro. Virei sempre que puder, com estas malditas costas. Alguém tem que ficar de olho em vocês, meninas. Abdul Khaliq pode ser o homem mais poderoso desta aldeia, mas vocês também têm família. Quero me certificar de que essas pessoas nunca se esqueçam disso.

Suas palavras, sua presença, foram um enorme alívio, embora não mudassem em nada nossa vida diária.

– E talvez pudesse nos contar mais sobre Bibi Shekiba – pedi.

– Ah! Isso é uma coisa que precisamos retomar. Ninguém gosta de uma história inacabada...

Periodicamente, daí em diante, Khala Shaima buscava Parwin e a levava para o complexo de Abdul Khaliq, onde nós três podíamos nos sentar e conversar. Ela era insistente e dava um jeito de obter permissão. Agradeci a Deus por isso. Aquelas eram as raras ocasiões em que eu podia ver minha irmã. Cada uma dessas visitas partia meu coração e quase me fazia desejar que não a tivesse visto. O sorriso débil que ela nos dava parecia absurdo em sua figura frágil, sua pele pálida. Eu odiava as outras esposas de seu marido pelo que estavam fazendo com ela.

Parwin nunca reclamava. Nunca nos contava como as coisas eram de verdade por lá.

De certa forma, acho que ela era a mais corajosa de todas nós. Parwin, minha irmã dócil e tímida, foi quem tomou uma atitude no final. Ela foi a única que mostrou aos que a cercavam que já havia suportado abusos demais. Como Khala Shaima disse, todo mundo precisa de um escape.

CAPÍTULO 28

Shekib

DURANTE AS SEMANAS SEGUINTES, com a ajuda de Ghafur, Shekib se familiarizou com o novo lar. O Arg era um edifício majestoso e a outra garota já explorara cada um de seus nichos. O palácio fora construído pelo emir Abdul Rahman quando Shekiba era apenas uma criança. Um fosso de água cercava os grandes muros e havia uma torre de vigia em cada um dos quatro cantos da propriedade. No topo de cada uma, Shekib reparou, um canhão apontava para um alvo distante. Muralhas rodeavam a fortaleza e soldados montavam guarda por toda parte.

– Aquele prédio ali, no lado oriental, é Salaam Khana. É lá que o rei recebe seus visitantes. Há algumas edificações menores atrás, onde o rei passa o tempo com a família ou os conselheiros mais próximos. Ali é o alojamento onde os soldados dormem e aquela outra construção é onde ficam guardadas as armas.

As duas continuaram caminhando; os soldados não as fitavam diretamente, mas dava para perceber que observavam seus movimentos com grande interesse. Elas atravessaram os vívidos jardins e se dirigiram para o lado ocidental do palácio.

– O que é aquilo ali?

Shekib apontou para uma estrutura maior, alta o suficiente para ser vista por trás dos muros do palácio. Era uma bela e imponente obra arquitetônica a uma curta caminhada do Arg.

– Ah, aquilo? É o Palácio Dilkhosha.

– Parece impressionante!

– E é mesmo. O interior é tão bonito que pode fazer seu coração derreter! Há pinturas, esculturas e vasos de ouro. Você nunca poderia imaginar algo tão bonito!

– Você já entrou lá?

– Bem, na verdade não... mas isso foi o que ouvi – respondeu Ghafur, convicta.

– Onde o rei mora?

– Ah, ele viaja muito, mas quando está aqui fica naquele prédio ali, com a esposa.

– A esposa? As mulheres podem ir até lá?

– Pelo amor de Deus, não! Que ideia maluca é essa? As mulheres ficam no harém. O lugar delas é lá. Podem passear no pátio e têm a própria casa de banho, que podem usar sempre que têm vontade, mas não devem ser confundidas com a esposa do rei!

– O harém?

Shekib respirou fundo; se quisesse sobreviver naquele lugar, teria muito que aprender.

– Sim, como *haram*. Significa que outros homens são proibidos de entrar. Exceto o rei, é claro. Isso é parte da razão pela qual *nós* fazemos a guarda, e não os soldados. Mas o motivo principal é que ele sabe que homens são homens e não se pode confiar neles quando estão perto de mulheres, nem mesmo as que pertencem ao rei.

Shekib havia deixado o harém com Ghafur no início da manhã. As mulheres ainda estavam dormindo e as outras guardas começavam a se vestir para assumir suas funções.

– Quantas mulheres vivem no harém?

Ghafur só lhe mostrara cinco ou seis mulheres na noite anterior, mas Shekib imaginava que havia mais, pois seus aposentos eram enormes, com muitos quartos.

– Quantas? Hum... pela última contagem, 29.

– São 29?!

– Sim. Isto é, se ainda considerar Benazir uma delas no momento! – Ghafur riu. – Ela não atrai a atenção dele agora que sua barriga começou a crescer. Ele não vai lhe dar atenção até acabar.

– Até o que acabar?

– Até *aquilo* acabar. Até o bebê nascer.
– Ah. E os filhos, vivem com as mães naquela casa?
– Claro. Não viu as filhas de Halima com ela?
– Onde ele encontrou todas essas mulheres? Para o harém, quero dizer.
– Do mesmo jeito que me encontrou. E encontrou você. Muitas famílias precisam se livrar de suas meninas. Muitas famílias precisam de coisas. Além disso, ele é o rei. Ele toma o que quiser.
– E as crianças? Ele cuida dos filhos?
– Certamente. Sabe... – Ghafur passou a sussurrar – o próprio rei nasceu de uma mãe escrava. Ele sabe melhor do que ninguém que qualquer criança pode alcançar a grandeza, não apenas as da primeira esposa.

Uma brisa constante começou a soprar e Shekib se lembrou de que não estava de burca. Precisaria de algum tempo para se acostumar a usar calças. Ghafur, por outro lado, parecia bem confortável em seu traje.

– Dói? – perguntou Ghafur casualmente.

Shekib sabia ao que ela estava se referindo, mas fingiu ignorar:

– O quê?
– Seu rosto. Dói?
– Não.

Shekib continuou olhando para a frente. Não era por acaso que Ghafur estava andando do seu lado direito, seu lado bom. Sem o lenço na cabeça, ela não tinha como disfarçar sua deformidade. Queria que Ghafur visse seu rosto como ele era.

– Que bom.

Shekib ficou feliz com o término da conversa.

Elas voltaram para o harém, agora em burburinho com as conversas das mulheres, que já estavam acordadas. Com tantos rostos novos ao redor, a mão de Shekib se moveu instintivamente para cobrir a face com o lenço, mas não havia nada para puxar.

Depois do vestíbulo, ela viu mulheres por toda parte, sentadas em grupos de quatro ou cinco. Duas ou três alimentavam crianças pequenas; uma cuidava do filho em um canto. Algumas estavam na casa dos 30, outras pareciam ter a idade de Shekib. Algumas eram magras, outras, mais rechonchudas. Poucas se preocuparam em erguer o olhar. Ghafur pousou a mão no braço de Shekib e a conduziu para um espaço amplo com piso de pedra. No centro, havia uma grande piscina. Três mulheres estavam sentadas nela, os seios meio submersos. Suas vozes ecoavam nas paredes.

– Este é o salão da piscina – anunciou Ghafur, já à espera da reação atônita da novata.

A boca de Shekib se abriu um pouco e a guarda riu. Shekib ignorou seu deleite. As paredes de pedra eram altas e imponentes. Uma sacada no segundo andar dava vista para a piscina.

Havia plantas no salão, com exuberantes folhas verdes que absorviam a umidade do ambiente. As mulheres lançaram um breve olhar para Shekib e Ghafur, mas, vendo apenas a metade boa do rosto de Shekib, logo voltaram a atenção para a conversa. As guardas continuaram seu percurso.

– Os quartos são para as concubinas. Algumas têm que dividir os aposentos, mas as que têm filhos recebem um quarto apenas para si. Daqui a cerca de meia hora, o palácio enviará o almoço. O Arg tem criadas que vêm até aqui, mas às vezes nós as ajudamos a recolher os pratos quando as mulheres acabam de comer.

– O que mais temos que fazer?

Shekib estava entretida contemplando o labirinto de portas.

– Apenas ficar de olho nas coisas. O mais importante é controlar as entradas e saídas. Ninguém pode transitar para dentro ou para fora sem nosso conhecimento e aprovação. De vez em quando, as mulheres podem manifestar o desejo de sair para passear, especialmente se há uma novata, que ainda está aprendendo as regras. É nossa responsabilidade evitar esse tipo de atitude. E às vezes elas nos chamam para que as ajudemos com algo. É apenas isso, na verdade. Como eu disse antes, todo mundo tem um papel no palácio. Esse é o nosso.

As vozes no salão ficaram mais altas, em uma excitação desarmoniosa. Os ouvidos de Ghafur ficaram alertas.

– Vamos ver o que está deixando as mulheres agitadas esta manhã. Esse tipo de conversa significa que algo está acontecendo.

Ghafur estava certa: Amanullah, o filho do rei, havia retornado ao palácio.

CAPÍTULO 29

Shekib

— Por que toda essa comoção em torno do filho do rei? – perguntou Shekib.

— Por quê? Você não conhece o filho dele, Amanullah? Pobrezinha... Ainda tem muito que aprender!

Shekib concluiu que Ghafur era esnobe, porém tolerável.

— Diga-me então: por que toda essa agitação?

— Ele é o escolhido. Todos apostam que ele será o sucessor do rei. Ele é o governador de Cabul e está no comando do Exército e do Tesouro.

— Que tesouro?

— Ah, você sabe, é o grupo que trabalha com o Exército. Eles distribuem comida e uniformes. E... às vezes cuidam dos cavalos também.

Algo na maneira como Ghafur se remexia fez Shekib concluir que aquela resposta não era confiável.

— Enfim, o mais importante é que ele ainda não é casado – continuou a outra guarda. – Amanullah é maior de idade e seu pai está em busca da noiva certa. Vai ser uma garota de sorte!

— Quando ele vai se casar?

— O rei ainda não decidiu. Mas Amanullah é muito querido entre as mulheres do harém. Ele é gentil e bonito, mais ainda do que o pai. Toda criada do palácio se comporta sempre da melhor forma na presença dele, desejando se tornar sua concubina, e não de seu pai.

— Ele tem o próprio harém?

– Não. Ele ainda não se casou. Provavelmente terá um depois.

Amanullah estava fora havia dois meses. A viagem até as fronteiras disputadas pela Grã-Bretanha e pelo Afeganistão o deixara esgotado e ele não se importava com a pompa habitual do palácio. Shekib não o viu de imediato, mas, dois dias depois, avistou o pai dele.

Amanullah devia ter trazido boas notícias da linha de frente.

Shekib estava em um canto do salão da piscina, deslocando o peso de uma perna para outra e imaginando quanto tempo viveria no palácio. A vida era confortável. O arroz e os legumes eram abundantes e os bolos, bem doces. Shekib tinha um cobertor para aquecê-la durante a noite e dormia na companhia de mulheres-homens que não lhe fariam mal. Mas continuava inquieta. Tentava imaginar o que os pais pensariam ao vê-la morando no palácio do rei. Perguntava-se se eles podiam vê-la lá do céu, vestida de homem. O pai provavelmente não notaria nenhuma diferença. Ele nunca a definira pelo gênero enquanto vivia sobre a Terra. Ela ainda ficava com raiva quando pensava nas terras do pai. *Suas* terras. Os pedaços da escritura espalhados pelo pátio do *hakim*, como folhas caídas de uma árvore, a feriram mais do que o espancamento de Azizullah.

Tire a cabeça das nuvens e compreenda seu lugar neste mundo, foram as palavras de Khanum Marjan.

Todo mundo tem uma função no palácio, dissera-lhe Ghafur.

Shekib se perguntava qual seria seu lugar no mundo. Algo lhe dizia que seu destino não era ser uma criada, tampouco uma neta indesejada. Certamente ser guarda do harém também não poderia ser seu destino, por mais confortável que essa função lhe parecesse nos últimos dias. No fundo do coração, sabia que precisaria agir se quisesse encontrar seu verdadeiro propósito na vida.

Se não estivesse tão preocupada em encontrar uma saída para sua situação atual, teria notado o rei antes. Quando percebeu sua presença, não fazia ideia de quanto tempo havia que ele estava na sacada. Ela não tinha sequer se dado conta de que as mulheres na piscina haviam interrompido as risadas altas e começado e se comportar com mais recato.

– Guarda!

Shekib sobressaltou-se ao som de uma voz masculina. Ela olhou para cima e reconheceu o homem da carruagem. Seu coração bateu com força.

Será que ele tinha percebido seus devaneios? Instintivamente, suas defesas entraram em estado de alerta.

– Guarda, venha até aqui!

Shekib se empertigou, baixou a cabeça e subiu a escada estreita que levava à sacada. O rei tinha entrado por outra escada nos fundos sem ser notado. Ele usava o uniforme, mas sem o chapéu. Estava inclinado sobre a balaustrada, olhando para as mulheres na piscina com um interesse casual.

Shekib não disse nada e manteve a cabeça baixa.

Uma eternidade se passou até ele falar:

– Traga-me Sakina.

– Trazê-la aqui?

O rei se virou de repente. Não estava acostumado a ouvir as guardas falarem. Ele fitou o rosto dela com os olhos semicerrados. Instintivamente, ela se virou para o lado.

– Você é nova aqui? – disse ele por fim.

– Sim, senhor.

– Humpf. Diga a Sakina que mandei chamá-la. Ela vai lhe mostrar o caminho.

Shekib assentiu e desceu as escadas. As mulheres tinham ouvido a voz do rei e esperavam que Shekib voltasse. Estavam familiarizadas com seus hábitos e sua posição elevada. Ela ainda tinha muito que aprender sobre o palácio. As mulheres se entreolharam, mas não se atreveram a olhar para cima. Falavam por meio de sussurros.

Shekib parou à beira da piscina e olhou para Sakina, seus cabelos fartos e negros presos em uma trança, os ombros pálidos cobertos de gotículas de umidade.

– Ele mandou chamar você – disse baixinho.

Sakina sorriu com malícia, os lábios repuxados para um canto.

– Eu de novo? Santo Deus, achei que ele já tinha se cansado de mim.

Ela falou em voz alta o suficiente para que as outras pudessem ouvir.

Shekib viu alguns olhos se revirarem, alguns lábios se apertarem. Os olhos verdes de Benafsha estavam fixos nas costas de Sakina.

– Há dias em que os homens anseiam por *qaimaq*. Há outros em que se contentam com leite azedo.

A voz de Benafsha era fria e indiferente. As outras tentaram disfarçar as risadinhas. Benafsha inclinou a cabeça para trás, seus longos cachos escuros flutuando na água. No momento, ela era *qaimaq*, a nata do harém.

Sakina se virou e lançou-lhe um olhar cheio de ódio. Saiu da água e pegou a toalha. Enrolou-a em torno do corpo nu e se secou antes de ficar de pé ao lado de Shekib. Algumas mulheres notaram o rosto da guarda pela primeira vez.

– Alá tenha misericórdia! Olhem para isso! Acho que, depois de Benafsha, eles fizeram um esforço extra para conseguir guardas que não seduzam o rei!

– Piedade, Alá, por favor! Não posso nem imaginar...

Sakina olhou para Shekib, em expectativa, ignorando os comentários atrás delas.

– Ele disse... Ele disse que você ia me mostrar o caminho – disse a guarda após alguns instantes.

Sakina ergueu a sobrancelha.

– Sim, eu conheço o caminho.

Shekib ouviu a conversa continuar quando se virou:

– Parece *halim*, não parece?

Ela suspirou. Não era a primeira vez que seu rosto era comparado ao prato de carne cozida lentamente com grãos, pastoso o suficiente para ser servido de colher a crianças pequenas.

– O rosto dela?

– Ah, você tem razão! Que coisa horrível!

– Droga, você sabe como eu adoro *halim*! Agora estragou meu café da manhã para sempre!

Ouviram-se risadas abafadas enquanto o novo apelido de Shekib era espalhado e adotado pelo grupo.

Sakina foi na frente e Shekib a seguiu até um corredor nos fundos, que dava para um lance de escadas separado. No topo dos degraus havia uma porta de madeira pesada. Sakina parou e se virou para encarar Shekib.

– Agora, bata à porta e, quando ouvir uma resposta, abra-a, vire-se e volte para onde estão as outras. Você só pode vir até aqui.

Shekib assentiu e seguiu as instruções de Sakina. Lá de dentro, ouviu a voz do rei dizer algo incompreensível. Abriu a porta apenas o suficiente para Sakina entrar, segurando a toalha ao redor do corpo e de cabeça baixa. Shekib fechou a porta e esperou um instante. Podia ouvir as duas vozes falando baixinho. Uma risada. Um gritinho. Shekib corou quando lembrou que Sakina não tinha nada além de uma toalha cobrindo o corpo. Desceu as escadas, com um súbito temor de ser descoberta ouvindo do outro lado da porta.

Sua introdução ao harém estava completa. Entendia agora que o rei visitava quem queria quando queria. Ele aparecia com frequência, mas, em geral, não ficava por muito tempo. Havia algumas concubinas que ele favorecia em detrimento de outras, outras que ignorava durante a maior parte do tempo, mas que mantinha no harém. As nove mulheres que lhe deram filhos homens recebiam um tratamento melhor do que o dispensado às outras. Elas ganhavam as melhores frutas e vestidos com os bordados mais refinados, e andavam de cabeça mais erguida do que o resto. Estavam mais seguras, graças aos úteros abençoados. Nilab, cujos três meninos não viveram mais do que um mês, era a exceção. Ela havia desapontado o rei mais do que as mulheres que lhe deram filhas e não deveria receber nenhum tratamento especial até lhe dar um filho homem que vivesse por tempo suficiente para, pelo menos, dar alguns passos.

Ao longo dos meses seguintes, Shekib observou e aprendeu. Ela prestava atenção no funcionamento do palácio, na interação entre as mulheres e nos hábitos do rei. Era mais forte do que as outras guardas e começou a assumir as tarefas com as quais as outras tinham dificuldade. Para ela, era fácil levar os pesados baldes de água para o harém. Não tinha problemas para carregar as crianças quando adormeciam no pátio. E não era uma ameaça para ninguém graças à sua deformidade.

Mas Shekib não parava de pensar em sua situação. Ela observava as mulheres do harém. Pelo menos elas pertenciam a alguém. Pelo menos tinham alguém que se importava com elas, que cuidava delas. As filhas olhavam para o rosto das mães, aninhadas em seu seio. Como isso devia ser bom!

Porém, o que aconteceria às guardas?

Shekib precisava de um plano. Enquanto isso, fazia questão de cumprir suas obrigações e manter Ghafur e o palácio satisfeitos. Não queria dar motivo para punições, lembrando-se das experiências com a avó e com Azizullah. Em famílias mais poderosas, a comida podia ser melhor, mas os castigos eram ainda mais severos.

Ela estava no pátio do harém quando o viu. Ele caminhava casualmente com um homem de barba curta que usava um chapéu de lã. Shekib vira o outro antes: era amigo de Amanullah, segundo lhe disseram. Seu nome era Agha Baraan. Tentou imaginar o assunto da conversa. Era a quinta vez que via o príncipe e agora entendia por que sua chegada gerara tamanha comoção.

Amanullah, o filho do rei, era um homem atraente, robusto, alguns centímetros mais alto que Shekib. Quando caminhava, seus ombros largos lhe davam um ar confiante, embora ele aparentasse ter mais ou menos a mesma idade dela. Emanava uma bravura natural, moderada por olhos gentis e racionais.

Shekib se dissolveu em Shekiba.

Na primeira vez que o viu, tentou cobrir o lado esquerdo do rosto, baixando o olhar. Depois da terceira vez, entretanto, mudou de abordagem ao perceber que poderia tirar proveito de sua "masculinidade". Encarou o príncipe, que mesmo assim não a viu olhando estupidamente para ele.

Ele lhe dava algo em que pensar, afastando seus pensamentos das terras de seu pai. Ou de sua família morta.

Eles estavam indo para os jardins do palácio. Shekib tocou o rosto e o cabelo, tentando imaginar como seria sua aparência aos olhos dele. Sabia que metade de seu rosto era, na verdade, muito bonita. Percebia isso na reação das pessoas que viam apenas o lado direito.

Temia que, se algum dia tivesse filhos, eles se afastassem dela, repelidos pela meia máscara que usava. Mas as crianças do harém lhe estendiam a mão, confiavam nela, riam quando lhes fazia cócegas. Talvez os próprios filhos fizessem o mesmo. Talvez a vissem como sua mãe a via: perfeita e digna de amor.

Então Shekib entendeu como poderia mudar seu destino. Como poderia parar de ser passada adiante como um presente de um estranho para outro. Mas para isso precisava pertencer a alguém, a um homem. E, se tivesse filhos homens, selaria seu destino. A mãe de um menino não seria passada de mão em mão como se fosse gado.

Amanullah havia parado. Seu companheiro estava apontando para alguns arbustos que tinham florescido na semana anterior. Ele se inclinou e tocou as folhas com um cuidado que Shekib não teria esperado do comandante do Exército – e do Tesouro, o que quer que isso fosse.

Ela ficou ereta, o lado direito do rosto voltado na direção dele. Desejou que ele se virasse e a visse, que olhasse para ela. Deu alguns passos adiante, na esperança de que o movimento atraísse sua atenção. O filho do rei se levantou e, como se tivesse sido atraído pelos pensamentos dela, virou-se em sua direção.

O coração de Shekib quase veio à boca. Ela ficou paralisada, olhando-o de soslaio e se perguntando o que deveria fazer. Deu um meio sorriso e baixou a cabeça ligeiramente, sem desviar o olhar.

Amanullah começou a falar e se virou para o amigo, sem alterar a expressão do rosto. Estaria dizendo algo sobre ela? O que poderia ser? Será que conseguia diferenciá-la das outras guardas àquela distância? Talvez o rei tivesse comentado sobre ela, a mais nova das mulheres-homens.

Shekib percebeu que estava sorrindo e voltou a ficar de frente para a casa. Não queria que ninguém a visse olhando para Amanullah e seu amigo, que caminhavam, pensativos, pelo labirinto de arbustos e flores. Mordeu o lábio inferior e empertigou os ombros. Uma ideia começava a tomar forma em sua mente, mas demandaria certo trabalho.

CAPÍTULO 30

Rahima

As estações se sucederam, dois anos se passaram e eu tive medo de estar esquecendo a aparência de minha mãe. Já não tinha certeza se reconheceria minhas irmãs mais novas se algum dia as encontrasse. Khala Shaima me contava sobre as duas, só que, em geral, não eram boas notícias. Ela amenizava o que nos contava, mas achava que tínhamos o direito de saber. Madar-jan ficara tão viciada quanto meu pai. Rohila e Sitara tinham que cuidar de si mesmas a maior parte do tempo, embora minha avó por vezes interviesse para dar um jeito nas coisas. Em troca, nossa mãe fazia mais trabalhos ao redor do complexo e as relações já tensas entre ela e a família do marido ficaram totalmente deterioradas. Quando estava lúcido, Padar-jan tornava sua vida um inferno. Afinal, como a sogra fazia questão de dizer, nos últimos tempos ela não estava sendo uma boa esposa e mãe.

Parte de mim era grata por não estar perto para ver o que tinha acontecido à minha mãe. Parte de mim se perguntava se as coisas teriam sido diferentes se eu tivesse sido mandada de volta. Quando me embrenhava nesses pensamentos, podia passar vários dias montando cenários hipotéticos. E sempre acabava no mesmo lugar: imaginando como teria sido a vida se eu nunca houvesse me tornado uma *bacha posh*. Acho que foi a partir dessa transformação que minha família começou a desmoronar. E, é claro, cogitava se Shahla e Parwin tinham os mesmos pensamentos. E se ainda se ressentiam das atitudes que eu tomara.

Eu também queria saber o que Bibi Shekiba estava planejando. As paredes ao meu redor eram tão sufocantes que eu não conseguia imaginar o que teria dado a ela uma centelha de esperança.

Nesse meio-tempo, aprendi o ritmo do complexo e encontrei meu nicho dentro dele. A lua crescente se arredondou e se estreitou muitas vezes enquanto eu encontrava maneiras de tornar minha vida mais fácil, embora nada mudasse quem eu era aos olhos de Bibi Gulalai.

Meu filho, Jahangir, tinha 10 meses na época, um verdadeiro milagre. Carregá-lo por nove meses e empurrá-lo para fora de meu corpo quase me rasgou toda. Eu nunca vira tanto sangue. Jamila fez o parto, assim como fizera os de Shahnaz. Abdul Khaliq não gostava que suas mulheres fossem para hospitais e não havia parteiras em nossa área. A esposa de meu marido cortou o cordão umbilical enquanto eu estava deitada, exausta e atordoada. Nunca me sentira tão fraca. Jamila massageou minha barriga e levou caldos grossos de farinha, óleo, açúcar e nozes aos meus lábios, insistindo para que eu bebesse. Lembro-me vagamente dela rezando por mim, sussurrando algo sobre eu não ter o mesmo destino das esposas de seu tio. Pergunto-me se foram suas orações que me salvaram.

Jamila e Shahnaz cuidaram de meu menino durante a primeira semana, enquanto eu me recuperava. Até Bibi Gulalai me deixou em paz por um tempo. Pelo menos eu tinha dado à luz um filho, disse ela. Enfim eu havia feito algo certo.

Meu filho recebeu o nome de um personagem que Abdullah, Ashraf e eu tínhamos criado, uma figura nascida de nossa imaginação coletiva. Jahangir era um homem forte e poderoso que não temia ninguém. Era o melhor atleta, o lutador mais vigoroso e a pessoa mais inteligente de todo o país. Era o conquistador do mundo, como seu nome sugeria. Todos queríamos ser Jahangir. Ele podia fazer o que quisesse.

Esse personagem tornou-se uma brincadeira recorrente entre nós. Quando Abdullah bufava por não conseguir aprender o mais novo movimento de karatê que tínhamos visto, nós dizíamos que Jahangir não teria desistido tão facilmente. Quando não conseguia chutar a bola de futebol nem para perto do gol, eu concentrava meus pensamentos em Jahangir e em como ele faria aquilo. Ashraf personificava Jahangir ao tentar regatear no mercado, alegrando-se quando sentia que havia conseguido uma verdadeira pechincha de algum vendedor.

Durante a gestação, eu não pensava muito em nomes, como se achasse que os bebês já nasciam com um, assim como vinham ao mundo com dois braços e duas pernas. Estava tão amedrontada com a perspectiva de ter um filho que não me importava muito com seu nome. Mas Jamila me fez refletir:

– Você precisa ter um nome e ele tem que *significar* alguma coisa.

Quando ela terminou de lavar todo o sangue de minhas coxas, meu filho já tinha um nome.

Precisei de algumas semanas para me adaptar a ele. Seria sempre grata a Jamila por sua ajuda. Até mesmo Shahnaz, que aos 19 anos já era uma mãe experiente, não resistiu e acabou me ensinando a amamentar, banhar e segurar aquela pessoa tão pequenina.

Eu me apaixonei por ele. Jahangir foi minha salvação. Ele me dava ânimo para me levantar de manhã e ter esperanças no futuro.

Khala Shaima não aparecia havia meses, o que não era de seu feitio. Receei que ela estivesse doente, mas não tinha meios de entrar em contato com ela nem de descobrir o que estava acontecendo. Eu só podia esperar que ela aparecesse novamente. Também não via Parwin fazia cerca de um mês. Queria que elas conhecessem Jahangir. Ele estava começando a bater palmas e já se agarrava às mesas para se levantar. Eu queria que sua tia visse as coisas que ele era capaz de fazer.

Eu havia decidido fazer uma visita a Parwin. Eu tinha um pouco mais de liberdade agora que dera um filho à família. Abdul Khaliq ia receber um estrangeiro em casa para discutir negócios e haveria muito trabalho a fazer. Eu sabia que seria convocada para ajudar a cozinheira e as criadas, então decidi adiar minha visita para o dia seguinte.

Logo depois das orações do meio-dia, começava a preparar a massa para fazer bolinhos quando Bibi Gulalai entrou na cozinha. Fiquei esperando que ela apontasse o que eu estava fazendo errado. Ela parecia perplexa, como se quisesse me dizer alguma coisa.

– O que você está fazendo agora?

– Vou abrir a massa para o *aushak*, Khala-jan. Terminei de limpar a sala. Está pronta para esta noite.

– Sim, bem, talvez... Acho que está bom. Continue a fazer o que está fazendo.

Fiquei intrigada com o comportamento dela.

– Está tudo bem?

– Sim, tudo bem. Por que a pergunta?

– Por nada, é só que eu... bem, eu só estava perguntando – respondi, voltando a atenção para a massa, que já endurecia.

Estava na hora de cortá-la em pequenas formas ovais e recheá-las de alho-poró e cebolinha.

– Tudo bem, então – disse Bibi Gulalai e saiu.

Esse foi o primeiro indício de que algo estava errado. Acho que minha sogra, por mais fria que fosse, tentava reunir coragem para me dar a notícia. Ela voltou duas horas depois. Dessa vez, Jamila a acompanhava. Jahangir engatinhava pela cozinha. Eu havia bloqueado a passagem para o fogão, lembrando-me de como Bibi Shekiba se queimara quando criança. Não queria que meu filho carregasse uma cicatriz como a dela. A vida era difícil para os desfigurados, como eu aprendera.

Jahangir puxava a bainha de minha saia, choramingando. Ele estava com fome, mas eu queria terminar o *aushak* antes que os convidados chegassem. Fiquei de olho nele, mas a expressão de Jamila me deixou nervosa.

– Rahima, meu neto está querendo comer. Vou pedir a Shahnaz que lhe dê alguma coisa – disse Bibi Gulalai.

Ela parecia quase tão inquieta quanto eu.

– Já terminei, Khala-jan. Vou preparar alguma coisa para ele – respondi, nervosa. – Jamila, o que está acontecendo? O que foi?

– Ah, Rahima-jan, aconteceu algo terrível! Não sei como lhe dar essa triste notícia...

Madar-jan. Minha mente se voltou para ela.

– O que aconteceu, Jamila? Diga!

– Sua irmã! Sua irmã Parwin foi levada para o hospital! Ela se feriu gravemente!

Parwin?

– Que hospital? Como ela se feriu?

Eu já estava de pé com meu filho nos braços.

– Só sei o que ouvi de Bibi Gulalai.

Jamila se voltou para nossa sogra, que fez uma careta e desviou o olhar.

– Vá em frente, diga a ela de uma vez!

– Falaram que ela ateou fogo ao próprio corpo hoje de manhã...

Nada do que Jamila me disse depois disso ficou registrado. Coloquei Jahangir no chão enquanto minha mente se toldava. Parwin tinha tentado se matar. Tudo o que eu conseguia visualizar era seu sorriso pouco convincente, sua débil reafirmação de que estava tudo certo, de que as pessoas a tratavam bem. Por que não fui visitá-la naquela manhã?

Só consegui juntar as peças muito mais tarde. Jamila me levou até a casa dela para que eu me deitasse. Ela trouxe Jahangir e uma de suas filhas mais velhas tomou conta dele enquanto ela ficava comigo. Perguntei-lhe várias vezes o que acontecera e ela me explicou da melhor maneira possível. Parwin havia se encharcado com óleo de cozinha de manhã, enquanto a maior parte das mulheres e crianças tomava o desjejum. Seu marido, Abdul Haidar, já saíra de casa.

A segunda esposa de Abdul Haidar, Tuba, veio para ajudar a me contar o que tinha acontecido. Ela esclareceu algumas coisas. Outras, distorceu com imprecisões, mas entendi que minha irmã fora vista naquela manhã com um novo hematoma no rosto.

Tuba afirmou que ninguém imaginava que Parwin faria uma coisa dessas a si mesma. Não houvera pistas nem sinais de alerta. Minha irmã não dissera nada, e Tuba contou que Parwin havia sorrido para ela na noite anterior. Eu queria chamá-la de mentirosa. Conhecia o sorriso vazio que Tuba mencionava. Eu queria chamá-los de cegos e estúpidos, mas minha língua estava amarrada pela culpa. Se eu, a própria irmã, havia ignorado seu comportamento, o que poderia esperar das outras esposas? O que poderia esperar de seu marido?

Elas ouviram os gritos. Ela acendera o fósforo no pátio e foi lá que a encontraram e tentaram cobri-la com um cobertor para apagar as chamas. Ela caíra no chão. Houve muita confusão, gritos, tentativas de ajudá-la. Parwin desmaiara. Elas a levaram de volta para dentro da casa e tentaram despi-la, limpar suas queimaduras. Mas estava queimada demais. Discutiram a questão durante algum tempo e, por fim, alguém decidiu que Parwin precisava ser levada para um hospital. O mais próximo ficava bem longe. Abdul Haidar não ficou feliz ao ser chamado de volta para casa para lidar com a situação.

De alguma forma, eles mandaram avisar meus pais.

Madar-jan devia ter ficado louca de preocupação. Até Padar-jan, que nos trocara por uma sacola de dinheiro, tinha um apreço especial pela filha artista. A notícia provavelmente o abalou. Khala Shaima estava em nossa casa quando eles receberam a mensagem. Ela viria me ver. Eu queria estar com ela, mas temia sua reação.

Por favor, não piore as coisas, Khala Shaima.

Mas minha tia era a nossa voz. Ela dizia o que os outros não se atreviam a dizer. Eu precisava dela. Shaima chegou à noite, sem fôlego e com lágrimas nos olhos.

– Ah, minha querida menina... Fiquei sabendo o que aconteceu! Isso é simplesmente horrível. Não consigo acreditar. Aquela pobre garota!

Ela me deu um abraço apertado. Eu podia sentir sua clavícula pressionada contra meu rosto. Nunca havia percebido como ela era tão magra.

– Por que ela fez isso, Khala Shaima? Eu ia vê-la hoje, mas não fui. Como ela pôde fazer uma coisa dessas?

Estremeci ao pensar como devia ter sido terrivelmente doloroso.

– Às vezes as mulheres são humilhadas demais, chutadas demais, e não há saída para elas. Talvez ela achasse que era o único caminho. Ah, minha pobre sobrinha!

Todo mundo precisa de um escape. Khala Shaima estava certa.

– O que Parwin disse? – quis saber minha tia. – Digam-me, ela estava lúcida quando foi levada para o hospital?

Tuba balançou a cabeça. Fora uma cena horrível. O cheiro de carne queimada, os gemidos agonizantes, a histeria. Ela não era capaz de descrever todo o horror.

– Ela não disse nada? Estava consciente?

– Ela estava... apenas deitada em silêncio, mas acordada. Eu falei com ela – explicou Tuba. – Ela me ouvia, mas não disse nada.

– Ela devia estar sentindo muita dor! Que Alá salve essa pobre menina!

– Tenho certeza de que vão lhe dar remédios no hospital, Shaima-jan. Alá é grande e tenho certeza de que está olhando por ela.

Resisti à vontade de cuspir em Tuba. Ela estava fingindo que as coisas não tinham sido tão ruins: Parwin não sentira tanta dor; o hospital de condições péssimas que ficava a um dia de viagem resolveria o problema dela bem depressa; Alá, que em primeiro lugar permitira que isso acontecesse, repararia tudo. Era um jogo de faz de conta, assim como Parwin fingia que estava tudo bem cada vez que nos víamos. Não havia autenticidade em nossas vidas.

Khala Shaima começou a se lamentar. Eu queria que ela parasse. O som de seu choro fazia minha cabeça girar.

– Vocês a destruíram! – gritou ela. – Se Parwin morrer, o sangue dela estará nas mãos dessa família. Estão entendendo? O sangue dessa jovem menina estará em suas mãos!

As mulheres ficaram em silêncio. Tuba mordeu o lábio e se esforçou para conter as lágrimas. Imaginei se ela seria sincera comigo.

Perguntei a Tuba, em um sussurro dolorido, se minha irmã ia mesmo sobreviver.

Em meio a lágrimas, ela respondeu que Deus era grande, que toda a família rezava por Parwin e que ela estava a caminho do hospital, por isso eles realmente nutriam esperanças.

Eu queria acreditar nela. Queria acreditar que minha irmã ia ficar bem. Os olhos de Tuba me diziam que isso não estava no *nasib* de Parwin.

CAPÍTULO 31
Rahima

PARWIN HAVIA PARADO DE FINGIR. Depois de dez dias de agonia, ela finalmente encontrou a paz.

Seu corpo foi trazido de volta e enterrado no cemitério local. Meu pai compareceu ao funeral, assim como alguns de meus tios e meu avô.

No *fatiha*, reencontrei minha mãe. Pela primeira vez desde o dia de meu casamento. Se eu tivesse uma vida mais normal, me espantaria ao ver o que ela se tornara.

— Rahima! Rahima, minha filha, ah, Deus! Você acredita nisso? Alá levou minha filha, minha preciosa Parwin! Tão jovem! Ah, Rahima-jan, graças a Deus ela pelo menos tinha você por perto!

O cabelo de minha mãe estava ralo e pegajoso. As palavras saíam viscosas e sibilantes. Faltavam-lhe alguns dentes. Sua pele estava flácida e ela parecia muito mais velha.

— Madar-jan! — Eu a abracei com força, surpresa ao perceber o quanto ela ficara parecida com Khala Shaima. — Madar-jan, senti tanto a sua falta!

— Eu também senti muito a sua falta, minha filha! Senti falta de todas vocês! Esse é seu filho? Que Deus abençoe meu neto!

— O nome dele é Jahangir, Madar-jan. Eu queria... Eu queria que você pudesse ter vindo aqui para conhecê-lo. Ele é uma criança muito doce.

Meu filho sorriu, exibindo os dois dentinhos inferiores. Esperei que minha mãe estendesse as mãos para pegá-lo no colo. Mas não foi o que aconteceu. Ela apenas tocou seu rosto com a mão trêmula e desviou o olhar. Jahangir pareceu tão desapontado quanto eu com sua falta de interesse.

– Ah, eu queria vir para ver você, Rahima-jan... sobretudo quando tive notícias do meu neto. Mas, para mim, não é fácil sair de casa, você sabe disso. E a casa de seu marido não fica muito perto. Com duas crianças em casa, não foi possível.

Contive-me para não responder, me perguntando por que a distância não era grande demais para Khala Shaima e sabendo que ela poderia ter levado minhas irmãs junto ou tê-las deixado com uma das esposas de meus tios, se realmente quisesse me ver. Minha mãe era mais fraca do que eu jamais percebera.

Nós, as mulheres em luto, nos sentamos em uma fileira, um muro de tristeza e lágrimas. Mulheres de nossa aldeia vieram demonstrar seu respeito, sussurrando as mesmas palavras de condolências para cada uma de nós. Algumas até choraram. Eu me perguntei o porquê. Tantas daquelas pessoas riam quando viam minha irmã tentando acompanhar as outras crianças, tantas a chamavam de Parwin-e-lang e agradeciam a Deus em voz alta por seus filhos não terem a mesma deformidade. Sempre fizeram com que ela se sentisse insignificante e inadequada. Agora todas fingiam compartilhar nossa dor. Senti desprezo por aquela hipocrisia.

Rezamos. As mulheres se sentaram em filas diante de nós, oscilando ao ritmo da oração, as mais velhas do grupo assoando o nariz em lenços e balançando a cabeça. Choravam por nós, seus corações suavizados pela idade, elas mesmas um passo mais perto do túmulo do que a maioria das outras. Nos últimos dez dias, meus olhos tinham secado. Fiquei sentada em silêncio, observando os rostos diante de mim. Madar-jan pegou minha mão.

Rohila e Sitara ficaram à minha direita. Balancei a cabeça. Como estava errada em pensar que não teria reconhecido minhas irmãs! Elas estavam mais altas, mais maduras, porém seus rostos não tinham mudado nada. Falavam com doçura e me doía pensar como era a vida delas em nossa casa. Rohila me agarrou e não quis me soltar mais.

– Rahima, é verdade? Parwin está mesmo morta? Foi o que Madar-jan disse, mas não consigo acreditar!

– Eu gostaria que não fosse verdade. – Não adiantava fingir, decidi. – Como você está, Rohila? Como estão as coisas em casa?

– Você não pode voltar para casa de vez em quando? Ficou tudo tão vazio depois que vocês foram embora!

Eu acreditava nela. Sentia a mesma solidão. Aposto que todas nós sentíamos o mesmo, cada uma em seu canto do mundo, separadas por tantos muros.

– Você está cuidando de Sitara?

– Sim – respondeu Rohila.

Ocorreu-me que ela agora tinha a mesma idade que eu quando me casei. Encarei-a e imaginei se eu também parecera tão jovem. Dava para ver que seus seios estavam começando a crescer. Seus ombros curvados para a frente, o peito puxado para dentro. Reconheci essa postura: ela se sentia desconfortável com as mudanças em seu corpo. Perguntei-me se Madar-jan já teria lhe dado um sutiã.

Sitara tinha agora quase 9 anos e se agarrava a Rohila mais do que a Madar-jan. Ela parecia insegura perto de mim, como se não confiasse em ninguém, apenas na outra irmã.

– Como Madar-jan tem passado, Rohila? – sussurrei.

Eu sabia que atrairia olhares se conversasse durante o *fatiha*, mesmo que em voz baixa, mas era a única oportunidade de estar com minhas irmãs. O que vi me deixou preocupada.

Rohila deu de ombros e olhou para nossa mãe.

– Ela fica deitada a maior parte do tempo, assim como Padar-jan. Chora muito, especialmente quando Khala Shaima aparece. Isso só deixa nossa tia mais zangada.

À menção de seu nome, Khala Shaima olhou em nossa direção. Eu esperava que ela nos dirigisse um olhar de desaprovação, mas não foi o que fez. Não dava a mínima para o decoro.

– Está indo à escola?

– Às vezes. Depende do que Padar-jan diz. Às vezes, quando Madar-jan toma a droga dele, tenho que ficar em casa para fazer a limpeza e ajudá-la a se levantar e se vestir. Quando Bibi-jan a vê desse jeito, há sempre uma grande briga.

Sitara olhava para o chão, mas eu sabia que estava ouvindo nossa conversa sussurrada. Ela parecia tão tímida, tão diferente da menina curiosa que eu deixara para trás... Virei a cabeça e vi Madar-jan enxugando as lágrimas, resmungando com raiva e se remexendo na cadeira. Olhei para suas maçãs do rosto e percebi seu olhar perdido. Ela era toda emoção e, ao mesmo tempo, totalmente inexpressiva. Estava tão viciada quanto meu pai.

Madar-jan, em que você se transformou?

Meu estômago afundou quando pensei no que poderia acontecer a minhas irmãs. Pedi a Deus que mantivesse Khala Shaima viva e presente em suas vidas. Afastei o pensamento de que, em breve, elas também ficariam viciadas.

As coisas estavam piores do que eu me permitira acreditar, mesmo com as notícias sombrias de Khala Shaima.

– Rahima, por que Shahla não está aqui?

Shahla não tinha sido autorizada a comparecer. Ela acabara de dar à luz seu segundo filho e não era adequado que saísse de casa nessa condição. Imaginei como teria recebido a notícia, sozinha e tão longe de nós.

As condolências haviam sido prestadas. As orações estavam terminadas. As mulheres repetiram a procissão, novamente desejando que Alá aliviasse nosso sofrimento, rezando para que Parwin ficasse entre os anjos no céu e pensando consigo mesmas que fora melhor Parwin ter se livrado de sua vida miserável, com a deficiência e sem filhos. Eu queria que todas desaparecessem para que pudesse passar aquele tempo precioso com minha mãe e minhas irmãs.

O *fatiha* passou depressa. Eu estava de volta ao complexo, mas me sentia ainda mais infeliz. Madar-jan estava péssima. Rohila tinha assumido o papel de matriarca. Como isso podia ter acontecido conosco? Fui a única de minhas irmãs que teve a oportunidade de viver algum tipo de infância, e isso só porque fui uma *bacha posh*. Olhei para meu filho e agradeci a Deus por ele ser menino. Seus lábios se abriram em um sorriso alegre, os cílios tão longos que pareciam que iam se emaranhar. Pelo menos ele tinha uma chance.

Eu queria ficar sozinha, mas havia pouca chance de isso acontecer no complexo. Quando o *fatiha* terminou, terminou também meu período de luto. Eu precisava reassumir minhas funções. Bibi Gulalai me tratava como sempre fizera, se não pior. Acho que ela se convenceu de que o suicídio de Parwin fora um ataque intencional à sua família. Com a partida de Parwin, levei a culpa pela tragédia que ela impusera a seus parentes.

Eu ignorava tudo e todos. Cumpria minhas obrigações, muitas vezes com Jahangir por perto, brincando ou tirando uma soneca. Observava-o com melancolia, prometendo ser melhor para ele do que minha mãe estava sendo para minhas irmãs. Felizmente, Abdul Khaliq não tinha dificuldades para vestir e alimentar a família. Jahangir era seu filho tanto quanto os outros meninos da casa. Ele iria à escola e desfrutaria de todos os privilégios de ser filho de um senhor da guerra.

Abdul Khaliq o amava de uma forma que me surpreendia e me deixava aliviada. Mantinha as filhas sob rédeas curtas, mas os filhos ficavam a seu lado. Os mais velhos até acompanhavam o pai em algumas de suas reuniões. Os mais jovens se dispersavam nervosos quando Abdul Khaliq voltava para casa, com medo de serem punidos por passarem muito tempo brincando. Ele não tinha muita paciência com bebês chorões, mas ia observá-los enquanto dormiam. Exceto meu filho. Com frequência, eu o surpreendia acariciando o rosto de Jahangir ou sussurrando algo em seu ouvido. Ele o segurava com a mesma adoração que eu. Ria quando Jahangir derramava coisas em seu peito e se enchia de orgulho ao ouvi-lo dizer "*baba*", como se ouvisse a palavra pela primeira vez. A respiração ritmada de seu filho dormindo amenizava até mesmo o pior de seus humores. Eu ficava feliz por Jahangir ser um dos favoritos, sabendo que eu nunca seria. Pelo menos meu filho estava seguro.

Os rapazes mais velhos, meios-irmãos de meu filho, tinham um misto de temor e adoração pelo pai. Disputavam sua atenção e procuravam maneiras de deixá-lo feliz – ou pelo menos de não o deixar com raiva. Mostravam-se orgulhosos ao recitar suras do Corão. Já os mais jovens levavam as sandálias do pai quando ele pedia. Abdul Khaliq tinha orgulho de ter gerado meninos. Sorria para eles... e para praticamente mais nada.

Meu marido passava cada vez mais tempo com estrangeiros e com os homens que mantinha por perto como conselheiros. Havia planos em andamento. As mulheres estavam tensas, embora apenas Badriya soubesse o porquê. Se as coisas não estivessem indo bem para Abdul Khaliq, então não estariam indo bem para nós. Quando perguntávamos a Badriya, ela nos dispensava com altivez.

– Não se preocupem. Ele está nervoso porque tem renegociado os acordos com algumas dessas pessoas. É muito complicado para explicar a vocês – dizia, não querendo compartilhar o conhecimento que a distinguia de nós.

Abdul Khaliq discutia essas questões com Badriya porque era a primeira esposa. Na verdade, era a única interação que mantinha com ela, pois quase nunca a chamava para sua cama. Todos tinham um papel na casa. Esse era o dela.

Mas as paredes eram finas e eu passava a maior parte do tempo na parte principal da casa. Comecei a ouvir coisas quando Abdul Khaliq e seus homens se reuniam na sala.

– Eles têm mais cinco lugares vagos para a província. A cadeira de nossa região precisa ser preenchida. Há alguns outros homens poderosos que vão tentar intervir e desafiá-lo, Abdul Khaliq, mas uma candidata mulher seria algo garantido. Ela assumiria o lugar sem problemas, por causa dessas regras estúpidas que eles criaram.

– Não gosto dessa ideia. Por que colocaríamos uma mulher no lugar de um homem? E, pior ainda, está me pedindo para colocar *minha esposa* em meu lugar? Desde quando uma mulher faz o trabalho de um homem?

– Eu entendo, *sahib*, de verdade. E, acredite, não gosto disso mais do que você, mas essas são as regras. Estou apenas sugerindo que encontremos uma maneira de contornar o sistema para não perdermos todo o controle desta área. As eleições estão chegando. Precisamos nos planejar.

– Maldito seja quem instituiu essas regras vergonhosas! Dizer que precisamos ter representantes femininas! Elas não têm o que fazer lá! Quem eles acham que vai cuidar das crianças, então?

Os conselheiros permaneceram em silêncio. Eu podia ouvir meu marido andando de um lado para outro, grunhindo. Fiquei surpresa com a conversa. Parecia que eles estavam sugerindo que uma das esposas de Abdul Khaliq concorresse na próxima eleição parlamentar! Será que ele consideraria essa hipótese? Nós, mulheres, raramente saíamos do complexo. Como ele poderia nos mandar para interagir com estranhos?

Olhei para o relógio na parede. Jahangir já estava dormindo havia quarenta minutos. Ia acordar em breve. E Khala Shaima prometera me visitar – o dia seguinte seria o quadragésimo desde a morte de Parwin.

– Estou simplesmente apresentando uma opção, *sahib*. Sei que não é nada agradável, mas talvez seja a única. Só não quero que perca a oportunidade de ter alguma influência no governo. Já está em boa posição com os contratos que garantiu.

Fumaça saía flutuando por debaixo da porta, trazendo o cheiro acre e forte de ópio. Minha mente viajou para minha casa, para meu pai dormindo na sala e minha mãe costurando nossas roupas.

– É verdade. – Outra voz entrou na conversa. – Não há ninguém mais que possa garantir a mesma segurança... sobretudo da ponte. Aqueles estrangeiros sem dúvida não desejam enviar os próprios soldados para guardá-la. Eles dependem de nós. Esse gasoduto não é um projeto pequeno. Estão falando sobre isso há anos e, desta vez, parece que vai acontecer de verdade.

– Concordo. Há muito dinheiro investido naquele duto. E essa área lhe pertence, *sahib*. Seria uma pena perder uma parte que seja desse controle.

A voz era comedida e cautelosa.

– Eu sei disso! – trovejou Abdul Khaliq. – Você acha que não? Não preciso de você para me dizer o que já sei!

Eu não queria estar por perto para testemunhar o que sabia que estava por vir. Peguei meu filho e voltei para meus aposentos, para esperar por Khala Shaima. Queria que ela afastasse aqueles assuntos da minha mente. Que me contasse sobre o plano misterioso de Bibi Shekiba.

CAPÍTULO 32
Shekib

SHEKIB ESPEROU O MOMENTO CERTO. Mahbuba raramente ficava sozinha, mas a guarda chegara à conclusão de que ela era a pessoa certa: afinal, dera quatro filhos ao rei.

A primeira parte do plano de Shekib era descobrir o que Mahbuba tinha feito para que tudo desse tão certo. Como conseguira ter quatro filhos, enquanto outras mulheres continuavam a ter meninas? Ela devia ter feito algo diferente para não ter uma única garota em sua prole.

As idades de seus filhos variavam entre 1 e 7 anos. Quando Shekib se aproximou, Mahbuba estava dando banho no caçula. Seus olhos procuraram uma toalha, enquanto os meninos mais velhos saíam correndo para brincar.

– Obrigada! Pensei que tinha uma aqui comigo – disse ela no momento em que Shekib lhe entregou uma toalha que pegou em uma prateleira próxima.

Mahbuba segurou a mão de Sabur enquanto o secava.

– De nada – murmurou Shekib.

Ela tomara o cuidado de se fazer discretamente útil para as concubinas do rei. Não costumava iniciar conversas, mas fez um esforço para enunciar as frases que havia ensaiado:

– Seus meninos são adoráveis.

– Graças a Alá, eles são bênçãos – respondeu Mahbuba, suspirando.

O menino tentava escapar das garras da mãe. Seus olhos perseguiam os irmãos.

– As outras têm filhas. A maior parte. Você tem muita sorte!
– Sim, bem, algumas de nós são abençoadas com filhos e outras têm que se contentar com filhas.
– Você deixou o rei muito feliz.

Mahbuba começou a achar aquela conversa um tanto estranha. Ela se virou para ver com quem estava falando.

– Ah, é você! Qual é o seu nome?
– Shekib.

Ela encarou Mahbuba. As mulheres do harém a haviam deixado bastante à vontade nas últimas semanas. Estavam muito ocupadas implicando umas com as outras para prestar atenção na mulher-homem com a face derretida. Shekib não sentia mais necessidade de puxar o lenço sobre o rosto. Achava libertador andar por ali, as mãos nos bolsos e o sol tocando sua pele.

– Certo. Shekib, deixe-me perguntar uma coisa. Qual é o seu nome verdadeiro, minha querida? Seu nome de menina?

Shekib ficou inquieta. Mahbuba a surpreendera.

– Meu nome é Shekiba.
– Inteligente. Aposto que foi ideia de Ghafur. Você e as outras se dão bem com ela? Às vezes ela é tão inconveniente...
– Sim – respondeu Shekib em tom vago.
– É tão ridículo que vocês sejam obrigadas a vestir esses uniformes... Como se alguém fosse esquecer que vocês não são homens. Como se precisássemos de guardas. O que precisamos é de mais criadas para nos ajudar com as crianças. Mas isso abalaria a sensação de segurança do rei.
– Algumas pessoas esquecem.
– Esquecem que vocês são mulheres? Tem certeza?

Mahbuba estava lutando para vestir o filho. Ele arranhava o rosto da mãe em um protesto raivoso. Ela o virou e o prendeu entre os joelhos. O menino olhou para Shekib com um beicinho derrotado.

– Como fez isso... Como conseguiu ter meninos?
– O quê?
– Quero saber como conseguiu ter apenas meninos. O que você fez?

Mahbuba riu com malícia.

– Você quer que eu comece com o básico? Você se veste como um homem, mas não sabe nada sobre as suas partes, não é?

Shekib corou.

– Quero dizer... Não, não foi o que eu quis dizer. Eu estava perguntando como... As outras mulheres têm meninas. Como você conseguiu ter só meninos? – balbuciou Shekib.

– Você acha que é a primeira a me fazer essa pergunta? A maioria das mulheres daqui já me procurou em busca da mesma resposta. Eu dei ao rei mais filhos do que qualquer outra mulher!

Mahbuba precisava de um minuto para se vangloriar. Shekib aguardou.

– Dei a ele um filho após outro, e *todos* meninos! É por isso que ele me observa com fogo nos olhos e com respeito no coração. Você é uma menina-menino muito sábia. Está procurando a chave para satisfazer um homem.

A umidade da casa de banho deixava a respiração de Shekib pesada. Ela se perguntou se Mahbuba revelaria seu segredo. Talvez aquilo tivesse sido um erro.

– Mas, diga-me, por que está me fazendo essa pergunta? Você é um homem agora, não é? Vai se transformar novamente em mulher? Vai se casar?

Shekib negou.

– Imaginei que não. Então por que está atrás de respostas que não têm nenhuma utilidade para você? Alguém mandou você me perguntar essas coisas? Quem foi? Foi Shokria? Eu vejo o jeito como ela olha para meus meninos. Cinco meninas, é o que ela tem. Dá para imaginar? Aquela bruxa. Vou dar uma lição nela se continuar lançando olhares invejosos para meus filhos!

– Não, ninguém me mandou!

Shekib entrou em pânico. Não queria causar nenhuma confusão entre as mulheres. Não seria nada bom para sua situação se descobrissem que tinha provocado tudo.

– Farida? Ela é outra que tem olhos diabólicos... Não é confiável. Você não devia andar pelo harém fazendo o trabalho sujo delas!

Seu filho tinha conseguido finalmente se libertar. Mahbuba suspirou. Ele estava apenas com um pé de meia.

– Perdoe-me, não fui enviada por ninguém. Eu estava... Eu só estava perguntando por curiosidade.

– Você é desejada por algum homem?

– Se eu...? Não, eu só...

Shekib decidiu que estava na hora de encerrar a conversa.

– Estou brincando com você. Vou lhe contar alguns truques se prometer... – Mahbuba parou e olhou da esquerda para a direita de forma teatral. Sua voz se transformou em um sussurro: – Se você prometer que não vai contar esses segredos a mais ninguém. Pode usá-los caso se encontre sob um homem um dia e tenha vontade de lhe dar um filho.

Shekib se agachou ao lado de Mahbuba, as orelhas queimando.

Jamais teria imaginado algumas das orientações que ouviu. E nunca seria capaz de segui-las.

Contudo, guardou as informações na memória, na esperança de que pudessem se provar úteis. A forma da lua, as sementes da planta de flores amarelas, o suco de uma maçã sem manchas marrons. Essas eram mais simples. Mas as outras coisas, que devia fazer com o homem, fizeram Shekib se perguntar se Mahbuba não queria fazê-la de boba. Só que não havia nenhum sinal de malícia nos olhos dela. A concubina falava de maneira casual, como se as explicações fossem corriqueiras e triviais. Para Mahbuba, eram mesmo. Para Shekib, não.

Será que as mulheres realmente permitiam que o rei fizesse aquelas coisas? Pensou em Halima e não conseguiu imaginar. Em seguida pensou em Sakina, no jeito como ela andara seminua até os aposentos do rei e atravessara a porta com falsa timidez. Poderia ser verdade.

Os pensamentos de Shekib não se afastavam de Amanullah, o governador de Cabul. Lembrava-se de seu andar, da firmeza de seus passos, de seus dedos tocando as pétalas com delicado respeito. Imaginava como seria estar perto dele, sentir sua respiração no rosto, úmida e quente como o ar do salão de banho do harém. Shekib pensava nos próprios dedos traçando as linhas da barba bem aparada e nas medalhas do uniforme dele pressionadas contra os seios livres de amarras.

Ela balançou a cabeça, torcendo para que sua expressão não traísse os pensamentos.

À noite, as guardas dormiam em um quarto do lado de fora, bem próximo aos aposentos das concubinas. Elas se revezavam montando guarda. Dessa vez era o turno de Shekib. O ar de Cabul era um tanto frio, mas ela não se importava. Apertou o casaco ao redor do corpo e esfregou as mãos. Lembrou-se de sua primeira vigília, que passou em posição de sentido, com medo de que alguém a flagrasse dormindo ou a pegasse de surpresa. Pela manhã, já havia sacado sua arma, um pesado cassetete, uma meia dúzia de vezes, apenas para assustar um sapo que se afastara demais do lago. Quando Ghafur veio lhe perguntar como fora a noite, Shekib estremeceu.

– Por que há tantos ruídos à noite? Há sapos, lagartos, soldados tossindo e andando de um lado para outro! Você disse que eu devia apenas manter-me de pé durante uma noite tranquila até amanhecer. A noite não foi nem um pouco tranquila!

Ghafur rira sem parar. Dois soldados se viraram, as sobrancelhas franzidas em desaprovação por ouvir uma mulher rir tão alto, mesmo que fosse uma mulher-homem.

– Os sapos a assustaram? Bem, garotinha da aldeia, não achei que uns poucos bichinhos da noite a deixariam tão nervosa!

Shekib ficara um pouco sem graça.

– Não foram os sapos, foram mais os soldados... Eles falavam alto, mas eu não conseguia vê-los. Só achei que...

– Não se preocupe, a próxima noite será mais fácil. Você vai se acostumar com os sons noturnos do palácio. Pode ser até que goste mais das noites do que dos dias.

Ghafur estava certa, embora Shekib tivesse guardado essa revelação para si. Nos meses seguintes, passou a gostar de ficar sentada no escuro, a luz fraca da residência principal do rei e algumas lanternas a óleo projetando um brilho capaz de criar um jogo de sombras. Shekib sorria quando algumas se pareciam com animais e riu quando uma tomou a forma de sua avó.

Tariq se juntava a ela nas noites em que não conseguia dormir. Estivera na presença do rei diversas vezes e ele mal a olhara. Estava perdendo as esperanças de ser a rosa colhida do jardim, como ela mesma costumava dizer. Inquietava-se, roía as unhas e franzia a testa, mas Shekib não se incomodava com sua companhia.

– Ghafur está roncando de novo.

Shekib assentiu.

– É como dormir ao lado de um cavalo com congestão nasal. Eu não aguento. Não sei como as outras conseguem ignorar o barulho.

– De manhã, ela vai negar que ronca.

Tariq sorriu.

– Alguma novidade no palácio? – quis saber.

– Não, não até o momento.

Os jardins costumavam ser silenciosos, mas o palácio era imprevisível. Às vezes as pessoas iam e vinham em horários incomuns. E, de tempos em tempos, o rei Habibullah sentia desejo de possuir uma concubina em plena madrugada.

As duas guardas ficaram em silêncio. Tariq suspirou. Tinha algo em mente.

– Você é feliz aqui? – indagou.

– Feliz? Como assim?

– Quero dizer: você é feliz? Está satisfeita com isto?

– Já vivi coisas piores.

– Não sente saudade de sua família?

– Sinto tanta saudade deles quanto eles sentem de mim.

Tariq não soube como interpretar a resposta de Shekib. Por seu tom de voz, entendeu que ela não queria mais falar sobre o assunto. Puxou a franja, tentando fazê-la chegar às sobrancelhas.

– Mas quanto tempo mais você acha que vai ficar aqui?

– Não sei.

– Eu me pergunto às vezes.

– O quê?

– Eu me pergunto o que o palácio vai fazer conosco. Quanto tempo vão nos manter aqui? Eu quero me casar. Quero ter filhos e um lar. Quero viver em outro lugar. Você não?

Mesmo vestida de homem, Tariq era uma mulher, afinal de contas. Sua voz estava quase embargada. Shekib a compreendia melhor do que deixava transparecer. Tinha que ocultar seu plano.

– Não sei. Temos uma vida confortável aqui.

Tariq suspirou profundamente.

– É confortável, mas não pode ser só isso. Eu não sou como Ghafur. Ou como Karim. Não quero usar calças pelo resto da vida. Eu era feliz como menina.

Os lamentos de Tariq foram interrompidos pelo som de uma porta se fechando com força. As duas ficaram paralisadas e olharam na direção de onde viera o ruído. Focaram os olhos no escuro, tentando localizar os passos.

– Onde foi...

– Shhh! – sibilou Shekib.

Uma sombra disparou para longe da porta lateral do harém. A figura estava correndo em direção ao palácio.

– Você acha que é o rei?

Shekib achava que não. O rei Habibullah nunca saía pela porta lateral. E não precisava passar escondido pelas guardas.

– Quem está aí? – gritou Shekib, agarrando o bastão.

A figura correu mais rápido, passando sob o brilho amarelo de uma lanterna. Pela largura dos ombros e a forma das calças, perceberam que se tratava de um homem. Um homem no harém?

– Isso é bizarro. Fique aqui. Vou ver como estão as coisas lá dentro – decidiu Shekib.

Mas o harém estava tranquilo. Shekib podia ouvir os roncos suaves. Porém, aquele homem tinha vindo de algum lugar. Ela esperou, inclinou o ouvido para captar qualquer movimento. Atravessou o corredor na ponta dos pés, lentamente. Cuidadosamente.

Depois de atravessar o salão de banho e de verificar o corredor do lado oposto, refez seus passos. Algo se moveu no vestíbulo. Ela focou a visão no escuro quando a figura se virou em sua direção.

– Encontrou alguma coisa?

Era Tariq.

Shekib suspirou e balançou a cabeça. Elas voltaram para o ar da noite e vasculharam o pátio, olhando através dos jardins na direção do palácio. Nada se movia. Shekib se perguntou quem poderia ter sido. Alguém havia visitado uma das concubinas do rei. Quem poderia ser tão ousado a ponto de invadir o harém? E qual das mulheres teria recebido essa pessoa em seus aposentos?

Shekib e Tariq ficaram sentadas em silêncio, remoendo o mesmo pensamento. Se o palácio descobrisse, as guardas seriam responsabilizadas.

CAPÍTULO 33

Shekib

Shekib e Tariq entraram no aposento das guardas quando o dia clareou. Não viram nem ouviram mais nada por toda a noite. Os soldados andavam por todo lado agora e a criadagem parecia apressada. Provavelmente o rei aguardava um visitante.

Ghafur estava acordada, com os braços esticados acima da cabeça enquanto bocejava. As outras esfregavam os olhos.

– Tariq? Já está de pé? Não dormiu a noite passada? – perguntou Ghafur.

– Algo aconteceu ontem à noite – disse Shekib baixinho. – Algo que todas aqui precisam saber.

Suas palavras, raras, chamaram a atenção de todas.

– Vimos alguém deixando o harém pela porta lateral, que deveria estar trancada. Parecia um homem. Ele correu em direção ao palácio, mas, no escuro, não conseguimos ver seu rosto.

– Deve ter sido o rei. Você sabe que seus impulsos vêm em horários estranhos.

Tariq balançou a cabeça.

– Não era o rei, confie em mim. Eu conheço a silhueta do rei. Esse homem era mais magro, mais alto. E o rei não iria se esgueirar pela porta lateral. Ele entra e sai quando quer, mesmo que seja tarde. Era outra pessoa.

Ghafur e Karim se inclinaram para a frente; começavam a se dar conta daquilo que Shekib e Tariq tinham concluído na noite anterior. Qasim fitou o rosto preocupado da irmã.

– Ouviu alguma coisa lá dentro? Havia alguém acordado? – perguntou Karim.

– Nada. Andei pelos corredores e não ouvi nada, não vi ninguém. Quem quer que o tenha deixado entrar não fez o menor ruído – disse Shekib, seu tom impassível e sério.

– Claro que não – interveio Ghafur. – Mas, se isso aconteceu uma vez, é provável que tenha acontecido duas, três vezes ou mais. Temos um problema sério em nossas mãos, guardas. Se o rei descobrir que alguém passou despercebido por nós para fazer visitas secretas a seu harém particular, podemos começar a recitar nossas orações derradeiras.

– Será que devemos contar a alguém no palácio? – perguntou Qasim, nervosa.

– Não, de jeito nenhum! – gritou Ghafur. – Temos que descobrir o que for possível por conta própria e impedir que essa bomba exploda sobre nossas cabeças.

Karim e Tariq assentiram. Shekib ficou em silêncio. Ghafur estava no comando agora.

– Em primeiro lugar, precisamos falar com as concubinas em particular, uma de cada vez, e ver se uma delas nos dá alguma informação.

– Você acha que quem o deixou entrar vai admitir? – indagou Qasim.

– Não, a mulher não vai nos dizer nada, tenho certeza. Mas, se isso aconteceu outras vezes, alguém deve ter ouvido alguma coisa, e tenho certeza de que *outra* mulher estará disposta a falar. Vocês sabem como elas são umas com as outras. Não vão perder a chance de acabar com uma rival.

– Não consigo acreditar que ainda não tenhamos ouvido nada a respeito – comentou Tariq.

– Isso ia acabar acontecendo. Era apenas uma questão de tempo. Há mulheres demais em uma única casa. Uma delas acabaria criando problemas.

Ghafur falava com segurança, como se tivesse previsto aquilo havia meses.

Shekib e Tariq se deitaram para descansar um pouco. As outras assumiram seus postos, revezando-se para cobrir a posição de Tariq a fim de que ela pudesse fechar os olhos injetados por algumas horas. A situação dera uma nova energia a Ghafur. Seu rosto ficou sério e seu tom, urgente.

Ela dava ordens como se fosse um general do palácio comandando os soldados.

Karim e Qasim se entreolharam, mas não protestaram.

Shekib não conseguia dormir. Desde que vira aquela figura envolta em sombras, uma sensação estranha se instalara em seu estômago. Aquele acontecimento teria consequências. Ela estava deitada de lado, olhando para as fendas e rachaduras da parede de pedra. Não estava em sua aldeia. Não estava nem mesmo na casa de Azizullah. Estava no palácio do rei. Pessoas mais importantes significavam problemas maiores.

Finalmente foi vencida pelo sono, mas por pouco tempo. À tarde, levantou-se e se vestiu. Encontrou Karim no salão de banho. Cinco mulheres se encontravam na piscina. Shekib ergueu o olhar e viu que a sacada estava vazia.

– Ouviu alguma coisa?

Karim balançou a cabeça.

– Ghafur disse que tem suas suspeitas, mas ninguém disse nada ainda. Perguntei a duas mulheres, Parisa e Benazir, se ouviram algo estranho na noite passada, mas elas disseram que não. Nós só perguntamos às mulheres que têm filhos, já que é pouco provável que as crianças continuassem a dormir com a presença de um visitante no escuro.

Shekib assentiu. O raciocínio fazia sentido.

– Mas é melhor não criar muito tumulto, já que uma das mulheres poderia contar ao rei Habibullah o que andamos perguntando. – Karim suspirou fundo. – Há muita chance de isso se voltar contra nós...

– É assim que as coisas são. Alguém sempre tem que levar a culpa – comentou Shekib.

Ainda podia ver o dedo torto de Bobo Shahgul apontando para ela, seus olhos redondos e brilhantes cheios de ódio.

Os dias seguintes não trouxeram revelações; não havia pistas sobre quem fora até o harém no meio da noite. A única prova de que Shekib e Tariq não tinham imaginado tudo aquilo foi a volta do visitante. Apenas cinco dias após a primeira aparição, ele foi visto novamente saindo da casa. Dessa vez, era Qasim quem estava montando guarda à noite.

A descrição de Qasim reforçava o que Shekib e Tariq haviam relatado.

– Você foi atrás dele? Viu o rosto dele? – quis saber Ghafur.

– Não... Eu só vi...

– Você ficou parada? Estamos tentando descobrir quem é e você não fez nada? Belo trabalho *protegendo* o harém!

Ghafur jogou os braços para cima, exasperada.

– Ele estava andando muito depressa. Não achei que deveria ir atrás dele, entendeu?

– Esqueça. Tudo bem. Não faz sentido perseguir esse homem. Ele provavelmente já sabe que nós o vimos e não se importa. Só está preocupado com a possibilidade de ser pego pelo palácio. Ele sabe que não podemos fazer nada – disse Karim, aborrecida.

– Do que você está falando? Se Qasim tivesse um pingo de coragem, poderia ter...

– Então você pode assumir o posto dela à noite e persegui-lo você mesma! – gritou Karim.

Ela estava cansada de ouvir as queixas de Ghafur, que comprimiu os lábios, mas ficou calada.

A animosidade havia ultrapassado o harém e chegado ao alojamento das guardas. A pequena tropa estava sob pressão e os tênues laços de amizade que tinham se formado entre elas começaram a se tensionar. Shekib observava-os se esgarçarem semana após semana.

O homem visitava o harém uma vez por semana e, embora tivessem colocado uma guarda na porta lateral, não conseguiram confrontá-lo, muito menos identificá-lo. De acordo com Ghafur, ele nunca aparecia quando ela estava montando guarda à noite, mas as outras duvidavam disso. Era mais provável que ela estivesse fazendo vista grossa, pois também não queria ter que persegui-lo no meio da noite. Era melhor descobrir por intermédio das mulheres e colocar um fim naquela história quanto antes.

Enquanto isso, Shekib continuou preparando o terreno para seus planos. Abordou algumas mulheres com dois objetivos em mente. Perguntava se tinham ouvido algo, algum barulho estranho durante a noite. E encontrava maneiras de fazer menção à própria família. De maneira desajeitada, contava uma história sobre seus parentes, sobre a série de meninos que a mãe dera à luz, as tias deram à luz, a avó dera à luz.

As mulheres em nossa família têm muitos filhos homens. Eu fui a única menina.

Olhares curiosos. As mulheres não sabiam ao certo por que a guarda desfigurada compartilhava essas informações, mas meneavam a cabeça educadamente e seguiam adiante. Ou a enxotavam e franziam as sobrancelhas. Mas Shekib persistiu.

Algo lhe dizia que não tinha muito tempo.

CAPÍTULO 34

Rahima

— Ela estava com uma aparência horrível, Khala-jan – comentei, melancólica. – Nunca pensei que veria minha mãe daquele jeito. Shahla teria caído em prantos se a tivesse visto!

Ocorreu-me, porém, que Shahla também devia ter mudado. Nenhuma de nós continuava igual ao que éramos três anos antes. Shahla agora tinha dois filhos. Eu pensava nela quando olhava para Shahnaz. Imaginava como sua nova família estaria cuidando dela. Rezava para que fosse tratada melhor do que Parwin.

— Rohila é uma menina inteligente. Eu só gostaria que eles mandassem as duas à escola. – Khala Shaima suspirou. – Isso era tudo o que eu queria para cada uma de vocês. Um pouco de instrução que pudessem levar com vocês para o resto da vida.

— De que isso me serviu? – perguntei, frustrada. – Fui à escola por alguns anos, mas não me serviu de nada para mudar onde estou agora.

— Você vai compreender mais tarde. Cada gota de conhecimento faz algum bem. Olhe para mim. Tenho sorte de saber ler. É como uma vela em um quarto escuro. O que eu não sei, posso descobrir sozinha. É mais fácil enganar alguém que não é capaz de descobrir as coisas por conta própria.

Contive-me para não responder. Eu ainda não via a utilidade de nada daquilo. Khala Shaima foi a única de suas irmãs a chegar ao oitavo ano, pois não tinha pretendentes. Tirando a capacidade de ler um jornal ou um livro ocasionalmente, eu não compreendia como isso tornara sua vida melhor. Ela não conseguira evitar o que aconteceu a mim e a minhas irmãs.

— Sua mãe vai ficar bem – garantiu Khala Shaima, interpretando de forma equivocada minha expressão de dúvida. — O espírito humano... Você sabe o que dizem sobre o espírito humano? É mais duro que uma rocha e mais delicado que uma pétala.

— Sei.

— Sua mãe está se protegendo. Ela está protegendo seu espírito, fazendo com que a pétala delicada se torne tão dura quanto rocha com a droga que seu pai leva para casa, pois é a única maneira que ela conhece de sobreviver. Você deveria fazer o mesmo, mas de maneira diferente, é claro. Não se esqueça de que também é parte pétala, parte rocha. – Ela suspirou. – Aquela maldita droga... Agora que Abdul Khaliq é o *damaat* de seu pai, ele pode conseguir tanto quanto quiser. Havia uma quantidade grande demais para sua mãe resistir.

— Eles se deram muito bem com esse arranjo – comentei, com mais cinismo do que pretendia.

Às vezes, eu via minha mãe como vítima. Outras vezes, pensava nela como cúmplice de meu pai. De qualquer forma, quem sofria eram minhas irmãs. Olhei para Jahangir e jurei nunca fazer o mesmo com ele.

— Você pode culpar sua mãe, mas isso não vai lhe fazer nenhum bem. Você não sabe como é estar no lugar dela. Em uma colônia de formigas, uma gota de orvalho é uma inundação.

— Mas você também a culpou! Foi você quem disse que ela não deveria dar as filhas em casamento. Eu me lembro de você discutindo com ela!

Khala Shaima suspirou e desviou o olhar, frustrada.

— É claro que eu disse a ela todas essas coisas! E ela tentou. Tentou falar com seu pai, mas ele é...

— Eu sei o que ele é.

Khala Shaima se calou. Mordeu o lábio. Estava na hora de mudar de assunto.

— Como Abdul Khaliq tem tratado você ultimamente?

— Ele anda tão ocupado com seus assuntos que mal fica em casa.

— Ótimo. Ocupado com quê?

Dei de ombros.

– Não sei exatamente, mas eu o ouvi conversando com seus conselheiros e guardas outro dia. Algo sobre seus soldados fazerem o que os soldados estrangeiros não podem fazer.

– Ou não querem fazer. Ele é muito esperto. Esses outros países vêm aqui e jogam algumas bombas. Fazem amizade hoje com os inimigos de ontem. Eles simplesmente mudam de chapéu e, de repente, tornam-se aliados desses países ocidentais. Ninguém se importa com o que Abdul Khaliq andou fazendo nos últimos anos.

– O que ele andou fazendo?

Os lábios de Khala Shaima se contraíram.

– Ele é seu marido, Rahima, então pensei que você já soubesse a esta altura. Como acha que ele ficou tão rico e poderoso? Com o sangue de nosso povo! Pedindo resgates, roubando, matando e, em seguida, se lavando e se embelezando para os ocidentais que ou não sabem de nada, ou fingem não saber. Seu marido não é o único e, provavelmente, nem é dos piores. Você era muito jovem para saber como as coisas funcionavam de verdade e ninguém em sua casa ia lhe falar sobre isso, pois seu pai estava lutando sob o comando dele.

A voz de Khala Shaima era um sussurro cauteloso.

Lembrei-me de como Shahnaz tinha se tornado esposa de Abdul Khaliq: pilhada de sua casa como se fosse uma joia ou uma bandeja de prata.

– Você precisa saber dessas coisas, Rahima, já que está vivendo aqui. E como esposa dele, ainda por cima. Mas não mencione nada disso, nunca. Nem mesmo para as outras esposas. Você me entendeu?

Eu assenti. Sua advertência era desnecessária. Eu já sabia que as pessoas naquela casa não guardavam segredo.

– Os conselheiros de Abdul Khaliq estavam dizendo que ele devia deixar uma das esposas concorrer a uma vaga no Parlamento – revelei, pensando na conversa que ouvira. – Parece uma ideia completamente louca.

– Concorrer a uma vaga no Parlamento? Esses desgraçados intriguistas!

– Eles querem que Abdul Khaliq faça isso. Seria uma grande mudança para ele, não seria, Khala Shaima? Imagine, uma das esposas no Parlamento.

– Uma grande mudança, uma ova! É um embuste. Há uma regra que diz que um determinado número de vagas tem que ser preenchido por mulheres. Isso foi colocado na Constituição porque, caso contrário, ninguém daria voz a nenhuma mulher. Ele quer colocar uma das esposas no Parlamento para poder lhe ordenar exatamente o que fazer, como votar, com quem falar. Não é muito diferente de Abdul Khaliq assumir ele mesmo o posto!

Suas palavras eram amargas, frisadas pela forma como cuspia algumas letras.

Eu não havia encarado a situação dessa maneira, mas o raciocínio de Khala Shaima fazia sentido – e explicava por que Abdul Khaliq estava levando em consideração essa hipótese. Era como o conselheiro dissera: podia ser a única maneira de manter o controle da região.

– Ele disse qual das esposas vai concorrer?

– Não, ninguém disse nada.

Eu havia me perguntado a mesma coisa.

– Provavelmente Badriya.

– Por que Badriya?

– Porque Jamila é bonita demais. Ele não vai querer os olhos dos homens sobre ela. E você e Shahnaz são muito jovens.

Ela estava certa.

Nas semanas seguintes, Badriya foi preparada para a eleição. Abdul Khaliq passava cada vez mais tempo com ela a portas fechadas. Nós não sabíamos o que discutiam e os lábios de Badriya estavam selados, ou pelo menos pareciam estar.

– Vai ser uma eleição difícil – comentou ela, dando batidinhas nos lábios com o dedo. Era óbvio que se sentia muito especial por ter sido escolhida para a tarefa. – Temos discutido sobre espalhar a notícia, divulgar meu nome.

– Que tipo de coisas você terá que fazer se entrar para o Parlamento? – quis saber Shahnaz.

Era uma tarde quente e as crianças estavam todas no pátio. Abdul Khaliq tinha saído durante a noite para uma viagem e Bibi Gulalai estava na cama, recuperando-se de um resfriado que, segundo ela, quase a matara três vezes. O complexo conseguia respirar melhor agora que Bibi Gulalai jurava que não conseguia.

– Que pergunta idiota! Não sabe o que o Parlamento faz? Ainda bem que sou eu, e não você, que está concorrendo!

Vi Jamila conter um sorriso. Nós duas sabíamos que Badriya estava tentando inventar uma resposta.

– Depois que você consegue um assento na *jirga*, tem um monte de trabalho. Coisas para votar, decisões a tomar...

Ela fez um aceno com a mão, como se fossem tarefas demais para explicar.

Shahnaz ergueu as sobrancelhas.

– Mas você vai estar coberta, certo?

– Claro! Vou usar minha burca.

– E o que vai acontecer se você chegar ao Parlamento? Ele é formado majoritariamente por homens, não é? Você vai ter que se encontrar com eles?

– Sim, essa vai ser minha responsabilidade como representante eleita. Nós vamos ter que falar sobre as votações, as questões.

– Quando serão as eleições?

– Daqui a dois meses. Há muito a fazer.

Badriya suspirou como se tivesse acabado de perceber quanto trabalho a esperava. Como primeira esposa, estava acostumada a um status dentro do complexo, mas começara a se ressentir da atenção que as outras recebiam. Esse acontecimento era o impulso de que precisava para recuperar sua distinção. Mas nem toda atenção era boa.

Cerca de uma semana depois de nossa conversa, acordei de manhã, prendi os cabelos para trás e vesti minha roupa de trabalho. Eu tinha que limpar o galinheiro. O cheiro sempre revirava meu estômago, então levava um pedaço de pano para cobrir o nariz e a boca.

Saí e fui para a extremidade mais distante do complexo. As galinhas acordavam cedo e fizeram um grande alarido quando cheguei. Penas voaram pelo ar, fazendo-me tossir. Ajustei minha máscara e respirei fundo.

Antes que pudesse pegar minha vassoura, o cacarejar se intensificou e as galinhas começaram a andar pela área como se algo as perturbasse. Virei-me na direção do complexo e vi Badriya andando atrás da casa. Seu braço esquerdo estava aninhado junto ao corpo e ela caminhava com um ligeiro coxear que me fez pensar em Parwin.

Eu a observei e percebi que ela não tinha me visto. Parou diante do varal e estendeu o braço para pegar um xador e um vestido. Precisou de três tentativas para alcançar a roupa; cada vez que erguia o braço, ela se detinha e o recolhia subitamente, balançando a cabeça. Eu me perguntei o que teria acontecido e fiquei feliz por ter uma desculpa para adiar minha tarefa.

– Badriya-jan! *Sobh bakhair!*

Badriya se virou, a expressão de surpresa interrompida por um gemido.

– Ah, Rahima! Sim, *sobh bakhair*. Bom dia para você também. O que está fazendo aqui?

Seu braço ainda estava recolhido.

– Tenho que limpar o galinheiro – expliquei. – Parece que você está tendo dificuldades com seu braço. O que aconteceu?

Badriya franziu a testa.

– Não foi nada – respondeu de maneira pouco convincente.

Quando se virou de novo para o varal, consegui vislumbrar, sob a gola do vestido, hematomas ao redor de sua clavícula. Ia comentar algo, mas me contive. Ela tentava se mover como de hábito, só que seu rosto a traía.

– Continue o que estava fazendo, Rahima. Estou muito ocupada para conversar – disse ela com desdém.

Voltei para o galinheiro e olhei para trás, para confirmar se ela ainda mancava. Hashmat a encontrou na porta da casa e a ajudou a entrar. Ele notou que eu estava observando e balançou a cabeça. Eu mantinha distância dele. Havia aprendido que não deveria ficar perto dos meninos da minha idade ou dos mais velhos, independentemente de sua relação comigo. E não queria dar chance para nenhuma conversa sobre Abdullah, que agora parecia apenas um personagem que eu tinha criado em minha imaginação.

À tarde, voltei para a casa de Jamila. Na maior parte do tempo, meu filho ficava ao meu lado enquanto eu realizava minhas tarefas, mas isso não era possível durante a limpeza do galinheiro. Jahangir gostava de passar o tempo com Jamila quando eu tinha que fazer algo mais extenuante. Ela gostava de tê-lo por perto agora que os próprios filhos estavam crescidos, e eu confiava nela mais do que em qualquer outra pessoa. Apesar de morar com Shahnaz, era a Jamila que eu recorria se tinha alguma dúvida sobre a alimentação e os banhos de Jahangir. Ela até tricotou um suéter e um gorro para mantê-lo aquecido no inverno.

– Ele não deu muito trabalho, deu? – indaguei, sabendo qual seria a resposta.

– Ah, ele está ficando mais amoroso a cada dia, Rahima. Amanhã vamos defumá-lo com *espand*, para manter longe o mau-olhado. Antes que você perceba, ele vai estar falando sem parar. Precisa vê-lo tentando.

– Já esteve com Badriya hoje? – perguntei, querendo falar com alguém sobre o que tinha observado.

– Não, está procurando por ela?

Ela estava colocando pedaços de pão embebidos em chá na boca aberta de Jahangir.

– Eu a vi esta manhã atrás da casa. O braço dela parecia estar bastante machucado. E ela não está andando direito.

– Hum. Perguntou a ela sobre isso? – questionou Jamila, balançando a cabeça.

– Sim, mas ela me enxotou.

– Ela estava muito presunçosa. – Jamila suspirou. – O homem precisa sentir que está no comando da casa no fim do dia. Especialmente um homem como Abdul Khaliq Khan.

– Do que está falando?

– Você sabe que, para ele, não é fácil concordar em deixá-la concorrer à eleição. O nome dela tem que ser divulgado na área para as pessoas votarem. Vai haver comentários. E vai ser uma grande notícia a esposa do poderoso Abdul Khaliq ficar fora de casa, disputando uma vaga no Parlamento. Não é o que ele quer.

Senti-me estúpida por não perceber isso por conta própria.

– Na noite passada eu o ouvi.

– O que aconteceu?

– Ele alertou Badriya a não se transformar em uma dessas mulheres que fazem muito barulho, conversam com muitas pessoas. Queria que ela soubesse que era *dele* a decisão de lançá-la à eleição e que isso nada tinha a ver com ela. Acho que ele a ouviu falando sobre o assunto. E Abdul Khaliq não deseja isso de suas esposas. Não sei exatamente o que ela falou, mas ele foi duro ontem à noite. – Jamila balançou a cabeça e fez um muxoxo. – Parecia estar em seus piores dias.

Por mais que sua presunção tivesse me irritado, senti pena de Badriya. Todas nós conhecíamos a mão pesada de Abdul Khaliq. Perguntei-me se ela estaria arrependida de ter sido escolhida para concorrer ao assento na *jirga*.

– Ele vai dar continuidade a essa situação? Quer dizer, deixar que ela dispute uma vaga no Parlamento?

– Acho que sim. Ele quer o poder. Através dela, poderá se envolver em muitos projetos diferentes. Não vai abrir mão disso, por mais que odeie ver o nome da esposa escrito em cédulas e saiba que ela vai ter que ficar fora de casa por alguns períodos para cumprir seus deveres. Mas tenho certeza de que ele está tentando pensar em uma maneira de contornar tudo.

Abdul Khaliq tinha realmente ensinado a Badriya uma lição. Depois do acontecido, ela não voltou a falar sobre a eleição. Os dois se reuniam de tempos em tempos, assim como seus conselheiros. Eu ouvia pedaços de conversas. As coisas não estavam indo bem. Os conselheiros não tinham certeza se Badriya conquistaria o assento na *jirga*, mas Abdul Khaliq conseguiu convencê-los de que sim.

Meu marido estava acostumado a conseguir o que desejava. Se ele quisesse que Badriya fosse eleita, ela seria.

CAPÍTULO 35

Rahima

Abdul Khaliq e Badriya viajavam para Cabul com frequência. Ele odiava isso. Ela dizia que gostava, mas podíamos ver que não era verdade. Meu marido sempre ficava tenso antes de partirem, e ainda pior quando retornavam.

Badriya vencera a eleição, em grande parte graças aos votos das mulheres, de acordo com notícias locais. Para mim e para as duas outras esposas, parecia irreal que mulheres pudessem votar em algo que soava tão importante como o Parlamento. Khala Shaima foi me visitar de novo. Perguntei a ela sobre minha família e Bibi Shekiba. Ela me perguntou sobre Badriya e Abdul Khaliq. Àquela altura, minha ingenuidade já não existia. Eu sabia exatamente o tipo de homem com quem estava casada e que ele tinha feito coisas terríveis com as pessoas. Jahangir começava a ficar parecido com o pai, o que me deixava apreensiva. Às vezes, eu temia deixar de gostar do meu filho se meus medos se concretizassem. Eu me retraía quando ele ficava irritado ou frustrado, seus gritos assumindo uma hostilidade familiar. Mas seus humores não eram nada em comparação com os do pai. Além disso, ele era muito afável e carinhoso, sempre puxando meu rosto para perto de si e afagando minha cabeça como se eu fosse a filha, e ele, o pai.

A respiração de Khala Shaima estava mais dificultosa naquele dia. Talvez fosse a poeira no ar, sua saúde em declínio ou minha paranoia. Ela era a única família que eu ainda tinha e me preocupava com frequência com o que faria sem suas visitas. De maneira egoísta, pedia a Alá por sua saúde.

– Ele diz a ela exatamente como votar. Ela não tem escolha a não ser seguir as ordens dele.

Eu concordei.

– Você precisa ver como ela parece exausta cada vez que voltam de Cabul, completamente esgotada.

– Mas deve haver alguma forma de ela votar por conta própria. Ele não entra no Parlamento, você sabe. Quando ela está em sessão, ele não está lá para controlá-la.

– Tenho certeza de que ele tem meios de saber e vigiar até as menores coisas que acontecem por trás daquelas portas.

Abri a pequenina mão de Jahangir e tirei a pedra que ele havia pegado. Meu filho vira os meios-irmãos mais velhos brincando e queria imitá-los. Seus olhos redondos se iluminavam quando ele os via, sua boca se abria em um sorriso largo e ele puxava meu rosto e apontava para que eu olhasse.

– Sim, *bachem*, estou vendo. Você vai crescer e será tão grande e forte quanto eles. Espere só.

Às vezes eu pensava como seria a aparência dele dali a dez anos, mas não conseguia imaginá-lo diferente da criança doce que era. Quando tentava pensar em mim mesma dali a dez anos, ficava assustada. Minhas mãos já estavam calejadas e nodosas. Minhas costas doíam à noite, em parte por ter carregado Jahangir durante nove meses, em parte por ficar debruçada para lavar roupas e esfregar o chão praticamente todos os dias. Aquela casa e aquela vida me envelheceram. Talvez tivesse sido isso que Parwin enxergara: a vida dali a dez anos. Talvez fosse uma visão feia demais para suportar.

Todo mundo precisa de um escape.

– Talvez você possa ir para Cabul com ela – sugeriu Khala Shaima.

Ela começou a tossir de forma violenta, sacudindo-se toda. Coloquei minha mão sobre a dela e empurrei um copo de água para mais perto.

– Obrigada, *dokhtar-jan*. A poeira está me irritando mais do que o habitual hoje.

Eu esperava que fosse apenas isso.

– Enfim, o que eu estava dizendo? Sim, por que você não tenta ir para Cabul com ela?

– O que vou fazer lá, Khala-jan?

– Quem sabe? – disse ela vagamente. – Mas em Cabul você vai conhecer coisas diferentes. Seria uma oportunidade de aprender. Saber como as pessoas vivem, admirar os edifícios, entender o que o Parlamento está fazendo. É uma oportunidade para você.

A ideia era tentadora. Eu bem que gostaria de ver como era a grande cidade de Cabul. Só tinha ouvido falar dela nas histórias de Bibi Shekiba, que esperava que Khala Shaima continuasse a contar naquele dia. Foi como se ela tivesse lido minha mente.

– Sei que você gosta de ouvir sobre Bibi Shekiba. Ela vivia em Cabul, sabia? A vida lá é diferente.

– Mas você nunca esteve lá, não é?

– Olhe para mim, Rahima! Sou grata por meus ossos defeituosos ainda conseguirem me trazer até aqui. Quando eu era mais jovem, porém... – sua voz se suavizou – sonhava em ir a Cabul. Desejava que uma carruagem aparecesse na estrada, me pegasse e me levasse para ver o palácio presidencial, as lojas, as ruas e o aeroporto. Eu queria ver todos os lugares sobre os quais tinha lido.

Percebi que esse era seu escape. A mente ia aonde o corpo não podia levá-la.

– Talvez você pudesse ir agora – sugeri.

O anseio em sua voz me fizera desejar que ela fosse.

– Meu tempo já passou. Mas pense nisso. Badriya está indo e voltando da cidade o tempo todo. Não deve ser complicado para ela levar você junto. Ofereça-se para ajudá-la.

– Ajudá-la? A única ajuda de que ela precisa está bem aqui: lavar, esfregar, passar, massagear suas costas...

A lista era imensa.

– Conheço o tipo de mulher que Badriya é. Duvido que saiba ler e me pergunto como está conciliando isso com a função no Parlamento. Conte a ela que você sabe ler e escrever. Seria uma forma muito melhor de ser útil a ela.

Era verdade. Badriya nunca aprendera a ler. Uma vez, vi Hashmat lendo para ela uma carta de sua família. Ela escutava, ansiosa, enquanto ele decifrava os rabiscos. Ela não era a única. A maioria das mulheres na aldeia também não sabia. Minhas irmãs e eu havíamos aprendido graças à insistência de Khala Shaima. Rohila e Sitara talvez não tivessem a mesma oportunidade, pensei, agora que Madar-jan havia se enclausurado em si mesma e a saúde de Khala Shaima não era mais o que costumava ser.

– Ela não sabe ler. Shahnaz também não. Jamila sabe um pouco, acho.

– Bem, essa é a sua chance – disse Khala Shaima. Ela se inclinou e expirou lentamente, os lábios franzidos. – Fale com ela com bastante cuidado. Acho que seria bom para você ver os lugares que Bibi Shekiba viu.

A ideia me animou ainda mais quando ela mencionou minha trisavó. Eu já havia experimentado sua vida dupla, vivendo como um menino. Queria ver os lugares que ela vira. Porém, queria mais do que ela teve também. Eu não queria ser um fantoche como ela fora, passada de mão em mão. Desejava ser mais ousada. Fazer meu *nasib*, não deixar que ele fosse definido pelos outros e entregue a mim já pronto. Mas, pelo que minha mãe sempre dissera, eu não sabia se isso era possível.

– Khala Shaima, você acha que podemos mudar nosso *nasib*?

Ela arqueou a sobrancelha.

– Diga-me uma coisa: como sabe qual é o seu *nasib*?

Eu não tinha resposta.

– Não sei. Madar-jan disse que era meu *nasib* me casar com Abdul Khaliq. O de Shahla era se casar com Abdul Sharif, e o de Parwin era se casar com Abdul Haidar.

– E quanto a hoje de manhã? O que comeu no café da manhã?

– Um pedaço de pão com chá.

– Alguém lhe entregou o pão?

– Não. – Eu quase ri da ideia de alguém levando algo para mim. – Claro que não! Eu mesma o peguei.

– Então talvez esta manhã fosse seu *nasib* que você não comesse nada. E o que aconteceu?

– Eu o mudei?

– Talvez. Ou talvez fosse o seu *nasib* o tempo todo que você comesse o pão com chá. Talvez o seu *nasib* esteja apenas esperando que você o faça acontecer.

– Mas as pessoas não diriam que isso é blasfêmia? Mudar o *nasib* que Alá traçou para nós?

– Rahima, você sabe o quanto eu amo Alá. Sabe que me curvo diante d'Ele cinco vezes por dia, com todo o meu coração. Mas quero que você me diga qual dessas pessoas que dizem coisas assim falou com Alá para saber qual é o verdadeiro *nasib*.

Naquela noite, fiquei acordada pensando no que Khala Shaima dissera. Jahangir respirava suavemente, aninhado junto a mim, sua pequena mão no meu pescoço.

Teria sido o *nasib* de Parwin morrer daquela forma, sua pele um amontoado de carne derretida? Ou será que ela perdera uma oportunidade de mudar as coisas? De concretizar seu verdadeiro *nasib*? Seria o *nasib* de Madar-jan ficar deitada, paralisada pelo ópio, enquanto Rohila e Sitara eram obrigadas a se virar sozinhas e a se esquivar dos ataques de fúria de nosso pai?

Isso me deixava confusa. Suspirei e puxei o cobertor sobre os ombros de meu filho. Passei o dedo sobre seus lábios rosados. O rosto dele se contraiu e os cantos da boca se ergueram, transformando-se em um sorriso sonhador. Eu sorri.

Eu não sabia qual era o meu *nasib*, muito menos o de meu filho. Mas, naquela noite, decidi que faria tudo ao meu alcance para torná-lo o melhor possível. Para nós dois. Eu não perderia nenhuma oportunidade.

Pelo que Khala Shaima me contara sobre Bibi Shekiba, ela havia ido atrás das oportunidades de fazer o próprio *nasib*. Eu, sua trineta, poderia fazer o mesmo.

CAPÍTULO 36

Shekib

O CORAÇÃO DE SHEKIB BATIA COM FORÇA, sua boca estava seca. Amanullah caminhava pelos jardins de novo. Shekib se achava em seu posto; apenas um canteiro de arbustos que chegavam à altura do ombro os separava. Ele andava com o homem mais velho, seu amigo, outra vez. Shekib o reconheceu pelo chapéu de lã. Os dois se sentaram em um banco e as palmas das mãos de Shekib começaram a suar.

Foi o nasib *que eles viessem caminhar por aqui agora, enquanto estou de guarda.*

– Há muitas forças em jogo aqui. Seu pai terá que agir com cautela. Nós somos ratos em um campo de elefantes, mas, se formos espertos em nossos movimentos, poderemos escapar de suas patas pesadas.

– O problema é que temos instabilidade dentro de nossas fronteiras e instabilidade nas fronteiras. Se não ficarmos atentos, podemos nos enfraquecer.

Shekib podia ouvir o respeito na voz de Amanullah. Ele confiava naquele homem.

– Isso é verdade. Mas as duas coisas estão ligadas. Um país estável dentro de suas fronteiras terá forças para resistir aos que olham para ele com cobiça. E aqueles que nos observam sabem que problemas internos produzem uma presa fácil.

– Nosso exército é fraco em comparação com o deles.

– Mas nossa determinação é grande – retrucou o homem com firmeza.

Amanullah suspirou, refletindo.

Shekib ficou tensa ao ouvir o som da respiração dele. Deu um passo para a direita e em seguida dois para a esquerda, movendo-se para que percebessem sua presença.

– Nosso povo não sabe quase nada do que se passa além de nossas fronteiras. As pessoas mal sabem o que acontece na província ou na aldeia vizinha.

Shekib prendeu a respiração. Perguntou-se se Amanullah percebera que era ela. Estava de costas para os dois homens, mas mantinha a cabeça ligeiramente virada, com o perfil direito voltado para eles – caso se dessem ao trabalho de olhar. Eles se levantaram e caminharam de volta para o palácio. Shekib não conseguiu resistir à oportunidade de fitar Amanullah quando estava perto o suficiente para ver a cor de seus olhos. Ela girou o tronco e o olhou de soslaio.

Ele olhou para trás. Um aceno de cabeça.

Ele olhou! Ele me cumprimentou! Ele me viu!

Shekib sentiu a respiração se acelerar. Quase uma hora se passou até ela se dar conta de que Agha Baraan também havia feito um aceno de cabeça sutil em sua direção. Ela secou as palmas das mãos úmidas nas calças do uniforme. Fizera contato com Amanullah. Ele a notara e a cumprimentara. Ela não detectou nenhuma repulsa em sua expressão, nenhum sinal de repugnância. Seria possível? Poderia Amanullah ter ignorado sua desfiguração?

A tarde a deixou reenergizada. Ela precisava de mais contato com o palácio, com qualquer um de fora do harém. Mas as guardas ficavam isoladas, não ficavam? Shekib refletiu sobre a situação. Ela gozava de mais liberdade do que as concubinas. Podia andar pela área do palácio sem restrições. Podia interagir com as criadas que iam entregar as refeições do harém.

Karim chegou para substituí-la no posto.

– Pode ir jantar. Acho que vão trazer a comida daqui a pouco.

– Não estou com fome ainda, na verdade. Acho que vou caminhar um pouco.

– Como quiser. Mas fique de olhos bem abertos. Já se passaram semanas e ainda não sabemos de nada.

As mulheres não diziam nada. Cada guarda tinha as próprias suspeitas, mas as perguntas que fizeram resultaram em um espectro de respostas inúteis e curiosas.

Shekib atravessou os jardins, passou pelas estátuas, pelo lago, por dois soldados que falavam baixinho um com o outro, olhando para ela de longe. Contemplou o Palácio Dilkhosha, imponente e proibido. Queria vê-lo por dentro, mas não tinha nada para fazer lá. Deixou que sua imaginação lhe dissesse o que poderia haver lá dentro.

Talvez houvesse pombas, graciosas aves de penas brancas que se alimentavam do pão quente servido no palácio e gorjeavam bênçãos para o monarca. Ou talvez houvesse montanhas de alimentos, iguarias preparadas por cozinheiros para agradar o paladar do rei e da rainha.

As coisas eram muito diferentes em Cabul, no palácio. Havia tantas coisas sobre as quais Shekib jamais escutara falar, coisas que nunca tinha ouvido seus pais mencionarem. Ela se perguntou se as pessoas no palácio pensavam nas aldeias tanto quanto pensavam em outras questões. Por que se preocupavam tanto com os russos, quem quer que fossem, quando aldeias sofriam com a falta d'água?

Ela estava tão perdida em pensamentos que não percebeu Agha Baraan sentado em um banco, com folhas de papel nas mãos.

– *As-salaam-alaikum* – disse ele baixinho.

Shekib se virou bruscamente. Quando percebeu quem a fizera se sobressaltar, virou os ombros e a cabeça de forma que o lado direito de seu rosto ficasse voltado para ele.

– *Wa... Wa-alaikum as-salaam* – sussurrou ela.

Ele voltou a olhar para os papéis, lendo-os com atenção.

Shekib deu um passo para se retirar, mas percebeu que estava diante de uma rara oportunidade. Ali se encontrava uma conexão com o palácio, um homem muito próximo de Amanullah. Não havia muros entre eles, nenhuma interferência. Ela podia falar com ele se conseguisse fazer com que sua voz obedecesse ao seu comando.

– Eu... sou guarda do harém – disse simplesmente.

Baraan ergueu os olhos castanhos, surpreso.

– Sim, eu me lembro. Nós a vimos mais cedo, no pátio. Você tem uma posição importante aqui no palácio.

Todo mundo tem uma função no palácio.

– Sim. E parece que o senhor também.

Ele deu uma risadinha.

– Isso vai depender da pessoa com quem você estiver falando.

– O que é que o senhor faz?
– O que eu faço? Bem, pode-se dizer que sou um conselheiro. Eu trabalho com um dos vizires. Um assistente do assistente, por assim dizer.

As pessoas do palácio sempre falam por meio de enigmas?, perguntou-se Shekib, lembrando-se da conversa anterior daquele homem com Amanullah.

– O senhor é do Exército? – perguntou ela.

Sua voz não estava mais vacilante. O comportamento dele, sua voz, suas palavras, lhe diziam que ele não era uma ameaça.

– Não. Eu trabalho com eles, mas não sou um soldado.

– Eu não sei nada sobre Cabul.

– Você veio de uma aldeia. Isso não me surpreende.

Havia condescendência em sua voz, mas Shekib preferiu ignorá-la.

– Qual é o seu nome?

Ela fez uma pausa antes de responder:

– Shekib.

– Shekib, entendo. E o nome que seus pais lhe deram?

– Shekiba.

– Shekiba-jan, meu nome é Agha Baraan. Muito prazer em conhecê-la. Sua família mora por aqui?

– Eu não tenho família.

As palavras escaparam de sua boca antes que ela pudesse reconsiderar. Mas era a verdade. Bobo Shahgul e seus tios haviam deixado isso bem claro.

– Lamento.

De repente Shekib se lembrou de seu plano. Se queria mudar seu *nasib*, não podia perder uma oportunidade como aquela. Tentou se recuperar do passo em falso.

– Quer dizer, eu tinha uma família, mas agora vivo aqui. Não os vejo mais. Mas eu tinha muitos irmãos. Sou a única filha de uma longa linhagem de filhos. Todas as minhas tias tiveram meninos. Minha avó também.

Os lábios de Agha Baraan se comprimiram levemente. Ele olhou para longe por um momento antes de voltar a falar com Shekib:

– Os maridos delas devem ter ficado felizes.

– Ficaram.

Ela estava inquieta; a língua parecia áspera e seca por causa das mentiras. Ele a observava. Shekib se perguntou se teria percebido a desonestidade em sua voz.

– Está satisfeita aqui no palácio?

– Sim... na maior parte do tempo. – Shekib hesitou: não tinha certeza do quanto revelar. – O palácio é bonito.

– É mesmo. Você está em Cabul, no palácio do rei, o coração do Afeganistão. É aqui, entre estas paredes, que a história é feita.

Que conversa grandiosa, pensou ela, mas não deixou que sua expressão revelasse nada.

– O filho do rei... – Ela não se atrevia a pronunciar seu nome. – Ele é um homem importante?

– É e não é.

– Isso não é possível.

Baraan ergueu uma das sobrancelhas.

– Por quê?

– Porque ou ele é, ou ele não é. Não pode ser as duas coisas ao mesmo tempo – explicou, sem rodeios.

Ele riu novamente.

– Você não gosta de contradições. Bem, vejo que não está preparada para a vida no palácio. Estas paredes abrigam tudo o que é e não é.

Dois soldados passaram e olharam para ambos com curiosidade. Shekib viu um deles sussurrar algo para o outro. Ela se afastou de Agha Baraan abruptamente e se empertigou.

– Preciso voltar para o harém.

Ela era desajeitada e sem refinamento, pensou Baraan, mas interessante de uma forma estranha. Ele se perguntou como ela teria conseguido aquela cicatriz e quanto do que dissera seria verdade.

CAPÍTULO 37

Rahima

BADRIYA FICOU SURPRESA.
– É só porque parece que isso a está incomodando. Você levou a mão às costas o dia inteiro. Acho que se sentiria melhor se me deixasse massageá-las.

– É disso mesmo que preciso. Você tem razão. Tenho um pouco de óleo aqui. Vou me deitar.

Ela não perdeu tempo em me levar até sua cama, onde se estendeu de lado, de costas para mim. Levantou o vestido até o pescoço, olhando para se certificar de que a porta estava fechada.

Mergulhei meus dedos na lata de gordura animal e comecei a massagear suas costas. A pele flácida se amontoava ao redor de sua cintura.

– Hummm... hummm... – gemeu ela.

Revirei os olhos. Ela costumava reclamar das costas só quando havia algo a ser feito em casa. Em outras ocasiões, gostava de salientar que era mais ativa que Jamila, e até mesmo que Shahnaz, ambas muito mais novas do que ela – apenas mais uma de suas contradições.

Ela estava fingindo muito bem agora, embora não fosse necessário.

– Aaahhhh, você é jovem. Não tem ideia do que são dores. Tenha mais alguns filhos e vai ver. Minhas costas, meus joelhos, até meu pescoço! Cada parte de mim dói desde a manhã até a noite. E a estrada daqui para Cabul é longa e esburacada. Meus músculos ficam tão enrijecidos que, quando chego à cidade, mal consigo esticar as pernas.

Massageei-a com mais força, sabendo que ela amava receber atenção. Ela mencionara Cabul, no entanto, e procurei uma maneira de abordar a ideia de Khala Shaima:

– Vai voltar para Cabul em breve?

– Daqui a umas três semanas. O Parlamento vai se reunir outra vez. Temos que votar algumas leis e há assuntos a discutir. Coisas que você não entenderia.

Minha massagem devia tê-la relaxado. Ela estava recaindo nos velhos hábitos e se gabando de sua posição. Fora exatamente isso que a deixara toda cheia de hematomas provocados pelo punho de Abdul Khaliq antes mesmo de ter assumido o assento na *jirga*.

– Você deve ter muito trabalho a fazer quando está lá.

– Ah, é verdade. É uma responsabilidade enorme. E ir e voltar de Cabul é desgastante. Não é fácil.

– Você deve estar muito cansada.

Minha língua parecia pesada e estranha ao dizer tantas coisas insinceras. Badriya não movia um dedo para ajudar nas tarefas da casa e quase todos os seus filhos já estavam crescidos. Eles a ajudavam com o pouco que a mãe tinha a fazer. E, se ela estava tão feliz por ter sido eleita para o assento na *jirga*, então deveria estar feliz com as viagens a Cabul.

– Eu estou... estou tão cansada... Aperte com mais força aqui – disse ela, indicando algum lugar na parte inferior das costas.

Eu disse a mim mesma que não devia me irritar. Comecei a sentir cãibras nos dedos, mas pressionei as palmas das mãos onde ela havia apontado. Eu precisava da cooperação dela para executar o plano que começava a tomar forma em minha cabeça. Khala Shaima plantara uma semente.

– Sabe, eu estava pensando que talvez possa ajudá-la em Cabul.

– Você? *Me* ajudar? – Badriya ficou paralisada. Eu cerrei os dentes. – Você é jovem, apenas uma menina! Não sabe nada sobre a *jirga* ou sobre o que se passa lá. São negócios com o governo, não uma brincadeira de criança.

Já fazia muito tempo que eu não podia mais me dedicar a nenhum tipo de brincadeira de criança. E, como Khala Shaima havia explicado, Badriya não tinha nenhuma experiência nem conhecimentos que a qualificassem a atuar no Parlamento. Estava lá apenas porque Abdul Khaliq queria que estivesse.

– Só pensei que poderia ajudá-la com algumas das coisas menores, como o preenchimento de formulários e a leitura dos jornais de Cabul...

Badriya parou de respirar. Eu podia sentir seus quadris tensos sob minhas mãos.

– Você... Você não se importaria de fazer essas coisas? Você sabe ler?

– É claro que sei.

– E sabe escrever também?

– Sei.

– E sabe fazer isso direito? Não apenas algumas letras aqui e ali?

– Sei. Na escola eu tirava boas notas em escrita e leitura. Notas melhores do que as de meus colegas – respondi, antes de lembrar a mim mesma de que não devia falar muito sobre essa época da minha vida.

– Hum... Vou pensar. É um trabalho que exige muito e alguma ajuda seria bem-vinda... mas não sei o que Abdul Khaliq ia achar. Você sabe que ele não gosta que fiquemos longe de casa. Abriu uma exceção só para mim – afirmou, a arrogância incontida.

– Ele a trata de forma diferente. Acho que seria melhor se explicasse a ele que eu estaria lá para ajudá-la, para tornar as coisas mais fáceis para você. Porque, obviamente, você é a preferida dele.

Badriya pareceu satisfeita com meu raciocínio. Por um momento, se esqueceu de quantas vezes Abdul Khaliq me chamara para passar a noite com ele. Como se a noite não fosse ruim o suficiente, eu sempre tinha que enfrentar o olhar de amargura de Badriya na manhã seguinte. Uma vez, ela me bateu com sua sandália por quebrar um prato, embora tivesse visto seu filho derrubá-lo da minha mão. A história foi relatada à nossa sogra, que sentia um prazer especial em reforçar minhas punições.

– E quanto a seu filho? Jahangir ainda é pequeno. Você o deixaria aqui? Bibi Gulalai não vai gostar dessa ideia.

Ela estava considerando seriamente minha proposta. Eu não tinha pensado em todos os aspectos daquela hipótese, por isso falava devagar, improvisando enquanto conversávamos:

– Talvez eu pudesse levá-lo. Ele não é uma criança difícil, então acho que não a incomodaria muito. Eu poderia cuidar dele em Cabul e, ainda assim, ajudá-la.

Interrompi-me antes de dizer qualquer coisa sobre Bibi Gulalai. Ela detestava tudo que eu fazia.

– Não sei se Abdul Khaliq vai querer que seu filho vá para Cabul.

Ela parecia cética, mas senti uma abertura. E aproveitei:

– Apenas fale com ele sobre o assunto. Por favor. Acho que poderia ser útil para você.

– Mas por quê? Por que quer fazer isso?

Ela se virou para ver meu rosto. Seus olhos se estreitaram. Pousei as mãos nos ombros dela, para desviar sua atenção.

– Porque... Porque você tem tanta coisa para fazer e eu pensei... bem, eu sempre quis conhecer Cabul. Achei que essa seria uma boa oportunidade. Como você disse, Abdul Khaliq abre exceções para você, por isso, se falar com ele e lhe disser que posso ajudá-la... talvez ele concorde.

Badriya fechou os olhos e soltou um suspiro enquanto eu massageava seus ombros. Tinha gostado da ideia. Agora, precisávamos convencer nosso marido.

Torci para que ela fosse tão convincente quanto eu.

TODA VEZ QUE EU PERGUNTAVA SOBRE A QUESTÃO, ela dava de ombros. Ou ainda não tivera a chance de perguntar, ou tinha esquecido, ou ele não estava com o humor adequado para que ela tocasse no assunto. Sua próxima viagem a Cabul se aproximava. Faltavam duas semanas. Uma semana. Fiquei desanimada. Ela não tivera coragem, embora eu soubesse que gostara da ideia. Alguns dias depois daquela conversa, Badriya pediu que eu lesse algumas coisas. Acho que estava me testando. Não que fosse capaz de dizer se eu lia corretamente, mas pareceu se convencer de que eu era capaz de decifrar as letras.

Quando faltavam apenas dois dias para a viagem, ela enfim falou com Abdul Khaliq. Segundo seu relato, ele não ficou muito entusiasmado com a ideia, mas, depois de muita persuasão, ela conseguiu convencê-lo. Perguntei-lhe mais uma vez ao levar os vestidos que ela me mandara passar.

– Não se engane: ele não aprovou a ideia. E por todas as razões que eu havia previsto. Achei que nem mesmo eu seria capaz de fazê-lo concordar, mas ele concordou. Então vamos, você conseguiu o que queria. Vamos partir no domingo para estar lá a tempo para a sessão de segunda-feira. É melhor você ser muito útil para mim lá ou vou me arrepender de todo o trabalho que tive por sua causa.

– Você não vai se arrepender, pode apostar! Muito obrigada! É melhor eu pegar algumas coisas para mim e para Jahangir!

– Só para você – disse ela, virando as costas para mim e colocando as roupas em uma sacola. – Não precisa pegar nada para Jahangir.

– Por que não? – perguntei, confusa.

– Ele não vai. Abdul Khaliq disse que ele é novo demais para viajar. Decidiu que Jamila pode cuidar dele enquanto estivermos fora.

Fiquei tensa. Eu nunca havia me afastado de Jahangir. A ideia de deixá-lo partiu meu coração. Será que eu deveria insistir? Será que deveria ficar com ele?

– Ah, não imaginei... Ele disse isso? De verdade?

– Como assim "de verdade"? Você acha que há alguma dúvida sobre o que Abdul Khaliq diz? É sempre de verdade, Rahima. Separe algumas roupas. Jahangir vai ficar bem com Jamila. Ela tem um fraco por crianças pequenas.

Eu ainda estava nervosa.

– Quanto tempo vamos ficar fora?

– Rahima, chega de perguntas idiotas. O Parlamento fica em sessão por quatro meses. Eu fui e voltei várias vezes para preparar as coisas, e nós teremos recessos.

– Recessos para quê?

– Para voltarmos às regiões que representamos. Para nos encontrarmos com as pessoas e termos uma ideia dos problemas em nossa região.

– Mas você nunca se encontrou com ninguém.

– Você acha que Abdul Khaliq me deixaria andar pela cidade e conversar com as pessoas? Sinceramente, não faz diferença. Ninguém verifica o que estamos fazendo e não acho que os outros de fato voltem para conversar com seus eleitores. Quem precisa fazer isso? Tenho certeza de que todos nesta região têm os mesmos problemas que nós.

– E que problemas são esses?

Badriya parecia frustrada.

– Estou achando que você não tem trabalho suficiente para fazer em casa! Fica sentada pensando nessas bobagens para me perguntar? Você não vai falar com ninguém em Cabul, mas vai ser vista, por isso leve suas melhores roupas. Nem pense naquele vestido azul surrado que você sempre usa.

O vestido azul surrado. Eu o usara tanto que era quase possível ver através do tecido, como disse Shahnaz um dia. Fiquei constrangida, mas era difícil abrir mão dele. O azul-marinho me lembrava as calças jeans que eu usara, feliz, durante alguns meses. Jeans... Usando jeans eu era livre para correr, andar com o braço do meu melhor amigo sobre meu ombro, chutar uma bola de futebol entre as pernas do goleiro. Aquele vestido azul surrado era minha bandeira da liberdade, só que ninguém mais sabia disso.

– Por quanto tempo vamos ficar fora?

Eu estava calculando. Sabia que Badriya tinha feito várias viagens de ida e volta durante a última sessão, mas nunca prestara atenção em quanto tempo ela demorava para voltar.

– Duas semanas, acho. Em seguida, retornamos para uma pequena pausa antes de voltar a Cabul... É assim que funciona.

– Duas semanas? Ah, nossa. Duas semanas... Acho que poderia...

– Você *acha*? Foi você quem começou tudo isso, então não me venha com infantilidades.

Badriya quer que eu vá com ela, percebi e quase sorri. *Ela precisa de mim*. Eu me senti quase como se tivesse uma carta na manga.

Mais tarde, vi como as coisas realmente funcionavam. Badriya, como todos os outros parlamentares, recebia um subsídio para contratar um assessor, um motorista e dois seguranças pessoais. Até aquele momento, Abdul Khaliq vinha acumulando esse subsídio e o salário da esposa, pois a enviava para Cabul acompanhada de seu motorista e de seus seguranças. Incapaz de lidar com a própria papelada, Badriya ia ao gabinete do diretor-geral com mais frequência do que qualquer outro membro do Parlamento. Eles estavam cansados de vê-la e haviam insistido para que encontrasse um assessor o mais rápido possível ou cancelariam parte do subsídio.

Era uma ameaça vazia, mas um assessor facilitaria tudo.

Eu não sabia como as coisas funcionavam na época. Com certeza não sabia que Abdul Khaliq e Badriya faziam algo que muitos outros parlamentares também faziam. Aparentemente, ninguém em Cabul fiscalizava o dinheiro. Nem as promessas.

Eu só conseguia pensar que era capaz de fazer aquilo. Confiava que Jamila cuidaria bem do meu filho. No fim das contas, talvez fosse até bom para Jahangir e para mim. Qualquer alternativa era melhor do que servir a todos naquela casa.

– Tudo bem – concordei, pensando que aquele talvez fosse meu momento decisivo, meu *nasib*.

CAPÍTULO 38

Shekib

Quando Shekib chegou ao palácio, mal conseguia fazer contato visual com as pessoas com quem se deparava, mesmo que fossem mulheres. Andara com o rosto coberto durante muito tempo e só trabalhara em casas onde as pessoas não queriam ouvi-la nem vê-la. A primeira vez que cruzou com um soldado, seu coração quase saiu pela boca porque ele murmurou alguma saudação ininteligível. A segunda vez, foi um jardineiro. Levou uma hora para suas mãos pararem de tremer e ela superar o constrangido contato visual que fizeram.

Para Shekib, era difícil acreditar que poderia olhar diretamente para um desconhecido e falar. Seu instinto lhe dizia para fugir. Mas, à medida que os dias passavam, suas pernas foram ficando mais confiantes dentro das calças compridas e ela se acostumou às pequenas interações. Obrigava-se a falar com as outras guardas e a ouvir quando conversavam.

De tempos em tempos, Shekib cruzava com pessoas que trabalhavam dentro do palácio, não apenas fora dele. A cada vez ficava um pouquinho mais fácil para ela iniciar um diálogo. E, inevitavelmente, encontrava uma maneira de mencionar a longa linhagem de homens em sua família. Não era muito hábil ao fazê-lo, mas não se preocupava com isso.

Já estava no palácio do rei havia um ano. Andava com segurança pela propriedade. Sabia mais sobre cada concubina do que imaginara ser possível. Testemunhara seus filhos, os filhos do rei, darem os primeiros passos, escreverem as primeiras palavras. Habibullah parecia ser um bom rei, de acordo com os funcionários do palácio: havia expandido a rede de estradas por todo o país, fundara uma academia militar e outras escolas.

Ele passava várias semanas fora e, vez por outra, voltava com uma nova concubina, meninas jovens, de olhos grandes e inocentes, e nervosas. Shekib observava como elas enfrentavam dificuldades até se adaptarem à vida no harém.

Todo mundo tem uma função no palácio.

As novas concubinas faziam com que as mais antigas se sentissem ameaçadas e reconsiderassem sua posição. Sakina ficava cada dia mais irascível, dava às recém-chegadas conselhos jocosos e se calava por dias quando o rei a preteria em favor de um rosto mais novo. Benazir dera à luz uma menina. Ela a chamou de Mezhgan e delineava seus olhos com *kohl*, como Halima havia aconselhado.

Nas últimas semanas, Fatima estava mais pálida. Seu filho acabara de completar 1 ano, mas passava boa parte do tempo com Halima, já que ela raramente tinha energia para acompanhá-lo. Sua doença não fora identificada e ela recebia visitas frequentes da médica do harém, uma britânica chamada Sra. Brown. Em Cabul havia apenas médicos do sexo masculino, o que não convinha às inseguranças do rei. A mulher fora trazida do exterior, era gentil, porém firme, e satisfazia o monarca tanto por sua competência quanto por seu comportamento. Ela ficava no palácio e quase nunca viajava de férias à Inglaterra. A Sra. Brown (Khanum Behrowen, como as mulheres a chamavam) colocava seu estetoscópio no peito e nas costas de Fatima, pressionando a barriga dela com as mãos. A médica suspirava e dava batidinhas nos lábios com o dedo indicador, pensativa.

Apesar das tensões, o harém era uma família. As mulheres mais velhas eram mães para as concubinas mais jovens, enquanto as novas rivalizavam umas com as outras, como irmãs disputando um brinquedo. O rei Habibullah as visitava quando queria, aparecendo algumas vezes durante o dia e outras vezes tarde da noite. Chegava com discrição, mas não fazia segredo de suas visitas. Ao contrário do outro homem.

O outro visitante, fosse quem fosse, aparecia raramente. Quando as guardas estavam quase acreditando que ele havia se cansado da amante, o homem aparecia de novo, sempre sob o manto da escuridão. Devia saber que elas o tinham visto e talvez presumisse que não se sentiam capazes de impedi-lo. Ele traía o rei sem medo, cometendo a mais escandalosa das transgressões, depois voltava para dormir no palácio.

Shekib se perguntava quem poderia ser tão descarado. E por quê.

Enquanto o pai percorria o país para inspecionar as obras das estradas que mandara construir, Amanullah ficava mais próximo do palácio. Ele ia até o pátio do harém de tempos em tempos, inclinando-se para dar tapinhas nas costas de seus meios-irmãos mais novos, despentear seus cabelos e chutar de volta uma bola isolada. Shekib o observava, o coração batendo em ritmos estranhos, melancólicos e esperançosos. Ele a saudava com um leve sorriso e um aceno formal com a cabeça. *Como um cumprimento secreto entre nós*, pensava Shekib.

Eu provavelmente pareço um pouco mais velha do que ele, mas ainda estou em idade de me casar. Ainda sou jovem, saudável e forte. Espero que os outros já tenham lhe falado sobre mim, sobre como ajudo os jardineiros a replantar arbustos, como carrego as crianças quando ficam com sono, como levo bandejas de comida até os aposentos das mulheres. Minhas costas são tão fortes quanto as de qualquer soldado do palácio, meus braços são firmes e minha mente é racional. Pense em mim, Amanullah-jan, pois tenho certeza de que não decepcionaria um homem como você.

Shekib não era a única que pensava no *nasib* de Amanullah.

O rei Habibullah também acreditava que estava na hora de o filho se casar. Em sua mente, havia um punhado de candidatas – filhas dos vizires ou dos conselheiros mais próximos. Em suas palavras, que Shekib ouvira um dia, quando estava parada perto da porta de seus aposentos no harém: "Não posso pressioná-lo. Ele vai escolher por conta própria, o meu menino. Amanullah é diferente dos irmãos. É mais parecido comigo do que os outros. Mas ao mesmo tempo tão diferente de mim em outros aspectos. Às vezes eu me pergunto como me sentiria em relação a ele se não fosse meu filho."

Shekib sentia que seu tempo se esgotava: Amanullah ia escolher uma noiva em breve. Ela prosseguiu com seus humildes esforços. Encontrava um subterfúgio para falar com praticamente qualquer um que cruzasse seu caminho e fazia questão de mencionar que as mulheres da família quase nunca davam à luz meninas.

Ela o viu mais uma vez com Agha Baraan. Eles cruzavam o terreno do complexo real, voltando de uma reunião no Palácio Dilkhosha. Shekib enfiou as mãos nos bolsos e olhou ao redor. Agora mudava de gênero sem dificuldade, consciente dos seios achatados e das curvas escondidas apenas na presença de Amanullah. Seu corpo vibrava por ele. E torcia para que ele percebesse.

Os homens se detiveram em frente ao banco. Agha Baraan pegou uma rosa vermelha, aspirou seu perfume e a enfiou no bolso do paletó. Shekib estava a uma boa distância, mas, de forma lenta e casual, caminhou na direção deles, fingindo inspecionar os arbustos enquanto se aproximava. Quando os dois se sentaram, sua visão foi bloqueada pelas plantas e eles não perceberam a guarda por perto, ouvindo-os às escondidas.

– Então, já tomou a decisão?

– Estou pronto, Agha Baraan. Acho que chegou a hora de tomar uma esposa. Quero ter meu legado e, para isso, preciso começar uma família. Quero ter ao meu lado uma mulher atenciosa e tão dedicada a Cabul quanto eu. Estou confiante na minha decisão. A escolhida é determinada e passou por dificuldades. As pessoas se voltaram contra ela, mas, ainda assim, ela anda de cabeça erguida. Quando olho para o rosto dela, percebo que traz consigo uma compreensão generosa por causa de tudo que viveu.

Shekib ficou paralisada. *"O rosto dela"? Será que ele está falando do meu rosto? Sim, as pessoas se voltaram contra mim! Quase todo mundo se voltou contra mim! Mas eu trabalharia com muito afinco por Cabul! Faria qualquer coisa de que ele precisasse!* Ela não se moveu, com medo de que notassem sua presença.

Agha Baraan teria falado com ele a seu respeito? Talvez tivesse compartilhado com Amanullah as informações que ela lhe dera; talvez os dois soubessem que ela os estava ouvindo naquele instante.

– E o que seu pai vai achar disso? Quero dizer, levando em consideração de onde ela vem...

– Mas foram meu pai e este palácio que me apresentaram a ela.

Os olhos de Shekib se arregalaram. De fato, fora o rei Habibullah quem a levara para o palácio e para a vida de seu filho. Ela endireitou os ombros, tentando se comportar como uma mulher do palácio faria.

– Vou falar com ele novamente esta noite. Eu já havia mencionado o assunto, mas ele não acreditou que eu estava falando sério.

Baraan respirou fundo.

Shekib não disse nada para as outras guardas, mas, por dois dias, as mulheres se entreolharam, percebendo uma mudança nela. Ghafur tinha que repetir três vezes as frases até Shekib se dar conta de que ela estava falando algo. Karim e Qasim notaram que ela mal tocava as refeições e dividiam as sobras quando ela se afastava. Tariq tentava se aproximar para falar sobre seus sonhos de maternidade, mas Shekib assentia ou balançava a cabeça distraída, de uma forma que dizia a Tariq que não faria nenhuma diferença se ela estivesse conversando com os pombos.

Dois dias se passaram dessa forma. À noite, Shekib fitava a parede, visualizava o rosto de Amanullah e pensava como alguém do palácio se aproximaria para lhe transmitir o pedido dele. Onde ela iria morar? Deixaria os cabelos crescerem. Usaria maquiagem, como algumas mulheres do harém faziam de vez em quando. Uma britânica visitara o palácio e levara ruge e pó, mostrando às concubinas como clarear a tez e dar um tom sedutor às faces. Shekib se perguntou se o pó conseguiria esconder sua desfiguração, sua meia máscara.

Na terceira noite, Shekib estava montando guarda do lado de fora do harém, observando o palácio e desejando que a mãe estivesse viva. Levou mais tempo do que deveria para reagir aos passos e ao falatório que vinham lá de dentro. Halima já estava na porta da frente quando Shekib percebeu que havia algo errado.

– É Fatima! Ela não está bem. Temos que chamar a médica!

O estado de saúde de Fatima havia piorado drasticamente e, com isso, o *nasib* de Shekib tomou outro rumo.

CAPÍTULO 39

Rahima

A ESTRADA ERA ESBURACADA. Meu corpo doía a cada solavanco. Badriya me observava pelo canto do olho; ela não estava surpresa. Na noite anterior, Abdul Khaliq me chamara a seus aposentos. Entrei no quarto em silêncio. Embora não fosse mais uma esposa inexperiente, as noites com meu marido ainda me causavam repulsa. Eu tinha que transportar minha mente para outro lugar, pensar nas tarefas que ainda precisava realizar, ou nos tempos da escola, quando o *moallim* nos ensinava a recitar a tabuada até decorá-la.

Assim que minhas obrigações de esposa eram cumpridas, eu esperava até ouvir os roncos de meu marido, um sinal de que podia me vestir e me retirar para o meu quarto. Porém, a noite anterior fora diferente.

Badriya e eu partiríamos de manhã para minha primeira viagem a Cabul. Eu estava animada, mas preocupada por ter que me separar de Jahangir. A respiração ritmada de Abdul Khaliq me dizia que ele estava relaxado, ainda que não adormecido. Resolvi arriscar.

– Eu queria pedir uma coisa... – comecei, hesitante.

Procurei uma combinação de palavras que não o irritasse de imediato. Ele pareceu surpreso ao me ouvir falar. Com uma das sobrancelhas erguida, ordenou que eu continuasse.

– Amanhã... como vou ajudar Badriya-jan... queria muito levar Jahangir comigo, para que...

– Jamila vai tomar conta dele.

– Mas eu não queria dar a ela mais esse trabalho. Ela já tem os próprios filhos para cuidar.

– Ele vai ficar bem.

– E quero ter certeza de que Jahangir vai se alimentar bem. Às vezes ele se mostra cheio de vontades...

Eu tinha falado demais.

– Então não vá! – trovejou ele. – Foi uma ideia idiota desde o começo! E agora ainda tenho que ouvir você reclamar! Não fica satisfeita com nada!

Ele se levantou, puxando os lençóis e deixando minhas pernas descobertas.

– Me perdoe – comecei a dizer, na esperança de impedir a reação que já previa.

Era tarde demais. Abdul Khaliq passou a meia hora seguinte fazendo com que eu me arrependesse de ter aberto a boca.

Percebi, então, que meu marido compreendia as pessoas. Ele sabia exatamente como levá-las a fazer o que ele queria, como deixá-las com raiva, tristes ou amedrontadas, e me dei conta de que talvez por isso ele fosse tão bem-sucedido em tudo o que fazia.

A manhã chegou e beijei meu filho adormecido antes de colocá-lo em uma almofada no quarto de Jamila. Toquei seu rosto e vi quando os lábios se curvaram um pouco em um sorriso sonolento.

Jamila mordeu o lábio ao me ver. Meu rosto começava a ostentar um tom vermelho mais profundo, um hematoma em forma de mão se formando aos poucos.

– Ele vai ficar bem, Rahima-jan – disse ela afetuosamente. – Vou colocar Jahangir para dormir ao meu lado com o seu cobertor. Vamos falar sobre você até que volte. Vai ser bom, você vai ver.

Fiquei grata; eu sabia que Jahangir adorava ficar com ela e seus filhos. Ainda assim, odiava ter que deixá-lo.

Duas semanas, pensei. *Estaremos de volta em duas semanas para o primeiro recesso. Não é tanto tempo assim, é?*

Passei os dedos por seus cabelos escuros mais uma vez e me inclinei para beijar sua cabeça. Ele se virou para o lado, seus lábios perfeitos se abrindo apenas o suficiente para que eu enxergasse os pequeninos dentes.

– Está tudo bem, Rahima-jan. Ele vai ficar bem, você vai ficar bem. Você vai ver – garantiu Jamila.

Ela me abraçou com delicadeza, sabendo que um hematoma à mostra significava que havia outros ocultos.

Levei minha sacola para o carro. Bibi Gulalai e Badriya estavam do lado de fora, assim como Hashmat. Ele me olhou e sorriu com sarcasmo.

– Bom dia! – cumprimentou.

– Bom dia – murmurei, ainda pensando no rosto doce de Jahangir. Eu não estava com disposição para aturar as ironias de Hashmat. – *Salaam*, Khala-jan.

Ela ignorou minha saudação.

– Está pronta para sua viagem a Cabul, pelo que vejo. Não sei como tem coragem de deixar o menino aqui e sair para fazer coisas que não são da sua conta. Meu filho está sendo generoso por permitir, então é melhor você ser muito útil para Badriya-jan.

– É mesmo – reforçou Badriya.

– Duvido que ela possa valer todos os problemas que vai causar – murmurou Bibi Gulalai.

Hashmat riu.

– Não é ótimo que você vá com Madar-jan para Cabul? Aposto que todos os seus colegas de turma ficariam com inveja se soubessem que você vai conhecer a cidade – disse ele.

Eu lhe dirigi um olhar penetrante, que passou despercebido por Bibi Gulalai e Badriya. Hashmat fazia questão de falar sobre os meus dias como uma *bacha posh* e sobre meus colegas do sexo masculino sempre que tinha oportunidade. Costumava fazer isso na frente do pai, mas, algumas vezes, provocava tamanha explosão de raiva que ele também acabava sentindo as consequências. Alguma coisa no fato de eu ser *bacha posh* havia despertado o interesse de Abdul Khaliq, mas agora ele não tolerava ouvir falarem que eu me sentara ao lado de meninos na escola.

Os seguranças de Abdul Khaliq colocaram nossas sacolas no porta-malas. Vestimos as burcas e nos sentamos no banco traseiro.

Não fale com os seguranças. Eles vão cuidar de você, mas, se fizer algo... pode ter certeza... vai se arrepender. Eu tenho pessoas em Cabul. Vou ficar sabendo de tudo que você fizer. Se fizer qualquer coisa para me envergonhar, prometo que vai desejar nunca ter pisado naquela cidade.

Ele havia sido claro. Fiquei grata por Jahangir ser jovem demais para causar muitos problemas. Os acessos de raiva de Abdul Khaliq vinham com intensidade e rapidez e, muitas vezes, sem aviso. Eu tinha pedido a Jamila para se certificar de que Jahangir não ficasse no caminho do pai. Eu não estaria lá para protegê-lo.

Esses pensamentos me dominaram até a estrada esburacada finalmente me embalar e eu adormecer no banco de trás. Badriya não estava com disposição para conversar. Ela apoiou a cabeça na janela e começou a roncar de leve.

Não sei quantas horas se passaram antes que voltassem a surgir construções. Havia edifícios, casas, cavalos e carros. Sentei-me ereta, os olhos arregalados. Estávamos em um jipe com vidros escuros, por isso me atrevi a olhar para fora e ver como eram as pessoas de Cabul. Minha mente se voltou para Bibi Shekiba e suas primeiras impressões da capital, como Khala Shaima tinha me contado.

Minha reação foi a mesma: admiração e espanto, mas de forma diferente. Eu nunca tinha visto tantos carros e pessoas em um só lugar! Parecia que todos os habitantes de Cabul possuíam automóvel. E, loja após loja, as ruas estavam cheias de mercadorias exóticas e alimentos diversos. Padarias, alfaiates, até um salão de beleza! Era muito diferente da minha aldeia. Desejei que Shahla estivesse ali para ver tudo aquilo comigo. Ou os meninos. Havia tantos lugares que poderíamos ter explorado se tivéssemos crescido ali!

– Cabul é... Cabul é impressionante!

Badriya parecia se divertir com a minha reação.

– Claro que é! Há muita coisa acontecendo aqui. Não terei tempo de lhe mostrar tudo.

Eu vi Maruf e Hassan se entreolharem no banco da frente. Era improvável que Badriya tivesse conhecido qualquer parte de Cabul. Ela havia se queixado com Jamila de que os seguranças só a levavam do hotel para o edifício do Parlamento e vice-versa.

– Estamos quase chegando. Vamos ficar em um hotel administrado por europeus.

Ao entrarmos em uma rua arborizada, um edifício ficou à vista. O portão de entrada era ladeado por pilares de pedra. O caminho até a porta principal era amplo e contornava uma imponente torre, com uma bandeira tremulando no topo. Estiquei o pescoço para ter uma boa visão.

Aquela torre chega até o céu!, pensei.

A fachada do palácio era decorada com esculturas e arcos, agora um pouco lascados e esmaecidos, mas que um dia sem dúvida tinham sido majestosos. Uma mulher atravessou o portão da frente, o véu amarelo-esverdeado por cima do rosto, escondendo tudo abaixo do nariz e descendo em cascata pelos ombros. Quando passamos por ela, a mulher se virou ligeiramente e olhou para minha janela escura, nossos olhos se encontrando como se ela pudesse me enxergar. Essa primeira visão de uma mulher de Cabul foi emocionante para mim, uma menina da aldeia.

– O que é esse edifício? – perguntei, já sabendo a resposta.

– É o Arg-e-Shahi, o palácio presidencial.

– Bibi Shekiba... – sussurrei.

Senti um calafrio ao pensar em como minha trisavó devia ter se sentido ao ver aqueles portões pela primeira vez. E fiquei imaginando o que ela vira do outro lado. Como de costume, Khala Shaima tinha deixado a história inacabada. O rumo dos acontecimentos na vida de Bibi Shekiba era imprevisível. Eu queria saber o que acontecera a ela quase tanto quanto queria saber o que seria de mim.

– Deus misericordioso, o que você está resmungando?

A pergunta de Badriya ficou sem resposta. Eu estava olhando para o palácio onde meu legado começara.

O que aconteceu com você aqui?, perguntei-me.

O motorista, Maruf, virou à esquerda, depois à direita e novamente à esquerda, avançando por ruas apinhadas e amaldiçoando todos os carros no caminho. Havia tanques e soldados de uniforme e capacete. Não pareciam afegãos. Eram os soldados estrangeiros sobre os quais Badriya nos falara. Assim como os seguranças de meu marido, tinham grandes armas penduradas nos ombros. Garotinhos ficavam parados diante deles, olhando com curiosidade. Os soldados riam e conversavam casualmente.

– Eles são americanos? – perguntei a Badriya.

– São de todos os lugares. Alguns americanos, outros europeus, não importa.

Ela apontou para um edifício que começava a surgir à nossa esquerda.

– Vamos ficar aqui.

– É aqui que você sempre fica?

– Sim, é um lugar agradável. Você vai ver.

Badriya tinha razão. Paramos diante de um portão de metal em uma rua pequena, longe da agitação do mercado.

Nosso motorista abriu a janela quando nos aproximamos do guarda de uniforme azul parado no portão. Ele mencionou o nome de Abdul Khaliq. Achei que os homens estivessem apertando as mãos uns dos outros, mas então percebi que os dedos de Hassan escondiam um maço de dinheiro, que o homem logo enfiou no bolso.

Olhei para Badriya, só que ou ela não percebeu o que tinha acontecido, ou não se importou.

Hassan abriu o portão e Maruf seguiu até um pátio circular, que ficava na frente do maior edifício que eu já tinha visto, de três andares, com janelas alinhadas como uma centena de olhos. Duas colunas emolduravam uma porta dupla de vidro.

– É aqui que as reuniões acontecem?

– Não, sua boba. O *Parlamento* se reúne no edifício do *Parlamento*.

Eu estava animada demais para me irritar com seu tom de superioridade.

Fomos levadas para um elegante vestíbulo, com um balcão de recepção. Um homem vestindo camisa engomada e calças mais justas do que as usuais falava ao telefone, mas acenou com a cabeça quando viu nosso motorista e o outro segurança. Ele desligou e começou a falar com nossos acompanhantes. Fiquei atrás de Badriya, não querendo fazer nenhum movimento inadequado. Três mulheres entraram, vestindo batas e calças jeans. Seus lenços de cabeça estavam amarrados com recato sob o queixo, mas mechas de cabelo emolduravam o rosto e as sobrancelhas delicadamente arqueadas. Seus sapatos chamaram minha atenção: de couro preto com saltos que quebravam o silêncio do local.

Ao olhar para suas roupas, fiquei feliz porque as burcas escondiam nossos vestidos desbotados e largos. De repente, me senti meio pobre e desajeitada. Tentei esconder os pés atrás de Badriya. As mulheres estavam ocupadas conversando e mal nos notaram.

O diálogo entre os seguranças de Abdul Khaliq e o funcionário prosseguiu até que voltaram a se apertar as mãos. Outro maço de notas foi colocado na palma da mão do recepcionista, que o enfiou rapidamente no bolso do paletó enquanto dava uma rápida olhada ao redor para se certificar de que ninguém estava vendo, embora não fizesse a menor diferença.

Fomos levadas para um quarto no terceiro andar, com duas camas de solteiro e um banheiro com um vaso sanitário ocidental. A janela dava para o pátio atrás do hotel, uma pequena área com chão de pedra, cercada por flores e arbustos. Vi um pombo andando à sombra de uma árvore.

Como nos jardins do palácio, onde Bibi Shekiba costumava ficar de guarda, pensei.

– Não acredito que este é o lugar onde você fica em Cabul! Não admira que goste tanto de vir para cá!

– Não se acostume – disse ela, abrindo a sacola e pegando um suéter.

– Por que não?

– Porque logo iremos para um apartamento. Abdul Khaliq tem usado este lugar apenas por um tempo. Ele está procurando outro local em Cabul onde possamos ficar com mais privacidade, apenas os seguranças dele do lado de fora.

– E ele já encontrou?

– Como é que vou saber?

Badriya se sentou na cama e tirou as sandálias. As solas de seus pés estavam rachadas e amareladas. Ela esfregou uma e suspirou.

– Preste atenção, Rahima, eu sei por que você está fazendo isso. Não pense que sou idiota.

Eu a encarei, mas não disse nada. Achei melhor deixá-la explicar.

– Mas, contanto que me ajude com as coisas que preciso ler e escrever nessas reuniões, não me importo. Só não espere ver muito de Cabul.

Badriya estava certa. Nossos seguranças pessoais ficavam em silêncio, porém nunca se afastavam mais do que alguns metros. Na maior parte do tempo, permaneciam na saleta do terceiro andar, a apenas duas portas de distância do nosso quarto. Eu odiava saber que Abdul Khaliq mantinha controle sobre nós o tempo todo, mas Jamila havia me contado sobre as ameaças aos membros do Parlamento, especialmente às mulheres, logo, de certa forma, era reconfortante saber que seguranças de confiança de Abdul Khaliq nos protegiam naquela cidade desconhecida e movimentada. A presença deles me deixava mais segura.

O trabalho começou no dia seguinte. De manhã, os seguranças nos levaram para o edifício do Parlamento. Usamos burcas até chegarmos lá. Badriya tirou a sua e me instruiu a fazer o mesmo. Fitei os seguranças para ver sua reação. Eles tinham se virado para o outro lado, mas nos observaram pelo canto do olho enquanto entrávamos em um edifício longo e imponente, com uma fileira de colunas à frente.

Pessoas entravam e saíam, parecendo oriundas de todas as regiões. Alguns homens vestiam os amplos caftãs e as calças tão comuns em nossa aldeia, a cabeça envolta em turbantes, com a extremidade caindo sobre o ombro. Mas foram as mulheres que me deixaram de queixo caído. Algumas estavam trajadas como nós: vestidos simples e compridos que iam até as panturrilhas, com calças largas por baixo. Mas outras usavam camisas de botão e saias longas e fluidas, ou mesmo paletó e calças. Tinham lenços coloridos amarrados com elegância sobre a cabeça. Quando nos aproximamos, vi que algumas usavam batom ou ruge, enquanto outras haviam delineado os olhos com *kohl*. Fiquei imaginando o que seus maridos achavam do fato de elas andarem descobertas, com o rosto pintado.

Chegamos a um posto de segurança. Quatro guardas uniformizados estavam parados à entrada, dois homens e duas mulheres. A multidão se organizava lentamente em três filas. Badriya me segurou pelo braço e me fez avançar em meio às outras pessoas. Fez uma breve pausa quando chegou perto de uma das guardas, vestida com o mesmo uniforme cáqui dos colegas do sexo masculino, porém com uma saia longa.

Uma guarda mulher. Assim como Bibi Shekiba, pensei. Eu não conseguia parar de olhar para o rosto dela, imaginando se era parecida, de alguma maneira, com a mulher sobre quem tanto ouvira falar.

Badriya murmurou uma saudação rápida e acenou para ela. A guarda retribuiu o aceno e voltou sua atenção para a mulher diante de si, levando-a para trás de uma divisória.

– O que eles estão fazendo?

– Estão aqui para garantir a segurança, verificando se alguém porta armas. Aquele lugar ali atrás é onde as guardas do sexo feminino revistam as mulheres. Não devemos trazer nada para este edifício. E também não podemos tirar nada dele.

– Não precisamos passar pela revista?

– Bem, nós devíamos, mas eu não passo. As guardas me conhecem. E nenhum outro membro do Parlamento passa por isso. Afinal de contas, somos parlamentares! Seria ridículo se tivéssemos que ser revistados cada vez que entramos! Eu não toleraria uma coisa dessas!

Eu não disse nada, mesmo sabendo muito bem que ela toleraria, sim, se recebesse ordens.

Badriya sorria educadamente para algumas pessoas que conhecia. Duas mulheres, usando vestidos e lenços de cabeça mais longos, se aproximaram com os rostos alegres.

– Badriya-jan! Que bom vê-la de novo! Como você está? E a família?

Elas eram da mesma altura e tinham o mesmo porte, e até a estrutura facial era semelhante. Mas havia uma diferença de cerca de dez anos entre elas, o rosto da mulher mais velha com mais rugas, seu cabelo com mais tufos acinzentados.

Bochechas pressionadas umas contra as outras, beijos no ar, um braço em torno de um ombro, as mulheres se cumprimentaram.

– Sufia-jan, *qandem, salaam*! – Meus olhos se arregalaram ao ouvir Badriya cumprimentá-la com tanta doçura. – Graças a Deus todos estão bem. Como está você? E sua família? E você, Hamida-jan, como tem passado?

– Muito bem, obrigada. Pronta para outra sessão? – perguntou Hamida.

Seu rosto era comum, sem maquiagem e sério.

– Sim, estou. Quando acha que vai começar?

– Disseram que em meia hora – respondeu Sufia, inspecionando a entrada.

Ela era a mais velha das duas. Havia uma bondade em seus olhos que me deixou à vontade.

– Mas meu palpite é que ainda não temos quórum – continuou ela. – Provavelmente vamos começar em cerca de uma hora. Talvez duas. Você sabe como é.

Badriya assentiu de forma educada e ficou em silêncio.

Ela não sabe o que responder, pensei.

– E quem é essa que veio com você? Sua filha?

Hamida e Sufia olharam para mim com expectativa e sorriram. Encarei Badriya e tive vontade de me afastar. Não gostei da ideia de ela ser confundida com minha mãe. Ela também não, mas por razões diferentes.

– Ela? Ah, não, não é minha filha. É esposa de meu marido.

– Esposa de seu marido? Ah!

O sorriso de Hamida se enrijeceu. Ela desaprovava.

– Você a trouxe para ver como o Parlamento funciona? – perguntou Sufia, tentando nos distrair da reação de Hamida.

– Sim, bem... ela queria ver o que eu faço. O que nós fazemos. Então decidi contratá-la como minha assessora.
– Ah, ela vai ser sua assessora! Qual é o seu nome?
– Rahima – respondi. – É um prazer conhecê-la.
– O prazer é nosso – disse Sufia, parecendo satisfeita com meus modos. – É uma ótima ideia ver o que o Parlamento faz. Talvez queira se juntar a sua... bem... a Badriya-jan e ter um assento na *jirga*. Precisamos que as mulheres se envolvam em nosso governo.

Badriya assentiu, mas parecia desconfortável.
– Por que vocês não vêm ao centro de recursos hoje à noite? Depois que a sessão terminar.

Badriya balançou a cabeça.
– Não, nós não podemos. Talvez em outra oportunidade.
– Por que não, Badriya-jan? Alguns instrutores lá têm nos ajudado muito. Hoje à noite vamos praticar nos computadores. Não é fácil. É preciso tempo para aprender a usar essas máquinas. Seria bom se familiarizar com elas.
– Eu sei. Já vi computadores. Não é tão difícil – disse ela, os olhos se movimentando nervosamente.

Minha expressão confirmou para as duas que Badriya não tinha a mínima familiaridade com computadores. Hamida decidiu ignorar a mentira óbvia.
– O que mais eles ensinam lá? – indaguei.

Eu parara de estudar havia muito tempo. A ideia de instrutores e aulas despertou uma parte de mim que o complexo de Abdul Khaliq tinha enterrado.
– Eles ensinam muitas coisas – respondeu Sufia, feliz com minha curiosidade. – Como, por exemplo, a falar inglês, a fazer pesquisas, a entender como o Parlamento deve funcionar...
– É uma escola? Qualquer pessoa pode ir?

Hamida assentiu.
– Você poderia vir, como assessora de Badriya. É só para parlamentares mulheres. O centro é administrado por uma organização estrangeira e fica aberto após o término das sessões diárias. Talvez você consiga convencer Badriya-jan a vir também. Há gente demais sem fazer nada neste edifício. Todos precisamos fazer algo mais.

– Desculpe interromper – interveio Badriya, seus dedos apertando com firmeza meu cotovelo –, mas quero mostrar o edifício a Rahima-jan e, em seguida, vamos para nossos lugares.

Ela queria fugir da conversa.

Eu a segui, mas meu coração se alegrara ao ouvi-las falar em salas de aula. Estava começando a sentir a possibilidade de mudanças.

CAPÍTULO 40

Shekib

SHEKIB ESTAVA PARALISADA.
– Não fique aí parada! Ela precisa da médica. Vá e traga Khanum Behrowen!

Halima jogou as mãos para o alto, frustrada. Shekib assentiu e se virou, mas parou ao se dar conta de que não teria como chamar a médica sem entrar no palácio no meio da noite. Ela se dirigiu ao alojamento das guardas.

– Ghafur! Ghafur, acorde. Precisamos trazer a médica para examinar Fatima. Ela está passando mal e precisa de ajuda.

Ghafur, a guarda perfeita, levantou-se de um salto, atendendo ao chamado para assumir o comando.

– Ela está passando mal? Está pior do que antes?

– Imagino que sim. Eu não a vi.

– Como assim? Você nem mesmo entrou para ver como ela está? O que você... Esqueça! Karim, levante-se. Vá ver como Fatima está. Leve Qasim com você. Eu vou até o palácio chamar a médica.

– O que devo fazer? – perguntou Shekib.

– Nada. Consegue fazer isso, não consegue? – retrucou Ghafur, aborrecida.

Ela passou por Shekib e foi correndo vestir o uniforme. Apertou o cinto de forma rude antes de lançar a Shekib um último olhar irritado.

As pessoas no palácio serão despertadas. Devo reassumir minhas funções, pensou ela e voltou a seu posto, do lado de fora do harém. Karim e Qasim passaram por ela em seguida e entraram. Tariq, que odiava ficar sozinha, foi atrás delas, os braços cruzados para se proteger do ar frio da noite. Deu um meio sorriso por entre os lábios retesados ao passar por Shekib.

Shekib batia o pé com impaciência. Via a forma como elas a olhavam, a distância. O mesmo olhar que Khanum Marjan lhe dirigira – alguma compaixão, mas não amizade.

Estou sozinha, pensou Shekib. *Nada mudou.* Começou a andar de um lado para outro na frente do harém, virando para passar diante da entrada lateral, para que ninguém tivesse dúvidas de que estava vigiando o edifício.

Ghafur e a Dra. Behrowen emergiram da escuridão. A guarda carregava uma lanterna e a médica, uma maleta preta, as duas andando apressadas. Dois homens as seguiam, enviados para observar e levar notícias ao palácio. Shekib deu meia-volta para retornar à frente do edifício e então ouviu uma porta se abrir. Antes que pudesse se virar, foi empurrada para o lado com força suficiente para fazê-la tropeçar. Caiu apoiada nas mãos e nos joelhos e, ao erguer o olhar, viu as costas do homem enquanto ele saía correndo.

Começou a gritar atrás dele, mas logo se conteve. Olhou para Ghafur e para o grupo que se aproximava, vindo do palácio. Não tinham visto o homem derrubá-la e muito menos desaparecer por trás dos arbustos. Ela manteve a boca fechada e ficou de pé. Queria encontrá-los na entrada da frente.

– As outras estão lá dentro com Khanum Fatima – anunciou Shekib quando se aproximaram. – Eu estou de guarda aqui.

Ela fez questão de falar alto o suficiente para que os homens ouvissem. Eles ficaram para trás, esfregando as mãos e falando em voz baixa enquanto observavam as mulheres entrarem no harém.

– Devo entrar com vocês?

Ghafur nem ao menos parou, apenas gritando do vestíbulo:

– Faça como quiser!

Shekib os acompanhou. Os corredores estavam iluminados por várias lanternas. Elas seguiram os sons até os aposentos de Fatima. Era um pequeno cômodo situado na parte dos fundos da casa. Nabila e algumas outras se encontravam no corredor estreito, balançando a cabeça e murmurando entre si. Dentro do quarto lotado, Shekib viu um círculo de mulheres. Sakina se achava sentada atrás de Fatima, segurando a cabeça dela em seu colo. O rosto da moça estava lívido, mesmo sob a luz âmbar das lanternas.

A Dra. Behrowen ajoelhou-se ao lado de Fatima e abriu a maleta. Pousou a mão na testa da concubina e, falando em um dari rudimentar, pediu que trouxessem alguns panos molhados. Halima passou apressada por Ghafur para buscá-los. A médica tomou o pulso de Fatima, pressionando dois dedos nele, a testa franzida e os lábios contraídos. Ela pegou o estetoscópio e se inclinou sobre a mulher, a cabeça virada para o lado, ouvindo com atenção. O falatório no quarto havia aumentado com a chegada da médica. Finalmente, ela ergueu a cabeça e apontou com raiva para a porta.

– Silêncio! Saiam se quiserem conversar!

Embora as mulheres não entendessem inglês, o quarto logo ficou em silêncio.

Gotas de suor cobriam a testa de Fatima, como soldados em formação para uma batalha. Ela gemeu baixinho e virou a cabeça de lado. Seu filho começou a choramingar e puxou a manga de sua roupa. Benazir o pegou e sussurrou em seu ouvido algo que o acalmou, mas ele continuou fazendo beicinho.

– Ela está com febre. Quero levá-la para um banho frio. Senhoras, ajudem a levá-la até o salão de banho!

As mulheres olharam para a Dra. Behrowen, confusas. Com o passar do tempo, a médica tinha aprendido algumas palavras em dari, mas a maior parte de sua comunicação com o harém se dava através de gestos. Suspirando frustrada, ela fez sinal para que Sakina e Nabila erguessem Fatima e, em seguida, apontou para a porta. Elas assentiram e Karim e Qasim se apressaram em ajudá-las. Segurando os braços e as pernas inertes de Fatima, levaram-na para o corredor. A Dra. Behrowen indicou o salão de banho.

– *Aab, aab*! – gritou ela.

– Ela quer que a levemos para o salão de banho! – disse Qasim.

Atravessaram depressa o corredor. Khanum Behrowen apontou para uma banheira rasa e instruiu as mulheres a colocarem Fatima na água.

– Temos que fazer sua temperatura baixar – murmurou a médica para si mesma. – Ela está ardendo em febre.

Fatima protestou ao ser colocada na água, mas Qasim a segurou, mantendo as mãos sob suas axilas para manter a cabeça fora d'água. Ela pareceu ficar mais desperta, mais alerta, virando o rosto para Khanum Behrowen.

– Eu me sinto tão fraca, doutora...

A Dra. Brown assentiu. Isso era evidente.

– O que está acontecendo lá dentro? – ecoou uma voz masculina da entrada da frente.

As mulheres se sobressaltaram. Ghafur olhou para Shekib.

– Vá até lá e diga que ela está com febre e que a Dra. Behrowen está fazendo sua temperatura baixar. Vá!

Shekib aquiesceu e correu para a porta da frente. Os dois homens andavam de um lado para outro diante da entrada. Estavam ficando impacientes.

– Ela está com febre e fraca. Está no banho agora para baixar a temperatura.

– Ela vai ficar bem?

– Não sei muito mais do que isso. A Dra. Behrowen é quem vai ter que lhes dizer.

Eles bufaram, insatisfeitos com a resposta, mas impossibilitados de descobrir mais por conta própria.

Shekib voltou para o salão de banho. As mulheres haviam tirado Fatima da água.

– Vamos deitá-la!

A Dra. Behrowen indicou a porta mais próxima, a apenas alguns metros no corredor. Era o quarto de Benafsha. A porta estava fechada.

– Khanum Benafsha, abra a porta, por favor! – gritou Ghafur. Como não houve resposta, ela bateu uma segunda vez, com mais força. – Khanum Benafsha!

– Por favor, me deixem dormir! – respondeu ela.

As mulheres se entreolharam, surpresas.

– Khanum Benafsha, por favor, é uma emergência. Khanum Fatima está...

– Ah, pelo amor de Deus, abra essa porta de uma vez! – disse Sakina, com raiva, empurrando com força a porta.

Benafsha ficou boquiaberta ao vê-las colocar Fatima, pálida, no chão de seu quarto. A concubina na cama estava corada e usava um roupão por cima da camisola. Alguém teve o bom senso de levar um vestido e panos secos para Fatima. Elas começaram a tirar sua roupa molhada e Sakina olhou para Benafsha.

– Qual é o seu problema? Não consegue nos ouvir? Ela não está bem!

Benafsha mordeu o lábio inferior e esfregou o olho.

– Eu estava dormindo. Não ouvi nada.

– Você deve dormir muito bem para... – Sakina fez uma pausa. – O que é isso?

Todos os olhos seguiram seu dedo.

No chão do quarto, atrás da porta, via-se um chapéu de lã de cordeiro cinza.

A boca de Benafsha se abriu. Ela estava tão pálida quanto Fatima.

– Isso é um chapéu de homem!

Ela ficou sem palavras. As mulheres se entreolharam, percebendo lentamente as implicações. Benafsha tentou se recuperar:

– Esse chapéu pertence ao nosso querido Habibullah... Ora, Sakina, o que está tentando ins...

– É você, não é? As guardas andaram perguntando sobre ruídos esquisitos, acontecimentos estranhos! Era sobre você que elas estavam perguntando! Onde está Ghafur? Onde está Karim? Venham aqui! – Sakina correu até a porta, pegou o chapéu e o brandiu violentamente no ar. – Era isso que vocês estavam procurando? Benafsha ousou ter um amante!

– Sakina, sua vagabunda! Cuidado com o que diz ou vai se arrepender! Não tenho que dar satisfações a você! Logo você, com seu... seu...

Os olhos dela percorreram o quarto à procura de uma aliada. Infelizmente, a costumeira atitude arrogante de Benafsha não lhe rendera amizades verdadeiras. Ela encarou Tariq, a expressão suplicante. A guarda desviou o olhar, aflita.

As tentativas de retaliação de Benafsha falharam. Seus olhos se encheram de lágrimas e a língua travou quando ela se viu cercada de olhares hostis. Só a Dra. Behrowen mantinha o foco em Fatima, que fora despertada tanto pelo banho frio quanto pelo escândalo recente. Ela estava apoiada nos cotovelos, olhando em volta com a visão turva.

Sakina pôde ouvir o pânico na voz de Benafsha e atacou.

– Bem, se o chapéu é de Habibullah, então podemos levá-lo até ele para que confirme. É fácil – disse, sem alterar a voz.

Empurrou o chapéu na direção do rosto de Benafsha e, em seguida, jogou-o para Ghafur, que olhou para o chapéu cinza com quase tanto temor quanto Benafsha. Sua mente dava voltas, pois sabia que levar más notícias para o palácio não resultaria em nada de bom.

Benafsha estava enlouquecida.

– Sakina, irmãs! – gritou, olhando ao redor. – Vocês não podem estar pensando... Por favor, não digam essas coisas sobre mim para Habibullah! Ele vai pensar coisas... Ele vai... Por favor! Nunca fui cruel com nenhuma de vocês! Por favor, parem e pensem antes de levar adiante essas ideias loucas!

– Loucas? Olhe só quem fala de loucura!

– *Khanum-ha*, por favor! Silêncio! – A Dra. Behrowen estava irritada com a tempestade de lágrimas e gritos. Sua paciente ainda precisava de cuidados. – Não sei o que estão discutindo, mas certamente a questão pode esperar.

– Sakina, vamos refletir sobre esse assunto por um momento – disse Halima, fingindo estar calma. – Vamos parar por ora e nos concentrar em Fatima-jan. Voltaremos a falar sobre isso mais tarde. Vamos ver de que Khanum Behrowen precisa agora.

Shekib assistia a tudo, mas já tinha deixado de prestar atenção ao falatório. Ela via olhares nervosos, sussurros inflamados, línguas estalando. Havia mulheres andando de um lado para outro, cabeças balançando e chá quente. Crianças entravam e eram orientadas a sair. Os olhos verdes de Benafsha estavam borrados de lágrimas. Sentia pena de si mesma. Odiava Sakina.

Shekib percebeu algo que as outras não tinham notado: uma solitária pétala de rosa vermelha no chão, pisoteada pelos muitos chinelos das concubinas do rei.

Sabia exatamente quem Benafsha havia recebido em sua cama.

CAPÍTULO 41

Shekib

O ESTADO DE FATIMA MELHOROU. O de Benafsha piorou.
O harém estava tenso. Informações atualizadas periodicamente eram transmitidas para os homens do lado de fora. Nada fora dito ainda sobre Benafsha, mas era apenas uma questão de tempo até isso acontecer. Uma questão de horas. Algumas mulheres mais sensíveis tinham voltado para seus aposentos, sabendo que o rei não seria benevolente com as transgressões de Benafsha. Ela cometera um erro fatal e não havia nada que pudessem fazer para ajudá-la.

Ninguém queria levar a notícia ao palácio, temendo que qualquer pessoa remotamente envolvida no acontecido sofreria as consequências.

– Tenham misericórdia, por favor. Tenham misericórdia – choramingava Benafsha em um canto.

Ela estava de joelhos, com a cabeça tocando o chão, em súplica.

As guardas e algumas concubinas estavam reunidas do lado de fora de seu quarto. Fatima fora levada de volta para seus aposentos, acompanhada pela Dra. Behrowen.

– Tem que ser uma das guardas – concluiu Sakina. – Vocês são as responsáveis pelo que acontece no harém. É seu dever manter o palácio informado sobre o que se passa aqui.

– E se nós não dissermos nada? – sugeriu Nabila, em tom brando. – Tenho certeza de que ela vai colocar um ponto final nesse comportamento pecaminoso depois desta noite. Acho que já sofreu o suficiente.

– Você ousaria esconder isso do rei? E se ele vier a saber de alguma outra forma? Vamos todas ser culpadas! – exclamou Sakina. – Não posso arriscar minha vida desse jeito.

Outras assentiram, concordando com o raciocínio de Sakina. E se os homens do lado de fora tivessem ouvido tudo? E se estivessem a caminho do palácio para revelar tudo ao rei? As mulheres do harém tinham que agir com presteza se quisessem salvar a própria pele.

– Khanum Sakina, talvez seja melhor que o rei seja informado do ocorrido por alguém por quem ele tenha apreço. E, como foi você quem fez a descoberta, tenho certeza de que vai recompensá-la pela revelação e por dar fim a essa desonra – sugeriu Ghafur.

Ela é impressionante, pensou Shekib. *Poderia ter o sangue de Bobo Shahgul correndo em suas veias.*

– Você está falando como se fosse seu primeiro dia no palácio. Sabe muito bem que são vocês as encarregadas de manter os homens do rei informados. Nós, as mulheres do harém, não devemos nos envolver nessa discussão. Não vou esconder nada do meu querido Habibullah, mas não cabe a mim marchar até seus aposentos para fazer tal revelação.

Ghafur mordeu o lábio e olhou para Karim, que balançou a cabeça, não tendo nada a acrescentar à discussão. A líder das guardas ficou mais nervosa ao se dar conta de que era a responsável pela comunicação direta com o palácio. O fardo caiu pesadamente sobre seus ombros. Poderia ser recompensada pelo serviço ou fulminada por transmitir uma notícia tão devastadora. Ela inclinou a cabeça de leve, fazendo um sinal sutil para que as outras guardas a seguissem até a entrada do harém. Uma espiada lá fora confirmou que os dois homens estavam de costas, ainda perambulando pela parte mais distante do pátio.

– Karim, por que você e Qasim não pedem àqueles homens uma audiência com o rei? Se essa mensagem passar por muitos ouvidos antes de chegar aos dele, será pior.

– Com todo o respeito, Ghafur-jan – disse Karim, jocosa –, como sempre esteve no comando de nossa tropa, não me parece que você possa delegar isso a outra pessoa, como se fosse uma ronda noturna. Nenhuma de nós duas se atreveria a interferir em suas responsabilidades.

– Nós também não – concordou Tariq, olhando para Shekib.

Ela também sentia necessidade de se unir a alguém.

Ghafur bufou.

– Está bem. Está bem! Covardes. Vou falar com eles eu mesma.

Seus olhos traíam uma falsa segurança. Ela andou de um lado para outro pelo vestíbulo por dez minutos antes de pousar a mão na maçaneta.

Karim grudou a orelha na porta, tentando ouvir, mas as vozes no pátio eram abafadas. Os guardas se entreolhavam, não paravam quietos e suspiravam com frequência. Seus olhos estavam vermelhos de exaustão e conflito. Quando Karim abriu uma fresta da porta, dez minutos depois, o pátio se achava vazio. Eles tinham levado Ghafur ao palácio.

Uma hora dolorosamente se passou antes de Ghafur retornar. Qasim e Karim haviam pegado no sono encostadas na parede do vestíbulo. Tariq estava sentada perto da porta, como se pronta para uma fuga rápida, batendo o pé no chão, nervosa. Suas pálpebras estavam pesadas e escuras. Shekib se apoiava na parede oposta às irmãs, o estômago revirado. Uma casa sob estresse nunca trouxera nada de bom para ela. Não tinha nenhuma razão para acreditar que sairia ilesa daquela situação.

Ghafur olhou em volta, irrequieta, e fez um balanço da situação.

– Como está Fatima? – perguntou em voz baixa, perscrutando a sala e evitando olhar para qualquer pessoa em particular.

– Ela está um pouco melhor. Tomou chá com açúcar e conversou um tantinho. Agora está dormindo. A Dra. Behrowen saiu há alguns minutos. Você provavelmente passou por ela no caminho até aqui – informou Tariq, a voz tão exausta quanto seus olhos.

– Ótimo.

– Não vai nos contar o que aconteceu? – perguntou Karim, impaciente.

– Falei com os homens lá fora e eles me levaram até Agha Feruz, o conselheiro em quem nosso rei mais confia. Não quiseram perturbar o governante. Expliquei a situação e eles estão, obviamente, muito aborrecidos. Já notificaram o rei.

– E o que vai acontecer agora? – quis saber Qasim.

– Ele está zangado. Quer falar com Shekib.

Shekib não ficou nem um pouco surpresa.

– Sobre o que querem falar comigo?

Seu tom era comedido, impassível. Isso deixou Ghafur nervosa. Ela olhou para as outras enquanto Shekib decifrava seu comportamento.

Ela fez alguma coisa.

– Como é que vou saber? – respondeu Ghafur, em tom desafiador. – Eles me perguntaram quem estava montando guarda hoje à noite e eu respondi. É melhor eu ir ver como está Khanum Fatima. Há um soldado esperando lá fora, Shekib. Ele vai acompanhá-la até o palácio. Tenho certeza de que não é nada de mais.

Shekib tinha certeza de que era.

Mas não disse nada; limitou-se a fitar a parte de trás da cabeça oscilante de Ghafur enquanto ela avançava pelo corredor, abrindo distância o mais depressa que podia.

As outras a observaram sair e, em seguida, se viraram para Shekib. Ainda em silêncio, ela se levantou e caminhou até a porta. Como Ghafur dissera, lá fora havia um soldado. O rosto de um bebê no uniforme de um adulto. Ele parecia nervoso no ar fresco do amanhecer. Fez sinal para que ela o seguisse, voltando-se uma vez para dar uma olhada no rosto dela.

O homem a guiou até as pesadas portas de entrada do palácio, intrincadamente esculpidas e estranhamente convidativas, mesmo naquele momento. Abriu uma delas e a fez entrar e caminhar por um longo corredor adornado com belos padrões nas paredes, mesas redondas douradas e cadeiras com estofados de belos bordados. Shekib observava o ambiente ao redor com vago interesse.

– Nesta sala – anunciou ele, abrindo a porta apenas o suficiente para ela atravessar.

O soldado ficou para trás, parecendo aliviado por seus deveres terem terminado ali.

Shekib se lembrou de manter as costas eretas e os olhos focados. O cansaço já nublava seu raciocínio, assim como a visão.

Na sala, o rei Habibullah andava, irrequieto, atrás de uma bela mesa de madeira esculpida, repuxando as pontas da barba. Dois homens estavam sentados, ansiosos, em poltronas à sua esquerda: um, atarracado e baixo; outro, alto e magro. Se estivesse menos nervosa, Shekib teria percebido como era ridícula aquela dupla. Eles olharam para Shekib, os lábios contraídos.

– Você! – exclamou o rei Habibullah.

Ele havia parado de andar de repente, seu *chapan* azul se agitando com o movimento.

– *As-salaam-alaikum*, Vossa Alteza – disse ela em voz baixa, sem levantar a cabeça nem o olhar.
– *As-salaam-alaikum*, é? Como se nada tivesse acontecido? Sabe o significado dessas palavras, sua ignorante?
– Peço desculpas, estimado senhor. Não quis desrespeitá-lo...
– Não me trate com condescendência, guarda! Está aqui para responder perguntas, falar de suas ações... ou da falta delas, ao que me parece! Era você quem estava montando guarda esta noite quando um homem, de alguma forma, conseguiu escapar à sua atenção e entrou em *meu* harém!

Uma conversa começou a tomar forma na mente de Shekib. Ela podia imaginar Ghafur de pé na mesma sala, não muito tempo antes, pintando o retrato de uma guarda preguiçosa, que permitira que um homem violasse o santuário do rei e se divertisse com seu estoque privado de mulheres.

– Meu caro rei, eu estava de guarda esta noite, mas não vi ninguém entrar.
– Não viu ninguém entrar? Mas alguém entrou, não entrou?

O rosto do rei estava da cor dos tapetes que cobriam o chão. Uma veia azul pulsava em sua testa como um relâmpago. Ele se deixou cair no trono e olhou para os dois conselheiros, em expectativa.

– Guarda, viu alguém sair do harém esta noite? – perguntou o homem mais magro depois de se levantar.

Shekib não teve muito tempo para pensar na resposta.
– Não, senhor.
– E não viu ninguém entrar?
– Não, senhor.
– É esse o tipo de guarda que temos para vigiar meu harém! – explodiu o rei, seu punho golpeando a mesa com estrondo. – Era melhor termos trazido jumentos!
– Guarda, explique ao nosso querido rei o que aconteceu esta noite. Havia um homem no harém? – indagou o homem esguio.

Com as mãos trêmulas ao lado do corpo, Shekib procurou a resposta certa. Estava com medo de se mover. Eles se revezaram fazendo perguntas a ela.
– Responda!
– Eu... Eu não vi...
– Não fale sobre o que não viu! Diga-nos o que aconteceu!

– Hoje à noite, encontramos um chapéu em um dos aposentos.

Shekib não sabia ao certo como descrever a descoberta. Era uma questão delicada e as palavras erradas poderiam ser perigosas. Eles estavam esperando que ela prosseguisse.

– Não havia ninguém lá, mas o chapéu... o chapéu sugeria que alguém... uma pessoa tinha estado lá. Nós perguntamos, mas...

– Em qual aposento vocês estavam? – perguntou o rei, os olhos semicerrados.

Ele falou lentamente e com precisão.

– Nós estávamos nos aposentos de Khanum... Khanum Benafsha – respondeu ela, com os olhos cimentados no chão de mármore.

Benafsha desonrara o palácio com a sua imoralidade, mas Shekib ainda relutava em expô-la. Imaginou Benafsha no harém, prostrada, o rosto banhado de desespero.

Por que você fez isso? Por que nos colocou nessa situação?

– Benafsha. – Habibullah se virou e olhou para a janela. Pesadas cortinas cor de vinho emolduravam sua silhueta. – Aquela desgraçada.

– Já tinha visto alguém lá antes? Entrando e saindo do harém?

O que você disse a eles, Ghafur?

– Eu... Eu não vi ninguém.

– E só agora ficou sabendo?

– Sim, senhor.

Os três homens ponderaram sua resposta. Shekib podia ouvir a respiração ritmada deles.

– Você acredita que isso só aconteceu uma vez?

– Eu... Eu... acho que sim.

– E quem estava guardando o harém esta noite?

– Eu, senhor.

– Você é uma mentirosa. Nós ouvimos um relato diferente. Ghafur nos disse que você viu esse homem antes! E escondeu essa informação de todos até hoje à noite! – gritou o homem baixo.

– Com todo o respeito, Agha-sahib, eu não vi...

– Mentirosa!

Ghafur, sua miserável! Você me atirou às feras!

Estava claro agora. Era a palavra dela contra a de Ghafur, e eles tinham escolhido acreditar em Ghafur. Shekib não era testemunha; era cúmplice.

– Você sabia das atividades de Benafsha? Ela lhe pediu para encobrir o que fazia?

– Não, senhor! Eu não...

– E o homem? Quem é? Ele a subornou?

– Por favor, querido rei, eu não tive nada a ver...

Ele mal ouvia o que ela dizia. Estava mais interessado em como aquilo ia afetar sua imagem.

– Fique sabendo de uma coisa, guarda! Uma ofensa dessa gravidade não ficará impune. Meu nome foi manchado. Basta olhar para a sua cara para ver que você é amaldiçoada! Mandem prendê-la! E Benafsha também! Vamos usá-las para dar o exemplo.

CAPÍTULO 42

Shekib

— Por que você foi fazer uma coisa dessas?
— Você não entenderia.

O cômodo estava escuro e cheirava a carne podre. O mau cheiro fazia Shekib se lembrar do cólera, do luto e da solidão.

O rosto de Benafsha estava mudado. Shekib ficou impressionada com a diferença. Apenas oito horas antes, era a mulher mais bonita do harém. Com que rapidez envelhecera! O cabelo estava pegajoso e os olhos verdes se tornaram vermelhos e derrotados.

Uma das concubinas preferidas do rei. Uma vida de luxo se comparada a qualquer padrão. A melhor comida, as melhores roupas. O que a levara a arriscar tudo?

Uma hora se passou em silêncio. Shekib queria perguntar a ela sobre Agha Baraan. Tinha certeza de que era ele. O chapéu. A pétala de rosa. Mas por quê? Ele era amigo de Amanullah. Por que um homem como ele cometeria um ato desses contra a família do amigo, especialmente considerando que era filho do homem mais poderoso do Afeganistão?

— Lamento que você tenha vindo parar aqui.

Shekib ergueu o olhar.

— Eu também.

Pensou em Amanullah. O que ele ia pensar quando soubesse dos acontecimentos daquela noite? Como ficaria decepcionado com ela! De acordo com o palácio, Shekib não era uma boa guarda. O que a fazia pensar que poderia ser uma boa esposa? Benafsha tinha arruinado tudo. Olhou para a mulher com desgosto e pena. E também havia Ghafur, aquela víbora de língua bifurcada. Ela incriminara Shekib, salvando a si mesma. Não era de admirar que tivesse saído apressada. Covarde.

O cômodo úmido e abafado não era familiar, mas o resto da experiência, sim. Dedos furiosos tinham sido apontados para Shekiba muitas vezes.

Sob as ordens do rei, fora levada para longe, passando por corredores e atravessando a cozinha, até o pequeno cômodo onde antes os cozinheiros guardavam carnes curadas e legumes, que cheirava a terra e carne crua. Shekib fechou os olhos e imaginou a casa do pai. Sua mente flutuou para aquelas paredes nuas, a camisa do irmão jogada sobre uma cadeira, como se ele fosse entrar correndo pela porta procurando por ela a qualquer momento. O amuleto da irmã sobre a mesa. O pai, sentado no canto, estalando as contas de seu *tasbih* enquanto olhava pela janela, observando os campos não cultivados, a casa vazia.

Shekib se levantou e começou a andar de um lado para outro. As paredes eram compactas, mas a luz penetrava pelas frestas, emoldurando a porta com um brilho amarelo. No palácio havia eletricidade, cortesia de uma empresa estrangeira contratada pelo rei. Todo o Afeganistão cintilava à luz de lanternas, mas o palácio brilhava, um farol para o resto do país.

O rei não deve ser contrariado. Como deve estar furioso por outro homem ter se deitado com sua preciosa Benafsha... Ela é bonita, acho, quando não exibe os dentes ao sorrir. Todos muito juntos, parecem galinhas amontoadas em um poleiro lotado.

Benafsha estava com a cabeça entre os joelhos. Shekib não sabia se ela estava acordada ou dormindo.

– O que você acha que vão fazer conosco? – perguntou a jovem, quase sussurrando.

Os ombros de Benafsha se ergueram e descaíram com um suspiro profundo.

– Quanto tempo acha que vamos ficar aqui?

Benafsha levantou a cabeça. Seus olhos estavam tomados de resignação.

– Você realmente não sabe?

Shekib balançou a cabeça.

– Quando o crime é adultério, a punição é *sangsaar*. Eu serei apedrejada.

CAPÍTULO 43

Rahima

O IMENSO AUDITÓRIO, UMA SALA MAIOR do que qualquer outra que eu já vira, comportava centenas de parlamentares. Os assentos ficavam dispostos em filas que iam de um lado a outro, cadeiras de couro atrás de uma fileira de mesas. Cada membro tinha um microfone e uma garrafa de água.

O assento de Badriya e o meu ficavam bem no centro do auditório, na mesma fileira de Hamida e Sufia. Na primeira, estava sentado um homem de bigode bem aparado e cabelos grisalhos que ouvia com atenção e assentia de vez em quando.

Os homens me intimidavam. Alguns tinham a idade de meu marido, com cabelos grisalhos e barbas que quase tocavam o peito. Outros eram mais jovens, o rosto barbeado e as roupas diferentes das que eu costumava ver na minha aldeia: calças sociais, camisas de botão, paletós.

Na primeira semana, durante uma pausa para o almoço, Hamida me perguntou o que eu estava achando até o momento. Fiquei nervosa ao responder, com medo de parecer ignorante. Além disso, temia que, se me vissem lendo e escrevendo, percebessem que meu conhecimento era muito básico.

– Eles são de onde? – perguntei, atordoada com os diferentes sotaques.

– De quem está falando?

Ela ergueu o olhar para ver a quem eu estava me referindo.

– É que nunca vi homens vestidos como... vestidos desse jeito.

Indiquei com a cabeça um homem de calça marrom e colete de estilo militar sobre uma camisa branca.

– Isso é normal em Cabul, Rahima-jan. O Parlamento é o lugar onde todos os cantos do Afeganistão se unem.

– Se unem? – zombou Sufia. – Melhor seria dizer que este é o lugar onde o Afeganistão se desagrega!

Hamida riu. Um homem sentado uma fileira à frente virou-se e lançou-lhe um olhar de repreensão. Balançou a cabeça e se inclinou para murmurar algo para o homem sentado a seu lado, partilhando sua desaprovação.

A sessão foi reiniciada. Tentei olhar ao redor sem que ninguém percebesse. Badriya pegou uma caneta e segurou-a diante de si, sobre o papel em branco, enquanto observava o orador. Ela estava representando seu papel.

– Senhoras e senhores, agora será apresentada a questão dos membros do gabinete do presidente. Sete pessoas foram nomeadas por ele. Cabe a este parlamento aprovar ou rejeitar as nomeações.

– Badriya, nós vamos ver o presidente? – sussurrei.

Era difícil acreditar que eu ficaria cara a cara com o homem mais poderoso da nossa nação.

– Não, sua tola! Aqui é o Parlamento. Ele faz o trabalho dele e nós fazemos o nosso! Por que ele viria até aqui?

– Vamos falar sobre os candidatos, um por um. Os parlamentares poderão fazer as perguntas que quiserem. Temos que decidir se esses indivíduos são adequados para o trabalho. E se vão ajudar a levar nosso país na direção certa. O primeiro é Ashrafullah Fawzali, nomeado para o cargo de ministro da Justiça.

O diretor começou a falar sobre o passado de Fawzali, sua província natal e seu papel no treinamento da força policial.

Uma parlamentar sentada a meu lado reclamou, frustrada. Observei-a pelo canto do olho, sentada com displicência e balançando a cabeça. À medida que as virtudes e a experiência dos candidatos iam sendo exaltadas por um homem que se levantara, ela ficava cada vez mais descontente, remexendo-se no assento e batendo na mesa com a caneta.

O candidato seguinte foi apresentado; alguém igualmente desolador para ela. A mulher ergueu a mão para falar, mas o diretor a ignorou. Ela acenou com a mão de maneira mais enérgica.

– Com licença, eu gostaria de dizer algo sobre esse candidato – interrompeu ela, inclinando-se para a frente e falando em seu microfone. – Com licença!

– Khanum, o tempo para a discussão sobre esse candidato terminou. Estamos quase chegando ao fim da sessão de hoje. Obrigado a todos e, por favor, voltem para a votação de amanhã. A sessão está encerrada.

– É claro que está! Deus nos livre de realmente discutir sobre esses candidatos! – retrucou a mulher.

– Quem é ela? – perguntei a Badriya.

– A que está a seu lado? Ah, é Zamarud Barakati. É uma encrenqueira. Fique longe dela – avisou-me Badriya, inclinando-se na minha direção. – É melhor não se envolver com ela.

– Por quê? O que há de errado com ela?

– Ela gosta de criar problemas. Viu o que ela fez hoje? Está sempre interrompendo as coisas. Aquela mulher tem sorte de não ter sido condenada ao *sangsaar*.

Apedrejamento. Estremeci e pensei em Bibi Shekiba.

Até onde eu tinha visto, Zamarud não fizera nada que vários outros parlamentares também não tivessem feito. Assim como os homens, levantara a mão e pedira para falar. Mas dava para perceber que muitas pessoas não estavam interessadas em ouvir o que tinha a dizer. Diversos homens reviraram os olhos ou fizeram um movimento com a mão para mostrar que estavam irritados com o fato de ela pedir a palavra.

– Ela expõe suas ideias em demasia. As pessoas não querem ouvi-la o tempo todo.

A essa altura, nós já estávamos passando pelo posto de segurança. Nosso motorista nos viu chegar e foi ligar o carro. O segurança já estava com ele. Zamarud passou por nós andando com raiva, os próprios seguranças se esforçando para acompanhar seu ritmo.

Ela me lembrou Khala Shaima, a única mulher que eu conhecia que se dirigia aos homens de fora de sua família. Fiquei pensando o que ela acharia de Zamarud. Imaginar as duas no mesmo ambiente me fez sorrir; poderiam colocar todo o Parlamento em pé de guerra.

Mas o que vi naquele primeiro dia foi apenas o começo. O Parlamento era uma mistura inflamável de personalidades e política. Havia muitas mulheres, mas apenas algumas falavam durante as sessões. E só havia uma Zamarud.

Enquanto a discussão sobre as nomeações do gabinete prosseguia, Zamarud ia ficando cada vez mais agitada. Ela teve a oportunidade de falar e tomou a palavra com ferocidade, questionando as intenções e a honestidade dos candidatos. Deu a entender que eles tinham sido escolhidos por razões pessoais, e não por suas qualificações, pois um era cunhado do presidente e outro, seu amigo de infância. Também criticou a falta de diversidade: eram todos da mesma seita. O Afeganistão precisava de representantes de todas as suas muitas cores, Zamarud insistiu, ou o país ia desmoronar. Mais uma vez.

No quinto dia de sessão, tomamos nossos lugares. Eu sentia mais saudades de meu filho naquele dia e visualizava suas bochechas redondas e seus olhos amendoados quando fechava os olhos. Perguntei-me se ele estaria andando naquele momento, uma das mãos segurando firme a de Jamila. Queria ouvir sua vozinha dizendo *"maada"*, ainda incapaz de enrolar a língua para pronunciar a palavra certa, *"madar"*.

A voz de Zamarud me trouxe de volta à realidade:

– É imperativo que pensemos no futuro deste país. Nós, os afegãos, ficamos complacentes, deixando qualquer um assumir posições de poder e influência. Vamos pensar sobre isso com cuidado e depois decidir.

– Khanum, acredito que seria sensato você refletir antes de falar. Há muitas pessoas aqui e você não está pensando...

– Eu não estou pensando? Eu estou pensando muito! São você e todos os outros presentes aqui que precisam começar a pensar. Vou dizer o que acho agora mesmo.

Badriya olhou para mim. Ondas de indignação percorriam o auditório. Os homens se inclinavam e reclamavam com os vizinhos. Hamida e Sufia fitavam Zamarud, nervosas.

– Pelo que vi, as candidaturas apresentadas até agora foram de homens que trabalharam ao lado dos personagens mais sinistros da história recente de nosso país. O dinheiro deles vem das drogas, de alianças feitas com senhores da guerra e mercenários. Eles têm o sangue de seus conterrâneos afegãos nas mãos. E alguns candidatos são parentes, recebendo tratamento especial dos que estão nas posições superiores.

Era óbvio que ela estava falando do cunhado do presidente, que viajava entre Cabul e outras cidades como Dubai, Paris, Londres e Islamabad importando e exportando mercadorias. Ele construíra um bem-sucedido negócio comercial e proporcionava à sua família uma vida de luxo. Mas todos sabiam que essa não era a fonte de todos os seus rendimentos.

– Devemos prestar atenção em quem colocamos nesses cargos oficiais. Eles devem estar lá pelas razões certas, para desenvolver e proteger nosso amado Afeganistão. Já sofremos o suficiente nas mãos dos outros nas últimas décadas. Nosso povo merece ter pessoas honestas no poder. Eu me pergunto, assim como tantos outros, como é que alguns de nossos candidatos foram capazes de acumular uma enorme fortuna enquanto nosso povo passa fome. Como conseguem viver com luxo quando seus negócios são empreendimentos simples? Todos sabemos a resposta. Sabemos que existem fontes de dinheiro sobre as quais não se comenta, que não são discutidas abertamente: subornos, nepotismo, drogas... Essas práticas vão afundar nosso país.

Todos começaram a falar. Zamarud continuou, mais alto:

– Não vou tolerar isso. Não vou aprovar a eleição dessas pessoas, irmãos e primos que recebem, por debaixo dos panos, o que por direito pertence a nosso país. Vamos ficar sentados aqui em silêncio e deixar que eles suguem o sangue do povo afegão? Que engordem seus bolsos com o dinheiro do governo?

– Já chega! – gritou um homem.

Outros concordaram.

– Mandem-na calar a boca!

Zamarud prosseguiu, sem se incomodar com os comentários, erguendo a voz acima dos protestos:

– Cada pessoa nesta sala, cada homem e mulher que se atrever a aprovar essas nomeações vai compartilhar a responsabilidade por manter esses bolsos indecorosos cheios de um dinheiro que deveria ir para o povo afegão, para o Afeganistão. E por quê? Porque também querem ter a chance de engordar os próprios bolsos! Vocês sabem quem são. Vêm aqui e fingem que representam suas províncias, quando, na verdade, não representam nada além dos próprios interesses!

– Quem essa mulher pensa que é?

– Não vou mais ouvir essa rameira tagarelar!

A gritaria ficou mais inflamada. Hamida e Sufia, não muito longe de Zamarud, tinham ido até ela, puxando-a de volta para seu assento. Sufia conversava com ela, dizendo algo em seu ouvido, enquanto Hamida colocava a mão sobre o microfone. Nós estávamos perto o suficiente para ouvi-la.

– Eu não serei silenciada! Já me cansei de todo esse absurdo! Qual de vocês vai se manifestar se eu não o fizer? Podem me chamar do que quiserem, mas vocês sabem que estou falando a verdade e que serão amaldiçoados por causa do que estão fazendo! É pecado! É pecado!

Dois homens foram confrontá-la diretamente, com o dedo em riste a milímetros de seu rosto. Senti meu corpo se retesar diante de tanta agressividade. Queria puxar Zamarud para trás, mas fiquei paralisada, de olhos arregalados. Rezei para ela parar de falar.

Todo o auditório estava de pé. Braços se agitavam. Um grupo de homens se reuniu em um canto, apontando para Zamarud e balançando a cabeça. Duas mulheres se juntaram a Hamida e Sufia, na tentativa de conter a beligerante Zamarud. Outras estavam levantadas, observando a briga com interesse ou satisfação.

Eu estava nervosa por ela, assim como todas as outras mulheres presentes. Nunca tinha visto uma mulher falar tão abertamente em uma sala cheia de homens! Tudo o que eu já havia testemunhado em minha vida me dizia que Zamarud não passaria daquela porta.

– Isso é ruim – murmurou Badriya, mantendo a cabeça baixa. Não tínhamos saído de nossos lugares. – Não podemos tomar parte nisso, entende? Apenas fique onde está. Vamos embora assim que as coisas se acalmarem.

Eu assenti. A última coisa que queria era que Abdul Khaliq soubesse que havíamos nos envolvido em uma disputa aos berros entre a mulher mais sincera do Parlamento e o grupo reunido perto da porta. Eram homens como meu marido, mais velhos e com um eleitorado atemorizado em suas cidades e aldeias. Eles eram os senhores da guerra.

Hamida se aproximou de nós quando a situação melhorou.

– Inacreditável – disse ela. – Essas pessoas são selvagens!

Badriya aquiesceu educadamente, não querendo emitir opinião.

– Quero dizer, ela é um pouco ousada, isso é verdade. Intimidadora. Mas está certa. Especialmente sobre Qayoumi. Ele tem amigos no Ministério da Defesa e eles lhe dão todos os contratos que caem sobre suas mesas. Como se ele precisasse de mais dinheiro. Já viram o carro dele? A casa?

– Não, não vi – respondi, intrigada.

Badriya ficava tão calada perto daquelas mulheres que eu quase esquecia que ela estava lá. Era completamente diferente de seu modo usual de se comportar, mas ela ficava tensa, com medo de que Abdul Khaliq ficasse sabendo que se envolvera em alguma conversa fiada.

– Pois vou contar: a residência dele é uma das mais bonitas de Cabul. Ele demoliu uma casa velha e decadente em Shahr-e-Naw e construiu uma mansão de dois andares! E vocês sabem como aquela área é cara! Nenhum afegão consegue comprar nada lá. Aquelas propriedades custam pelo menos meio milhão de dólares americanos. No mínimo!

Meio milhão de dólares? Minha mente não era capaz de imaginar uma quantia tão impressionante.

– Meio milhão...?

– Isso mesmo! Ele faz qualquer coisa para conseguir o que quer. Qualquer coisa. Há não muito tempo era aliado do Talibã, e eles pilharam uma cidade, roubando tudo das pessoas. Atearam fogo, colocaram os homens em fila e os fuzilaram. Quando terminaram, quem restou na cidade ficou só com a roupa do corpo. Uma imoralidade!

– E querem votar nele?

Se isso era do conhecimento de todos, por que não havia mais gente com raiva daquele homem?

– Sim, querem. É assim que as coisas são. Os senhores da guerra compõem, no mínimo, um terço do Parlamento neste momento. As pessoas que lideraram os ataques com foguetes, o derramamento de sangue... estão todas sentadas neste auditório. Agora querem consertar o que quebraram. É quase cômico – disse Hamida, balançando a cabeça. – Se eu pensasse muito nisso, ficaria louca. Como Zamarud!

Se eu fosse qualquer outra pessoa, poderia ter ficado mais surpresa. Mas era uma das esposas de Abdul Khaliq, um homem que inspirava medo em todos os cantos de nossa província. Sem dúvida eu não tinha conhecimento nem de um quarto do que ele fizera nos anos de guerra. Na verdade, ainda não sabia o que ele fazia quando saía com seus guardas e suas armas automáticas. Alguém poderia nomeá-lo para um cargo também.

– O que se pode fazer? Nossa política está cheia de gente assim. Mas vou lhes dizer uma coisa: não vou aprovar a nomeação desse carniceiro corrupto. Sufia conversou com as outras mulheres. Elas também vão rejeitar o nome dele.

– Se tantas pessoas vão votar contra sua nomeação, ele não tem nenhuma chance, certo?

Olhei para Badriya, os lábios curvados para baixo em uma carranca. Eu estava fazendo perguntas demais.

– Ele continua tendo uma boa chance, na verdade. Esses sujeitos fazem acordos, alianças, para servir aos próprios interesses.

Eu me perguntei se Hamida sabia quem era Abdul Khaliq. Não tinha certeza do alcance de seu nome. Onde nós morávamos, ele era poderoso e estava lutando para ter ainda mais poder. O envolvimento de Badriya no Parlamento era um passo nessa direção.

– Hamida-jan, vamos tomar uma xícara de chá na cafeteria, se não se importa – disse Badriya. A conversa a deixara nervosa. Sua voz estava tensa. – Posso lhe trazer alguma coisa?

– Não, estou bem, obrigada. Vou ver o que Sufia está fazendo. A sessão provavelmente será retomada daqui a cerca de trinta minutos.

Naquela noite, em nosso quarto de hotel, perguntei a Badriya sobre as alegações de Zamarud.

– É verdade? Na política existem tantas pessoas assim tão corruptas quanto ela descreveu?

– Não se preocupe com essas coisas. Não é da sua conta.

Isso me irritou. Eu tinha quase certeza de que Sufia não teria concordado com ela.

– Mas é da sua, não é? Você vai votar essas nomeações amanhã. Vai aprová-las?

– É claro que vou.

– Por quê?

– Por quê? Porque é assim que vou votar! Já terminou de preencher esse formulário? O gabinete do diretor me perguntou a respeito durante toda a semana.

– Está quase pronto.

Suspirei. Eu me perguntava como Badriya teria se virado em sua última estada em Cabul. Ela mal conseguia rabiscar a própria assinatura.

– Mas como você decide como vai votar?

– Eu decido, está bem? Eu sei quais são as questões e, então, escolho.

Lembrei-me da sessão acalorada daquele dia. Do olhar determinado de Zamarud.

– Ela tem marido?

– Quem? Zamarud? – Badriya riu. – Dizem que tem, mas imagino o rato que ele deve ser! Não sei como ela tem coragem de se comportar daquele jeito.

– Ela não tem medo deles.

– Pois devia ter. Zamarud já recebeu mais ameaças do que qualquer outra mulher naquela assembleia. Não me surpreende, pela forma como se comporta. Não tem um pingo de vergonha – disse ela, estalando a língua.

– Você não recebeu nenhuma ameaça, recebeu? Hamida disse que a maioria das mulheres recebeu. A família dela pediu que não concorresse ao Parlamento outra vez, mas ela quis concorrer mesmo assim.

– Ela é outra mula. Não recebi nenhuma ameaça porque sei o que estou fazendo. Cuido da minha vida e faço apenas o que precisa ser feito. Não estou aqui para me envergonhar ou envergonhar meu marido.

Estremeci ao pensar como Abdul Khaliq colocaria Zamarud em seu devido lugar. Mas eu não achava que Badriya tivesse nada de importante a fazer no Parlamento. Meus instintos me diziam que isso tinha algo a ver com nosso marido.

– Este formulário pergunta se você quer se juntar ao grupo que viaja para outros países onde há regimes parlamentares. Como uma experiência de aprendizagem, é o que diz aqui. Europa. Está escrito assim: "É altamente recomendável que todos os parlamentares viajem para aprender como outras assembleias funcionam."

Agora que eu estava em Cabul, ouvia sobre lugares ainda mais grandiosos e inimagináveis, como a Europa. Fiquei pensando como seria um lugar assim. Tínhamos chegado até Cabul. Talvez pudéssemos ir à Europa também. Badriya levantou a cabeça, tão intrigada quanto eu com o nome exótico.

– Ir à Europa? Sério? – Assim que disse essas palavras, Badriya percebeu como soavam ridículas. – Esqueça. Não estou interessada. Deixe de lado essa porcaria de formulário. Estou cansada. Você pode terminar amanhã de manhã. Vou dormir.

CAPÍTULO 44

Rahima

— Vamos agora iniciar a votação sobre o candidato Ashrafullah Fawzali. Por favor, levantem as placas com seu voto.

Cada parlamentar tinha duas placas, uma vermelha e uma verde, que significavam sim ou não. Aquela era a primeira votação e Badriya parecia nervosa.

— Você vai votar a favor dele? — sussurrei.

— Shhh! — sibilou ela, seus olhos perscrutando a sala.

Placas foram levantadas, muitas ao mesmo tempo. Badriya pegou a verde e não a levantou totalmente, ainda incerta.

Segui os olhos dela. Badriya encarava um homem sentado mais à frente no auditório. Só conseguíamos ver seu perfil. Era atarracado, com uma barba espessa e traços duros. Seu turbante cinza estava enrolado na cabeça como uma serpente. Ele segurava uma placa verde.

Eu o vi olhar em nossa direção, acenando para Badriya de maneira bem sutil. Sua placa verde subiu e ela manteve os olhos fixos na frente do auditório. Fiquei intrigada. Não o identifiquei, mas parecia que Badriya o conhecia.

— Badriya, o que está fazendo? Quem é aquele homem?

— Cale-se! Continue tomando notas, ou o que quer que você esteja fazendo.

— Mas ele está olhando para cá!

— Cale a boca, eu já disse!

Cruzei os braços, fechei a boca e observei. E foi assim que as coisas aconteceram no resto da sessão. Cada vez que o diretor pedia ao Parlamento para votar em um candidato, Badriya esperava o tal homem erguer sua placa. E sempre pegava uma igual à dele. Verde, verde, vermelho, verde, vermelho, vermelho. E toda vez ele lhe lançava um olhar presunçoso de aprovação por vê-la votar da mesma forma.

As mulheres fitavam Badriya, aparentemente confusas. Sufia sussurrou algo para Hamida, que deu de ombros.

Qayoumi. Era hora de votar em sua nomeação. Olhei para Hamida e Sufia. Elas balançavam a cabeça enquanto o diretor se preparava. Um pequeno murmúrio percorreu a assembleia antes de os parlamentares decidirem o destino de uma das figuras mais controversas de Cabul. As pessoas já soltavam muxoxos, mesmo sem que as placas estivessem levantadas.

– Senhoras e senhores, por favor, declarem seus votos. Bem alto para que possamos vê-los!

O homem votou verde.

Encarei Badriya. Tinha certeza de que ela podia sentir meus olhos sobre ela, mas evitou meu olhar.

Observou quando as duas mulheres levantaram suas placas vermelhas. Os representantes ao redor delas as seguiram. Havia pequenos grupos de verde aqui e ali, quase todos de homens.

O murmúrio ficou mais alto à medida que mais placas verdes subiam.

Badriya manteve a cabeça baixa e pegou a placa. Eu abri a boca para dizer alguma coisa.

Verde.

– Badriya! O que está fazendo? Não ouviu o que elas disseram sobre ele? Por que está votando a favor da nomeação desse homem?

– Por favor, Rahima, cale a boca!

Hamida e Sufia a encararam com as sobrancelhas erguidas. Em seguida, desviaram o olhar e se inclinaram uma em direção à outra. Pensei em nossa conversa com Hamida. Eu não podia ignorar tudo o que ela havia nos contado.

– Mas Hamida disse...

– Se você não consegue ficar de boca fechada, vá embora! Saia! – rosnou Badriya. – Não preciso de você.

Olhei para ela. Não havia nenhum lugar para onde eu pudesse ir. Fiquei sentada a seu lado, furiosa, mesmo sabendo que não tinha o direito de me sentir assim. Talvez eu agisse da mesma forma se estivesse no lugar dela. Talvez tivesse acompanhado os votos do homem no canto.

Abdul Khaliq a colocou aqui para isso. Aquele homem deve ter alguma coisa a ver com o contrato de segurança que ele quer obter. Exatamente como Hamida falou.

Fiquei surpresa apenas por constatar como a influência de meu marido ia longe, alcançando o edifício do Parlamento, em Cabul. E o lugar de onde aquele homem vinha, onde quer que fosse.

Hamida deu uma olhada no auditório, os lábios franzidos.

Talvez eu não tivesse agido como Badriya se estivesse no Parlamento. Talvez eu tivesse sido mais como Hamida. Ou Sufia. Ou mesmo Zamarud. Talvez eu tivesse me sentado naquela assembleia e tomado minhas decisões pessoalmente.

No entanto, era mais provável que não. Seria difícil voltar para a casa de Abdul Khaliq depois de agir em desacordo com suas instruções. Sobretudo em uma questão tão importante.

A sessão foi encerrada. Badriya se levantou rapidamente e pegou sua bolsa. Passou por entre as fileiras e saiu pelo corredor principal sem se virar para ver se eu a seguia.

Nós encontramos as mulheres perto do posto de segurança. Nem mesmo um sorriso educado. Era óbvio que estavam decepcionadas com o voto de Badriya. Perceberam que seus vermelhos e verdes eram decididos por forças externas. Ela era parte do problema.

– Estou feliz porque o dia enfim terminou – disse Sufia, em tom neutro.

– Eu também – concordou Badriya, com recato.

– Um dia interessante – murmurou Hamida, ajustando seu lenço na cabeça.

Eu ouvia a conversa, querendo gritar que não era parte daquilo. Queria falar que não teria votado a favor de Qayoumi. Mesmo tendo quase certeza de que o teria feito. Eu estava aprendendo que a cosmopolita Cabul era, pelo menos nesse aspecto, igual à minha obscura aldeia. Muitas de nossas decisões não eram de fato decisões. Éramos conduzidos a uma escolha ou outra, para dizer o mínimo. Gostaria de saber se as outras parlamentares se sentiam livres para fazer os próprios julgamentos.

Sentei-me no carro e me inclinei para trás, desejando estar de volta em casa, com Jahangir. Ele provavelmente estava tirando uma soneca naquele momento, com a boca entreaberta e as pálpebras tremulando ao sabor de sonhos inocentes. Graças a Deus Jamila estava lá para cuidar dele.

Badriya entrou pelo outro lado do automóvel, deslizou pelo assento, virou-se e deu um tapa tão forte em meu rosto que me choquei contra a porta do carro.

– Rahima, se me questionar outra vez, juro que vou direto até Abdul Khaliq dizer a ele que você está abrindo sua boca idiota na assembleia. Vamos ver se vai continuar tão ansiosa para movimentar sua língua na frente dele! Aprenda a se controlar, sua desgraçada.

Maruf olhou pelo espelho retrovisor. A expressão de surpresa se transformou em um sorrisinho malicioso. Ele estava se divertindo. Meu rosto ardia, mas eu não disse nada. Ainda teria o resto da nossa estada pela frente e me recusava a me tornar um espetáculo para nossos seguranças.

Na manhã seguinte, passamos por um grupo de soldados estrangeiros e voltamos ao edifício do Parlamento. Atrasadas por causa de Badriya. Mas não havia votação naquele dia, apenas discussões. Nada que fosse importante para ela, que, no entanto, era obrigada a comparecer.

Eu não estava falando com ela, apenas respondendo a suas perguntas e me mantendo fora do caminho. Começava a me questionar se valia a pena suportar a atitude dela apenas para ficar em Cabul. Por pior que fosse no complexo, ela conseguia ser ainda pior ali. Eu era a única presente para receber toda a sua atenção, e a pressão de seguir com os planos de nosso marido mexia com seus nervos.

Tomei notas para ela, preenchi o questionário da pesquisa de alguma organização internacional que pretendia melhorar o Parlamento e, em seguida, fizemos uma pausa para o almoço. Andei em direção a Hamida e Sufia. Relutante, Badriya me seguiu com sua bandeja.

– Como estão vocês duas? – perguntou Hamida.

Elas agora nos olhavam com outros olhos. O dia anterior havia mudado as coisas.

– Bem, obrigada. E você? – Badriya foi seca.

Isso não melhorava em nada a situação.

– Ainda surpresa com o que aconteceu ontem. Esperávamos impedir mais daquelas nomeações. Mas acho que era o *nasib* deles obterem a aprovação.

Nasib. Será que Sufia realmente acreditava nisso? Se acreditava, por que se dava ao trabalho de votar?

– Talvez – concordou Badriya.

Procurei algo para dizer que mostrasse para as mulheres que eu estava do lado delas, mas sem irritar Badriya.

– Às vezes as pessoas nos surpreendem, não é mesmo? – falei. – Talvez algo de bom resulte disso.

– Uma otimista. Aí está algo que não vemos com muita frequência.

Eu não tinha motivos para pensar que Qayoumi era nada além do canalha que elas descreveram. Não tinha motivos para acreditar que alguém fosse fazer algo bom. Meu "otimismo" eram apenas palavras que juntei na esperança de parecer neutra. Eu queria fazer amizade com aquelas mulheres. Eram independentes e felizes, uma experiência vivenciada por mim apenas quando era menino.

– Sufia e eu vamos ao centro de recursos esta noite. Gostariam de nos acompanhar?

– Obrigada, mas não posso. Vou à casa de minha prima esta noite. Não a vejo há mais de dois anos.

Olhei para ela, surpresa. Seria verdade? Ela se justificou ao ver minha expressão:

– A prima de minha mãe mora aqui em Cabul. Eu não a vejo há tempos e minha tia está ficando velha. Elas insistiram para que eu fosse visitá-las. Moram do outro lado do rio, perto do hospital das mulheres.

– Bem, se vocês vão até lá esta noite, então talvez outro...

Badriya pareceu surpresa.

– Nós? Ah, não. Eu vou sozinha. É *minha* prima, sabe – explicou, procurando as palavras certas para deixar claro que eu não ia acompanhá-la. – E Rahima-jan já me disse que não quer ir.

Todas me olharam, esperando a confirmação.

– Bem, você não para de dizer que são pessoas muito agradáveis. Talvez eu deva ir, afinal de contas, não acha?

Os olhos de Badriya se arregalaram.

– Sério? Você quer ir? Tem certeza de que é o que quer fazer?

O olhar raivoso de Badriya me forneceu a resposta que ela esperava.

– Não – falei. – Sabe de uma coisa? Acho que mudei de ideia. Você deve ir visitar sua tia e suas primas. Talvez eu vá ao centro de recursos em vez disso. Seria ótimo ver o que eles oferecem. E eu não me importaria de ter algumas aulas enquanto estamos aqui.

Os olhos de Hamida se iluminaram. Era como se ela me visse sob uma nova luz.

– Que ótima ideia! Vamos fazer assim: enquanto Badriya visita sua família, nós vamos ao centro de recursos. Podemos nos encontrar após o fim da sessão de hoje e depois seguimos para o escritório deles. Você estará pronta para sairmos logo em seguida, certo?

Eu concordei, satisfeita por ter conseguido o que queria, ainda que Badriya também. Nós nos separamos ao término da sessão e eu segui Hamida e Sufia. Badriya levou Maruf e o segurança. Eu fiquei por conta própria, sentindo-me mais livre do que sozinha. Pegamos algo para comer no refeitório e levamos conosco em sacos plásticos.

– Eles têm essas aulas o tempo todo? É como uma escola? – perguntei.

Eu estava cada vez mais animada com a ideia de voltar a uma sala de aula. Mesmo que aquelas não levassem a nada.

– Eles têm diferentes instrutores. Já ouviu Sufia falar inglês? Onde você acha que ela aprendeu a dizer *"Hello, how are you?"* tão bem?

Hamida imitou a amiga de maneira divertida.

Eu não tinha ideia do que ela dissera, mas fiquei impressionada por elas aprenderem inglês. Ainda mais do que isso, eu queria saber como usar os computadores que vira na biblioteca do Parlamento – uma pequena sala no subsolo com três estantes de livros, duas das quais estavam vazias. O acervo de livros era escasso, mas a responsável estava determinada a reunir obras sobre política, direito e história. Eu as folheei e me dei conta do quanto tinha a aprender sobre governo. Não era tão simples quanto erguer placas.

Os computadores chamaram minha atenção. Havia três deles e ficamos sabendo que viriam mais. Os três eram usados por homens que reconheci da assembleia. Tentei não olhar sobre seus ombros, mas queria saber o que viam nas telas. Pelo canto do olho, eu os vi pressionarem, lenta e cuidadosamente, as teclas, juntando letras de uma maneira que eu nunca tinha visto.

As mulheres me levaram para um pequeno prédio recém-construído, com pequenas janelas e uma placa na frente que dizia em inglês e em dari: *Centro de Treinamento para Mulheres.*

– Este lugar é apenas para mulheres? Os homens não podem vir aqui?

– De jeito nenhum, assim como o *hammam* – explicou Sufia, rindo. – Graças a Deus alguém finalmente levou nosso envolvimento a sério. Sabe, Rahima-jan, as organizações internacionais enviam professores e computadores. Tudo isso está disponível. Nós só temos que usar.

– Muitas mulheres do Parlamento vêm aqui?

– Claro que não! – respondeu Hamida. – A maioria daquelas mulheres não tem ideia do que está fazendo. Eu também não tinha, mas é meu segundo mandato e estou começando a entender o quanto ainda temos a aprender até que a assembleia se torne realmente operante. Somos como bebês aprendendo a engatinhar.

Uma imagem de Jahangir surgiu em minha mente, seus joelhos ásperos e escuros de tanto engatinhar, as palmas das mãos batendo contra o chão com entusiasmo. Que saudade do meu filho!

Sufia devia ter lido minha expressão.

– Você tem filhos?

– Tenho um menino.

– Há quanto tempo está casada?

– Quase três anos.

– Hum. Quantos anos você tinha quando se casou?

– Treze – respondi baixinho, ainda pensando no rosto do meu pequeno menino.

Tentei imaginar o que ele estaria fazendo.

– Seu marido deve ser muito mais velho, a julgar pela idade de Badriya – comentou Hamida, fazendo uma pausa antes de abrir a porta do centro de treinamento.

Assenti outra vez e percebi que ambas tentavam não parecer tão curiosas quanto estavam.

– Seu marido... O que ele faz?

Eu não sabia o que responder. Não sabia ao certo o que ele fazia e sabia menos ainda como evitar dar explicações.

– Não sei – respondi.

Corei quando vi a forma como elas me olharam.

– Você não sabe? Como pode não saber?

– Nunca perguntei a ele.

– Nunca perguntou a ele? Mas você mora lá! Deve ter alguma ideia do que ele faz.

Aquele passeio não era tão inocente quanto parecia. Elas estavam interessadas, provavelmente depois de ver a bizarra tendência de voto de Badriya. Mas falar demais poderia me causar problemas.

– Ele tem terras. E fornece segurança para alguns estrangeiros, pessoas que estão tentando construir alguma coisa em nossa província. Eu não sei mesmo os detalhes. Procuro não me envolver em seus negócios.

– Entendo – disse Sufia de uma maneira que fez com que eu me sentisse como se tivesse acabado de revelar tudo.

Eu precisava parar de falar.

– Badriya conversou com você sobre os candidatos? As pessoas a favor de quem ela votou?

Hamida tentou soar casual.

– Não – respondi, estendendo a mão para abrir a porta. Aquela conversa tinha que acabar. – Na verdade, não discutimos as questões parlamentares. Só estou aqui para ajudá-la a preencher a papelada e ler os documentos.

– Ela não sabe ler?

Desde o primeiro dia, eu havia gostado daquelas mulheres. De verdade. Mas agora elas estavam me deixando muito desconfortável, mexendo com meus nervos. Eu tinha certeza de que iria pagar por isso mais tarde.

– Vamos entrar, por favor. Mal posso esperar para ver o que há lá dentro.

Elas cederam. Eu as segui para dentro do centro, onde uma mulher americana estava sentada diante de um computador, os dedos voando sobre o teclado. Ela nos viu e sorriu com alegria; éramos as primeiras visitantes em uma semana.

Ela se aproximou e nos abraçou em um cumprimento caloroso. Sufia, cada vez mais confiante, praticou seu inglês e perguntou como ela estava passando, como estava sua família.

– Por que não há mais ninguém aqui? – sussurrei.

– Falta de interesse. As mulheres comparecem às sessões, depois vão para casa. Não estão preocupadas em aprender algo novo. Acham que sabem o que estão fazendo, mesmo que nunca tenham feito nada disso. Nasceram sabendo! – disse Hamida, rindo.

As mulheres me apresentaram à Srta. Franklin e explicaram que eu era assessora de outra parlamentar. Ela pareceu animada por me ver lá. Olhei para seus cabelos castanho-claros, pequenas mechas aparecendo por baixo do lenço na cabeça. Ela parecia ter uns 30 e poucos anos e o brilho de seus olhos me fez pensar que nunca havia experimentado a tristeza.

Se isso for verdade, sorte a dela, pensei.

– *Salaam-alaikum*, Rahima-jan – disse ela, seu sotaque tão forte que me fez rir. – *Chotoor asteen?*

– Estou bem, obrigada – respondi e olhei para Hamida.

Eu nunca tinha visto uma americana. Fiquei espantada ao ouvi-la falar nossa língua. Minha reação pareceu familiar a Hamida.

– Ela fala bem dari, não é? – A parlamentar riu. – Agora, querida professora, o que tem para nos mostrar hoje?

Passamos quase duas horas lá, enquanto a Srta. Franklin nos guiava pacientemente pelos princípios da utilização de um computador, mexendo no mouse sobre uma mesa para mover um cursor na tela. Fiquei emocionada, vivenciando uma sensação que não experimentava desde os meus dias como uma *bacha posh*.

Imaginei como seria se eu aprendesse a usar aquela máquina. Se pudesse trabalhar como aquela mulher, a Srta. Franklin. Saber tanto que fosse capaz de ensinar aos outros!

Eu me senti privilegiada. Um novo sentimento! Duvidava que Hashmat já tivesse visto um computador, quanto menos recebido instruções personalizadas sobre como usá-lo. Adoraria ver a cara dele se soubesse o que eu estava fazendo em Cabul.

Mas ia escurecer em breve e era hora de ir embora. As mulheres tinham prometido a Badriya que uma delas iria me escoltar de volta ao hotel, com seu segurança e seu motorista. Abracei a Srta. Franklin antes de sairmos, fazendo-a rir em voz alta, seus olhos azuis brilhando de bondade.

– Quero voltar aqui, por favor! Gostei muito daqui!

Quem dera nosso dia tivesse terminado com esse mesmo sentimento...

Sufia estava com a mão na maçaneta quando uma grande explosão nos deu um susto. Nós nos jogamos no chão, longe das janelas. Trocamos olhares nervosos.

– O que foi isso?

– Não tenho certeza. Não pode ter sido muito longe. Mas não pareceu um foguete.

Éramos um povo acostumado à guerra; nossos sentidos estavam familiarizados com explosões. Mas não os da Srta. Franklin. Seu rosto perdeu a cor e ela começou a tremer. Hamida colocou o braço em torno da jovem professora, tentando tranquilizá-la. Sufia apertou minha mão. Não houve outros sons. Sufia se levantou com cautela e foi até a porta. As pessoas na rua gritavam, apontando. Seu motorista e seu segurança correram até ela. Eles pareciam frustrados. Estavam ofegantes.

– O que foi isso? O que aconteceu? – indagou ela.

– Algum tipo de bomba. Parece que foi junto ao edifício do Parlamento. Fiquem aqui. Vamos tentar descobrir o que ocorreu.

Estávamos amontoadas perto da janela, tentando decifrar os rostos dos pedestres. Hamida gritou para os que passavam:

– O que está acontecendo? Era uma bomba?

A rua estava um caos. Ou ninguém a ouviu, ou ninguém se preocupou em responder.

Nós espiamos pela porta, tomadas por uma curiosidade avassaladora. Eu estava nervosa. Apesar de meu pai e meu marido terem participado de inúmeras batalhas, a guerra sempre acontecera a pelo menos uma aldeia de distância de mim. Fiquei pensando se Badriya estaria em algum lugar nas redondezas.

O motorista de Sufia voltou, balançando a cabeça e murmurando algo. O segurança de Hamida o deteve, querendo saber o que ele havia descoberto.

– Foi a duas quadras do edifício do Parlamento. Uma bomba em um carro. Parece que estavam tentando atingir Zamarud.

Meu estômago ficou embrulhado. Pensei nela saindo do edifício, lembrei-me dos olhares de ódio que tinha recebido de alguns homens. Até mesmo algumas mulheres haviam balançado a cabeça enquanto ela passava. As pessoas achavam que Zamarud ultrapassara todos os limites, e a punição era severa em nosso mundo. Sempre fora.

– Zamarud! Não me surpreendo, depois que ela saiu apontando o dedo para determinadas pessoas. Isso não é nada bom. Ela está bem?

– Não sei. Alguém disse que ela morreu. Eles a levaram. Eu não a vi, nem os seguranças dela. É melhor sairmos daqui.

CAPÍTULO 45

Rahima

Quando Abdul Khaliq ficou sabendo o que acontecera, ordenou a seu motorista e seu segurança que nos levassem de volta para o complexo. O atentado a bomba me deixara assustada. Com medo de que outras parlamentares fossem alvo de algo semelhante, Badriya e eu ficamos no quarto do hotel e ouvimos uma centena de versões dos acontecimentos do dia anterior, tanto de nosso segurança quanto dos funcionários do estabelecimento.

Ela estava morta. Ela estava viva, mas tinha perdido uma perna. Ela saiu ilesa, mas três crianças que estavam por perto haviam morrido. Foi o Talibã. Foi um senhor da guerra. Foram os americanos.

Eu não sabia em quem acreditar. Badriya, por sua vez, acreditava piamente em cada história, até a versão seguinte surgir. Minha cabeça girava. Orei por Zamarud, pensando que havia algo inspirador na maneira como tinha irritado todo o Parlamento com seu comportamento sem cerimônia. Os seguranças voltaram; nosso motorista estava fumando um cigarro, os olhos vermelhos por causa da fumaça persistente da bomba. Ele ficara curioso demais para se manter distante. Quando avisou que o carro estava pronto, suspirei de alívio. Queria abraçar Jahangir.

Imaginei como meu menino ia dar gritinhos e rir ao me ver, como correria para os meus braços. Mal podia esperar para segurá-lo e rezava para que não me odiasse por ter me ausentado. Embora lamentasse pensar assim, não queria ser como minha mãe. Não queria abandoná-lo, deixá-lo sozinho para cuidar de si mesmo. Abri minha pequena sacola e verifiquei se a caneta esferográfica e algumas folhas de papel que eu pegara no edifício do Parlamento estavam lá. Sorri ao pensar como Jahangir ficaria feliz ao rabiscá-las.

Meu filho foi o ponto alto do meu retorno ao complexo. Fui direto para a casa de Jamila e o chamei. Ele ficou paralisado ao som da minha voz e andou desajeitadamente até a porta para me ver, um sorriso inocente no rosto e um brilho nos olhos.

– *Maa-da! Maa-da!*

Meu coração se derreteu ao ouvi-lo.

– Joga bola lá fora! *Maa-da!*

Jahangir não perdeu mais tempo me chamando para jogar bola com ele. Sorri, desejando poder me juntar a ele no pátio, onde chutaríamos a bola de seu irmão de um lado para outro. Eu ainda estava próxima da infância e brincar ainda me atraía. Mas as mulheres tinham acabado de matar uma galinha para os convidados de Abdul Khaliq e, em pouco tempo, ela precisava ser depenada e limpa para o jantar.

– Perdoe-me, *bachem*, mas talvez mais tarde eu possa brincar aqui fora. Agora tenho que trabalhar um pouco. Talvez seu irmão possa ficar no pátio com você.

Acho que, no fundo, eu esperava que meu trabalho em Cabul mudasse a forma como era tratada no complexo, mas essa ideia foi rapidamente abandonada. Bibi Gulalai apareceu no dia seguinte para ter certeza de que meu tempo na cidade não havia desfeito todo o trabalho que ela tivera comigo.

– Aquilo era Cabul, aqui é diferente. Nesta casa, lembre-se bem de quem eu sou. Não há reuniões nem papéis para você cuidar. Agora vá lavar o rosto. Você está imunda. Que vergonha.

Suspirei, assenti e me afastei antes que o humor dela piorasse por minha causa.

Eu passava a maior parte do tempo livre em meu quarto. Minha última noite ali com meu marido tinha sido excepcionalmente desagradável e violenta, e eu não queria me ver em seu caminho outra vez. Será que ele nos deixaria voltar a Cabul depois do que acontecera? Eu ainda não sabia se Zamarud estava viva ou morta.

E algo estava acontecendo em nossa casa. Eu não sabia o que era, mas Jamila parecia ansiosa e distraída. Ela era cortês com Bibi Gulalai, mas logo pedia licença e se retirava. Nossa sogra parecia examinar a casa com um olhar criterioso. Indaguei a Jamila o que se passava, só que ela sorriu e mudou de assunto. Shahnaz, com raiva porque eu tinha sido autorizada a viajar para Cabul, era rude e sarcástica comigo. Não adiantava perguntar a ela.

Por intermédio do filho mais novo de Jamila, enviei uma mensagem a Khala Shaima avisando que voltara de Cabul. Queria muito vê-la. Antes, eu era uma ouvinte; agora, poderíamos trocar histórias. Desejava contar a ela sobre Zamarud e o atentado a bomba. E sobre Hamida, Sufia e o centro de recursos. Mas uma semana se passou e minha tia não apareceu. Perguntei a Jamila se tivera alguma notícia, mas ela disse que não. Uma segunda semana se passou e nada dela.

Eu estava preocupada e frustrada, mas não podia fazer nada. Já sentia as diferenças entre a aldeia e Cabul. Aquela sensação de independência, até mesmo a possibilidade dela, me deixava ansiosa por voltar.

Três semanas se passaram. Badriya e eu estávamos à espera da decisão de Abdul Khaliq. Era bem provável que ele nos permitisse retornar a Cabul para completar os três meses restantes de sessões, mas não falara nada à primeira esposa, e ela era minha fonte de informações. Abdul Khaliq não discutia essas questões diretamente comigo. Nesse sentido, me tratava mais como filha do que como esposa. Mas eu não me importava: quanto menos interação com ele, melhor.

Badriya enfim se aproximou de Bibi Gulalai e perguntou a ela o que estava acontecendo. Inclinando-se contra a parede da sala, o xale sobre o colo, Bibi Gulalai começou a falar com ela em voz baixa. Quando parei junto à porta, as duas me olharam com irritação.

— Vá embora, vá tirar o pó dos tapetes! E faça direito desta vez. Não quero que pareçam desbotados — ordenou Bibi Gulalai.

Afastei-me da porta, mas permaneci no corredor.

— Quando foi que isso aconteceu? — perguntou Badriya quando fiquei fora de vista.

— Logo depois que vocês partiram. Ele conhece o irmão dela. Eu preferia que ele nunca tivesse tomado essa vadia como esposa. Não sei o que ele viu em Rahima. Uma família desprezível.

— Concordo. Nunca vou entender por que ele quis uma *bacha posh* como esposa. Mas, Khala-jan, por que acha que ele ia querer se livrar dela? É a mais jovem aqui e ele a desejava para alguma coisa...

– Ele vai se livrar dela. Acho que já percebeu que ela foi um erro. E quer compensar isso com essa outra. Ele vai se casar com ela.

– Mas por que não manter Rahima e se casar com essa menina?

– Porque ele vive de acordo com o *hadith*! Ele é um homem respeitado na aldeia, em toda a província! Lidera pelo exemplo, por isso vai fazer como o Profeta disse. E o Profeta, que a paz esteja com ele, disse que um homem não deve viver com mais de quatro esposas por vez. Isso não seria um problema se ele não tivesse tomado essa *bacha posh*.

Minha garganta ficou seca. O que meu marido estaria planejando? Uma quinta esposa?

– Bem, que Deus o abençoe. É admirável que ele queira ser um muçulmano tão honrado e devoto.

Bibi Gulalai emitiu um murmúrio rápido, concordando com o elogio feito por Badriya a seu filho.

– Só não diga nada a Rahima. Ela já é selvagem o suficiente sem saber de nada. Não precisamos que ela ou aquela louca de sua tia Shaima façam estardalhaço. Além do mais, não é da conta delas.

– Não vou dizer nem uma palavra, mas ela vai descobrir em breve...

As crianças estavam vindo pelo corredor. Esgueirei-me para longe da porta e confundi meus passos com os delas.

Eu precisava falar com Jamila. Será que Abdul Khaliq ia mesmo se livrar de mim? Mas como?

– Por quê? O que você ouviu? – disse Jamila, estreitando os olhos.

Repeti a conversa para ela, que me escutou atentamente.

– Não sei nada além disso. Bibi Gulalai só fala com Badriya, é claro, o anjo dela. O resto de nós só fica sabendo quando alguma coisa acontece. Mas, que Deus nos ajude, se ele fizer isso, vai ser um desastre.

– Mas você acha que ele vai tomar uma quinta esposa? Ele quer se livrar de mim, Jamila-jan. Ele pode fazer isso?

– Ele pode... – Jamila começou a dizer, mas mudou sua resposta após uma breve pausa: – Não sei, Rahima-jan. Eu realmente não sei.

Não falamos mais sobre o assunto. Se ele queria tomar outra esposa sem ultrapassar o limite, precisava se livrar de uma de nós, e Bibi Gulalai já havia deixado claro que eu era a única dispensável. Certa vez, rezei para que meu marido me mandasse de volta para meus pais. Agora, isso significaria deixar meu filho para trás. Jamila tinha me contado sobre uma menina que fora enviada de volta para a casa do pai porque o marido estava insatisfeito com ela como esposa. Incapaz de suportar a vergonha, a família da moça se recusou a aceitá-la de volta. Ninguém soube o que aconteceu a ela.

Quatro semanas após nosso regresso, Jahangir entrou em nosso quarto, onde eu estava remendando meu vestido, aquele azul que Badriya me avisara para não usar em Cabul. Depois de ver como a maioria das parlamentares se vestia, entendi por quê. Mas ele ainda estava bom e era pouco provável que algum tecido novo chegasse às minhas mãos.

Jahangir me chamou. Ergui o olhar, surpresa ao ver Khala Shaima mancando alguns passos atrás dele. Ela nunca havia entrado naquela parte da casa.

– Khala-jan! *Salaam*, Khala Shaima-jan, você veio! Eu estava tão preocupada com você!

Levantei-me às pressas para cumprimentá-la.

Khala Shaima se apoiou no batente da porta, inclinando-se para a frente enquanto tentava controlar a respiração.

– *Salaam... ah... salaam, dokhtar-jan*. Maldito seja Abdul Khaliq por ter construído este complexo tão longe da cidade.

Ela ofegava quando beijei suas mãos. Eu podia ouvir o assobio do ar em seus pulmões. Em seguida olhei para o corredor, procurando me certificar de que ninguém a escutara amaldiçoar meu marido.

– Sinto muito, Khala Shaima-jan. Gostaria de poder ir até você.

– Ah, esqueça. Vou andar até onde meus pés me permitirem. Agora, deixe eu me sentar e me recompor. Você deve ter algo para me contar sobre sua viagem. E que diabos está fazendo aqui por tanto tempo?

Contei a ela sobre tudo, o hotel, os seguranças, os edifícios e os soldados estrangeiros. Em seguida, falei do atentado e da razão do retorno.

– Ouvi sobre isso no rádio. Canalhas. Não conseguem lidar com uma mulher que tenha voz própria.

– Quem você acha que foi o responsável?

– E isso importa? Eles podem não saber quem colocou a bomba lá, mas todos sabemos o porquê. Ela é uma mulher. Eles não querem ouvi-la. A última coisa de que este país precisa é de mais um aleijado. E é isso que temos agora.

– Ela não está morta? O que aconteceu?

– Você não sabe?

– Ouvimos muitas coisas antes de sairmos. E aqui ninguém se importa em descobrir. Tenho certeza de que Abdul Khaliq sabe, mas...

– Mas você não vai perguntar a ele.

Eu neguei com a cabeça.

– Parece que a bomba foi detonada bem ao lado do carro dela. Explodiu e matou um de seus seguranças. Mas ela sobreviveu. Disseram que sua perna ficou queimada, mas nada além disso.

– Ela vai voltar ao Parlamento?

– Ela quer voltar.

Eu não duvidava. Zamarud não era do tipo que se intimidava com facilidade. Eu gostaria de ser mais parecida com ela, tão determinada e corajosa.

E eu deveria ser, pensei. Eu era muito autoconfiante na época de *bacha posh*. Andava por toda parte com os meninos, não tinha medo de nada. Se tivessem me desafiado a lutar com um homem adulto, eu teria lutado. Achava que podia fazer qualquer coisa.

E agora tremia diante de meu marido, diante de minha sogra. Eu estava mudada. Havia perdido a autoconfiança. O vestido que usava era como uma fantasia, algo que disfarçava o menino obstinado que eu deveria ser. Sentia-me ridícula, como alguém fingindo ser o que não era. Desprezava aquilo em que havia me transformado.

Khala Shaima leu minha mente.

– Ela está assumindo riscos e pode ser louca, mas está fazendo o que quer. E aposto que não se arrepende. Aposto que vai continuar a agir do mesmo jeito. É o que as pessoas algumas vezes têm que fazer para conseguir o que querem. Ou para serem o que quiserem.

Khala Shaima era diferente de todos. As pessoas achavam que Zamarud fora uma tola por dizer o que disse e uma idiota ainda maior por ofender os homens de maneira intencional.

Com cuidado, falando em voz baixa, contei a Khala Shaima sobre Abdul Khaliq querer tomar outra esposa e sobre o que Badriya e Bibi Gulalai tinham dito de mim.

Ela permaneceu em silêncio, mas percebi que a notícia a perturbou. Ela parecia ansiosa.

– Eles disseram quando isso vai acontecer?

Balancei a cabeça.

– Meu Deus, Rahima. Isso não é nada bom.

Suas palavras me deixaram ainda mais nervosa.

– Temos que pensar em algo. Mas mantenha isso em segredo por enquanto. Lembre-se: nas paredes há ratos, e ratos têm ouvidos.

Eu assenti, piscando para conter as lágrimas. Esperava que Khala Shaima dissesse que o rumor era absurdo. Que eu estava segura ali, como esposa de Abdul Khaliq.

– As coisas nem sempre funcionam do jeito que a gente espera. Aposto que você está se perguntando o que aconteceu a Bibi Shekiba. Devo continuar de onde parei?

Não prestei atenção direito à história de minha trisavó. Eu estava preocupada. Tinha que pensar em algo. E deveria ser capaz de achar uma saída, não deveria? Que diferença fazia o fato de usar um vestido agora? Por que faria diferença o fato de eu não usar mais uma faixa para prender meus seios? Eu queria voltar a ser a pessoa que fora um dia. Zamarud não deixava que nada a impedisse de fazer o que desejava. Ela usava um vestido, era casada e fizera campanha para obter um assento na *jirga*. Um assento que ocupava como uma verdadeira parlamentar.

Ao contrário do que acontecia comigo, o vestido não a detinha. Senti-me inquieta. Pensei no quanto ficaria mais confortável se pudesse apenas abotoar minha camisa e caminhar pelas ruas. Se pudesse usar minhas antigas roupas... de quantas coisas eu seria capaz. Zamarud talvez discordasse, mas as roupas tinham um significado diferente para mim porque eu vivera nelas.

O vestido, o marido, a sogra... Como eu gostaria de poder me livrar de todos eles.

CAPÍTULO 46

Shekib

Quando era menina, Shekib ouvira falar de uma mulher em uma aldeia próxima que fora condenada ao apedrejamento. Foi o assunto mais comentado em seu vilarejo, assim como nos vizinhos.

A mulher tinha sido enterrada até os ombros e uma multidão de espectadores a cercou. Quando chegou a hora, o próprio pai jogou a primeira pedra, golpeando-a diretamente na têmpora. A fila continuou até ela desfalecer, em expiação por seus pecados.

Shekiba ouvira a história ser recontada pela esposa de seu tio. Ficara boquiaberta diante do horror daquela punição; os grãos de arroz que estava catando escorreram por seus dedos, caindo fora da bacia. Um formigueiro de arroz se formou no chão.

– O que foi que ela fez?

Surpresas, as mulheres de seus tios se viraram e interromperam a conversa. Elas se esqueciam com frequência de sua presença.

Os olhos de Bobo Shahgul se estreitaram ao ver o arroz desperdiçado no chão.

– Ela arruinou a vida do pai e só deu desgosto para toda a família – disse ela bruscamente. – Preste atenção no que está fazendo, sua idiota distraída!

Shekiba olhou para baixo e viu a bagunça que tinha feito. Sua boca se fechou e ela voltou a atenção para o arroz. Bobo Shahgul bateu com a bengala no chão em sinal de advertência.

Sangsaar? Um arrepio percorreu Shekib quando ela olhou para Benafsha e a imaginou semienterrada, recebendo pedradas na cabeça.

Não fez mais perguntas a Benafsha. O cômodo ficou em silêncio, exceto pelo ronco dos dois estômagos vazios.

Dois dias se passaram sem comida nem água. A porta não se abriu nem uma vez, embora Shekib pudesse ver pessoas se aproximando por trás dela, parando e tentando escutar antes de se afastarem. Pela fenda embaixo da porta, conseguia distinguir as solas de botas militares e constatou que soldados as vigiavam.

No terceiro dia, a porta foi aberta. Um oficial do Exército olhou para as duas mulheres encolhidas no chão. Shekib se levantou. Benafsha mal se mexeu.

– Guarda. Khanum Benafsha.

Shekib limpou as calças e endireitou as costas.

– Seus crimes contra o nosso querido rei são graves e condenáveis. As duas serão apedrejadas amanhã à tarde.

Shekib ofegou. Arregalou os olhos, sem conseguir acreditar.

– Mas, senhor, eu...

– Eu não pedi para você falar. Já se envergonhou o suficiente, não acha?

Ele se virou abruptamente e bateu a porta ao sair. Shekib o ouviu ordenar a um soldado que trancasse a porta. Em seguida, ouviu o barulho de uma corrente e de uma chave girando, deixando as duas mulheres entregues a seu destino.

Benafsha soltou um gemido suave quando a porta se fechou. Ela sabia desde o início.

– Eles vão apedrejar nós duas! – sussurrou Shekib, a voz estrangulada e incrédula. – Eu também?! Eu não fiz nada!

Benafsha estava com o braço dobrado sob a cabeça, os olhos fixos na parede à sua frente. Sabia exatamente o que iam fazer com ela. Por que causara aquilo a si mesma?

– Isso é culpa sua! Eles vão me apedrejar por sua causa! – Ela se ajoelhou ao lado de Benafsha e agarrou seus ombros com força. – Por sua causa!

O corpo de Benafsha se sacudiu, inerte nas mãos de Shekib.

– Alá é testemunha de como eu lamento que você esteja aqui – disse ela baixinho, a voz chorosa e resignada.

Shekib se afastou e olhou para Benafsha.

– Você sabia das consequências. Por que fez isso? Como pôde fazer uma coisa dessas no palácio do rei?

– Você não entenderia – falou ela pela segunda vez.

– Não, eu não entendo como pôde fazer algo tão estúpido!

– É impossível entender se você não conhece o amor – sussurrou Benafsha.

Seus olhos se fecharam e ela começou a recitar a letra de uma música que Shekib nunca tinha ouvido. Versos que memorizou porque ficaram ecoando em sua mente depois que ela parou de falar e que significavam coisas diferentes em momentos diferentes.

Há um beijo que desejamos com todas as forças,
O toque do Espírito no corpo.
A água do mar implora à pérola que rompa sua concha.
E o lírio, quão ardentemente ele precisa
De um ser amado!
À noite, abro a janela e peço à lua para vir
e pressionar sua face contra a minha.
Respire dentro de mim.

Seus versos melancólicos dilaceraram o coração de Shekib. *Eu não sei nada sobre esse tipo de amor. Também não sei nada sobre pérolas e conchas, exceto que uma precisa se libertar da outra. Nós duas estamos mais calmas do que deveríamos estar. Benafsha, porque viveu seu amor; eu, porque nunca o conheci.*

As horas se arrastaram.

O dia se transformou em noite, e a noite se tornou manhã. A manhã derradeira.

Talvez deva ser assim. Talvez seja assim que eu vá, finalmente, voltar para junto de minha família e me livrar desta existência miserável. Talvez não haja nada para mim neste mundo.

Shekib oscilou entre a raiva, o pânico e a submissão durante aquelas horas. Benafsha sussurrava pedidos de desculpas de tempos em tempos, mas passou a maior parte do tempo rezando. Segurava a cabeça entre as mãos e expiava seus pecados, dizendo que não havia outro Deus senão Alá.

Allahu akbar, sussurrava em tom ritmado. *Allahu akbar.*

Ouviram-se vozes do lado de fora. Shekib não conseguiu entender o que diziam, mas escutou algumas palavras aqui e ali.

Prostitutas. Apedrejamento. Merecido.

Prostitutas? Shekib percebeu que era uma mulher novamente. Tão culpada quanto a deitada a poucos metros dela.

Eu fui menina e menino. Serei executada como menina. Uma menina que falhou como menino.

Apedrejamento. Hoje. Suspenso.

Suspenso? O que foi suspenso?

Shekiba ouviu com mais atenção.

Rei. Perdão. Presente.

Ao ouvir a palavra "presente", Shekiba percebeu que algo ia acontecer a ela. Esforçou-se para escutar as vozes com mais clareza, mas não conseguia entender quase nada do que falavam.

A porta se abriu. O mesmo soldado apareceu com uma expressão zangada.

– Khanum Benafsha, prepare-se. Você – disse ele, olhando para Shekiba com repugnância. – Você vai assistir ao apedrejamento e, em seguida, será punida por seu crime. Depois disso, será oferecida em casamento. Deve agradecer a Alá por ter sido agraciada com uma misericórdia da qual não é merecedora.

O cômodo ficou escuro novamente e as correntes foram recolocadas no lugar. O coração de Shekiba disparou.

Eles não vão me apedrejar! Serei oferecida em casamento? Como isso é possível?

Benafsha olhou para ela, os cantos de sua boca quase se curvando em um débil sorriso.

– *Allahu akbar* – sussurrou ela; as preces da condenada tinham sido atendidas.

As mãos de Shekiba tremiam. Teria sido Amanullah? Ele deve ter intervindo! Mas por que iria querê-la agora que fora acusada de tamanha traição? Agora que se transformara em uma mulher indigna?

Todos falavam do caráter nobre de Amanullah. Talvez tivesse enxergado a verdade além das acusações. Talvez, em suas breves interações, tivesse visto algo que lhe dissera que ela era mais do que apenas uma mulher-homem, mais do que apenas uma guarda do harém. Não fora isso o que ele falara a seu amigo Agha Baraan?

Lágrimas escorreram pelo rosto de Shekiba. Agora, tudo o que lhe restava fazer era esperar. As horas se arrastaram. Ficar no mesmo cômodo de Benafsha tornou-se doloroso. Shekiba observava seus olhos vidrados e seu espírito alquebrado. Engatinhou até ela e se agachou a seu lado.

– Khanum Benafsha – sussurrou –, estou rezando por você.

Os olhos da concubina focaram-se em Shekiba. Ela parecia vazia, mas agradecida.

– Não consigo entender por que você... mas desejo...

– Eu cumpri o meu destino – respondeu Benafsha calmamente. – Foi só isso que eu fiz.

Quando foram buscar Benafsha, Shekiba estava segurando suas mãos. Dois soldados colocaram a mulher de pé e outros dois ergueram a jovem pelos ombros. Os dedos de Shekiba se soltaram quando eles amarraram os pulsos de Benafsha e a cobriram com uma burca azul. A concubina a encarou e começou a chorar, emitindo gemidos lentos e longos, que ficaram mais altos conforme caminhavam pelos corredores.

– Cale a boca, prostituta! – disparou um soldado, golpeando a parte de trás da cabeça de Benafsha depois de se certificar de que ninguém os observava.

Embora estivesse prestes a ser executada, ela ainda era uma concubina do rei.

A cabeça de Benafsha pendeu para a frente. Ela começou a rezar em voz alta:

– *Allahu akbar. Allahu akbar. Allahu...*

Eles a sacudiram com força pelos ombros e mandaram que se calasse outra vez. Suas orações continuaram.

Atravessaram o palácio, passaram por uma porta nos fundos e chegaram ao pátio, onde o sol da tarde quase cegou as duas. Shekiba olhou para o harém e viu as mulheres enfileiradas do lado de fora, os rostos cobertos. Identificou a silhueta de Halima, os ombros se sacudindo enquanto ela soluçava. Sakina estava entre elas, de braços dados com Nabila.

Você é responsável por isso, pensou Shekiba com amargura.

Ghafur, Karim, Qasim e Tariq estavam na frente das mulheres, assistindo solenemente à passagem da condenada. Mesmo a distância, Shekiba podia ver Tariq tremendo. Ghafur desviou o olhar, sussurrando algo para Karim enquanto virava o rosto na direção das concubinas.

Covarde. Não tem sequer coragem de olhar para mim.
– *Allahu akbar. Allahu akbar...*

Havia soldados por toda parte. Os jardins do palácio estavam quietos, um silêncio estranho, considerando o número de pessoas presentes. As orações de Benafsha ecoavam pelos jardins enquanto seus pés eram arrastados pelo chão. As concubinas se encolheram. Shekiba ouviu uma mulher chorando. Outras tentaram acalmá-la, mas os soluços continuaram. O choro parecia ser de Nabila.

– Não chorem por aqueles que amaldiçoaram a si mesmos! – ressoou uma voz.

Shekiba se virou para ver de onde ela vinha. Diante deles estava um general. Àquela distância, não sabia dizer se era um dos homens que tinham ido até sua cela improvisada. Três soldados se postavam de cada lado dele, as costas eretas como vergalhões.

Shekiba havia cruzado os jardins do palácio centenas de vezes, mas eles nunca lhe pareceram tão longos. Avançavam lentamente.

– *Allahu akbar. Allahu akbar. Allahu...*

Shekiba começou a repetir as palavras também. Sua voz era quase inaudível, a garganta tão seca que ardia.

Quando se aproximaram do general, ele acenou com a cabeça para os soldados, que passaram pelas fontes e se dirigiram para a extremidade mais distante do palácio. Marcharam solenemente até uma clareira, onde um semicírculo de soldados estava em posição de sentido. Shekiba sentiu um aperto no coração. Diante dos soldados, havia dois montes de pedras, a maioria do tamanho de um punho. Os montes chegavam até a altura dos joelhos.

As orações de Shekiba ficaram mais altas, sincronizando-se com as de Benafsha. Ela sentiu o gosto das lágrimas. Caminharam até a extremidade do palácio, os muros altos bloqueando os curiosos. O rei Habibullah saiu do palácio e se posicionou ao lado do general encarregado da execução. Os homens sussurraram um para o outro, sem tirar os olhos de Benafsha.

O general aquiesceu quando o rei disse algo e se aproximou da condenada enquanto ela era levada para o centro do semicírculo. Um buraco profundo tinha sido cavado nos limites do palácio, atrás de uma fileira de árvores frutíferas, um lugar onde Shekiba nunca antes se aventurara. Os soldados, a cerca de 5 metros, olharam para Benafsha. Shekiba ainda conseguia ouvi-los.

– Diga-me, Khanum Benafsha, está pronta para revelar o nome do homem que recebeu em seus aposentos?

Benafsha ergueu o rosto e o encarou.

– *Allahu akbar.*

– Poderia ser tratada com misericórdia se pelo menos nos dissesse quem é esse homem.

– *Allahu akbar.*

O general jogou os braços para o alto e olhou para o rei, exasperado. O rei assentiu, o rosto contorcido em uma mistura de ira e decepção.

– Muito bem! Khanum Benafsha, seus crimes foram analisados pelos estudiosos do nosso amado Islã e, de acordo com as leis de nossa terra, você deve ser apedrejada pela grave ofensa que cometeu.

Ele olhou para os dois guardas e apontou para o buraco. Benafsha soltou um gemido quando eles a seguraram pelas axilas e a colocaram lá dentro, suas pernas chutando e sua burca azul se agitando no ar, como um peixe retirado da fonte do palácio.

Shekiba deu um passo na direção dela e sentiu duas mãos apertarem seus braços com mais força. Ela olhou para o rei Habibullah. Ele estava de braços cruzados, com um dedo sobre os lábios enquanto dizia alguma coisa. Ao ouvir a voz de Benafsha, ele balançou a cabeça, baixou os olhos e se afastou. Não ia assistir à execução.

Os soldados jogaram terra no buraco, em torno de Benafsha, enterrando-a até a altura do peito. Ela continuava a se contorcer e se virar, mas era inútil, pois o buraco era profundo e seus braços estavam presos ao lado do corpo. À medida que a terra ia subindo a seu redor, ela se movia menos, só que gemia mais alto. Shekiba fechou os olhos e ouviu os lamentos:

– *Allahu akbar. Allahu akbar. Allahu...*

De repente, um grito cortante. Shekiba abriu os olhos, sobressaltada. Uma linha fina e escura formou-se acima da fresta para os olhos da burca de Benafsha. Havia três pedras perto dela.

Começou.

Os soldados se agachavam, pegavam pedras do arsenal a sua frente e murmuravam algo antes de atirá-las em Benafsha, a meia pessoa coberta de azul.

Que Alá tenha piedade de você, Khanum Benafsha!

O corpo de Benafsha estremecia a cada pedrada que a atingia. Os soldados se revezavam. Pegavam uma pedra, a atiravam e voltavam para o fim do semicírculo. Dez minutos se passaram, uma centena de pedras. A voz de Benafsha foi ficando mais fraca, sua cabeça desabou para a frente, a burca manchada em uma dúzia de lugares, halos escuros sangrando na direção uns dos outros. A terra ao redor dela também escureceu, o sangue ensopando o solo. Duas pedras haviam rasgado o tecido azul e a carne retalhada aparecia pelos buracos.

Shekiba se virou, incapaz de tolerar mais. Viu a fileira de burcas azuis atrás de uma fila de soldados que assistiam à punição. Benafsha devia servir de exemplo para mais ou menos uma dúzia de mulheres que tinham sido levadas até lá para testemunhar. Tão horrorizadas quanto Shekiba, metade das burcas azuis havia se virado para não olhar.

Pedra após pedra, grito após grito, o suplício prosseguiu até que Benafsha ficou imóvel, em silêncio. O general levantou a mão. A execução tinha chegado ao fim.

CAPÍTULO 47

Shekiba

O CORPO INERTE DE BENAFSHA REAPARECIA a todo instante na mente de Shekiba enquanto ela recebia a própria punição. Fora condenada a cem chibatadas, desferidas com precisão por um dos soldados, que era observado de perto por um general. Shekiba foi colocada de joelhos, os punhos amarrados como os de Benafsha, os homens posicionados atrás dela.

Embora seu rosto se contorcesse de dor a cada golpe, ela não emitiu um ruído sequer.

Suas costas ardiam, quentes e úmidas. O soldado mantinha um livro debaixo do braço, como mandava a lei, para suavizar a força das chibatadas. Eles contaram em voz alta e, quando chegaram a cem, os pulsos de Shekiba foram desamarrados e ela caiu de lado, exausta. Em silêncio, os homens foram embora.

Sua mente vagava. Ela sentiu água nos lábios. Mãos aplicaram uma pomada em suas costas. Shekiba levou quase um dia inteiro para perceber que a Dra. Behrowen estava cuidando de suas feridas. A mulher britânica soltava muxoxos e balançava a cabeça, quase como faria uma afegã, murmurando algo que Shekiba não compreendia.

Ela fechou os olhos para bloquear o horror, mas ele permanecia lá, as imagens marcadas como a ferro em brasa no interior de suas pálpebras. Abriu os olhos de novo e encarou a Dra. Behrowen. Ela estava torcendo um pano molhado. Examinou Shekiba com cuidado.

– *Dard?* – perguntou, seu sotaque britânico embotando tanto as letras que a palavra ficou irreconhecível.

Ela teve que repetir mais duas vezes para que Shekiba entendesse que estava se referindo à dor.

A jovem fez que não com a cabeça. A Dra. Behrowen ergueu as sobrancelhas e voltou sua atenção novamente para o balde de trapos.

Shekiba olhou para baixo. Estava usando calças finas, que ficavam mais justas nos tornozelos. Um lenço de cabeça se achava jogado sobre uma cadeira no canto do quarto. Shekiba percebeu que se encontrava no quarto de Benafsha, no harém. Através das paredes, podia ouvir mulheres conversando. Lembrou-se de como a concubina, de joelhos diante delas, suplicara perdão e misericórdia a um grupo de pessoas preocupadas apenas em salvar a própria pele.

A porta se abriu e Halima olhou para dentro.

– Posso entrar? – perguntou em voz baixa, fitando a Dra. Behrowen.

A médica devia ter entendido, pois assentiu e fez um gesto para que Halima entrasse.

– Como está se sentindo?

– Melhor.

A garganta de Shekiba parecia uma lixa.

– Fico feliz. – Ela se ajoelhou ao lado da jovem. – As coisas têm estado feias por aqui nos últimos dias. Nunca passamos por uma situação assim.

Shekiba não tinha nada a responder. Halima suspirou pesadamente e, lacrimejante, olhou de relance para a Dra. Behrowen.

– Tariq está lá fora. Quer ver você, mas está muito nervosa. Será que ela pode entrar por alguns instantes?

Shekiba aquiesceu. Ela se lembrava de ter visto Tariq quando virou o rosto para não ver o apedrejamento de Benafsha. A boca e os olhos da guarda estavam abertos de horror e havia uma pequena poça de vômito a seus pés.

Halima pousou a mão com suavidade na testa de Shekiba antes de se levantar e sair em silêncio. Shekiba desejou que ela voltasse, acariciasse seus cabelos e segurasse suas mãos, como uma mãe faria. Em vez disso, Tariq entrou correndo e se deixou cair ao lado de Shekiba; o tremor em suas mãos reverberava em sua voz.

– Ah, Alá tenha misericórdia! Você está bem? Está muito machucada? O que fizeram com você?

– Eu fui castigada.
– Como?
– Cem chibatadas.

Tariq examinou o corpo dela, franzindo as sobrancelhas de angústia.

– Que horror! Que coisa terrível! Ah, Shekib! Eles disseram por que estavam castigando você?

– Porque eu não fiz o meu trabalho como guarda.

– Ah, que Alá nos perdoe! Somos todas tão culpadas quanto você! – sussurrou ela, como se tivesse medo de que o palácio a escutasse.

– Mas só eu estava montando guarda naquela noite. Ghafur fez questão de dizer isso a eles.

– Ela... Nunca imaginei que ela fosse capaz de ser tão... Quero dizer, sei que ela só pensa em si mesma, mas nunca imaginei que pudesse fazer algo assim...

– É o que as pessoas fazem. Ela não é diferente de ninguém.

De repente, ocorreu a Shekiba que Benafsha agira de modo distinto. O general lhe oferecera clemência em troca de um nome. Embora ela provavelmente soubesse que a oferta era uma mentira, nem mesmo a possibilidade de misericórdia abalou sua determinação. Ela nunca disse quem era o tal homem. Por que fizera isso? Por que protegera Agha Baraan?

– Ela falou que eles só queriam falar com você. Que não sabia que iam castigá-la.

Shekiba se lembrou de Ghafur desviando o olhar naquela noite e no dia do apedrejamento.

– O que lhe disseram? Benafsha... Ela trouxe tanta desonra para o palácio, mas nunca pensei... Simplesmente não posso acreditar que isso tenha acontecido aqui! Achei que as coisas fossem diferentes em Cabul, no palácio do rei!

– Nenhum homem toleraria uma ofensa como essa. O rei teria desonrado a si mesmo se concordasse com uma punição menor.

– E o que vai ser de nós, guardas?

– Não sei.

– E quanto a você? Vão mandá-la de volta para sua família?

Shekiba se lembrou de que fora poupada por uma razão: ia se casar! Pensou no rosto de Amanullah. Será que era verdade? Será que ele a salvara da execução para que vivesse como sua esposa? Ou talvez como concubina? Mesmo encolhida no chão, com as costas em carne viva e cobertas de pomada, Shekiba ansiou por estar em uma casa nova, a própria casa, e com filhos. Queria sentir pequenas palmas tocando seu rosto com um afeto inquestionável.

– Não. Não sei para onde vão me mandar.

Decidiu não dizer nada sobre o casamento antes de ter mais informações. Não queria que Ghafur ficasse sabendo de nada, para que não encontrasse uma maneira de estragar tudo.

– Ah, que confusão horrível! Sinto muito, Shekib. Sinto muito que você tenha levado a culpa. O harém inteiro está aterrorizado. Elas temem que outras sejam punidas, só para dar o exemplo ou talvez por acharem que tinham envolvimento...

Shekiba concluiu que Tariq a estava deixando exausta. Pediu então que ela saísse, para que pudesse descansar. A guarda pareceu desapontada, mas concordou e saiu, seu uniforme parecendo volumoso e desajeitado. Ela era menos homem agora do que jamais tinha sido.

Shekiba estava pegando no sono quando Tariq voltou correndo para o quarto.

– Shekib! – chamou, agitada.

– Por favor, Tariq, só quero dormir por alguns...

– Eu sei, e peço desculpas, mas o palácio enviou um mensageiro. Eles me pediram para lhe dizer... para lhe dizer que deve estar pronta em dois dias.

Shekiba a encarou.

Tariq corou e abriu um sorriso nervoso.

– Disseram que você vai se casar!

CAPÍTULO 48
Rahima

Era o feriado do Eid, cinco semanas após o ataque a Zamarud. Badriya havia recebido várias cartas do diretor-geral: se não reassumisse as funções imediatamente, seria destituída de sua posição. Abdul Khaliq decidiu que voltaríamos depois do feriado.

Jamila me contou o que estava acontecendo.

– Ele tem um acordo com uma empresa estrangeira. Você sabe, esses ocidentais com quem ele sempre se encontra. Quer que eles lhe paguem para fornecer segurança. Mas depende de o Parlamento decidir se essa empresa deve ou não ser autorizada a construir um duto atravessando nossa província. Se não receberem a permissão, não vão precisar de segurança.

– Foi por isso que ele colocou Badriya no Parlamento? Para que votasse a favor do duto?

– Sim. E para votar nas pessoas certas para outros cargos, as quais vão lhe dar o que quer.

Os votos de Badriya agora faziam sentido. Abdul Khaliq devia ter mandado que ela prestasse atenção aos sinais de seu amigo. Ela queria que nós acreditássemos que realmente tinha alguma importância, mas Badriya não passava de um fantoche. Não era como Hamida e Sufia. Não era de admirar que ficasse tão incomodada perto delas.

Fiquei feliz porque íamos voltar, embora dessa vez eu soubesse que seria ainda mais difícil deixar Jahangir. Eu sabia o quanto ia sentir sua falta. Mas não me atrevi a perguntar se poderia levá-lo comigo.

Nós, as quatro esposas, fomos até o complexo de Bibi Gulalai, ao lado do nosso, para prestar os respeitos obrigatórios no primeiro dia do Eid. Depois disso, voltamos para casa e nos preparamos. Durante três dias, nossa casa recebeu um visitante após outro. Passei três dias com a cozinheira e a criada secando pratos, enchendo tigelas com nozes e passas e servindo xícaras de chá. Não fui chamada a me sentar com nenhum dos convidados, como foi feito com Badriya e Jamila. Até mesmo Shahnaz ia à sala de vez em quando e conversava com as mulheres que apareciam.

Se meu marido pretendia se casar de novo, eu não tinha nenhuma razão para esperar que a situação fosse melhorar para mim. Sabia que meus parentes não iam me receber de volta. Era uma questão de orgulho. Meus tios jamais tolerariam uma esposa rejeitada, uma mulher desonrada, de volta ao seio da família.

Era possível que ele mantivesse todas as esposas. Mas não havia espaço na casa para isso. Estávamos todas inquietas diante das possibilidades. Bibi Gulalai e Abdul Khaliq não deixavam escapar nada sobre o assunto.

– Rahima! Rahima-jan, venha aqui! Olhe só quem veio ver você!

Enxuguei as mãos na saia e corri para a sala, esperando ver Khala Shaima. Meu queixo caiu quando vi minha irmã mais velha, Shahla, com um menino segurando sua mão e um bebê de não mais do que 4 meses no colo.

Shahla abriu um largo sorriso ao me ver, enquanto eu simplesmente fiquei parada, de olhos arregalados. Seu rosto e os quadris estavam mais arredondados, tirando-lhe por completo o ar de adolescente. Ela parecia alegre.

– Rahima! Minha irmã querida!

Ela soltou a mão do filho e deu um passo na minha direção. Eu não conseguia acreditar que a estava vendo depois de tanto tempo. Era tão bom ter os braços dela me apertando, suas mãos tocando meu rosto.

Senti suas lágrimas se misturarem às minhas.

– É tão bom ver você finalmente! – sussurrou ela. – Perdoe-me, Rahima. Eu não pude estar ao seu lado quando... quando tudo aconteceu.

Eu sentira muito a falta de Shahla, principalmente depois que Parwin tirou a própria vida. Vê-la reabriu a ferida.

– Eu queria estar aqui. Eu queria vir, mas foi tão perto do momento em que esta pequenina... – disse ela, apontando para a menina em seus braços.

Toquei o rosto da menininha, sua pele macia e lisa como a de Shahla.

– Eu sei, Shahla. Queria muito que você estivesse aqui. Foi... Foi tão horrível!

– Que Alá a perdoe, tenho certeza de que foi. Pobre Parwin! Não posso nem imaginar o que ela deve ter enfrentado!

Bibi Gulalai estava parada no canto da sala, observando-nos com desconfiança, parecendo descontente. Então reparei que havia outros hóspedes que eu não tinha cumprimentado. Troquei beijos rápidos com a sogra de Shahla e duas de suas cunhadas. Shahla se sentou em uma das almofadas, o filho a seu lado e a filha no colo. Sentei-me perto dela enquanto os olhos de Bibi Gulalai me seguiam.

– Ah, Shahla, veja só seus filhos! São lindos! Eu tenho um...

– Rahima! – berrou Bibi Gulalai. – Não acha que seria mais educado trazer um chá para nossas visitas antes de começar a incomodá-las com suas lamentações?

Corei de vergonha e raiva. Pelo menos cinco feriados do Eid já haviam se passado e aquela era a primeira vez que minha irmã conseguia fazer uma visita ao complexo em quase três anos. Eu não a via desde a noite de nossos infelizes casamentos. Notei a expressão surpresa de Shahla ao ouvir como Bibi Gulalai falou comigo. Jamila interveio:

– Deixe que eu faço isso, Khala-jan. A irmã de Rahima está aqui e acho que seria bom se elas pudessem passar algum tempo juntas.

Eu amei Jamila por sua compreensão. Ela trouxe xícaras de chá e serviu um prato de nozes e amoras secas. As senhoras conversavam amigavelmente enquanto Shahla segurava minhas mãos. Seu filho, Shoib, mantinha um sorriso tímido e os pequenos braços de sua menina se mexiam para um lado e para outro, os olhos grudados no rosto da mãe.

– Shoib, você disse *salaam* a Khala-jan?

– *Salaam* – disse ele depressa, escondendo-se atrás do ombro da mãe.

– Ele é muito tímido – comentou Shahla, sorrindo.

– Quero que você conheça meu filho, Shahla.

Corri para o corredor e chamei por Jahangir. As mulheres na sala nos acharam ridículas. Todo mundo tinha filhos. Elas não entendiam por que estávamos fazendo tanto alvoroço por causa deles.

Ouvi passos vindo do quarto de Jamila. Meu filho havia se acostumado a ficar com ela durante minha estadia em Cabul. Quando não estava a meu lado, eu sabia exatamente onde encontrá-lo.

– Venha, *bachem*, venha conhecer Khala-jan.

Com um olhar curioso, meu filho pegou minha mão e me seguiu até a sala.

– Ele é lindo, *nam-e-khoda*! – disse ela, louvando o nome de Deus e soprando três vezes para afastar o mau-olhado. – Tem o seu rosto.

– Você acha?

Fiquei feliz ao ouvir isso.

– Claro! E tem o cabelo de Madar-jan. Veja como os cachos se formam atrás de sua cabeça.

Nós duas nos contraímos à menção de nossa mãe.

– Você esteve com ela?

Eu tentei ser discreta.

Shahla balançou a cabeça. Olhei para meus pés, escuros de poeira. Aquele era um ponto sensível para nós duas e eu não queria contar a minha irmã tudo o que sabia sobre a derrocada de Madar-jan. Com tantas mulheres presentes, pareceria uma traição. Mas queria abrir meu coração para ela, contar sobre nossas irmãs mais novas, que precisavam cuidar de si mesmas, ainda que nossos pais estivessem em casa. Queria que ela me dissesse que ia colocar algum juízo na cabeça de Madar-jan, mesmo que Khala Shaima não tivesse conseguido. Mas eu não disse nada.

– E a sua menina... Ela é tão doce! Qual é o nome dela, Shahla?

Pousei minha mão diante da sua. Seus dedos longos e graciosos se entrelaçaram aos meus e apertaram.

Shahla baixou a voz e observou se alguém estava prestando atenção em nós.

– O nome dela é Parwin – disse em voz baixa.

Olhei novamente e percebi que a filha de Shahla tinha olhos grandes e inocentes e lábios rosados, como os de nossa irmã. Senti um nó na garganta. Minha irmã abriu um sorriso triste.

– Parwin?

– Sim. Minha sogra queria que ela se chamasse Rima, na verdade, mas eu pedi para escolher o nome. E ela concordou.

Olhei para o rosto de minha sobrinha. Quanto mais a fitava, mais de Parwin eu via. Então pensei em minha sogra. Ela só havia concordado com o nome do meu filho porque meu marido o aprovara. Ele devia ter gostado muito do nome, ou ela com certeza o teria mudado.

– Não consigo acreditar que ela tenha concordado.

– Eu sei. Foi difícil, porque ela pensou que traria má sorte, sabe, dar a uma criança o nome de alguém que era manca. Graças a Deus, eu lhe dei o nome antes... quer dizer, se ela tivesse nascido depois, eu não conseguiria convencer ninguém. O nome carregaria muita escuridão.

Shahla olhou para a filha com melancolia.

– Depois de tudo que aconteceu, todos começaram a chamá-la de Rima. Eu também não conseguia dizer o nome dela, então, por um bom tempo, foi um alívio chamá-la assim. Mas agora, quando estamos só eu e ela, eu a chamo de Parwin. Isso faz com que eu me sinta melhor. Engraçado, não é? Nós ouvimos o mesmo nome e, enquanto eles enxergam trevas, eu enxergo luz.

Eu sabia exatamente o que ela queria dizer.

Se os convidados fossem quaisquer outras pessoas, eu já teria voltado para a cozinha muito tempo antes. Mas era minha irmã e eu queria passar cada segundo que pudesse ao lado dela. Jamila colocou mais chá nas xícaras, serviu um prato de biscoitos e conversou um pouco. Ela ficou de olho em Bibi Gulalai e, quando parecia que nossa sogra estava prestes a me dizer algo, Jamila fazia uma pergunta ou falava algo para distraí-la. Quando nossos olhos se encontraram, agradeci a Jamila em silêncio. Ela sorriu.

– Shahla, você parece tão bem! – exclamei.

Era verdade. Minha irmã parecia mais madura, mas, fora isso, continuava a mesma. E parecia contente. Até a vi fazer contato visual uma ou duas vezes com sua cunhada e sorrir. Genuinamente. A sogra dela era uma mulher de voz suave, nada parecida com Bibi Gulalai e seu olhar cáustico. Devia estar na casa dos 60 anos, mechas de cabelos grisalhos teimando em aparecer por baixo do lenço de cabeça. Ouviu Jamila falar sobre a doença de nossa mãe com um olhar de sincera preocupação.

– De verdade, Shahla, está tudo bem? – sussurrei quando a sala se dividiu em diferentes grupos de conversa. – Você está feliz?

– Sinto muito a sua falta, Rahima! Sinto falta de todos. Gostaria tanto de poder ver Rohila e Sitara... Queria ver o quanto cresceram, saber o que estão fazendo. Mas estou feliz.

Eu sorri. Acreditava nela.

– E você?

Jahangir puxou a manga de Shoib, convidando-o a brincar no corredor. Shoib deu de ombros e o seguiu.

– Eu?

Podia sentir o olhar de Bibi Gulalai em minha nuca. Assenti. Minha irmã me conhecia muito bem. Seu rosto se entristeceu.

– Que bom, fico feliz por ouvir isso – disse ela, de uma forma que me mostrou que queria dizer o contrário.

– Eu vou para Cabul agora. Você ficou sabendo?

– Ouvi alguma coisa, mas...

Contei a ela sobre o assento de Badriya na *jirga* e que eu trabalhava como sua assessora. Expliquei como Cabul era diferente, como nas histórias que Khala Shaima nos contava. Fiquei orgulhosa quando vi o quanto Shahla ficou impressionada.

Se eu pudesse fazer o tempo parar... teria ficado sentada ao lado de minha irmã, nossos filhos brincando juntos em uma cena inocente, nossos corações apoiando uma à outra enquanto lamentávamos nossa irmã morta, a mãe que um dia tivemos e as irmãs que deixamos para trás.

– Você ainda vê Khala Shaima, não é?

Aquiesci.

– Ela aparece por aqui sempre que pode. Está ficando mais difícil para ela, mas sinto sua falta quando ela não vem.

– Ela ainda conta as histórias de Bibi Shekiba? – perguntou Shahla.

Ela começou a embalar a filha quando notou que os olhos dela já se fechavam, do mesmo jeito que eu fazia com Jahangir. Era incrível a rapidez com que as meninas desenvolviam o instinto da maternidade.

– Conta, sim. Eu adoro ouvir essas histórias. Elas me fazem pensar... me fazem pensar em outros tempos.

Shahla suspirou. Ela sentia saudades daqueles tempos tanto quanto eu.

– Eu sei, Rahima-jan. Mas os tempos mudam. Tudo muda. Um por um, os pássaros voam para longe.

CAPÍTULO 49
Shekiba

Ninguém dissera mais nada a Shekiba. O *nikkah* seria realizado em dois dias. A notícia se espalhou depressa pelo sombrio harém e várias mulheres se reuniram para preparar a noiva.

– Quem é esse homem? Que sorte você tem! Foi poupada pelo nosso querido rei para se casar! É uma grande honra!

Essas vozes eram a minoria. Shekiba ouvia os sussurros ao seu redor, raivosos e incrédulos. Algumas diziam que ela provavelmente havia conspirado com Benafsha e que deveria ter sido apedrejada junto com ela.

Você viu como ela fica à vontade no quarto de Benafsha? Como se sempre tivesse sido dela!

Aposto que ela ajudou a esconder o amante de Benafsha. Tenho certeza. Eu ouvia seus passos no meio da noite de tempos em tempos e sabia, eu simplesmente sabia que algo estava acontecendo!

Eles devem estar dando Shekiba em casamento a um homem cego. Quem mais suportaria olhar para o rosto dela?

Com que rapidez elas se viraram contra Shekiba! Com que rapidez se esqueceram de como ela carregara seus filhos, levara água para seus banhos e até esfregara suas costas quando pediam. Durante todo aquele tempo, fora Shekiba-e-halim para aquelas mulheres; piscavam umas para as outras quando ela lhes servia tigelas daquela comida quente no café da manhã.

Shekiba-e-halim servindo seu prato especial!

Talvez ela devesse derramar uma tigela sobre o outro lado do rosto. Juro que está da cor exata de sua pele hoje! O cozinheiro deve ser um gênio!

Mas algumas, como Halima e Benazir, tinham pena de Shekiba e sabiam que ela precisava de ajuda nos preparativos para seu *nikkah*.

– Quem é esse homem? – perguntou Halima, passando óleo nos cabelos curtos e sem brilho de Shekiba.

– Não sei, Khanum Halima. Ninguém me disse nada.

– Talvez seja um dos criados do palácio principal. Talvez você passe a trabalhar lá – sugeriu Benazir. – Você gostaria?

– Acho que sim – respondeu Shekiba, a voz contida.

Não era nada disso que ela queria, mas não tinha coragem de compartilhar seu segredo com ninguém. Era Amanullah quem ela esperava, não um criado!

– Bem, é um pouco estranho que não tenham dito nada a você.

Halima parecia esperançosa, porém reservada. A vida de Shekiba fora marcada pelo infortúnio e era difícil imaginar que mesmo um casamento pudesse lhe trazer alguma paz.

– Sabe, há muitas coisas que vêm com o casamento. Conhece esse harém e sabe o que acontece entre um homem e uma mulher. Seu marido vai esperar que você cumpra os deveres de esposa. E você não vai querer desapontá-lo – explicou Halima com suavidade.

Shekiba sentiu o estômago se revirar. Não se preocupara muito com o que iria acontecer entre ela e o marido. Lembrou-se dos gritinhos e grunhidos que vinham dos aposentos do rei. Pensou no que Mahbuba lhe dissera e sentiu algo entre as pernas se contrair de ansiedade.

– É doloroso na primeira vez – prosseguiu Halima.

– Muito doloroso! – reforçou Benazir.

– Mas, depois, a cada vez será mais fácil. E talvez Alá a abençoe com um filho.

Benazir sorriu e olhou para Mezhgan, que estava dormindo ali perto.

– Você disse que as mulheres de sua família têm apenas meninos. Se der à luz um garoto, vai fazer de seu marido um homem feliz. Especialmente se for o primeiro filho.

– Você acha mesmo que ela vai ser a primeira esposa? – perguntou Benazir.

– Tudo é possível – respondeu Halima, olhando para Shekiba e pensando nos últimos dias no palácio.

No fim da tarde, uma segunda onda de notícias percorreu o harém. Nabila chegou correndo ao salão de banho. Shekiba conseguia ouvi-la através da porta.

– Ficaram sabendo das notícias? Ele vai se casar! Nosso querido príncipe Amanullah vai se casar! Ele enfim escolheu uma noiva!

Ninguém mais associou as duas histórias. Ninguém, exceto Shekiba, que fechou os olhos e rezou, com o coração agitado.

Como prometido, um soldado foi até o harém dois dias depois de Tariq transmitir a mensagem a Shekiba. Ghafur estava do lado de fora e chamou por Shekiba. Elas não haviam se falado desde aquela noite negra.

– Shekiba! – gritou ela, sem a menor cerimônia. – O palácio mandou buscá-la.

Shekiba tinha passado a última noite nos aposentos de Benafsha imaginando como seria o amanhã. Suas costas ainda estavam doloridas, por isso ela dormia de lado. Olhou para a porta e imaginou Agha Baraan entrando para se deitar em segredo com a concubina do rei. Por que Benafsha não revelara o nome de seu amante?

Shekiba se levantou devagar e alisou a saia, tentando não acordar Tariq, que fora se juntar a ela em silêncio na noite anterior. Imaginou Amanullah com o uniforme militar, as calças bem passadas e o chapéu perfeitamente posicionado na cabeça. Ao olhar para as próprias roupas, ficou envergonhada. Pegou o lenço de cabeça e amarrou as pontas sob o queixo. Tariq acordou, espreguiçou-se e pôs-se de pé de um salto. Lançou os braços ao redor do pescoço de Shekiba e a abraçou com força. O gesto a pegou de surpresa.

– Já está na hora? Desejo a você tudo de melhor, querida irmã! Que Alá abençoe os passos que está prestes a dar e lhe dê uma vida de felicidade. – Os olhos de Tariq estavam marejados. – E não se esqueça de rezar por mim algumas vezes também. Reze para que eu tenha a mesma sorte!

– Vou rezar para que você tenha ainda mais sorte.

Com o palácio à espera, não havia tempo para encontrar Halima ou Benazir e se despedir. Shekiba passou por Ghafur quando se encaminhava para a porta da frente.

– Como você está, Shekiba-jan? Espero que esteja se sentindo melhor. Ouvi dizer que sua punição foi severa.

Ela parecia desconfortável; seus olhos se desviaram de Shekiba e se concentraram no soldado que esperava do lado de fora.

– Eu fui entregue de bandeja a eles, a culpa já atribuída. O que mais poderiam fazer?

– Eles devem ter presumido...

– Eles presumiram o que lhes foi dito – respondeu Shekiba com frieza.

– Eu não... De qualquer maneira, parabéns.

– Para você também.

– Para mim também?

– Certamente. Não é todo dia que se consegue escapar de ir para a fogueira.

– Espere um minuto! Eu não...

Algo em Shekiba a fez se virar e olhar nos olhos de Ghafur. Ela estava cansada de conter a própria língua.

– Há algo que você não sabe sobre mim, Ghafur. – Ela se virou por completo para encará-la. Seus olhos se estreitaram de ódio. – Nunca se perguntou por que minha família me mandou embora? É porque carrego uma maldição e aqueles que me rodeavam acabaram em uma cova muitos anos antes de sua hora. E agora, sob esse céu claro e com Satanás como testemunha, eu a amaldiçoo. Que você sofra uma centena de vezes mais para cada chibatada que levei. Guarde minhas palavras, sua cobra, você vai ter o que merece – declarou Shekiba em voz baixa.

Os ombros de Ghafur se enrijeceram de raiva, mas seu rosto empalideceu. Satisfeita, Shekiba lhe deu as costas e caminhou em direção ao soldado.

Foi levada até uma pequena sala na ala leste do palácio. Os dois homens que a haviam interrogado poucos dias antes estavam sentados, aguardando. O mais baixo olhou para o esguio, esperando que ele começasse a falar.

Será que Amanullah virá até aqui? Será que vou encontrá-lo hoje? Será possível que se realize mesmo um nikkah *entre nós?*

– *Salaam* – disse ela, de cabeça baixa.

Ajeitava sem parar a roupa, o lenço de cabeça, querendo que cada peça estivesse perfeitamente no lugar. Sinalizaram para que se sentasse na cadeira diante deles. Um dos homens falava, enquanto o outro assentia e repetia suas palavras:

– Você é uma menina de sorte.
– Muita sorte.
Shekiba não ergueu a cabeça.
– Usufruiu de uma misericórdia que não merecia. Deveria estar muito grata.
– Muito grata.
– Alguém concordou em tomá-la como esposa, um título que ninguém esperaria que você recebesse. Mas essa é uma oportunidade de se redimir. De tentar levar uma vida respeitável e cumprir seus deveres conforme manda nosso sagrado Corão. Acha que pode fazer isso?
– Fui criada com amor por nosso livro sagrado, senhor. E não quero nada além de levar uma vida digna.
Ele ergueu uma das sobrancelhas. Talvez esperasse uma resposta mais insolente.
– Muito bem, então. Como deve imaginar, nosso querido rei Habibullah não deseja pôr os olhos em você de novo depois da tragédia que se abateu sobre este palácio. Mas deu sua bênção para que se case.
O coração de Shekiba martelava no peito. Eles ainda não tinham mencionado o nome do noivo. Esperava por cada palavra pronunciada, ansiosa para ouvir aquele nome, aquele doce nome: Amanullah!
– Seu futuro esposo está no recinto ao lado, com o mulá. Está assinando a certidão de casamento.
A porta se abriu e um terceiro homem apareceu. Ele fez um sinal com a cabeça para os outros dois, que se voltaram para Shekiba.
– Ele concordou, afirmando suas intenções claramente três vezes seguidas. Agora é sua vez. Vamos falar em seu nome. Concorda em tomar Agha Baraan como seu marido?
Shekiba começou a assentir antes mesmo de ouvir o nome. Continuou assentindo quando ouviu o nome e até mesmo alguns segundos depois, antes de sua mente ser capaz de processar o que estava acontecendo.
– Agha Ba...?
– É uma resposta simples: sim ou não. Concorda em tomar Agha Baraan como seu marido? E devo acrescentar que seria ainda mais tola do que sabemos que é se considerasse qualquer resposta diferente de sim.
Shekiba ficou muda. Eles a encararam com impaciência enquanto sua mente dava voltas.

O que está acontecendo? Por que Agha Baraan ia me querer? Agha Baraan? O amante secreto de Benafsha? Isso não faz nenhum sentido.

Shekiba sentiu o rosto formigar.

– Sim ou não? – disse uma voz mais alta e impaciente.

– Você é idiota? Apenas diga sim para que possamos avisar ao mulá que ele pode concluir o *nikkah*! Talvez devêssemos simplesmente falar em seu nome. Não estou com paciência para esperar.

– Tudo bem, então está tudo certo. Ela não se recusou. Vou avisar ao mulá.

O homem atarracado se levantou e saiu pela porta.

E quanto a Amanullah? Com quem ele vai se casar? Como pude pensar...?

Shekiba lembrou-se da conversa que tinha entreouvido no jardim. Sua garganta se apertou de raiva. Talvez ela fosse mesmo tão tola quanto todos diziam.

Um documento foi trazido para Shekiba. Ela pegou a pena que lhe entregaram, já umedecida em tinta, e escreveu seu nome na linha. Estava atordoada, mas consciente o bastante para saber que não havia mais nada a fazer. Tinha visto como as pessoas eram despachadas no palácio.

Eles a levaram para o corredor, onde foi instruída a vestir sua burca. Ela obedeceu e Agha Baraan surgiu de uma sala contígua. Ele a fitou, o rosto mais melancólico do que ela se lembrava, os olhos pesados, escuros e tristes.

Fez um aceno de cabeça para Shekiba e caminhou pelo corredor rumo à porta. Ela o seguiu, ouvindo os suspiros de alívio dos conselheiros do rei atrás dela. Estava deixando o palácio com Agha Baraan. Seu *nikkah* tinha sido assinado, um contrato oficial que obrigava ambas as partes. Shekiba estava casada com Agha Baraan.

CAPÍTULO 50

Rahima

Ver Shahla me fez sentir ainda mais falta dela. E de Parwin. Enquanto o carro sacolejava na estrada de terra que levava a Cabul, pensei em minhas irmãs. Shahla parecia estar sendo bem tratada. Sua sogra era mais gentil, mais suave. Na noite anterior, Bibi Gulalai batera com a bengala em meu ombro enquanto eu varria o corredor. Em seguida, golpeou meus joelhos quando caí de lado. Disse que não gostou do jeito como eu estava agachada, que era vergonhoso.

Mudei de posição no banco, pois o cinto de segurança pressionava um ponto dolorido abaixo de minha clavícula. Suspirei fundo. Badriya fingiu não perceber e fiquei grata por isso. Eu não tinha a menor intenção de chorar em seu ombro.

Mas havia algo mais em que eu vinha pensando desde a visita de Shahla. Algo que não saía de minha cabeça desde que deixamos a casa de nosso pai. Shahla dera à sua filha o nome de Parwin. Eu amava Parwin com todo o meu coração, mas era uma atitude inegavelmente ousada e, ao mesmo tempo, de mau agouro dar a uma criança o nome de alguém manco. Eu me perguntei se teria coragem de chamar uma filha minha de Parwin. Ou de Shaima. Esperava que minha tia nunca soubesse. Senti uma onda de vergonha ao pensar que não teria escolhido nenhum desses nomes.

Trazer Jahangir ao mundo foi uma experiência que quase me matou. Rezara para nunca mais engravidar e dessa vez Alá ouvira minhas preces. Mas agora meu corpo havia recuperado as forças e as lembranças do primeiro parto estavam obscurecidas em minha memória; eu começava a querer outro filho. Não sabia por que não tinha engravidado de novo, mas achava que Alá tivesse um plano para mim. Quem sabe no mês seguinte. Por mais tolo e ilógico que fosse, rezei para que meu próximo bebê fosse uma menina.

Que nome eu escolheria? Raisa. Minha mãe. Definitivamente não. Eu tinha menos vergonha de admitir isso. Podia visualizá-la com um brilho tóxico nos olhos vermelhos por causa da fumaça enquanto Rohila e Sitara assistiam impotentes. Não, eu nunca conseguiria usar seu nome. Mas era impossível pensar em minha mãe e não sentir saudades dela, da maneira como me abraçara no dia de nosso *nikkah*, o dia que a destruiu.

Zamarud? Talvez, mas achava que não. Muitas pessoas a odiavam a ponto de tentar matá-la. Se tentaram uma vez, provavelmente tentariam de novo e talvez tivessem sucesso. Então seria o nome de uma parlamentar assassinada. Não, pensei. Esse não serve.

Hamida? Ou Sufia? Muito possivelmente. Eu gostava de ambas, de Hamida um pouco mais, porque havia insistido com Badriya para me deixar ver mais do Parlamento, fazer mais coisas do lado de fora.

Shekiba. Isso. Esse era o nome que eu escolheria. O nome da *bibi* de minha *bibi*. A mulher que levou a vida dupla que eu levei, que usou roupas masculinas, trabalhou com a força de um homem, se defendeu e cuidou de si mesma. Seria esse o nome que eu daria a minha filha, se tivesse uma. *Se*.

– Não vou ficar tomando conta de você só por causa do que aconteceu com Zamarud. É melhor você se cuidar – disse Badriya bruscamente.

As movimentadas ruas de Cabul começaram a surgir. Virei-me e a encarei, sem ter certeza do que estava querendo dizer.

– Por mim, tudo bem. Não achei que você estivesse cuidando de mim na outra vez – respondi sem rodeios, tarde demais para me controlar.

Os olhos de Badriya se arregalaram.

– Ora, sua insolente, sua...

Sem conseguir encontrar as palavras, ela deu um tapa em meu rosto com as costas da mão. Meus olhos lacrimejaram e meu nariz ardeu. Rezei para que não sangrasse em meu vestido recém-lavado.

– Não se atreva a falar assim comigo, sua inútil. Lembre que você só está aqui por minha causa e posso mudar de ideia sobre sua utilidade a qualquer momento.

Fiquei em silêncio e olhei pela janela de vidro escurecido.

Nós nos hospedamos no mesmo hotel. O apartamento que nosso marido havia comprado precisava passar por muitas obras antes que pudéssemos ficar lá. Ele tinha pedido ao segurança e ao motorista que encontrassem alguns trabalhadores locais para trocar o piso e cobrir as janelas. Não queria que ninguém visse suas esposas.

Badriya logo começou a desfazer a mala, pendurando os vestidos no armário.

Eu vi algo que fez meu queixo cair: havia uma televisão no quarto! Ela não estava lá da última vez e Badriya nunca mencionara uma antes. Eu a liguei e vi Badriya me observando, muito interessada.

Houve uma batida à porta. Olhei para Badriya.

– Não fique aí parada feito uma idiota. Vá ver quem é!

Era o homem que tínhamos visto lá embaixo quando chegamos. Nosso motorista estava atrás dele, de braços cruzados.

– Desculpe-me, *khanum-ha*, perdoe-me por incomodar, mas parece que nos esquecemos de uma coisa. Posso entrar, por favor?

Ele olhou para Maruf, que assentiu.

Afastei-me da porta, virei-me para o lado e mantive meu lenço puxado sobre o rosto. Não precisava que Maruf relatasse nada a meu marido sobre meu comportamento. O homem entrou no quarto, desligou a televisão e tirou o fio da tomada. Pegou o aparelho e o carregou porta afora enquanto eu o observava, de coração partido. Eu tinha visto cerca de trinta segundos de uma mulher cantando em um gramado, os pequenos espelhos de seu vestido tradicional afegão refletindo o brilho do sol.

A porta se fechou. Abdul Khaliq tinha uma televisão no complexo, uma grande caixa que mantinha em seu quarto, com uma antena que ia até o telhado da casa. Nós não tínhamos permissão para assistir. Uma vez, ele me pegou lá dentro, olhando para o aparelho e passando o dedo pelos botões, desafiando a mim mesma a ligá-la. Achei que ele não estivesse em casa. Ele chegou vociferando e me agarrou pelo pescoço com tanta força que eu não conseguia respirar.

– O que pensa que está fazendo? Se eu pegar você assistindo à televisão, arranco seus olhos das órbitas!

Khala Shaima me explicou a reação dele quando perguntei se havia televisão em sua casa.

– Seu marido é muitas coisas, mas não estúpido. Ele não quer que você veja o que acontece no resto do país, o que as outras mulheres estão fazendo. Nos canais de televisão agora há muitos programas com cantoras e repórteres do sexo feminino. Até homens que defendem as mulheres. Consegue imaginar? Como você se sentiria se visse mulheres como essas todos os dias? Ele precisa mantê-la com uma venda nos olhos.

O gerente do hotel havia se esquecido de retirar a televisão antes de chegarmos lá. Fiquei irritada ao perceber como nossas coleiras eram apertadas, mesmo tão longe de Abdul Khaliq. Era como se eu fosse enterrada em um buraco, cada dia mais fundo, até mal poder enxergar a luz.

Pelo menos retornar às sessões da *jirga* foi um alívio para mim. E fiquei contente de rever Hamida e Sufia. Elas nos cumprimentaram com abraços e perguntaram sobre nossos filhos. Não pude deixar de notar, com alegria, que foram mais afetuosas comigo do que com Badriya. O fato de gostarem de mim me deixou feliz.

O ataque a Zamarud assustara Badriya, assim como muitas outras parlamentares. Hamida me disse que duas mulheres decidiram não voltar, com medo de estarem em perigo também. Ela me contou que Zamarud ficara gravemente ferida. Suas lesões infeccionaram e ela fora hospitalizada. Achavam que não ia sobreviver.

A sessão foi aberta com uma oração. Sentei-me com Badriya, nossas cabeças abaixadas, as mãos em concha. Passei o dia preenchendo papéis e lendo documentos para ela. Badriya reclamou que minha leitura era muito lenta, mas eu não disse nada. Era mais fácil assim. Após as sessões e durante os intervalos, eu me juntava a Hamida e Sufia, que eram gentis o suficiente para não perguntar por que eu não acompanhava Badriya. O interior do edifício do Parlamento era o único lugar no qual o motorista e o segurança de meu marido não controlavam meu paradeiro. Ali, a coleira se afrouxava.

Depois das sessões, Badriya pedia que Maruf e Hassan a acompanhassem de volta ao hotel. Ela não tinha interesse em assistir às aulas no centro de treinamento para mulheres, mas eu estava definitivamente interessada. Os seguranças estavam mais preocupados em cuidar da primeira esposa de Abdul Khaliq, por isso observavam com indiferença quando eu entrava no carro de Hamida, deixando-me sob a vigilância de seu segurança e de seu motorista.

Abrimos a porta do centro de treinamento, que, como de costume, estava vazio.

– Olá! – cumprimentou-nos a Srta. Franklin, satisfeita.

Eu me perguntava como ela podia ser tão alegre o tempo todo.

Nós alternávamos as lições: um dia, ela ensinava inglês básico; no dia seguinte, estávamos de novo diante do computador, aprendendo a navegar na internet ou a digitar anotações. Eu estava emocionada por voltar a ser estudante e ansiava por uma aula de verdade, em uma turma cheia de meninos da minha idade com quem pudesse aprender, brincar e jogar futebol.

A Srta. Franklin se orgulhava de nosso progresso. Ela disse que contou aos pais sobre nós, que estava impressionada com nossa dedicação, nosso desejo de trabalhar no governo como mulheres. Gostei dos elogios. Fazia tempo que não ouvia nenhum.

Então, quando a porta se abriu, trinta minutos depois do começo de nossa sessão, ficamos curiosas para ver quem era.

Uma mulher alta, magra, de uns 40 e poucos anos, entrou e olhou em volta, parecendo insegura.

– Olá, entre! – disse a Srta. Franklin.

A mulher usava um casaco preto até as canelas, por cima de uma túnica cor de ameixa e calças compridas. Seu rabo de cavalo estava escondido por um lenço da mesma cor da túnica.

– *Salaam!* – respondeu ela. – Srta. Franklin?

O nome dela era Fakhria e colocou a professora em uma situação complicada. Trabalhava em um abrigo para mulheres em Cabul e queria assistir às aulas. A Srta. Franklin pareceu um pouco perplexa. Os recursos que sustentavam o centro eram alocados especificamente para o ensino das parlamentares. As aulas não eram abertas ao público, porque, em tese, o local não poderia acomodar uma quantidade maior de mulheres que a da *jirga*. Mas eram poucas as que iam até lá.

A Srta. Franklin contraiu os lábios e acenou para que Fakhria entrasse, como eu teria feito. De alguma forma, ela não era uma mulher a quem se pudesse negar algo com facilidade.

No fim da aula, Hamida perguntou a Fakhria sobre o abrigo. Ela e Sufia haviam ouvido falar dele, mas nunca o tinham visitado. Fiquei surpresa ao saber que um lugar assim existia.

– Minha irmã foi morta pelo próprio marido. Decidi que precisava fazer alguma coisa e, então, me deparei com esse abrigo. Foi fundado por uma afegã que vivia nos Estados Unidos. Ela arrecadou fundos e esvaziou os bolsos para construir esse lugar para as meninas. Ela agora vive viajando, mas há pessoas que cuidam dele.

– E seu marido, ele não se importa de você passar o tempo lá? – perguntou Sufia delicadamente.

– Não, na verdade ele me apoia muito. Meu marido é um homem bom. Depois do que aconteceu à minha irmã, ele entendeu que eu enlouqueceria se ficasse parada me lamentando. Nós temos cinco filhos que me mantêm ocupada em casa, mas eu precisava fazer isso. Queria que meus filhos me vissem em ação.

Fakhria começou a nos contar sobre o abrigo, sobre as garotas que viviam lá. Ela nos falou de uma menina chamada Murwarid, de apenas 15 anos, que chegara ao abrigo duas semanas antes, machucada e desesperada. Aos 8 anos, fora obrigada a se casar com um homem de mais de 60 que vivia no campo. O marido abusava dela em todos os sentidos possíveis. Seu nariz ficara torto depois de ter sido quebrado duas vezes. Quando se cansou dela, começou a levá-la a outras aldeias, vendendo-a para homens que quisessem ter relações sexuais com ela. A menina tentou fugir uma vez, mas ele a alcançou e cortou uma de suas orelhas, arrastando-a para casa pela outra.

Após seis meses, Murwarid percebeu de novo que não sobreviveria se ficasse com aquele homem. E, dessa vez, achou que seria até melhor se ele a matasse. Então fez uma nova tentativa de fuga.

Chegou a Cabul e encontrou o abrigo para mulheres, onde agora estava vivendo e se recuperando. Ainda acordava aos gritos no meio da noite.

Fakhria nos convidou a visitar o abrigo. Seria ótimo, disse ela, se o Parlamento ajudasse a mantê-lo. Talvez oferecendo algum treinamento ou trabalho para as mulheres que vivem lá.

Hamida e Sufia soltavam muxoxos enquanto ouviam as histórias contadas por Fakhria.

Eu fiquei sentada, paralisada. Muito do que ela falara me soava familiar, mais do que deveria ser.

Está vendo? Murwarid encontrou um escape, eu podia ouvir Khala Shaima dizer. *Por que ainda não encontrou o seu?*

CAPÍTULO 51

Rahima

— LEIA PARA MIM.

Badriya tinha aberto o jornal semanal de Cabul sobre a mesa. Ela ia apontando as colunas de texto. Pediu que eu parasse depois de ler o primeiro parágrafo de uma matéria sobre a seca em uma província ao sul.

– Esqueça. Quem precisa saber disso? Quero saber o que está acontecendo aqui. Tente esta outra – ordenou, escolhendo uma coluna na página seguinte.

Suspirei e me preparei para ler sobre um novo banco que seria aberto no mês seguinte quando fui interrompida.

Uma batida à nossa porta.

– Uma chamada de telefone de sua casa. Desça ao lobby para atender.

Era Hassan, nosso segurança.

– Agora? – Badriya bufou. – Como se não tivéssemos passado um dia longo o suficiente!

O serviço de quarto acabara de nos entregar nossa refeição. Eu amava aquela comida. Talvez pelo fato de não ter que cozinhar nem lavar a louça depois. Talvez pelo belo padrão floral dos pratos. Ficava com água na boca quando sentia o cheiro do ensopado de batatas com cominho. Enquanto Badriya saía do quarto reclamando, peguei um pedaço de pão, mergulhei-o no caldo e o levei aos lábios. A gordura em minha boca era prazerosa. Não havia razão para que comêssemos refeições frias.

Badriya voltou alguns instantes depois.

– O *qorma* está uma delícia – anunciei quando ela entrou.

Ergui o olhar e vi que ela estava lívida.

– Você... Você está bem?

Ela me encarou, a boca ligeiramente aberta. Seus olhos estavam irrequietos.

– Badriya-jan, o que foi? Quem era ao telefone?

Ela cobriu a boca com a mão. Algo não estava certo.

– Badriya-jan, você está bem?

De repente, algo nela mudou. Ela endireitou os ombros e apertou os lábios com força.

– Era Abdul Khaliq. Ele ligou para falar sobre Jahangir.

Meu estômago se revirou ao ouvir o nome de meu filho.

– Ele não está bem – disse ela, escolhendo as palavras com cuidado. – Ele não está bem. Parece que está muito doente desde que partimos.

– Desde que partimos? Por que ele não ligou antes?

– Não sei, Rahima-jan. Não... Ele mandou Maruf nos levar de volta.

– Eu quero voltar agora!

– Vamos voltar. Maruf está trazendo o carro.

Eu queria estar lá. Queria ver meu filho. Na última vez que ficara doente, ele passara dois dias em meus braços. Sussurrando cada oração de que conseguia me lembrar, eu acariciava seus cabelos úmidos colados à testa suada e via seus lábios cor de cereja tremerem até a febre ir embora. Sabia que ele teria chorado, chamando por mim, e odiei o fato de não estar lá.

Recolhemos nossos pertences em questão de minutos. Badriya se movia com uma rapidez surpreendente. Quarenta minutos depois, o carro de Abdul Khaliq estava na estrada principal, deixando Cabul, passando por tanques e soldados ocidentais de olhares curiosos cobertos por óculos escuros. Maruf reclamou de alguma coisa para Hassan, que estava no banco a seu lado.

Havia algo peculiar no comportamento de Badriya. Como todas as outras crianças do complexo, Jahangir sobrevivera a febres e doenças. Olhei para ela. Badriya estava ocupada dobrando papéis e guardando-os ordenadamente em sua bolsa. Papéis que ela não sabia ler.

– O que ele disse, Badriya? Vão levá-lo ao médico? Ele tem comido?

– Não sei, querida menina. A ligação estava ruim e você sabe como é Abdul Khaliq: ele nunca explica muita coisa.

As horas se arrastavam. Tentei dormir, na expectativa de me encontrar de volta no complexo quando abrisse os olhos, sendo recebida por Jahangir ao portão. Não chegaríamos antes da meia-noite. Eu esperava que Jamila tivesse lhe dado uma xícara de chá de ervas, como fizera da última vez. Esperava que as outras crianças não o estivessem perturbando.

Quando já pegava no sono, ocorreu-me que havia algo estranho em minha conversa com Badriya. Algo além da doença de Jahangir.

O jeito como tinha olhado para mim. O que era aquele olhar?

Preocupação? Irritação? Fadiga?

Pena.

Não sei, querida menina.

Ela jamais se dirigira a mim com palavras carinhosas.

Minha boca ficou seca. Comecei a rezar.

CAPÍTULO 52

Shekiba

Shekiba e Agha Baraan não se falaram no caminho até a casa dele. Ela sentou-se ao lado do marido, mas manteve o rosto voltado para a frente. Ele guiou o cavalo habilmente pelas ruas movimentadas de Cabul, com pequenas lojas e pedestres por toda parte. Olhou na direção da esposa apenas uma vez, mas sua expressão não revelou nada.

Entraram em uma rua estreita, com casas de ambos os lados, todas tão próximas umas das outras que uma criança poderia atirar uma maçã no pátio do vizinho. Shekiba pensou em sua aldeia, as residências separadas por quilômetros de campos abertos.

A casa de Agha Baraan ficava na metade da rua; a porta azul-escura a diferenciava das outras.

De repente, Shekiba foi tomada pelo pânico ao pensar que viveria entre aquelas paredes com aquele homem. Por um instante, pensou em correr – desaparecer no labirinto de ruas de Cabul. Mas lembrou-se de Azizullah arrastando-a desde o portão de Hakim-sahib e achou melhor não se arriscar.

Agha Baraan abriu a porta e ela o seguiu. O pátio era pequeno, muito menor do que o das casas de sua aldeia, mas estava bem cuidado e havia flores vistosas e uma gaiola com três pequenos canários. Ela foi atrás do marido, passando pela porta da casa.

Uma mulher de 20 e poucos anos ergueu os olhos de sua costura. Ela não parecia surpresa.

– Gulnaz, esta é Shekiba. Mostre-lhe o quarto dela, por favor. Ela não tem pertences, por isso você terá que lhe dar um vestido ou dois por enquanto.

Gulnaz se levantou e olhou para o manto azul à sua frente. Agha Baraan saiu, sem se importar com o modo como as duas iam se relacionar.

– Você pode tirar sua burca. É ridículo usá-la dentro de casa.

Pelo tom de voz, Shekiba compreendeu que Gulnaz era a primeira esposa de Agha Baraan e não estava feliz em vê-la. Shekiba obedeceu, mas manteve o perfil direito virado na direção da mulher.

– Ouvi dizer que as pessoas a chamam de Shekiba-e-halim. Deixe-me ver seu rosto.

Shekiba se virou, fazendo questão de fitá-la nos olhos. Levaram alguns segundos analisando uma à outra. Gulnaz era uma bela mulher, mas estava longe de ser tão bonita quanto Benafsha. Tinha olhos amendoados e sobrancelhas graciosamente arqueadas. Seus cabelos eram suaves e espessos, os cachos soltos sobre os ombros.

– Entendo – disse ela, fazendo uma careta. – Bem, venha por aqui. Vou lhe mostrar seu quarto.

A planta da casa era semelhante à de Bobo Shahgul. Atrás da sala ficava uma pequena cozinha. O corredor principal dava para três outros cômodos, que não foram mostrados a Shekiba. O último quarto era o dela, um espaço de 2,5 por 3 metros, sem janelas. Uma almofada fina fora colocada contra a parede e via-se uma lanterna sobre uma pequena mesa redonda.

– Vou lhe trazer algumas roupas mais tarde. Por ora, pode ficar aqui. O jantar ainda vai demorar. Eu preparei a refeição desta noite. Você pode começar a ajudar amanhã.

– Khanum Gulnaz, eu...

– Não me chame assim. Não soa bem. Basta me chamar pelo nome. Você é esposa dele agora e soaria estranho se alguém a ouvisse falar assim.

– Desculpe.

– Deixe-me avisá-la. Esta é minha casa. Eu faço as coisas do jeito que gosto e é melhor que não esteja esperando mudar nada. Você está aqui porque ele quer que esteja, mas isso não significa que pode fazer o que quiser.

– Não tive a intenção...

– Ótimo. Então estamos entendidas, e espero que não cause problemas. Pedi a ele que a colocasse em uma casa separada, mas não há espaço para isso agora. Você vai ter que ficar aqui.

Gulnaz era apenas um pouco mais velha que Shekiba, mas falava com uma autoridade tão condescendente que parecia estar sendo repreendida por uma das esposas de seus tios. Não tinha motivos para esperar que a mulher a tratasse com gentileza, mas achou que ela pudesse lançar alguma luz sobre sua situação.

– Desculpe-me, mas posso fazer uma pergunta, Gulnaz-jan? Pode me dizer por que estou aqui?

– O quê? Como assim?

– Você disse que ele quis que eu viesse para cá. Por que ele me quer aqui?

– Você não tem ideia?

– Não.

Gulnaz balançou a cabeça e saiu do quarto, deixando Shekiba com mais perguntas do que respostas.

Viu Gulnaz mais uma vez naquela noite, quando ela entrou no quarto e anunciou que havia comida na cozinha, caso ela quisesse jantar. Shekiba fitou a porta, mas não respondeu. Sentia-se terrivelmente deslocada. E agora era mulher de novo. Seu vestido parecia incômodo e pesado. Tinha quase esquecido como manter o lenço de cabeça no lugar. Deixara o uniforme de guarda no quarto de Benafsha, mas levara consigo o espartilho usado para prender os seios. Não suportava o jeito como balançavam, embora o corpete esfolasse seus ferimentos ainda não cicatrizados.

Shekiba se perguntou como as coisas seriam ali, vivendo como a segunda esposa do amante de Benafsha, o homem que tinha traído o rei da pior maneira possível. Como ele fora se envolver em uma história tão torpe?

Nervosa, ela ficou atenta ao som da aproximação de Agha Baraan. Depois de observar os hábitos do rei, aprendera que os homens procuravam as mulheres em horas incomuns do dia e da noite. Sentia-se despreparada para estar perto dele a portas fechadas. Acabou pegando no sono em algum momento pouco antes do amanhecer.

– Veja bem, você tem que se levantar e comer alguma coisa. Na verdade, não me importa o que vai fazer, mas não vou carregar sobre os meus ombros a culpa caso você se recuse a comer e acabe ficando doente. Já não está em muito boa forma, para começar. Tome um vestido também. Isso é tudo que vai ter de mim. Ele pode comprar tecido para você, se precisar de outro.

Shekiba se sentou e esfregou os olhos. Observou Gulnaz colocar um prato com pão e manteiga no chão, junto com uma xícara de chá preto.

– E, se vamos dividir a casa, então vamos dividir também o trabalho. Você não pode simplesmente ficar deitada sem fazer nada o dia todo.

– Desculpe, não percebi a hora...

Gulnaz não esperou por uma explicação; saiu antes que Shekiba pudesse terminar a frase. A manteiga derreteu em sua língua. Hesitante, ela saiu do quarto e encontrou o lavatório. Era verão e a água fria lhe fez bem, especialmente às feridas. Imaginou a extensão das cicatrizes em suas costas. Amaldiçoou Ghafur mais uma vez, mas a líder das guardas não era a única culpada. Agha Baraan e Benafsha também eram responsáveis por toda aquela confusão. Shekiba tinha sido pega em meio ao estouro de uma manada de elefantes.

Não sou bem-vinda aqui. Sou esposa dele, mas apenas pela metade. Nada que me diz respeito é por inteiro. Por que ele fez isso?

Shekiba saiu para procurar Gulnaz e se mostrar útil. Essa parte não era novidade para ela. Era como estar na casa de Marjan. Ou de Bobo Shahgul. Encontrou a cozinha vazia, uma pilha de batatas cruas sobre a bancada. Ela olhou ao redor. Agha Baraan tinha uma boa casa. As paredes eram lisas e uniformes, e elaborados tapetes tecidos à mão cobriam o chão da sala, onde também havia um sofá acolchoado, com braços de madeira entalhada, e uma poltrona que Shekiba não notara no dia anterior. Nas paredes, viam-se quadros com artes de caligrafia, o nome de Alá escrito em graciosas curvas, inclinações e pontos.

Voltou para a cozinha e olhou ao redor. Havia copos e pratos nos armários e uma pilha de tachos e panelas debaixo da bancada. Encontrou uma faca e sentou-se para descascar as batatas. Era um alívio se ocupar com alguma tarefa. Quando Gulnaz retornou do pátio, fingiu não perceber a segunda esposa na cozinha e seguiu diretamente para o quarto.

Eles não têm filhos, percebeu Shekiba. Fora isso que ela achara diferente naquela casa. Não havia passos agitados, vozes agudas nem choro. Viviam sozinhos e separados do resto da família de Agha Baraan.

Seria difícil se perder em um lar tão pequeno. Gulnaz se dirigia a ela apenas para dar instruções sobre o trabalho doméstico. Deixava as roupas sujas em uma pilha e dizia que Aasif – o primeiro nome de Agha Baraan – precisava de suas camisas prontas na manhã seguinte.

Gulnaz e o marido compartilhavam as refeições quando ele estava em casa, mas Shekiba se mantinha ocupada e não fazia nenhuma menção de se juntar aos dois. Nem era convidada. Comia no quarto, ou mesmo na cozinha.

Aasif não lhe falava mais do que algumas palavras todos os dias, a maioria pequenos cumprimentos ao passar, desviando o olhar. Shekiba retribuía com murmúrios. Ele era diferente com Gulnaz. Conversava com ela sobre as pessoas que tinha visto e contava-lhe as notícias de Cabul. A outra esposa ouvia e fazia perguntas. Às vezes, os dois até riam juntos. Shekiba se perguntou como as coisas teriam sido para Aasif e Gulnaz quando se casaram. Teria ele sido tão frio como era com ela? Será que algum dia teriam um diálogo?

O silêncio era desconfortável, mas Shekiba temia uma conversa com Aasif. Naquele dia no palácio, ele parecera uma pessoa gentil, um homem nobre. Mas o que sabia agora a fazia questionar a primeira impressão.

Quatro noites se passaram até ele ir a seu quarto. Shekiba estava começando a acreditar que ele se casara com ela apenas para que ajudasse nas tarefas domésticas quando ouviu a porta se abrir. Já era tarde e seus olhos pesavam de sono. Na escuridão, identificou sua silhueta esguia.

Ele ficou parado por um momento, fitando-a. Shekiba manteve os olhos quase fechados, fingindo dormir e rezando para que Aasif desse meia-volta e fosse embora. Seu coração batia tão alto que tinha certeza de que ele podia ouvi-lo. Aasif entrou e fechou a porta. Shekiba quase parou de respirar.

Ele se sentou no chão ao lado do colchão, de costas para ela. Sua cabeça estava abaixada.

– A situação acabou mal – disse Aasif em voz baixa. – Lamento que tenha sido dessa forma.

Shekiba permaneceu em silêncio.

– Ela era uma boa mulher e não merecia o que fizeram. Eu não queria... Não pensei que as coisas iriam tão longe. Mas, depois que descobriram, não havia como evitar. Fui tolo por ignorar o que poderia acontecer... o que *de fato* aconteceu – sussurrou ele, a voz embargada. – Ela me alertou e eu ignorei. Eu ignorei. Ainda assim, ela me poupou, ou eu não estaria sentado aqui agora. Tenho plena consciência disso.

Divagações de uma consciência pesada. Ele sabia que Shekiba estava ciente do caso entre os dois. Talvez achasse que Benafsha tinha lhe revelado sua identidade, ou talvez achasse que fora reconhecido quando esbarrou nela naquela noite. Shekiba não sabia por que ele estava fazendo aquela confissão, mas ouviu atentamente.

– Gulnaz não está feliz. Vai ser difícil por um tempo, mas depois vai melhorar.

Sem uma palavra de Shekiba, Aasif, seu marido, saiu do quarto e fechou a porta.

CAPÍTULO 53

Rahima

Estava escuro como breu quando chegamos ao complexo. Eu nunca tinha ficado tão aliviada ao ver aqueles portões. Maruf estacionou, olhou para Hassan e suspirou. Badriya se remexera tanto na última hora da viagem que pensei que ela ia saltar do carro. Não me preocupei com minha burca. O automóvel mal havia parado quando pulei para fora e abri o portão. As luzes estavam acesas.

Abri a porta e vi Jamila correndo em minha direção. O rosto dela me revelou tudo.

– Jamila!

– Ah, Rahima-jan! Que Alá nos ajude... querida, jovem mãe.

Sua voz se erguia e baixava, levando junto meu coração.

– Jamila, onde está meu filho? Onde está Jahangir? Ele está bem?

Agarrei-a pelos braços e a empurrei para o lado, abrindo caminho até o quarto dela. Shahnaz surgiu, segurando seu xador firmemente sob o queixo. Ela estava olhando para baixo, evitando me encarar. Parei de repente quando a vi. Seus lábios tremiam.

– Por que vocês estão todas aqui? Quem está cuidando do meu filho? Onde ele está?

Jamila correu e me segurou antes que eu pudesse entrar em seu quarto. Nesse momento, Badriya se juntou a ela.

Jamila me abraçou com força e segurou minha cabeça contra seu peito de forma maternal.

– Rahima-jan, Rahima-jan, Deus decidiu levar seu filho! Ele levou seu menino, minha querida. Que Deus dê paz àquele menininho tão querido!

Fiquei paralisada. Fora isso o que eu lera no rosto de Badriya. Olhei para ela, que, como Shahnaz, desviou os olhos marejados.

Alguém chorou. Alguém gemeu: *Não, não, não, não.* O nome do meu filho.

Era minha voz.

Aquilo não podia ser verdade. Não podia ser real. Olhei em volta, achando que todas as pessoas com quem eu vivia tinham enlouquecido.

Abdul Khaliq entrou no corredor, os olhos vermelhos, os lábios apertados. Olhou para mim e balançou a cabeça. Bibi Gulalai estava atrás dele, soluçando em um lenço.

– Por quê? Por que você deixou uma criança doente? A mãe dele deveria estar aqui, a seu lado! – gritou ela.

Olhei nos olhos de meu marido, nosso primeiro momento verdadeiramente íntimo. Era como se ninguém mais existisse.

É verdade... É verdade, Rahima. O que elas estão dizendo sobre Jahangir, nosso filho, é verdade! Nosso amado menino se foi!

Abdul Khaliq cobriu os olhos com as mãos antes de erguer a cabeça para o alto, respirar fundo e gritar para que alguém pegasse seu chapéu de oração. Sua voz falhou e meu peito se contraiu quando o ar foi sugado para fora da casa.

CAPÍTULO 54

Rahima

Não sei ao certo o que aconteceu depois disso. Houve sussurros, lamentos, blasfêmias e orações. Tudo ao mesmo tempo e, em seguida, um de cada vez. Vozes e rostos se misturavam em torno de mim.

Deixe-me ver meu filho!, eu gritava. *Eu quero ver Jahangir!*

Tome um gole de água. Você parece prestes a desmaiar.

Alguém levou um copo a meus lábios.

As outras crianças estavam na sala, as mais velhas tomando conta das menores e tentando mantê-las quietas.

O complexo de Abdul Khaliq jamais vivenciara uma tragédia como aquela. Mesmo eu, que tinha perdido meus pais, minhas irmãs e a mim mesma, não podia acreditar que Alá tivesse acrescentado isso ao meu lote de desgraças.

Levaram-me para o quarto de Jamila. Meu menininho. Seu rosto estava pálido, os lábios acinzentados. Caí de joelhos e coloquei a cabeça em seu peito. Afaguei seus cabelos castanhos, toquei seu rosto. Conversei com ele como se não houvesse mais ninguém no quarto, como se não houvesse mais ninguém no mundo. Queria confortá-lo e soprar a vida de volta para dentro de seu pequeno corpo. Eu era sua mãe. Eu lhe dera a vida e, quando ele ficava doente, eu o acariciava e restaurava sua saúde. Por que agora seria diferente?

Sobressaltei-me ao sentir a mão de alguém em meu cotovelo.

– Deixe-nos a sós! Preciso fazer meu filho ficar bem. Ele sempre acorda quando eu sussurro seu nome. Ele vai bocejar, esfregar os olhos e olhar ao redor, confuso. Vai me dizer que sentiu saudades e que eu não devo viajar de novo.

Tradições, regras precisavam ser observadas.

Em seguida, a mão se tornou duas, ou talvez quatro. Quando houve mãos suficientes, elas foram mais fortes do que eu e o quarto se afastou de mim. Eu estava no corredor. Eu estava no chão. Eu estava fora de mim. Os braços desapareceram.

Chega, sussurraram.

Eu os odiava.

Bibi Gulalai estava lá. Gemendo mais alto que qualquer outra pessoa.

Por quê? Querido Alá, que menino doce ele era! Jovem demais, jovem demais para ser levado! Seu rosto, vejo seu rosto diante de mim, como se ele ainda estivesse aqui. Não consigo acreditar. Simplesmente não consigo acreditar! Ah, meu pobre filho! Por que uma tragédia dessas aconteceu a você, meu filho temente a Deus? Meu leão entre os homens! Se eu tivesse sabido mais cedo! Eu poderia ter feito mais por ele! Poderia tê-lo feito melhorar!

Eu a odiava.

Estava entorpecida. Os dias se passaram. Realizaram-se rituais. Proferiram as orações certas. Todas as pessoas erradas foram prestar condolências. Eu não me dei conta de muita coisa, apenas da ausência de minha família. Meus pais não foram para o *fatiha* do próprio neto. Meu pai não estava lá para carregar meu filho ou jogar punhados de terra sobre a sepultura. Isso me deixou triste, embora não devesse. Afinal, Jahangir não os conhecera.

Khala Shaima foi, e também Shahla. Minha tia e minha irmã se sentaram a meu lado enquanto eu balançava para a frente e para trás, com os olhos vermelhos, a pele em volta ardendo. Alguém perguntou a Khala Shaima sobre meus pais, se eles estavam vindo. Shahla mordeu o lábio e olhou para o chão. Ouvi meu marido amaldiçoar meu pai. Ele se sentiu ofendido, não só como genro, mas também como ex-comandante. Qualquer respeito que ainda nutrisse pelo sogro, em nome da tradição, estava perdido agora. E eu não me importava.

– Ah, meu Deus, Rahima-jan... – sussurrou Shahla. – Não consigo acreditar nisso! Ele era tão cheio de luz!

Fechei os olhos.

Khala Shaima parecia mais magra do que na última vez que a vira, mas eu não tinha condições de pensar muito nisso. Ela balançou a cabeça e sussurrou que a droga derrotara meus pais. Era difícil dizer qual deles estava pior. Estalou a língua com desânimo e apertou minha mão sem vida.

– Eles mal conseguem se mover pela casa.

– Você vai muito lá – comentei, num tom inexpressivo.

Minha tia assentiu. Sua preocupação eram Rohila e Sitara. Em sua última visita a mim, ela mencionara rumores sobre pretendentes para minhas irmãs mais novas. Khala Shaima queria ter certeza de que não seriam dadas em casamento por causa de algum torpor negligente.

Minhas tias e meus tios compareceram. Até mesmo meus avós. Beijei suas mãos. Eles choraram e se desculparam com meu marido e minha sogra pela insólita ausência de meus pais. Estavam mais constrangidos do que qualquer outra coisa.

Vocês nunca o viram!, eu queria gritar. *Não sabiam como ele era doce.*

Eu nunca esperara muito de meus avós. Eles tiveram pouco contato com minhas irmãs e comigo depois que nos casamos. Era como as pessoas diziam: uma vez casadas, as meninas não pertencem mais às famílias que as criaram. Especialmente se não as criaram por completo. Mas Madar-jan fora tão diferente no passado...

– Ela está tão mal assim? – perguntei a Khala Shaima.

– Está, *dokhtar-jan*. Rohila e Sitara queriam muito ter vindo ver você. Mas sua avó achou que não seria apropriado que elas viessem sem a mãe. E, claro, não as deixou vir comigo. Rohila chorou quando ficou sabendo. Ela queria entrar debaixo da minha burca e vir escondida. E Sitara é muito reservada, mas é uma menina forte. Vocês ficariam muito orgulhosas de suas irmãs.

Eu tinha certeza disso. Elas estavam sobrevivendo em uma casa sem a presença real dos pais. Haviam sido abandonadas, assim como eu abandonara meu filho.

– Eu deveria tê-lo levado, Khala Shaima. Deveria tê-lo levado para Cabul comigo. Ele não teria ficado doente comigo. E, mesmo que tivesse, ele poderia ter sido tratado num hospital. Eles têm os melhores hospitais lá. Muitos médicos. Até estrangeiros.

– Seu marido nunca teria permitido. Ele mantém os filhos sempre a seu lado, minha querida. Você sabe bem disso.

– Então eu deveria ter ficado com ele. Não tinha nada que ir para Cabul.

Khala Shaima ficou em silêncio. Sabia que fora ideia dela.

Meu filho foi enterrado no jazigo da família, a 500 metros do complexo. Era uma terra sagrada para os parentes de Abdul Khaliq.

Meu marido estava calado, diferente. Eu sabia que ele sofria.

– Ele está com seus ancestrais agora. Estão cuidando dele, assim como Alá. O destino dele é nosso destino – disse Abdul Khaliq para mim quando os homens voltaram do funeral.

Nasib. Seria realmente o destino de Jahangir ser levado tão jovem? Seria meu *nasib* nunca ver meu filho crescer e ficar mais alto do que eu, ir à escola, ajudar o pai no trabalho?

Abdul Khaliq pediu a Jamila que cuidasse de mim. Vi quando ele a puxou de lado e disse alguma coisa. Os dois ficaram atentos a mim. Badriya também, mas, uma semana depois de Jahangir ter sido enterrado, perguntou cautelosamente a Abdul Khaliq quando poderia voltar a Cabul. A mão dele acertou seu rosto tão depressa que ela mal terminou a frase.

Fechei os olhos e desejei que todos desaparecessem, inclusive eu.

Toda sexta-feira, os amigos e familiares de Abdul Khaliq se reuniam em nosso complexo para o Khatm al-Qur'an. Cada pessoa lia uma das trinta partes do Corão. Orações eram ditas na conclusão, ou *khatm*, do livro sagrado. Eu podia ouvi-los do fundo do corredor e rezava junto com eles, na esperança de que aquilo fizesse algum bem a Jahangir. A mim, não fazia nenhum.

Khala Shaima vinha me visitar com mais frequência do que antes, apesar de a viagem ter se tornado muito difícil para ela. Minha tia estava preocupada. Eu perdia peso, minhas roupas ficaram largas para mim. Quando me olhava no espelho, mal me reconhecia. Havia manchas escuras em meu rosto, meus olhos estavam pesados. Eu via Jamila e Khala Shaima se entreolharem, preocupadas.

Abdul Khaliq me deixava em paz na maior parte do tempo. Ele também não falava muito. Os seguranças andavam nas pontas dos pés perto dele. Seus amigos mantinham a voz baixa e só faziam comentários breves. Meu marido, o senhor da guerra, nunca expressava emoções, mas era evidente que estava sofrendo. Ele falava pouco até mesmo com Bibi Gulalai.

Minha cabeça parecia um quarto escuro e vazio. Minhas entranhas estavam dolorosamente ocas. Sentia falta do rosto do meu filho, de seu sorriso, de seus pequenos dedos segurando os meus. Ele deveria estar em segurança. Havia sobrevivido à primeira infância. Aprendera a andar, falar, dizer quando estava com fome ou feliz. Jahangir. Seu nome era um punhal. Seu nome era um bálsamo.

Quatro semanas se passaram até eu conseguir formular as perguntas que permaneciam sem resposta.

– Jamila-jan.

Ela parou, surpresa ao ouvir minha voz.

– Sim?

– O que aconteceu com ele?

Jamila ficou parada por um momento, refletindo sobre meu questionamento. Em seguida, sentou-se na almofada a meu lado, na sala, dobrando as pernas debaixo do corpo e endireitando a saia. Pousou a mão na minha.

– Rahima-jan, ele ficou doente. Foi tudo muito depressa. Muito depressa. – Sua mente viajou de volta para aqueles dias. – Abdul Khaliq ligou de imediato para Badriya.

– Eu quero saber o que *aconteceu* com ele – insisti.

Depois de mim, Jamila era quem provavelmente se sentia mais culpada. Eu havia deixado Jahangir sob seus cuidados e, ao voltar, encontrara meu filho morto. Ela estava muito mal. Sem saber quanto deveria explicar e quanto deveria omitir, me contou apenas algumas partes, filtrando o que era possível.

Primeiro veio a febre. O corpo dele ficou quente. *Da cabeça aos dedos dos pés, muito quente*, disse Jamila. Tentou abaná-lo, refrescá-lo com banhos. Seu intestino estava solto. Ela procurou por vermes, mas não viu nada nas fezes. Quando ele começou a se queixar de dores na barriga, Jamila foi falar com Abdul Khaliq. Ele viu o corpo trêmulo de Jahangir e imediatamente mandou chamar Bibi Gulalai, que começou a agir, fazendo uma sopa cheia de alho e ervas para livrar o neto dos germes. Mas, em vez de melhorar, a situação piorou.

No quarto dia, a barriga de Jahangir ficou cheia de manchas vermelhas. Jamila tentou mais uma vez esfriá-lo com panos úmidos sobre a testa e pequenos goles de água. Quando o menino parou de choramingar e reclamar, ela pensou que ele estava enfim melhorando. Achou que Jahangir só precisava de alguns dias de descanso e que, quando retornássemos, já estaria bem, como eu o deixara.

Nós duas estávamos chorando. Ela interrompeu seu relato duas ou três vezes, recobrando o controle e me fitando. Fiz um aceno de cabeça para que ela continuasse. Eu precisava saber.

À tarde, Jamila percebeu que Jahangir delirava. Ele não respondia mais às suas perguntas, apenas murmurava e parecia lutar contra algo que não estava lá. Ela o chamou pelo nome. Os olhos dele estavam vidrados. Mais uma vez convocou Abdul Khaliq, que tinha acabado de voltar de uma viagem noturna com seus seguranças. Nosso marido jamais ficara tão abalado, disse Jamila. Ele deu uma olhada no filho e, em seguida, saiu em disparada pela porta e chamou o motorista e os seguranças. Retornou para a sala e embalou Jahangir nos braços enquanto gritava que a segunda esposa arrumasse um pouco de água e pão para a viagem ao hospital. Antes que se desse conta, Jamila estava em pé no portão da frente, observando o grande carro preto de Abdul Khaliq levantar poeira, em disparada rumo ao hospital.

Ela não queria continuar. Coloquei minha mão sobre a dela. Jamila parecia torturada, mas suspirou e prosseguiu, tentando fazer com que as palavras saíssem de uma só vez.

Eles voltaram no dia seguinte, os rostos pesados e sombrios. Jamila correu para encontrá-los. Abdul Khaliq a encarou e balançou a cabeça.

– Chorando – disse ela. – Eu nunca o vi daquele jeito. Nunca pensei... O médico não pôde fazer nada por ele. Estava muito fraco e acharam que ele tinha desenvolvido uma grave infecção no estômago. Horrível. Algo que simplesmente tomou conta dele, deixando a barriga dura como pedra quando o médico tentou tocá-la. Ele ficou no hospital até a manhã seguinte, deram-lhe soro, mas não funcionou. Suponho... Suponho que era seu *nasib* – falou ela, soluçando. – Rahima-jan, sinto muito. Não sei como ele ficou doente assim tão depressa! Por um tempo se sentiu um pouco melhor. Deixou que eu massageasse sua barriguinha. Pensei que estava ajudando...

– Por que não levou meu filho ao médico antes?

Eu sabia que ela se sentia mal, mas, naquele momento, não me importava muito. Queria saber se algo poderia ter sido feito. Queria saber de quem era a culpa.

– Abdul Khaliq... Ele... Ele queria. Antes de sair para suas reuniões.

– Então por que não levou?

Jamila balançou a cabeça, frustrada.

– Rahima-jan, o que está feito está feito. Não adianta fazer tantas perguntas. É melhor você pensar em seu filho, rezar para ele ficar em paz.

– Estou cansada de rezar... Chega! Eu quero saber. O que aconteceu, Jamila?

Ela estava me escondendo alguma coisa.

– Abdul Khaliq ia levar Jahangir para o hospital, mas... mas Bibi Gulalai o deteve.

– *O quê?* Por que raios ela fez isso?

– Ela achou... achou que poderia curá-lo com os chás e sopas que estava fazendo.

Meu coração se apertou. Bibi Gulalai achou que iria salvá-lo. Eu quase ri. Suas misturas nunca tinham salvado ninguém de nada. Ela se colocou no caminho e impediu que meu filho recebesse os cuidados de um médico. Meu marido havia tentado, pensei.

– Ele realmente tentou – repetiu Jamila, como se tivesse lido meus pensamentos.

Senti um ódio renovado por Bibi Gulalai. Ela fora responsável por atrasar o tratamento de Jahangir. Mas ficara gritando que a culpa era da mãe ausente. Agora eu sabia por quê. Bibi Gulalai sempre se vangloriara dos poderes de seus remédios. Declarava poder curar qualquer doença com suas potentes misturas caseiras, afirmava já ter curado várias. A família cedeu. Ela queria ficar bem aos olhos dos outros, a avó que entrou em cena e curou o neto enquanto sua vergonhosa mãe se divertia em Cabul.

Só mais uma pergunta a fazer, a pergunta que eu temia, porque não havia uma resposta boa. Ela me assombrava.

– Jamila-jan... – comecei, a voz embargada.

– Sim, *janem*.

Eu estava à beira de um precipício.

– Jamila-jan... ele... ele chamou por mim?

Jamila, mãe amorosa de seis filhos, também tinha dado à luz duas crianças que foram levadas por Alá antes que pudesse ver seus sorrisos. Ela me abraçou e beijou minha testa. Decifrou meu coração.

– Minha querida *madar-ak*... – "Mãezinha", sussurrou ela, embora eu não o fosse mais. – Que criança não chama por sua mãe? O que poderia ser mais reconfortante do que um abraço materno? Acredito que, no sono, era lá que seu menino a via, sentindo seus braços ao redor dele, *janem*.

– Mas eu não estava lá! – gritei. – Eu não estava lá para segurá-lo, para enxugar suas lágrimas, para beijá-lo e me despedir! Ele era só um bebê! Como deve ter sentido medo!

– Eu sei, Rahima-jan, mas ele não estava sozinho. Ninguém poderia substituí-la, mas pelo menos o pai estava com ele. O pai o segurou. E, você sabe, Abdul Khaliq amava muito seu pequeno filho.

Apenas duas semanas mais tarde essa conversa me trouxe algum consolo. Nesse meio-tempo, guardei as palavras dela, preservando-as para quando meu coração estivesse curado o suficiente para acreditar que meu filho tinha sentido meu abraço. Que o pai o abraçara com amor em seus últimos momentos. Que ele não se sentira tão sozinho como eu me sentia agora.

CAPÍTULO 55

Shekiba

SHEKIBA VARREU O CHÃO DA SALA, batendo a poeira do tapete, uma parte de cada vez. Depois que Aasif saíra de seu quarto, respirara profundamente aliviada, grata por ele não a ter tocado como marido. Pelo menos por enquanto. Ele sentia remorso pelo que tinha feito. E Shekiba ouviu algo em sua voz que não ouvia fazia muito tempo: Aasif parecia *se importar* com Benafsha. Talvez sua primeira impressão não estivesse tão distante da realidade. Ainda havia muito a aprender sobre ele, mas Aasif parecia ter compaixão.

Shekiba tinha passado o resto da noite repetindo as palavras dele em sua mente e tentando entender como acabara se tornando sua esposa.

Ele não poderia impedir a execução dela. Então impediu a minha. Como teria proposto esse acordo ao rei Habibullah? Será que Gulnaz sabia de tudo?

Shekiba se perguntou por que o rei se dera ao trabalho de concordar com tudo aquilo. E outra dúvida ainda persistia: de que modo Aasif havia conhecido Benafsha? Como ela era concubina, suas atividades se limitavam ao harém. Não podia passear pelos jardins do palácio. Antes de chamar a atenção do rei Habibullah, Benafsha era uma das guardas e Aasif devia tê-la conhecido nessa época.

E Benafsha o deixara entrar? Espontaneamente?

Você não entenderia, fora tudo o que ela dissera a Shekiba. E tinha razão.

Os canários estavam cantando – três aves canoras amarelas em uma gaiola de arame branco pendurada no galho de uma árvore. Eles cantavam mais na parte da manhã, um som alegre e melódico. Shekiba se deteve para ouvi-los, tentando decifrar os trinados.

Duas semanas tinham se passado. Suas costas estavam sarando. A pele coçava mais e ardia menos, e era assim que ela sabia que já se restabelecia. Com melhores dias, acabaram vindo melhores noites. Aprendeu a rotina da casa e achou uma maneira de se encaixar sem ser um incômodo. Sabia, por experiência própria, que jamais deveria se considerar uma peça permanente na residência de nenhum homem, mesmo que fosse sua esposa. Não era nenhuma garantia.

Aasif agora lhe dirigia mais algumas palavras, porém ainda eram breves e apenas corteses. Ele evitava olhar para seu rosto e fazia apenas um rápido contato visual. Gulnaz assistia a essas interações pelo canto do olho e parecia satisfeita com o fato de Shekiba não ser tratada da mesma maneira que ela. Começou a encarar a outra mais como uma criada do que como a segunda esposa.

Pela janela, Shekiba viu um dos canários bicando a cabeça de outro. Este e o terceiro tentaram recuar. *Peque, peque, peque.* Eles tentavam voar de um lado para outro, mas não havia espaço suficiente para baterem as asas mais de uma vez antes de cruzarem toda a gaiola. Presos. Três canários engaiolados cantando.

Aasif voltou para casa à noite. Shekiba manteve a porta aberta para ouvir a conversa dos dois.

– O casamento vai ser daqui a três meses. O palácio está se preparando para um evento monumental.

– Quantas pessoas você acha que vão convidar?

– Muitas. Todas as famílias mais importantes de Cabul. A família da noiva é muito respeitada e exerce grande influência. Não poderiam ter escolhido noiva melhor para Amanullah.

– Qual é o primeiro nome da moça? Conheço a tia dela, Aalia Tarzi. Eu a vejo no mercado de vez em quando, é amiga de minha prima Sohaila. Aalia-jan fala muito bem da sobrinha. Foi educada na Síria enquanto a família viveu lá. Eu me pergunto que tipo de rainha ela será.

– A união de Amanullah e Soraya Tarzi será poderosa, embora eu saiba que Habibullah não está muito satisfeito com o fato de o filho se casar com a filha de Agha Tarzi.

– Por quê?

– Soraya Tarzi escreve o que pensa. E o que ela pensa nem sempre é o que Habibullah pensa. O problema é que a moça acha que o rei não está fazendo o suficiente para conduzir o Afeganistão à modernidade. Ela acha que devemos olhar para os países da Europa e aprender com eles.

– Mas somos um povo diferente. Somos um país muçulmano. Por que deveríamos aprender com eles?

– Porque eles estão fazendo progressos, e nós, não. Habibullah construiu algumas estradas, mas foi apenas isso. Soraya Tarzi quer ciência, educação... e não apenas do tipo religioso. E os ouvidos de Amanullah estão abertos às ideias dela.

– Mas ele não é rei, Aasif-jan.

– Ele vai ser. Não consigo imaginar seus irmãos assumindo essa posição. Amanullah foi preparado para isso desde a mais tenra idade. Vai ser um rei muito melhor do que o pai, que passa os dias caçando codornas e viajando pelo interior em busca de atenção.

Gulnaz suspirou. Seu marido detestava o rei e ela temia que essa antipatia acabasse por se tornar objeto de fofocas. Se isso acontecesse, Aasif não poderia esperar misericórdia. Já fizera o suficiente para comprometê-los. Ele não falava a respeito, e Gulnaz não tinha certeza de que suas suspeitas fossem verdadeiras, mas ouvira coisas de outras pessoas. Um apedrejamento. Uma das concubinas do rei. Não ia perguntar a ele sobre a moça. Não queria saber mais.

Aasif viu que a esposa desviara o olhar. Sabia que o fardo que ela carregava era consequência dos atos dele.

– De qualquer maneira, estou ocupado com meu trabalho. Não tenho mais tempo para ser conselheiro de Amanullah.

Era sua maneira de dizer que pretendia ficar longe do palácio.

Gulnaz olhou para a porta, imaginou o corredor e a mulher marcada escondida no quarto mais distante, a outra esposa do marido. Perguntou-se se o plano dele ia dar certo ou se teria levado outra esposa estéril para o lar.

Shekiba ouviu atentamente cada palavra. Amanullah ia se casar com a filha de Agha Tarzi. Ela ficou admirada com a própria ingenuidade.

Por que ele olharia para mim? Eu não sou ninguém. Não tenho pai nem mãe, não tenho nome de família. Sou uma mulher pela metade, com um rosto pela metade. Como fui idiota ao acreditar em outra coisa!

Shekiba esperou que Aasif saísse antes de ir até a cozinha comer alguma coisa. O espinafre e o arroz que cozinhara mais cedo tinham esfriado, mas ela não se importou. Pegou um pedaço de pão e retirou-se para seu quarto. Movia-se pela casa tão silenciosamente que Gulnaz quase não a ouvia da sala.

No meio da noite, Shekiba acordou com um sobressalto. Aasif se achava em seu quarto outra vez. A porta estava aberta enquanto ele refletia se deveria ir embora. O coração de Shekiba se acelerou. Rezou para que ele tivesse ido até ali apenas para conversar um pouco mais. Não se moveu..

Aasif cerrou a porta e Shekiba fechou os olhos com força, na esperança de afugentá-lo. Ele se sentou ao lado dela, de costas, por alguns instantes. Shekiba sentia sua presença. O corpo dela ficou tenso.

O que será que ele quer?

Aasif suspirou e virou-se para ela.

– Shekiba – sussurrou ele –, você é minha esposa, tem uma obrigação a cumprir.

Ela não respondeu. A voz dele era rouca e baixa. Não soava como sempre.

Shekiba agarrou firmemente o cobertor com as mãos, sabendo que não tinha o direito de resistir. Era sua esposa e deveria se deitar com ele, mesmo que isso a aterrorizasse. Sua respiração se acelerou. Ele se virou para ela e afastou o cobertor. Shekiba não conseguiu mais manter os olhos fechados. Ela o viu fitar sua camisola, o algodão branco e fino que se rendeu sem opor resistência. Ele desamarrou o cordão das próprias calças e levantou a bainha da camisola de Shekiba até acima dos quadris. Ela pressionou as costas contra o colchão, desejando fundir-se ao piso. Uma onda de pânico percorreu seu corpo quando ela fechou os olhos, trincou os dentes e se tornou esposa de Aasif.

CAPÍTULO 56

Shekiba

De certa forma foi um alívio. Agora ela sabia o que esperar. Ele raramente a procurava e era sempre muito breve, saindo quando terminava de gemer e suspirar e dirigindo-se à sala. Às vezes voltava para junto de Gulnaz. Shekiba sempre evitava a outra esposa na manhã seguinte, constrangida, como se tivesse cometido uma afronta contra ela.

Conseguia escapar quando sangrava. Só então podia sussurrar no escuro, o rosto corado de humilhação:

– Perdoe-me, estou indisposta.

Ele entendia de imediato e saía do quarto dela, aparentemente aliviado. Na noite anterior, entretanto, fora diferente. Ela havia começado a sangrar dois dias antes.

– Estou... Estou indisposta – disse Shekiba baixinho, apertando uma coxa contra a outra.

Mas ele não foi embora. Em vez disso, voltou a sentar-se de costas para ela e colocou a cabeça entre as mãos.

– As coisas não estão indo bem. Por que você continua a ficar indisposta? Está mentindo?

Shekiba se espantou com a rudeza dele.

– Não, eu não mentiria sobre... sobre isso.

– O que aconteceu com toda aquela conversa? Toda aquela história sobre as mulheres de sua família e os muitos filhos homens que pariam? Você já está aqui há cinco meses e continua ficando indisposta!

Shekiba percebeu mais uma vez como era ingênua. Fora esse o motivo pelo qual Aasif a tirara do palácio. Gulnaz não lhe dera filhos. Ele não queria Shekiba, mas, sim, filhos homens.

– Eu... Eu... Não era apenas uma história. Eu tinha irmãos... Eu...

– Isso é uma piada! Como é possível? Eles estavam prestes a executá-la. Entende isso? Entende do que escapou?

Shekiba sabia melhor do que ninguém do que escapara. Estivera perto o suficiente para ver o sangue empapar a burca de Benafsha, formando uma poça na terra em volta. Ela sabia perfeitamente do que fora poupada.

– Eu entendo.

– Entende? Entende mesmo? O que as pessoas vão dizer? Duas mulheres e nem um único filho! Sabe as consequências?

Ele estava lívido. Gulnaz podia ouvi-lo através das paredes finas. Ela se virou de lado, sabendo que Aasif descontava em Shekiba a raiva que ele sentia de ambas.

– Uma guarda do harém! Você gostava de ser homem? Talvez o problema seja esse! Você gostava tanto de ser homem que agora se recusa a ser mulher! O que você é? Você não é homem! Você não é mulher! Você não é nada! Tem algo a dizer em sua defesa? Onde está toda a bravata agora?

– Eu... Eu...

Shekiba não sabia o que dizer.

– Eu a alimento e a visto, e tudo isso para nada! É assim que você me retribui? Eu deveria jogá-la na rua! Deveria devolvê-la ao palácio e deixar que fizessem com você o que planejaram! Você e seu rosto amaldiçoado! Sua mulher maldita!

Shekiba se preparou para o golpe, mas ele não veio. Ela se encolheu em um canto do colchão. Aasif saiu esbravejando e bateu a porta. Alguns segundos depois, Shekiba ouviu o barulho de vidro se quebrando e do portão de metal batendo. Sentiu um nó na garganta; não podia deixar de concordar com o marido irritado.

Nem homem, nem mulher. Eu não sou nada.

Alguns instantes depois, Gulnaz entrou no quarto de Shekiba em silêncio. Pela porta entreaberta, um pequeno facho de luar iluminou o chão do corredor. As duas mulheres olharam para ele, o discurso de Aasif ainda ecoando pela casa. A primeira esposa enfim falou:

– Nós estamos casados há um ano e ainda não consegui lhe dar um filho. Você ficaria tonta se soubesse quantas ervas moí no pilão, seguindo as instruções de minha avó. Rezei no santuário local e dei esmolas aos pobres. Nada. Meu sangramento chega, mês após mês, assim como o seu. Ele achou que você seria diferente, mas agora suspeito que Alá o tenha amaldiçoado e, não importa qual seja a mulher ou com quantas mulheres ele se deite, um filho não é seu *nasib*. E, agora que tem pecados pesados nas costas, pode ter envenenado ainda mais seu *nasib*.

Essa foi a primeira referência que Gulnaz fez ao envolvimento de Aasif no escândalo no palácio. Shekiba não tinha certeza do quanto ela sabia.

– Você era guarda do harém. Isso ele me contou. Estava vivendo como um homem. Seu cabelo curto, o jeito como anda, a maneira como esconde os seios... Talvez você fosse mais feliz daquela maneira. Para ser honesta, eu gostaria de experimentar. Eu me pergunto como seria andar pelas ruas livremente, sem ser alvo de mil olhares críticos. Você sente falta?

Shekiba, a mulher-homem, havia pensado bastante sobre isso.

– Eu me sentia bem. Mas... calças ou saia, nada faz diferença no fim das contas. Nos momentos críticos, eu era tão vulnerável quanto qualquer mulher... – Shekiba achou melhor não mencionar as chibatadas. – E agora estou aqui.

Gulnaz intuiu o que Shekiba queria dizer.

– Deve ter sido horrível o que fizeram com você.

Shekiba sentiu as costas se enrijecerem. Ainda havia três cicatrizes protuberantes, que podia sentir quando se banhava. Perguntou-se quantas mais não conseguia ver. Gulnaz suspirou.

– Ele ficou muito aborrecido. Não falava muito, mas uma esposa conhece os humores do marido. Estava aborrecido desde o início e eu não entendia por quê, até a irmã dele me contar sobre *ela*. Queria que eu soubesse que não era a primeira escolha do irmão.

Ela. Shekiba olhou de soslaio para Gulnaz. Seu rosto era inescrutável. Estava falando sobre Benafsha.

– Ele já a conhecia antes. Ela não era ninguém. Sua família era muito pobre e, por ter três filhas, o pai amaldiçoava a própria sorte. Era apenas uma garota que morava perto da casa do tio dele. Não sei como, mas Aasif a viu uma ou duas vezes. Queria se casar com ela, mas o pai rejeitou a ideia. Ela não vinha de uma família adequada, não era boa o suficiente para o filho. Mas ele insistiu. Continuou tentando convencê-lo e estava quase conseguindo quando o pai a mandou para o palácio. Uma filha a menos para alimentar. Aasif ficou zangado, mas ela estava fora de seu alcance, encerrada entre os muros do palácio, por isso deixou que o pai escolhesse outra família. E então nos casamos.

Shekiba ouvia atentamente. Na verdade Gulnaz não estava falando para ninguém em particular.

– Os homens não gostam quando alguém lhes nega algo. Mesmo que esse alguém seja o rei. Ele não me contou o que aconteceu lá, mas sei que algo ocorreu. E deve ter sido horrível, porque ele chegou em casa com os olhos tão vermelhos que parecia que ia chorar sangue. Ficou dias sem comer, dormir ou falar.

Shekiba desviou o olhar. Ela não queria ter que explicar e esperava que Gulnaz não fizesse perguntas.

– Então, um dia voltou para casa parecendo que acabara de se encontrar com Satã em pessoa. Seus olhos estavam sombrios e sérios. Ele se sentou e ficou olhando para as paredes, resmungando algo sobre expiar os pecados, implorando o perdão de Deus. Anunciou que traria para casa uma segunda esposa, já que eu não era capaz de lhe dar um filho. Não havia nada que eu pudesse dizer, principalmente quando vi a expressão dele. Sua família tinha conversado com ele sobre essa ideia alguns meses antes, mas Aasif não parecera muito animado. Achei que... bem, quando ele falou que ia tomar uma segunda esposa, eu me perguntei se ele seria louco o suficiente para achar que poderia trazê-la para cá, mas, então, era... você.

Shekiba continuou fitando o chão. Sua cabeça girava. Benafsha não o havia rejeitado. Ela o amava tanto que estava disposta a protegê-lo com a própria vida. Como uma mulher poderia amar um homem a esse ponto?

Por causa de Benafsha, Aasif salvara a vida de Shekiba. Por isso ela era grata.

CAPÍTULO 57

Rahima

EU FUI UMA MENINA E, AGORA, NÃO SOU MAIS.
Eu fui uma bacha posh *e, agora, não sou mais.*
Eu fui uma filha e, agora, não sou mais.
Eu fui uma mãe e, agora, não sou mais.

Assim que começava a me acostumar, as coisas mudavam. Eu mudava. A última mudança fora a pior.

– Rahima-jan, lembre-se de que na vida há tufões. Eles vêm e viram tudo de cabeça para baixo. Mas ainda assim você tem que se levantar, porque a próxima tempestade pode estar na outra esquina.

Eu não tinha mudado muito desde que perdera meu filho. Abdul Khaliq se fechara em si mesmo. Bibi Gulalai estava mais presente do que antes, certificando-se de que a família se comportava da maneira adequada. Tínhamos que chorar corretamente ou nossos vizinhos poderiam fofocar. Seus olhos estreitados recaíam sobre mim, verificando a cor do meu xador, o vestido que eu usava e minha expressão.

Quando minha mente vagava, ela me dizia para não olhar para o nada, mandando que eu voltasse ao trabalho. Eu não podia achar que ia ficar deitada, sem fazer nada, para sempre. Ainda havia o chão para limpar. Havia roupas para lavar. Voltar a trabalhar seria bom para mim.

Uma mãe que acaba de perder o filho deveria ter direito a seus quarenta dias de luto, nossos visitantes certamente estavam pensando. Bibi Gulalai, mãe do homem mais poderoso de nossa província, sabia que essa preocupação era motivada pelo medo, não pelo respeito, e não se importava.

Khala Shaima continuava reunindo todas as suas forças para me visitar. Cada vez que ela ia embora, eu me perguntava se conseguiria chegar em casa. E temia que não conseguisse retornar para me ver. Eu precisava dela. Em uma casa cheia de pessoas, ainda me sentia sozinha. Havia algo em minha mente, algo que eu não queria admitir nem para mim mesma nem para Jamila. Eu não sabia como me sentir a respeito.

– Khala-jan, sabe o que as pessoas de Cabul pensam a nosso respeito?

– Do que está falando, Rahima?

– Cabul é diferente daqui. Como Bibi Shekiba achava. É incrível como há carros, pessoas, cartazes. Há tanto barulho lá...

– Por que está dizendo isso?

Khala Shaima parecia temer que eu estivesse enlouquecendo.

– Eu me pergunto o que essas pessoas pensam sobre nós. Lá há edifícios, bancos, táxis, hotéis. Pessoas de todo o mundo, construtoras erguendo edifícios. Salões de beleza e restaurantes. Hospitais.

– Você já viu muitos lugares interessantes em suas viagens, não é? Acho que ainda não compartilhou todas as suas histórias comigo!

Ela abriu um sorriso sem nenhuma alegria.

– E o Parlamento... Às vezes mal consigo acreditar que tantas pessoas possam se reunir em um só lugar. E conversar sobre as coisas, até mesmo algumas mulheres. Às vezes falam sobre assuntos que os habitantes desta aldeia jamais poderiam imaginar.

– Rahima-jan, no que está pensando? Aconteceu alguma coisa em Cabul?

– Muitas coisas acontecem em Cabul. É tão diferente daqui...

Khala Shaima parecia pensativa.

– Isso é bom?

Eu a encarei. Qualquer lugar diferente dali era muito bom.

– Mas há outra coisa – falei, o coração tomado pela preocupação.

– Outra coisa?

Eu assenti.

– E o que é?

Desviei os olhos, que já começavam a lacrimejar.

– Entendo.

Eu sabia que ela entendia. Khala Shaima me conhecia melhor do que qualquer outra pessoa.

– Bem, é algo a se pensar.

Ela suspirou profundamente e balançou a cabeça.

Eu havia pensado muito nisso. Pensamentos que não gostaria de admitir.

Pessoas que sentem a morte próxima têm pouco a perder. Podem pensar em coisas, dizer coisas, fazer coisas que os outros não podem. Khala Shaima e eu estávamos nessa posição: ela, por causa da saúde; eu, porque não tinha nenhuma vontade de abrir os olhos de manhã. Uma conversa começou a tomar forma entre nós. Uma conversa que se dava por meio de palavras não ditas, de palavras falsas, de trocas de olhares. Era difícil dizer o que nós duas estávamos pensando, mas era algo a ser explorado.

Porque, como Khala Shaima falara tantas vezes, todo mundo precisa de um escape.

CAPÍTULO 58

Shekiba

Shekiba e Gulnaz cuidavam da casa juntas e suportavam juntas os acessos de raiva de Aasif, quando a frustração era mais forte que ele. O marido vociferava, repreendia, dava tapas, atirava objetos. Em duas ocasiões, quebrou o vidro da janela. O custo de substituí-lo gerou um novo ataque de fúria.

A tensão aproximou as duas mulheres. Elas compartilhavam o marido, compartilhavam a culpa, compartilhavam os castigos. Também discutiam. Shekiba detestava a atitude soberba de Gulnaz e sua comida insossa. Gulnaz achava Shekiba uma pessoa maçante e sem graça, que não sabia conversar. Mas faziam a situação dar certo. Shekiba acrescentava especiarias quando Gulnaz não estava olhando, e esta, por sua vez, falava o suficiente para compensar a entediante segunda esposa.

Durante alguns meses, instaurou-se uma nervosa trégua quando a barriga de Gulnaz começou a crescer. Ela contou a Shekiba ao perceber que não sangrava havia dois meses. Elas se perguntaram sobre as possibilidades, até que Gulnaz começou a vomitar uma vez a cada quatro dias. Shekiba confirmou que esses eram os sinais de que uma criança estava se formando em seu ventre, como aprendera no harém. Nada foi dito a Aasif, pois era impróprio discutir assuntos tão delicados com os homens, mas, ao notar a barriga protuberante, ele sorriu com satisfação e entrou no quarto de Shekiba depois do anoitecer com um fervor renovado.

Aasif chegava em casa e fazia as refeições com as esposas. Eles passaram a comer juntos, os três, de tempos em tempos. Shekiba tomava o cuidado de não se juntar aos dois com muita frequência, sabendo que, agora que Gulnaz carregava um filho, Aasif a veria como um fracasso ainda maior do que antes.

Porém, Aasif estava ocupado demais com a perspectiva do nascimento do primeiro filho. Sua família silenciou e os sussurros de que ele deveria tomar uma terceira esposa emudeceram temporariamente. Gulnaz e Shekiba sabiam que ele andara considerando a ideia, mas não podia pagar por um terceiro casamento e mais uma boca para alimentar.

O Ramadã veio e foi embora. Dispensada do jejum, Gulnaz brilhava de satisfação à medida que a barriga crescia, com as bochechas mais cheias e a respiração mais ruidosa. Ela arquejava quando andava da sala até a cozinha. Shekiba tinha visto muitas mulheres grávidas, mas nenhuma parecera tão desconfortável quanto Gulnaz. Não era difícil perceber que ela só ofegava e suspirava se sabia que a outra esposa estava por perto para ouvir.

Quando vieram as dores, Shekiba andou apressada por quatro quarteirões para chamar a parteira. Gulnaz mordia o lábio e se contorcia em agonia, o sorriso triunfante temporariamente esquecido. Aasif chegou em casa e, ao ouvir a parteira ajudar a esposa em meio aos gemidos, saiu outra vez. Horas se passaram.

O bebê enfim nasceu, pouco antes de Aasif retornar, nervoso, à casa silenciosa. A parteira sorriu educadamente e o felicitou, amarrando o xale em volta dos ombros, depois saiu pela porta da frente. Aasif a cumprimentou e entrou no quarto de Gulnaz. Shekiba fingiu não o ouvir e permaneceu debruçada sobre o fogão, despejando farinha no óleo quente e mexendo enquanto a mistura engrossava. *Litti*, a sopa de farinha quente com açúcar e nozes, ajudaria o útero de Gulnaz a se regenerar e faria seu leite descer.

Shekiba aguardou.

– Depois de tudo isso? Uma menina? Como é possível?

Gulnaz murmurou algo que Shekiba não conseguiu distinguir.

– Minha humilhação nunca tem fim?! – gritou ele.

O bebê começou a chorar.

Até mesmo um recém-nascido sabe quando não é desejado, pensou Shekiba. Aasif entrou na sala e berrou que Shekiba preparasse algo para ele comer.

– E é melhor que esteja quente! Já tive decepção suficiente por hoje!

Ele adormeceu na sala, seus roncos ecoando pelo corredor. Na ponta dos pés, Shekiba foi até o quarto de Gulnaz. Ela estava deitada de lado, tentando, sem muito jeito, amamentar a filha. Shekiba a ajudou a se sentar e mostrou-lhe como colocar o bebê sob o peito inchado. Os pequeninos lábios rosados se abriram devagar e voltaram a se unir, fechando-se sobre o mamilo da mãe.

Shekiba notou o olhar de curiosidade que Gulnaz lhe dirigiu.

– Eu era guarda de uma casa cheia de mulheres e crianças. Ajudei com muitos recém-nascidos.

– Bem, eu nunca fiz isso. Se ao menos minha mãe estivesse viva... tudo seria diferente.

Shekiba suspirou. *Se ao menos minha mãe estivesse viva.*

– Como você vai chamá-la?

– Shabnam.

Gotas do orvalho da manhã.

– Lindo. Eu fiz *litti*. Você está *zacha* agora. Alimentos quentes vão fazê-la se recuperar.

O fato de um alimento ser quente ou frio nada tinha a ver com a temperatura, mas com uma propriedade misteriosa, inerente aos alimentos. Nozes e tâmaras eram quentes. Vinagre e laranjas eram frios. Dores articulares e partos esfriavam o corpo e eram tratados com uma dieta à base de alimentos quentes.

Gulnaz pegou a tigela com avidez. As horas de esforço a tinham deixado pálida, exausta e faminta. Colocou a colher de sopa quente na boca, parando apenas uma vez para encarar Shekiba com gratidão.

– Estou feliz que você esteja aqui, Shekiba.

Shekiba ficou paralisada. Gulnaz não costumava fazer declarações desse tipo e isso a deixou desconfortável. Em vez de responder, tomou a bebê nos braços.

– Pensei que ia ser menino – comentou Gulnaz. – Esperamos por tanto tempo... E, no final, Alá me deu uma menina.

– Aasif está zangado.

– Ele disse que a culpa é minha. Não quis nem segurá-la. Ele estava muito irritado.

– Você vai ter outro. Já teve um. A porta está aberta agora. Deus lhe dará outro.

– Talvez. Ele queria que o nome dela fosse Benafsha.

Shekiba a olhou com surpresa. O rosto de Gulnaz estava sereno.

– Pare para pensar. Chamar minha filha de Benafsha... Ele enlouqueceu.

– O que você disse?

– Disse que nunca briguei por nada antes, mas não havia nenhuma hipótese de eu colocar esse nome em minha filha.

– E...?

O rosto de Gulnaz se contorceu de dor. Shekiba colocou instintivamente a mão em seu ombro e se inclinou na direção dela.

– O que houve?

– A parteira me avisou que seria doloroso.

– O quê?

– É meu ventre. Ela avisou que meu ventre ficaria aborrecido, procurando pelo bebê que costumava viver nele.

– Ele está aborrecido?

– Deve estar. Ai... – gemeu Gulnaz.

O espasmo passou depois de um momento e Gulnaz retomou a conversa:

– Ele não gostou. Saiu com raiva, batendo os pés. Disse que Benafsha seria um bom nome para uma menina, mas acho que ele sabe que está errado.

E, se a notícia chegasse ao palácio, poderia lançar suspeitas sobre ele, pensou Shekiba. Sorriu ao pensar em Aasif sendo contrariado.

– Vou lavá-la um pouco mais. Ela ainda tem sangue no cabelo.

Gulnaz abriu um sorriso fraco e fechou os olhos, grata por ter um momento de descanso.

Shabnam passou seu primeiro ano com duas mães. Gulnaz e Shekiba se revezavam para banhá-la, alimentá-la e embalá-la para dormir. Shekiba segurou a cabeça da menina enquanto Gulnaz delineava os olhos dela com *kohl* e, novamente, um mês depois, quando ela raspou a cabeça da criança para fazer seu cabelo crescer mais espesso. Shekiba servia chá e castanhas quando a família de Aasif ia visitá-los, dias que lembravam a ambas as esposas como eram afortunadas por não viverem na residência da família Baraan. A mãe de Aasif não fazia nenhum esforço para esconder sua repugnância por Shekiba. Ela fora a primeira a sugerir que o filho tomasse uma segunda esposa, já que a primeira parecia ter algum defeito, mas aquela criatura deformada, com mais um ventre estéril, não era nem de longe o que tinha em mente.

Ela segurava a neta no colo, mas continuava a perscrutar a sala em busca de evidências de que a casa do filho não estava sendo bem cuidada pelas esposas. Tinha um talento especial para mascarar críticas com elogios.

– As cores do seu tapete enfim apareceram! Parece que alguém teve tempo de bater a poeira dele, hein? Quanto tempo já fazia? Precisei lavar meu vestido depois da última vez que estive aqui.

Shekiba e Gulnaz não lhe davam resposta. Não queriam jogar lenha na fogueira.

– Gulnaz-jan, aqueles biscoitos que você me enviou estavam deliciosos! Que bom que finalmente começou a preparar coisas doces!

– Não posso levar o crédito pelo trabalho duro de Shekiba-jan. Foi ela quem fez os biscoitos de água de rosas e os enviou à senhora – disse Gulnaz, fingindo ignorar o comentário malicioso.

– Ah, bem que me perguntei como era possível que, depois de tanto tempo, você tivesse começado a agradar o paladar de seu marido com algo saboroso. Shekiba-jan, estavam melhores do que os biscoitos que Khanum Ferdowz faz todos os anos para a família e os vizinhos dela.

– *Noosh-e-jan,* Khala-jan – respondeu Shekiba em voz baixa, voltando a encher a xícara de chá da sogra. – Por favor, sirva-se de mais um.

– Talvez eu aceite. Não é sempre que minha *aroos* prepara esses acepipes.

Ela sacudiu a saia e uma chuva de migalhas caiu sobre o tapete recém--limpo.

– Quem sabe, Madar-jan, talvez seja apenas que *nós* não temos oportunidade de prová-los com frequência – disse Parisa, rindo.

Ela era a irmã mais velha de Aasif. Costumava acompanhar a mãe nas visitas, deixando os quatro filhos em casa enquanto perfazia o circuito social materno.

A mãe de Aasif sorriu com o comentário de Parisa. Os cantos de seus lábios se curvaram para cima e os pelos escuros sobre o lábio superior formaram uma sombra. Shekiba abriu o bule e, embora ainda estivesse cheio, voltou à cozinha para reabastecê-lo.

As duas esposas respiraram aliviadas quando a mãe e a irmã de Aasif finalmente se foram. Shekiba bateu as migalhas do tapete e jogou os pedaços maiores dentro da gaiola, para os canários. Eles gorjearam e piaram com entusiasmo, observando-a enquanto voavam de um lado para outro lá dentro.

Dois deles tinham pontos sem penas, onde o mais agressivo os havia bicado. Ainda assim, pareciam contentes. Olharam para Shekiba com cautela, pulando de vez em quando para mais perto dela, para vê-la melhor. Ela esticou o dedo através das grades e o agitou. Os três pássaros se recolheram no lado oposto no mesmo instante, horrorizados por ela se atrever a invadir seu lar.

Shekiba retirou o dedo e viu as asas dos canários relaxarem, seu piado sincopado menos alarmado.

CAPÍTULO 59
Shekiba

Shekiba não precisou adivinhar. Embora tivesse reconhecido os sinais, a gravidez foi nada menos que um choque. Ela mastigou um pedaço de gengibre cru e tentou ignorar os ruídos nauseantes no estômago.

Eu vou ser mãe. Vou ter meu bebê. Será possível?

Ser mãe significava uma ruptura permanente com sua vida anterior. Não poderia mais pairar entre os gêneros, como uma pipa levada pelo vento. Não ia mais amarrar os seios para disfarçar sua silhueta. Não enganaria ninguém.

Observou Shabnam puxar a manga da mãe e tentar ficar de pé. Aprendera a engatinhar havia apenas um mês e já se cansara daquilo. Shabnam era bonita: tinha cabelos escuros e cacheados e lindos cílios, o rosto agradavelmente rechonchudo. Sua beleza suavizou a decepção do pai. Mas Aasif sorria para ela apenas quando achava que ninguém estava olhando. Deixava que ela subisse em seu colo e desse tapinhas em seu rosto, mas só até ouvir passos.

– Venha pegar sua filha! Ela está me deixando louco! – exclamava.

– Shabnam, venha aqui e deixe seu pai em paz – dizia Gulnaz, tirando o sorridente bebê do colo de Aasif.

Shekiba já o vira acariciar a bochecha da filha, os cantos da boca formando um sorriso sutil enquanto a observava bater palmas desajeitadamente. Ele ria da maneira como ela rolava de costas, segurando os pés com as mãos.

– Mas ele sempre vai se ressentir – falava Gulnaz com um suspiro.

– Assim é a vida para as meninas. Uma filha não pertence de fato a seus pais. Uma filha pertence aos outros – explicou Shekiba.

Gulnaz deveria saber mais sobre esses assuntos, pensou Shekiba.

Tentou esconder sua condição de Gulnaz, achando que a mulher do marido poderia ficar com inveja. Demorava-se no banheiro, esperando as ondas de náusea passarem e o estômago se esvaziar. Derrubava bacias para mascarar o som das ânsias de vômito. Mas Gulnaz estava tão ocupada com Shabnam que Shekiba não precisaria ter se dado a todo esse trabalho.

Aasif também não se deu conta. Após o nascimento de Shabnam, a decepção arrefecera temporariamente seu vigor. Ele abria a porta de Shekiba com menos frequência, e ela estava grata por esse descanso. Não havia nada nos grunhidos suados dele que a agradasse e ela detestava a maneira como o marido pressionava o rosto dela para o lado, como se sua desfiguração pudesse arruinar o ímpeto, mesmo na escuridão. Passados três meses, no entanto, a determinação se renovou. Shekiba contava apenas com o sangramento mensal para poupá-la de seus deveres de esposa.

Com as náuseas, as visitas de Aasif tornaram-se ainda mais repulsivas para Shekiba. De repente, ele adquiriu um odor que lhe embrulhava o estômago. Ela prendia a respiração pelo maior tempo possível, dando arquejos profundos, que o marido confundia com prazer. Ele fez uma pausa e a encarou, surpreso.

– Então você está gostando disso, hein? Bom desempenho! – disse ele, com um sorriso torto.

Ele só notou que a barriga dela crescera porque suas regras já não vinham havia seis meses. Observou-a com curiosidade quando ela se inclinou contra a parede para descansar, logo depois do jantar. Gulnaz estava tricotando, enquanto Shabnam dormia a seu lado. Instintivamente, Shekiba tentou arrumar o vestido sobre o abdômen protuberante. Os olhos de Aasif se concentraram em sua barriga.

– Talvez haja esperanças para esta casa, afinal de contas!

Shekiba corou. Os lábios de Gulnaz se tensionaram de forma quase imperceptível. Gulnaz havia confrontado Shekiba dois meses antes, após notar a forma como ela mantinha as perninhas agitadas de Shabnam longe de sua barriga.

Quando Shekiba assentiu, Gulnaz sorriu, mas com hesitação. Ela sabia o que aconteceria se a outra desse a Aasif o filho que ele tanto desejava.

Aasif deu uma gargalhada, um som estranho em uma sala com um clima tão denso.

– Vamos ver o que Shekiba é capaz de fazer.

Gulnaz havia sussurrado para Shekiba enquanto lavava as panelas:

– Ele está tão diferente de como era dois anos atrás... Acredita que ele gostava de passear comigo nos fins de tarde? Esse mesmo homem! Os últimos dois anos o deixaram amargo. Não sei o que vai ser dele se tiver outra menina. Não há nada que você possa fazer agora, há?

Shekiba passava as noites acordada, perguntando-se a mesma coisa. Ela se lembrou de todos os procedimentos que Mahbuba descrevera, mas era tarde demais para qualquer um deles. Lembrou que alguém lhe falara sobre os poderes do fígado de galinha e correu para o mercado no dia seguinte a fim de comprar tantos quantos pôde encontrar. Não perdia uma única oração e sussurrava para o teto, as palmas das mãos abertas, com reiterado desespero: *Por favor, misericordioso Alá, imploro que o Senhor dê a Aasif o filho que ele tanto deseja. Satisfaça seu desejo para que possamos viver em paz com esse homem amargo.*

Se foram as orações, o fígado de galinha ou apenas a vontade de Deus, o fato é que Shekiba deu à luz um menino.

Aasif andava com a cabeça erguida e um sorriso de satisfação quando sua família foi visitá-los. Shekiba mal percebia a presença dele. Estava fascinada com os dez dedos, os lábios cor-de-rosa perfeitamente formados e o queixo pequenino que se aninhava contra seu peito. Ela o examinara dos pés à cabeça, mas não havia nada de errado – nada nele era desfigurado ou deformado.

– O nome dele vai ser Shah. Meu filho, um rei entre os homens! E um rei de verdade! Não como aquele covarde diante de quem nos curvamos agora!

Aasif tinha escolhido um nome. Shekiba podia ver o rancor em sua escolha. Quando ele mencionou Habibullah, seu maxilar se retesou de uma forma que fez Shekiba estremecer. Ela ficou aflita enquanto mexia o *litti*. Gulnaz tentara prepará-lo, mas, em vez disso, enchera a casa com uma fumaça espessa. Uma fuligem cinza ficou agarrada ao teto que um dia fora branco.

Shekiba não estava satisfeita com o nome do filho. Nutria uma esperança secreta de chamá-lo de Ismail, em homenagem ao pai, mas sabia que não seria tão bem-sucedida quanto Gulnaz nessa batalha. Assim, o menino passou a se chamar Shah e, no sexto dia, celebraram seu nascimento com uma oração e *halwa*.

À medida que os dias passavam, Shekiba começou a ficar apavorada. Havia um excesso de tapinhas nas costas, abraços sinceros de parabéns, cestas de doces enviadas para sua casa. Ela se preocupava com o *nazar*, que sua sorte fosse amaldiçoada pelo mau-olhado de alguém. Enquanto seu reizinho dormia tranquilo, ela queimava sementes de *espand* e soprava seus poderes protetores sobre ele.

O *nazar* não era o único perigo. Shekiba se lembrou do que tinha visto a Dra. Behrowen fazer no palácio e passou a ferver tudo que ficasse perto do bebê. Fervia suas roupas e até mesmo a pedra contra o mau-olhado que prendera em seu pequeno cobertor. Esfregava os seios com força antes de amamentá-lo. Seus medos se multiplicaram quando Aasif voltou para casa balançando a cabeça.

– O que foi? – perguntou ela. – Aconteceu alguma coisa?

Nos últimos tempos, Aasif tratava Shekiba com cordialidade, conversando com ela enquanto a primeira esposa ouvia com amargura de seu quarto no corredor.

– É aquela doença maldita varrendo as aldeias novamente. Até mesmo Cabul.

– Que doença? – quis saber Shekiba, alarmada de repente.

Shah tinha apenas 3 semanas de vida. Instintivamente, ela puxou o bebê para mais perto de si.

– Cólera. Talvez você nunca tenha ouvido falar nisso. É uma doença terrível. Que Deus ajude quem a contrair. Ouvi dizer que há pelo menos vinte famílias doentes em Cabul. Os médicos não podem fazer nada.

Shekiba sabia melhor do que qualquer outra pessoa como o cólera era terrível. Suas costas se enrijeceram.

– Não podemos deixar que o bebê fique doente – disse ela, a voz trêmula.

O pânico estava se instalando.

– Você acha que eu não sei disso? Apenas cuide bem dele e o mantenha dentro de casa. Você é a mãe dele, portanto cabe a você impedir que ele fique doente!

A mente de Shekiba retrocedeu para sua aldeia, os irmãos definhando em um canto da casa fétida. Pensando na mãe, destruída pela visão dos filhos mortos, Shekiba fervia, lavava e rezava com fervor.

Por favor, Deus, não deixe que nada aconteça ao meu menininho. Ele é a coisa mais perfeita que já tive. Por favor, não o leve embora!

Quando a onda de cólera passou, Shekiba começou a pensar em novos perigos. Não deixava o bebê perto da cozinha e o mantinha longe de qualquer coisa feita de vidro. Rodeava-o com almofadas e não tirava os olhos dele. Ficou claro que não confiava em Gulnaz para tomar conta do menino. E se ele quebrasse a perna e passasse a mancar? E se fosse atingido e perdesse um olho? Shekiba podia ouvir os apelidos, as provocações, o menino cabisbaixo. Não queria isso para seu filho.

– Sabe, cuidei de Shabnam razoavelmente bem nesse ano que passou. Acho que sei muito bem como segurar um bebê! Qual é o seu problema? O que acha que vou fazer? Deixá-lo cair de uma janela?

– Eu só estou... só estou nervosa. Não se ofenda, por favor. É que não quero que nada aconteça a ele.

Shekiba se virou para não ver o olhar irritado de Gulnaz.

Shah mudou toda a dinâmica da casa, até mesmo de sua meia-irmã. Quando Shabnam bamboleava em direção a Shekiba, Gulnaz se apressava em afastá-la e, quando pegava a menina comendo algo preparado por Shekiba, colocava a mão na frente de sua boca e a fazia cuspir. Mas só se Shekiba estivesse olhando.

Shekiba ficava magoada ao ver Shabnam ser puxada para longe dela. Amava a garota tanto quanto poderia amar qualquer criança que não fosse sua filha. E Shabnam, que crescera com duas mães, não entendia por que agora não podia mais se aproximar de uma delas. Olhava para Shah com desconfiança, como se soubesse que ele era o responsável por perturbar seu lar feliz.

Aasif só piorava a situação. Gulnaz não se juntava mais a eles para jantar, dando sempre alguma desculpa sobre Shabnam precisar comer ou dormir. Tendo acabado de celebrar orgulhosamente o quadragésimo dia de vida do filho, Aasif não percebeu que a primeira esposa estava isolada em seu quarto havia mais de uma semana. As coisas que ele dizia para Gulnaz só aumentavam seu ressentimento em relação a Shekiba.

– Demorou demais, mas valeu a pena esperar. Olhe para o meu filho! Olhe só a cor saudável de suas bochechas! Ele é um leão, o meu filho!

Ouvindo de seu quarto, Gulnaz reprimiu os sentimentos, grata por sua filha ainda não compreender a parcialidade do próprio pai.

– *Nam-e-khoda*. Que os olhos gordos fiquem longe de nós – murmurou Shekiba, nervosa, enquanto olhava para as próprias unhas, outra superstição que aprendera com uma das esposas de seus tios, embora não conseguisse lembrar qual delas.

Gulnaz quase riu. Um olho gordo dificilmente encontraria o caminho até Shah, com todos os talismãs, orações e *espand* que Shekiba espalhava pela casa. Ocorreu-lhe então a possibilidade de que Shekiba estivesse na verdade preocupada com ela. Refletiu por um momento e percebeu que fazia sentido. Era por isso que ela queria manter Gulnaz longe de seu precioso filho!

Gulnaz passou a retaliar. Enchia Shah de elogios, mas sem invocar o nome de Deus, de propósito.

Como as bochechas dele estão gordinhas! Como aprendeu a rolar com rapidez! Ele estará andando antes que você se dê conta, Shekiba-jan.

Como ele mama bem! Vai ser maior e mais forte do que o pai quando crescer! E veja como está sempre alerta e curioso!

Shekiba ficava desvairada. Batia na madeira, queimava *espand* e rezava ainda mais. E tentava minimizar os elogios tão logo eram proferidos.

Ah, é só hoje. Ontem ele quase não quis mamar. Acho que não ganhou peso nas últimas semanas. Parece tão leve quando o pego no colo...

Não vê como as pernas dele estão finas? Vai acabar ficando baixo e com as pernas arqueadas se continuar mamando tão pouco...

A animosidade entrou em ebulição quando Shekiba enfim se deu conta da atitude da outra. Frustrada, decidiu virar o jogo. Elas estavam no pátio deixando as crianças tomarem um pouco de sol enquanto Shekiba pendurava roupas no varal. Gulnaz regava as flores.

– Olhe só para Shabnam! Está andando como se já fizesse isso há anos! Aposto que consegue atravessar toda Cabul com essas pernas fortes!

Shekiba viu a boca de Gulnaz se entreabrir e seus olhos se arregalarem. Ela murmurou algo incompreensível em resposta.

– *Caa caa! Caa caa!* – exclamou Shabnam; era como chamava os canários.

– Sim, minha pequena, *caa caa* está ali – disse Gulnaz sem se virar.

– *Caa caa! Caa caa!*

As mães se viraram e viram apenas dois pássaros amarelos voando dentro da gaiola. Gulnaz se aproximou, a cabeça inclinada para o lado.

– Onde está o outro? Como ele conseguiu... – A voz dela foi diminuindo enquanto chegava perto. – Ah, não!

– O que foi? – indagou Shekiba, aproximando-se.

Os olhos de Gulnaz estavam arregalados.

– Ele está morto.

A criatura jazia sem vida no chão da gaiola e seus companheiros estavam empoleirados bem próximos, trinando baixinho. As mulheres ficaram em silêncio. O agouro não passou despercebido.

Nós somos iguais à mãe de Aasif, pensou Shekiba, suspirando. *Usando as palavras como se fossem punhais.*

CAPÍTULO 60

Shekiba

A RELAÇÃO ENTRE SHEKIBA E GULNAZ havia esfriado agora que Aasif estava mais atencioso com a segunda esposa desfigurada. Shekiba rezava para que a outra tivesse um menino e igualasse a posição das duas, mas meses, depois anos se passaram e Gulnaz não teve mais filhos. Elas aprenderam a ser civilizadas uma com a outra e a fazer a casa funcionar, da mesma maneira que se comportaram logo após a chegada de Shekiba – duas esposas amarguradas.

Shah e Shabnam compensavam o relacionamento das mães. Quando Shah completou 1 ano, ele corria atrás da meia-irmã mais velha, que ria e o observava com curiosidade infantil. Shabnam era ainda mais bonita do que a mãe, com cachos perfeitos presos em um rabo de cavalo e uma franja que cobria a testa. Suas bochechas eram gorduchas e rosadas, os olhos amendoados e cor de mel. Herdara o melhor da mãe e do pai, e tinha um temperamento alegre que era estranho àquela casa.

Como Gulnaz previra de maneira maliciosa, Shah era mais alto e mais forte do que a maioria dos garotos de sua idade. Tinha cabelos castanho--claros ligeiramente encaracolados e um sorriso que derretia corações. Os dois formavam um par perfeito de irmãos, apesar do rancor entre as mães.

Em fevereiro de 1919, Shabnam tinha 5 anos e Shah, 4. A temperatura estava quase congelante. A centenas de quilômetros de Cabul, alguém impôs ao país uma derrota. Gulnaz e Shekiba cuidavam dos afazeres quando notaram que as ruas estavam movimentadas e barulhentas. Pessoas gritavam e batiam portas. Shekiba tirou as crianças do pátio e mandou que entrassem em casa; em seguida, abriu o portão. Homens andavam apressados pela rua, com expressões consternadas, gesticulando freneticamente enquanto gritavam:

– Não, é verdade! Meu irmão está no Exército! Eles não têm ideia de quem foi!

– O que vai acontecer?

– Não sei, mas é melhor irmos para casa e ficarmos lá até descobrirmos.

Shekiba fechou o portão e se apoiou nele, o contato com o metal provocando-lhe arrepios gélidos. O que poderia ter acontecido?

Gulnaz a encontrou na porta interna. Os dois canários, levados para dentro durante os meses de inverno, piavam alto, incitados pela agitação nas ruas.

– O que foi? O que está acontecendo?

– Não tenho certeza. Só ouvi alguém dizendo que é melhor ficarmos em casa. Mas algo está acontecendo.

– Onde está Aasif?

– Só Deus sabe.

Quatro horas mais tarde, o marido delas apareceu. Com medo, sem saber exatamente de quê, as mulheres tinham trancado as portas e fechado as janelas. O rosto de Aasif estava tomado de preocupação e sua testa suava, apesar do frio.

– Aasif! O que foi? O que está acontecendo? – perguntou Gulnaz, encontrando-o à porta.

– É o rei. Alguém matou Habibullah! – anunciou ele, com a voz baixa e a respiração pesada.

Ele tirou o chapéu e o cachecol.

– Alá!

Ela cobriu a boca com a mão.

– A cidade está em pânico. Eu estava no Ministério das Relações Exteriores quando a notícia chegou. Ele estava em algum tipo de caçada, como de costume, e foi atingido por um tiro. Por um tempo, tentaram esconder o fato, só que as histórias começaram a vazar. Não dá para manter uma coisa dessas em segredo por muito tempo! Pensamos que fossem apenas rumores... você sabe como é fácil espalhar histórias em Cabul... mas parece que é verdade. O Exército está em alerta e Amanullah foi chamado. Felizmente, ele já está em Cabul.

– O *shah* está... – comentou Shekiba, incrédula.

Ela não teve coragem de usar o nome do filho e a palavra "morto" na mesma frase.

– Não ouviu o que acabei de dizer!? Sim, Habibullah está morto! Ele foi assassinado, o canalha.

As esposas estremeceram. Independentemente de como Aasif se sentisse, não era sensato falar mal dos mortos.

– Como isso aconteceu? Foi aqui? No palácio?

– Não, ele estava em Jalalabad. A morte deve ter ocorrido há dois dias, pelo menos, se as notícias chegaram a nós agora. Não consigo acreditar que alguém o matou.

– O que vai acontecer agora? – perguntou Gulnaz, enquanto Shekiba colocava a mão sobre a cabeça do filho.

Shah tinha acabado de entrar na sala e olhava para o pai com preocupação. Ele não fazia ideia do que "morto" significava, mas sentia que algo estava errado.

– Não sei. Meu palpite é que Amanullah vai assumir o lugar do pai. E deveria, por direito. Mas é impossível dizer. Se o assassinato foi um golpe, então o assassino terá que enfrentar o Exército. Eles juraram fidelidade a Amanullah.

– Que Alá tenha piedade de nós. Isso pode ser um verdadeiro desastre para Cabul!

– Bem, vamos esperar e ver o que acontece. Mantenham as crianças dentro de casa e fiquem de boca fechada. Não é hora de fazer especulações com os vizinhos. Sejam espertas.

Shekiba se virou para que Aasif não a visse revirar os olhos. Era difícil engolir aquelas palavras sábias de um homem que violara o harém do rei, condenando Benafsha a uma morte horrível. Onde estava sua cautela naquela época?

Porém, elas obedeceram e Aasif, nervoso, voltou a seu posto no Ministério da Agricultura na manhã seguinte. As ruas ficaram vazias conforme o pânico se espalhou pela capital. Por precaução, Aasif estocou comida. O assassino ainda não fora identificado e ninguém tinha feito nenhum movimento em direção ao palácio, mas o Exército estava em alerta máximo.

Aasif não via Amanullah fazia quase um ano, porém agora era crucial que se reaproximasse do amigo. Precisava prestar condolências e deixar claro que estava alinhado com o homem que provavelmente assumiria o lugar de Habibullah como governante do Afeganistão. Foi até o palácio, os nervos à flor da pele.

Amanullah estava inconsolável e enfurecido, Aasif contou às esposas. O irmão de seu pai, Nasrullah, acompanhara o rei na caçada. Chegaram notícias de Jalalabad informando que o tio fora proclamado sucessor de Habibullah, o que irritou Amanullah. Seu irmão mais velho, Inayatullah, parecia apoiar Nasrullah, assim como muitos filhos do falecido rei.

Nascido da principal esposa do rei, Amanullah sabia que o pai o teria escolhido para assumir o trono. E, como líder das Forças Armadas e do Tesouro, estava pronto para assumir as rédeas do país e, portanto, em seu posto em Cabul, autoproclamou-se o novo rei.

Shekiba podia visualizá-lo, o coração pesado de tristeza, o rosto nobre abatido e triste. Sabia que ele seria um rei justo e sábio. Corou ao pensar em como fora tola cinco anos antes, imaginando que um homem como ele pudesse querê-la.

No entanto, não tenho razão para reclamar. Meu marido tem um cargo respeitável no Ministério da Agricultura. Ele nos mantém bem alimentados e bem vestidos na área mais respeitada de Cabul. Sustenta os filhos e não me bate. O que mais eu poderia pedir a Alá?

Aasif agiu com cautela para se aproximar de Amanullah, e o novo rei aceitou os conselhos do amigo naquele momento difícil. Ele queria vingar a morte do pai; havia um punhado de pessoas sob uma nuvem de suspeita, inclusive o próprio tio Nasrullah, que, segundo boatos, não derramara uma única lágrima pela morte do irmão. Amanullah fez um pronunciamento. Encontraria os assassinos e promoveria mudanças no Afeganistão. Reformas estavam a caminho. Ele baniu a escravidão. Prometeu aumentar os soldos do Exército. E declarou que o país manteria sua relação de amizade com a Índia.

Ele não é como o pai. É um homem melhor, pensou Shekiba ao ouvir as declarações. *Deus esteja com você, rei Amanullah.*

Em abril, uma comissão de inquérito concluiu as investigações sobre o assassinato de Habibullah. Amanullah prendeu Nasrullah e uma dúzia de outros nas masmorras do palácio. Aasif ficou ao lado do amigo enquanto o palácio se preparava para derramar sangue.

Amanullah trouxe com ele vários novos ministros e Cabul se preparou para as mudanças que viriam com o novo líder. Shekiba e Gulnaz se sentiram mais seguras quando ficou evidente que não haveria nenhuma contestação sangrenta à ascensão de Amanullah. Cabul fez uma transição relativamente pacífica, com todos ansiosos para ver o jovem e ousado rei cumprir suas promessas. Shekiba sorria, bagunçando o cabelo do filho, sentindo que Amanullah construiria um Afeganistão melhor para seu Shah.

A ligação com o palácio foi restaurada e a família Baraan tornou-se anfitriã de alguns dos outros conselheiros de Amanullah. Gulnaz servia chá e castanhas, que Shekiba preparava na segurança da cozinha. Elas escutavam as conversas, considerando-se privilegiadas por serem as primeiras a saber dos assuntos políticos de Cabul. Em comparação com as outras esposas da vizinhança, eram muito mais bem informadas, e Gulnaz, a esposa mais sociável, exibia seu conhecimento em diálogos com as outras mulheres. Fazia questão de que as pessoas soubessem como a família era bem relacionada. Em uma cidade como Cabul, as conexões eram tudo e ela não se importava com o trabalho extra que viera com os muitos convidados de Aasif.

Gulnaz e Shekiba desejavam que os homens falassem mais sobre Soraya, a esposa de Amanullah. O que elas ouviram as deixou admiradas. Soraya era instruída e bonita. Nascera na Síria e falava muitas línguas. Amanullah a levava a todos os lugares e ouvia sua opinião. Elas queriam ouvir mais sobre a rainha misteriosa, mas as discussões em geral se concentravam em qual seria o próximo movimento de Amanullah, já que ele havia prometido grandes mudanças ao assumir o trono.

– Quantas reformas de Tarzi você acha que ele vai colocar em prática?

– Vai colocar todas em prática, se quer a minha opinião! – respondeu Aasif. – Ele admira muito o sogro, talvez ainda mais do que admirava o próprio pai, que Alá lhe dê paz no céu.

Gulnaz dirigiu a Shekiba um olhar de surpresa. Parecia que, no fim das contas, Aasif sabia falar respeitosamente de Habibullah quando necessário.

– Você é tão louco quanto o próprio Tarzi. Aqui é o Afeganistão, não a Europa. Nós não somos como aquelas pessoas e não deveríamos tentar ser. Vamos nos concentrar em nosso país e parar de nos preocupar com os outros.

– O que há de errado em aprender com os outros? – perguntou uma voz.

– Depende do que você aprende com eles.

– O que aconteceu com o irmão dele, Inayatullah?

– Ele e alguns outros irmãos juraram fidelidade a Amanullah. Ele vai libertá-los das masmorras amanhã. O tio permanecerá na prisão. Há muitas dúvidas pairando sobre ele. Vai ficar preso por enquanto.

– As pessoas estão com raiva. Acham que não é justo.

– Elas vão se esquecer de tudo quando virem do que nosso rei é capaz. Logo não vão nem se lembrar do nome de Nasrullah.

Em maio, Amanullah fez o que Aasif havia sugerido muitos anos antes, enquanto Shekib, a guarda, escutava escondida nos jardins: mostrou sua força e enviou soldados para o norte da Índia. Estava farto do domínio britânico e agiu conforme os ensinamentos do sogro.

– *Ya marg ya istiqlal!*

Os manifestantes nas ruas gritavam por liberdade ou morte. Gulnaz e Shekiba ouviam, nervosas, torcendo para que a multidão não se voltasse contra ninguém.

Amanullah envolveu o país na terceira guerra anglo-afegã. A tensão tomava Cabul. Todos falavam sobre o conflito. O exército era pequeno, mas impiedoso. A família Baraan se preparou. Se os afegãos perdessem, com certeza haveria outra mudança de regime e era impossível prever o que isso acarretaria.

– Acabou – anunciou Aasif ao entrar em casa, três meses depois.

– Acabou? – repetiu Shekiba, um hábito que deixava Aasif furioso.

Ela percebeu assim que abriu a boca, mas era tarde demais. Shah entrou correndo na sala para encontrar o pai.

– Sim, foi o que eu disse! Deixe-me ver meu filho! Shah, tenho boas notícias! Acabou. Conseguimos nos tornar independentes da Inglaterra!

CAPÍTULO 61

Rahima

Quarenta dias após o último suspiro de Jahangir, a casa estava em silêncio. Era o último dia de luto.

– Os quarenta dias terminam hoje – lembrou-nos Bibi Gulalai. – As pessoas podem vir rezar conosco ou com Abdul Khaliq. Cuidado com o modo como falam.

Shahnaz mordeu o lábio e foi dar banho nos filhos. Ela mantinha distância e, o mais importante, se certificava de que os filhos ficassem longe de mim. Por ser mãe de uma criança morta, eu a deixava nervosa. Talvez eu fosse amaldiçoada. Ou talvez eu tivesse inveja por seus filhos estarem vivos e o meu, morto.

Quarenta dias. Eu me perguntava o que haveria de tão mágico no número quarenta. Será que ia me sentir diferente do dia anterior? Será que ia me esquecer do que acontecera havia apenas seis semanas?

Nós, afegãos, marcamos a vida e a morte com um período de quarenta dias, como se precisássemos desse tempo para confirmar que os eventos realmente aconteceram. Comemoramos o nascimento de Jahangir quarenta dias depois de ele ter deixado meu ventre, sem ter certeza de que aquela criança tinha vindo para ficar. E agora, sua morte. Quarenta dias de oração, sozinha, com os outros, e tudo o que aconteceu nesse meio-tempo.

– Já se passaram quarenta dias, Rahima – lembrou-me Badriya.

– E amanhã terão se passado quarenta e um – retruquei.

Nada ia mudar.

Mas algo mudou. Durante quarenta dias, Abdul Khaliq se mantivera isolado, sentado com os muitos homens que foram prestar condolências e ler com ele. Não olhava muito para mim. Se fôssemos um tipo diferente de casal, eu poderia tê-lo abordado, perguntado sobre os últimos suspiros de nosso filho, sobre como ele se sentia agora. Estava grata por ele ter sido bom para Jahangir em seus últimos momentos, mas nada além disso. Agora, mais do que nunca, não queria ter nenhuma ligação com ele.

No quadragésimo primeiro dia, a casa deu um suspiro de alívio. Badriya e seus filhos não falavam mais em voz baixa. Jahangir havia recebido o devido período de respeito.

Abdul Khaliq me chamou naquela noite. Com passos pesados, fui até seu quarto. Ele estava de pé junto à janela, de costas para mim. Eu sabia que deveria fechar a porta, mas não o fiz. Esperava não ter que ficar.

– Feche a porta – disse ele, ainda de costas.

Sua voz era firme, com um tom de advertência.

Obedeci.

– Chegue mais perto.

Eu queria gritar. Queria correr para longe dele, do cheiro que emanava de sua barba, das mãos ásperas, do desdém em seus olhos.

Eu já não sofri o suficiente?!, tive vontade de gritar.

Ele se virou e me encarou, vendo a relutância em meu rosto. Deu mais um passo e fiquei a seu alcance. Suspirei e olhei para o chão.

Um tapa retumbou em meu rosto. Meus joelhos se dobraram.

– Nenhuma esposa minha olha para mim desse jeito! Como ousa?

Meus olhos lacrimejaram por causa do golpe violento. Ele ainda estava zangado. Agarrou meu braço com tanta força que pensei que os ossos iam se quebrar.

– Eu não... Desculpe, eu não queria...

Ele me jogou no chão. Meu joelho direito bateu no piso primeiro.

– Inútil! Você nunca prestou para nada desde que veio morar aqui! Um desperdício. Um desperdício do meu dinheiro, do meu tempo. Olhe só para você! Cometi um grande erro ao ficar com você. Eu deveria ter escutado o que os outros diziam, mas tive pena de seu pai. Ele me enganou, aquele rato! Me fez acreditar que suas filhas seriam esposas decentes. Veja o que aconteceu! Uma pior do que a outra.

Era um acesso de raiva. Não era diferente de todas as coisas que ele já tinha dito ou feito, mas havia um entusiasmo renovado em sua virulência. Ele me atacou novamente quando me apoiei na beira da cama para me levantar.

– Uma *bacha posh*. Eu deveria ter imaginado. Você ainda não sabe o que é ser uma mulher.

Senti uma gota de sangue em meu lábio e percebi que deveria ter previsto aquela reação. Preparei-me para o que sabia que estava por vir. O golpe que ia me estraçalhar. Verdadeiro ou falso, eu não queria ouvir o que ele ia dizer.

– É difícil acreditar que você tenha sido uma mãe ainda pior do que foi como esposa! Meu filho merecia coisa melhor! Ele estaria vivo se houvesse tido uma mãe melhor do que você!

Fechei os olhos, uma onda de dor. O pior golpe. Caí no chão com as mãos sobre a cabeça. Curvei-me para a frente, quase como se rezasse. Ele estava murmurando algo. Eu não conseguia ouvi-lo em meio ao meu choro.

– Você quer ser um menino? Talvez seja isso que você queira! É isso que você quer?

Minhas costelas.

– Minha mãe não conseguiu fazer de você uma mulher. Então talvez você deva voltar a ser o que era! É isso o que quer?

Eu não vi de onde veio. Talvez de baixo do travesseiro. Ou talvez do bolso do casaco. Em um segundo, Abdul Khaliq agarrou meu cabelo e ergueu minha cabeça do chão. Ela caiu para a frente. Ele a pegou novamente e a puxou para cima. Meu couro cabeludo doía. Quando vi mechas no chão em volta de mim, percebi o que ele fazia. Tentei me afastar, implorei que parasse, mas ele estava fora de si. Tentava me destruir, desmontar peças que mal conseguiam se manter juntas.

Mais cabelo no chão. Tentei rastejar para longe, mas ele era forte. Gritei ao sentir o couro cabeludo ser descolado do crânio.

– Por favor – implorei. – Por favor, pare! Você não sabe!

Ele tinha levado ao meu cabelo uma lâmina, que eu já o vira colocar na cintura antes de sair para suas reuniões com os seguranças. A lâmina estava cega e ele teve que cortar o meu cabelo repetidas vezes, segurando-o com força.

– Um filho! Você gerou apenas um filho e não foi capaz nem mesmo de cuidar dele!

Meu estômago se embrulhou.

Um filho. Um filho.

Eu queria deixá-lo pôr fim ao meu tormento, me dar o castigo que meu coração acreditava que merecia, acabar com pensamentos obscuros que assombravam meus dias e noites. Desejei que ele acabasse com tudo aquilo por mim. Talvez eu o tivesse provocado, se não fosse por...

Ele estava na beirada da cama, a respiração se abrandando. Meu marido não teve força suficiente para me impor a punição que pretendia.

Eu permaneci imóvel, encolhida de lado, ao pé da cama. Esperei pelo sinal.

– Saia – sibilou ele. – Não suporto olhar para a sua cara.

Arrastei-me até a porta e busquei o suporte de uma cadeira para ficar de pé. Ouvi passos dispararem pelo corredor quando saí. Coloquei a mão na minha barriga latejante e, com a outra, me apoiei na parede para firmar meu passo lento.

Um filho.

Sozinha em meu quarto, esperei. Não doeu tanto quanto eu imaginava, talvez porque minha mente estivesse em outro lugar. Sob a tênue luz da manhã, esperei que o sangramento viesse. Sabia que viria.

Novas lágrimas por uma nova perda.

Eu poderia até ter matado um dos filhos de Abdul Khaliq. Mas ele tinha acabado de matar outro.

CAPÍTULO 62

Rahima

— Você quer ou não quer ir?

Suspirei e olhei para meus pés. Eles doíam, mas seria preciso fazer muito esforço para massageá-los.

– Você é quem sabe. Posso encontrar outra pessoa para ser minha assistente, se você não quiser mais. Tenho certeza de que o gabinete do diretor poderá me ajudar. Outra pessoa pode fazer o que você estava fazendo.

Essa era sua maneira de tentar demonstrar alguma consideração.

– Para mim tanto faz...

Não era verdade, e nós duas sabíamos disso.

– Só estou avisando porque você precisa se decidir logo, já que volto para Cabul daqui a três dias e, se resolver ir comigo, temos que informar Abdul Khaliq.

Badriya se acostumara a ter minha ajuda. Comigo, as sessões parlamentares eram mais fáceis de acompanhar. Eu lia todos os resumos para ela. Preenchia e enviava todos os documentos. Ela me ouvia ler as manchetes do jornal, dando-lhe alguma base para as discussões da *jirga*. Sentia finalmente que participava do processo, como se fosse uma mulher que nossa província devesse admirar por seu papel no governo, como se ela estivesse mesmo servindo a seus eleitores.

Badriya parecia ignorar o fato de que era um homem que decidia se ela devia levantar a plaquinha vermelha ou a verde na hora de votar. Acreditava na mentira que era Badriya, a parlamentar, e isso era tudo o que importava para ela.

Por mais que quisesse que ela calasse a boca e fosse embora, eu sabia que tinha que tomar uma decisão.

Um escape. Preciso encontrar um escape.

Eu só fora uma vez ao cemitério onde Jahangir estava enterrado, dois meses depois do dia em que cheguei em casa, vindo de Cabul, e encontrei meu filho frio e pálido. Abdul Khaliq finalmente me deu permissão para ir até lá com Bibi Gulalai e seu motorista. Segundo a superstição, os mortos enxergam as pessoas nuas, então ele não achava adequado que a esposa pisasse no cemitério. Eu não acreditava nisso e, mesmo que acreditasse, não me importava. Queria ver onde meu filho estava enterrado. Pedi a Jamila que falasse com ele sobre o assunto e ela me ajudou. Eu sabia que me aproveitava de sua bondade, mas estava desesperada. Não sei quais foram as palavras mágicas que ela usou, mas nosso marido cedeu.

Minha sogra e eu ficamos paradas diante da cova de Jahangir. O choro dela ecoava no vazio, o mesmo pranto desolado de dois meses antes. Permaneci em silêncio por um tempo. Achava que não tinha mais lágrimas para derramar.

– Uma criança tão doce e inocente! Não posso acreditar que aquela tenha sido a sua hora, o seu *nasib*. Meu Deus, meu pobre neto era tão jovem para ser tirado de nós!

Permaneci a seu lado, incrédula. Como aquele monte de terra poderia ser o meu menino? Como aquilo poderia ser tudo o que restava do meu filho sorridente e curioso?

Mas era. E, quanto mais eu pensava nisso, mais os lamentos de Bibi Gulalai dilaceravam meu coração. Eu queria cavar, enfiar minhas mãos na terra e tocar a mão do meu filho, sentir de novo seus dedinhos se fecharem em torno dos meus. Queria me encolher ao lado dele, mantê-lo aquecido e sussurrar em seu ouvido que ele não estava sozinho, que não precisava sentir medo.

– O que será de nossa família? O que fizemos para merecer essa tragédia? Seu rosto sorridente, ah, ele dança diante de meus olhos e despedaça meu coração!

Comecei a chorar. Silenciosamente no início, depois cada vez mais alto, até que meu choro se tornou forte o suficiente para Bibi Gulalai me ouvir em meio ao som das próprias lamúrias.

Ela se virou e me lançou um olhar gélido.

– Eu já não lhe disse uma centena de vezes para ter compostura? Está tentando envergonhar nossa família?

Engoli o choro, sentindo meu peito se retesar enquanto tentava conter toda a dor.

– É pecado! É pecado chamar tanta atenção. Não faça uma cena aqui. É desrespeitoso com os mortos e com as pessoas que estão nos olhando!

Ninguém estava olhando. Nós estávamos sozinhas. Maruf ficara para trás, encostado no carro, esperando que voltássemos. Engoli minha tristeza e olhei para o céu. Três tentilhões castanho-acinzentados e de peito encarnado nos sobrevoaram. Voaram em círculo três vezes, desceram em nossa direção e, em seguida, planaram para uma árvore a uns 15 metros de nós. Trinaram, levantando a cabeça com tanta determinação que eu quase pensei que estavam falando comigo.

Bibi Gulalai tirou do bolso do vestido um punhado de migalhas de pão e as espalhou sobre a sepultura de Jahangir. Jogou mais um pouco em uma sepultura à esquerda, ignorou o túmulo que havia do outro lado e lançou um tanto sobre um túmulo à direita dele.

– Shehr-Agha-jan – falou, suspirando. – Que os céus sejam o seu lugar por toda a eternidade.

Reconheci o nome do avô de Abdul Khaliq. Histórias sobre ele, o grande guerreiro, tinham sido contadas tantas vezes que eu precisava lembrar a mim mesma que jamais o vira. Ele estava morto havia mais de uma década.

Os tentilhões notaram o alimento e levantaram voo de novo, mergulhando graciosamente e bicando aqui e ali aquele presente generoso recém-encontrado. Bibi Gulalai espalhou o que sobrou sobre túmulos mais distantes. Mais uma vez, pulou a sepultura logo à direita de Jahangir.

– Comam, comam – disse ela com tristeza. – Comam e orem pelo meu neto. E pelo meu amado sogro. Que sua alma descanse e que Alá o mantenha sempre perto d'Ele e em paz.

Fiquei observando. Os pássaros ciscavam, pegando as migalhas e chilreando sua gratidão. Parecia mesmo que rezavam, as cabecinhas subindo e descendo, como se estivessem em súplica. Isso me trouxe algum consolo.

Olhei para a sepultura ao lado do avô de Abdul Khaliq, Shehr-Agha. Aquela área era onde estavam enterrados todos os membros da família de meu marido. Perguntei-me por que Bibi Gulalai decidira ignorar aquela sepultura.

– Quem está enterrado ali? – perguntei.

Eu não costumava iniciar nenhuma conversa com minha sogra, mas, naquele momento, não queria me sentir tão sozinha. Pelo menos ela havia atraído os tentilhões que oravam por meu filho. Jahangir teria amado ver aqueles pássaros com seus bicos pequeninos. Eu podia imaginá-lo imitando seu jeito delicado de caminhar, as asas batendo e o peito vermelho inchado de orgulho.

– Ali? – Ela apontou com ódio. – É ali que está enterrada a avó de Abdul Khaliq, a esposa de Shehr-Agha. Minha sogra.

Seus lábios se comprimiram com força.

– Você não jogou migalhas lá.

Bibi Gulalai olhou para a terra com raiva e disse, após um momento de reflexão:

– A avó de Abdul Khaliq e eu não concordávamos sobre muitas coisas. Ela era uma mulher horrível. Ninguém gostava dela – explicou Bibi Gulalai, sem olhar para mim. – Eu era respeitosa com ela enquanto estava viva, mas não tenho interesse em perder tempo rezando por sua alma.

Foi a primeira vez que ouvi Bibi Gulalai falar sobre a sogra. E foi a primeira vez que a ouvi falar mal de alguém da família do marido. Fiquei surpresa ao ver como ela era rancorosa. Mas isso não deveria me surpreender.

– Quanto tempo faz que morreu?

– Dez anos – respondeu ela e sinalizou para Maruf, avisando que estávamos prontas para ir embora.

O motorista abriu a porta traseira e voltou para a frente do carro, sentando-se ao volante.

– Ela era uma mulher maldosa como nenhuma outra – continuou Bibi Gulalai. – Dizia ao meu marido coisas terríveis sobre mim. Nada era verdade, veja bem. Ela queria apenas envenená-lo contra mim.

Fechei os olhos, ajoelhei-me no túmulo de meu filho e fiz mais uma oração, repetindo o verso tão depressa que embolava as palavras em minha mente, com medo de ser puxada para dentro do carro antes que conseguisse terminar. Mas Bibi Gulalai fez uma pausa, como se esperasse por mim.

Baixei a cabeça e beijei a terra, os tentilhões chilreando em sinal de solidariedade e me observando da segurança de sua posição elevada.

— Perdoe-me, Jahangir — sussurrei, meu rosto ficando frio ao contato com os metros de terra entre mim e meu filho. — Perdoe-me por não ter cuidado melhor de você. Que Alá zele por você para sempre.

Levantei-me e respirei fundo, os olhos turvos de lágrimas. Entramos no carro e percebi que Bibi Gulalai ainda pensava, sem nenhum afeto, na sogra.

— Ela fez da minha vida um inferno — prosseguiu depois de alguns instantes. — E eu fazia tudo por aquela mulher. Cozinhava, limpava e cuidava de seu filho como nenhuma outra esposa teria feito. Eu cozinhava para toda a família quando ela recebia convidados ou quando era acometida por algum desejo. Mas nada a agradava. Ela falava mal de mim sempre que tinha oportunidade.

Eu ouvi, enxergando um lado diferente de minha sogra. E percebendo, pela primeira vez, que ela e eu tínhamos algo em comum. Ironicamente.

— O que aconteceu a ela?

— O que aconteceu a ela? O que acontece a todo mundo! Ela morreu. — Seu tom era sarcástico e irritado. — Uma noite, não se sentiu bem. Pediu que eu massageasse suas pernas e obedeci. Untei seus pés secos e os massageei por tanto tempo que pensei que minhas mãos nunca mais iam voltar a se abrir. Na manhã seguinte, ela foi dar uma olhada na sopa que eu estava fazendo. Shehr-Agha-jan, que Deus o tenha, tinha convidado trinta pessoas para o almoço. Ela ficou ali, pairando sobre meu ombro como um carcereiro vigiando os presos, reclamando da minha demora ou algo assim. Mas não parecia bem. Lembro-me como se fosse hoje. Sua pele estava amarelada, e a testa, coberta de suor. Achei estranho, porque era pleno inverno. Antes que eu pudesse dizer qualquer coisa, ela agarrou meu braço e seu pescoço se contorceu para o lado. Ela caiu no chão, derrubando uma bacia de cebolas que eu tinha acabado de descascar para o ensopado.

Observei enquanto ela contava a história. Bibi Gulalai estava olhando pela janela, os pneus do carro levantando nuvens de poeira que obscureciam a visão. Era como se não falasse comigo, apenas revivesse aquela lembrança.

— Tive que reunir todo mundo e dar a notícia. Que dia terrível. Mas foi assim que ela morreu: sem dar valor ao que eu fazia até o último suspiro. Esse era o tipo de mulher, de coração de pedra, que ela era.

Em outras circunstâncias, eu poderia ter dito a Bibi Gulalai que entendia, que a compreendia.

– Você não sabe a sorte que tem – disse ela, lembrando-se de repente de que eu estava sentada a seu lado.

Essa foi minha única visita à sepultura de meu filho. Sabia que Abdul Khaliq não queria que eu fosse até lá. Na verdade, nem mesmo sabia ao certo se era forte o suficiente para voltar. Não foi fácil. Passei aquela noite em claro, e também a noite seguinte, imaginando se Jahangir se sentia sufocado em seu túmulo. Shahnaz ouviu meu choro através das paredes finas e gemeu de frustração. Eu não conseguia parar de pensar no meu menino.

Quando Badriya veio novamente me perguntar se eu queria voltar a Cabul, pensei bastante e tomei uma decisão que imaginei que Khala Shaima aprovaria. Arrumei minha mala, com o coração pesado de culpa por deixar meu filho para trás mais uma vez.

Pensei no cemitério, nas fileiras de túmulos simples e entalhados à mão. Alguns antigos, outros novos. Os tentilhões ficaram nos observando até partirmos. Eu os vi chilrear uns para os outros enquanto nos afastávamos, e então, um por um, os pássaros voaram para longe.

CAPÍTULO 63

Rahima

Dessa vez não foi fácil manter o foco no trabalho. De repente, no meio do discurso de um parlamentar, eu me dava conta de que não tinha ideia do que ele estava falando. Minha mente vagava e eu me lembrava da última vez que dera banho em meu filho. Ou que lhe dera *halva*, o que ele mais gostava de comer.

Badriya percebia, mas sua exasperação era atenuada pela compaixão. Na maior parte do tempo, ela mesma mal prestava atenção. Passava boa parte da sessão fingindo olhar para os papéis à sua frente, mas eu via que ela observava as pessoas ao redor. Para uma mulher que passara a maior parte da vida confinada entre os muros da casa do marido, cada sessão era um espetáculo.

Ela se mostrou ainda mais despreocupada comigo do que antes, o que não queria dizer muito, exceto que eu passava mais tempo com Hamida e Sufia e menos tempo com ela, nosso segurança e nosso motorista. As duas foram afáveis comigo. Quando Badriya retornou a Cabul sozinha, perguntaram por mim várias vezes. Ela deu desculpas vagas até, finalmente, contar-lhes sobre Jahangir.

Os braços de Sufia ao meu redor foram mais reconfortantes do que eu imaginava. Hamida balançou a cabeça e me contou sobre o filho de 3 anos que perdera por causa de uma infecção. Na época, ela e o marido não tinham dinheiro para comprar medicamentos.

Forcei um sorriso e meneei a cabeça, agradecida pelo carinho das duas, mas não queria falar sobre o que acontecera. Ainda havia muitas coisas dentro de mim e eu sentia uma nova culpa por deixar meu filho morto para trás.

O apartamento que Abdul Khaliq reformava ainda não estava pronto, de modo que continuamos no hotel. Eu vagava por minha rotina diária, em um perpétuo estado de desolação, perguntando-me de tempos em tempos por que me dava ao trabalho de fazer tudo aquilo. Acho que o que me movia era o medo que sentia de meu marido. E o fato de não saber o que mais fazer.

Badriya ia dando pistas aqui e ali sobre a nova perspectiva de nosso marido. Por mais que não quisesse falar comigo, estávamos sozinhas e havia coisas que ela não conseguia guardar para si.

– Eu não deveria dizer nada. E só sei disso porque, é claro, ele achou que deveria compartilhar essas informações comigo, já que sou a primeira esposa – comentou, com a mão sobre o peito, enquanto falava da própria importância. – O nome da menina é Khatol. Dizem que é muito bonita. Abdul Khaliq conhece o irmão dela há muito tempo. É um homem muito respeitado. Lutou ao lado dele, mas agora deve muito dinheiro ao nosso marido, que foi muito generoso com esse homem e com sua família. Até lhe enviou comida quando soube que não tinham nem mesmo pão.

– Mas o que vai acontecer ao... ao resto de nós?

Eu não queria que Badriya soubesse que eu ouvira sua conversa com Bibi Gulalai.

– O resto de nós? Nada! Por que algo aconteceria? – questionou ela, ocupada em tirar uma mancha de gordura do vestido. – Você não vai àquela aula ridícula com suas amigas?

Ela não disse nada além disso, nem uma palavra sobre os planos de meu marido para se manter obediente ao *hadith*. Não estava interessada em me alertar.

Eu não entendia por que meu marido de repente achava tão importante seguir o *hadith*. Ele não era homem de permitir que regras ditassem suas decisões. Se quisesse ter 5 esposas, ou 25, ele teria.

Uma fumaça espessa, expelida de um milhão de canos de descarga, enegrecia o ar de Cabul. Badriya tossia violentamente. Sabendo que ela ia reclamar disso mais tarde caso eu não o fizesse, perguntei se queria se juntar às mulheres no centro de recursos. A resposta era sempre negativa.

– Não vou perder meu tempo com aquelas intrometidas.

Maruf e nosso segurança ficavam com ela, pois era a esposa mais importante e sempre dizia que estava pensando em visitar a prima que morava do outro lado da cidade. Pelo que sei, na verdade ela nunca saía do quarto. Não era tola. Sabia que a notícia logo chegaria aos ouvidos de nosso marido. Os instintos de sobrevivência de Badriya eram fortes.

Eu passava minhas noites no centro de treinamento, sob a tutela da Srta. Franklin. Estava me aprimorando cada vez mais nos programas de computador. Para praticar, escrevia cartas para minhas irmãs Shahla, Rohila e Sitara – mensagens que nunca eram enviadas. A mulher do abrigo, Fakhria, vinha de vez em quando e contava histórias de meninas que tinham fugido de casa em busca de uma nova chance. Seu abrigo era mantido com recursos provenientes dos Estados Unidos e ficava bem claro que ela tentava ganhar a simpatia de Hamida e Sufia na esperança de conseguir que o Parlamento o financiasse.

Eu queria dizer a ela que era perda de tempo. Até mesmo eu, uma humilde assessora parlamentar, poderia lhe assegurar que não havia a menor chance de a *jirga* destinar recursos a um refúgio mulheres que fugiram de seus maridos. Na verdade, tinha ouvido várias pessoas dizerem que esses lugares não passavam de bordéis. Eu não acreditava nisso, mas muita gente, sim.

Faltavam quatro semanas para o recesso parlamentar de inverno. Quatro semanas para eu frequentar as aulas no centro de treinamento, quatro semanas para a Srta. Franklin dar tapinhas de aprovação em meu ombro, quatro semanas com Hamida e Sufia em vez de cozinhando e limpando.

Eu me perguntava como estaria Khala Shaima. Ela parecia pior a cada vez que a via. Ainda assim, tinha resistido à morte de Parwin e Jahangir. Perdê-los me ensinou que tudo era possível e que a morte estava mais perto do que eu gostaria de acreditar.

– Sou uma mulher velha – disse Khala Shaima antes de minha partida para Cabul. – Enganei o anjo Azrael mais de uma vez, mas em breve ele virá reivindicar meu último suspiro.

– Khala-jan, não diga isso – protestei.

– Bobagem. Para falar a verdade, eu só queria ficar aqui para poder cuidar de vocês, meninas. Nada mais me importa muito. Mas não posso escapar para sempre. É como a história daquele homem... Eu contei a vocês sobre ele?

– Não, Khala-jan. Você só nos contou sobre Bibi Shekiba.

– Ah, e espero que você tenha aprendido alguma coisa com a história. Afinal, você é o legado dela. Lembre-se: sua trisavó era Bibi Shekiba, guarda do harém do rei. *Dokhtar-em*, minha querida, eu não estou bem. Você não é mais uma menina ingênua. Meu coração ficará em paz se me disser que cada história que eu lhe contei, cada *mattal* que dividi com você, lhe trouxe sabedoria e coragem. Lembre-se de onde você vem. Bibi Shekiba não é um conto de fadas. Ela é sua trisavó. O sangue dela corre em suas veias e dá força a seu espírito. Ande sempre de cabeça erguida. Você é descendente de *alguém importante*, não de uma pessoa sem nenhum valor.

Ela deu um suspiro profundo, que se transformou em uma longa e exasperada tosse. Parou um minuto para recuperar o fôlego antes de continuar:

– Eu tentei dizer o mesmo a Rohila e Sitara. Mas Rohila vai se casar em breve e acho que vai ser melhor para ela. A família parece razoável. Sitara ficará sozinha com seus pais, sendo obrigada a cuidar de si mesma. Não posso fazer muito mais por ela. Eu gostaria de lhe pedir que cuidasse dela, mas você poderia fazer mais por ela se houvesse apenas uma grande montanha entre vocês. Porém, há muros que mantêm você prisioneira. Concentre-se em si mesma. Tudo que enfrentou na vida deve ter lhe ensinado alguma coisa, deve tê-la feito ansiar por algo. Lembre-se, Alá disse: "Comece a mover-se para que eu possa começar a abençoar."

Tentei encontrar as palavras para tranquilizar Khala Shaima, para lhe garantir que entendia o que ela me dizia, que tinha orgulho de saber que era descendente de Bibi Shekiba, a mulher que guardou o harém do rei, que caminhou pelo palácio real. Eu levara toda a minha vida em uma pequena aldeia, mas estaria para sempre ligada à aristocracia do Afeganistão.

Mas nunca fui capaz de encontrar as palavras certas. Sentada ali, precisei admitir que estava vendo minha tia definhar. Ela não se parecia mais com a pessoa de quem eu me lembrava. Passara toda a vida adulta tentando nos guiar, tentando cuidar de minhas irmãs e de mim.

E ela estava certa. Por mais que eu desejasse fazer algo por minhas irmãs, os muros de Abdul Khaliq eram altos, e suas rédeas, curtas. Eu só podia rezar por elas.

Badriya estava deitada na cama. Tinha passado o dia reclamando do atraso na obra do imóvel que Abdul Khaliq havia comprado em Cabul. Estava cansada de ficar em um hotel e ter um homem no lobby observando com interesse nossas idas e vindas. Tive vontade de sair para uma caminhada, cansada de ouvir tantas queixas.

Ajustei meu lenço de cabeça e abri a porta. Badriya me olhou, balançou a cabeça e se virou para a parede. Percebi que ela não queria que eu saísse, pois ficaria sem plateia, mas eu começava a sentir as paredes se estreitarem ao meu redor. Saí do quarto.

À minha direita, uma escadaria levava ao saguão. Eu podia ouvir Maruf e Hassan à minha esquerda, no corredor, a uns 10 metros de distância, conversando. Vi as costas de Maruf, sentado em uma cadeira. Por mais que quisesse ir até a rua, eu sabia que pagaria muito caro se saísse desacompanhada e sem avisar.

À medida que me aproximava, comecei a ouvir o que diziam:

– Você disse isso a ele?

– Disse. Que diabos eu deveria dizer? – perguntou Maruf.

– Que Deus a ajude. O que ele respondeu?

– Você sabe como ele fica. Falou um monte de coisas. Não sei o que vai fazer com ela, mas não tive escolha. Além do mais, a culpa é sua, Maruf. Foi você quem disse a ele que ela estava passando muito tempo com essas duas bruxas. Não parou para pensar que ele ia ficar furioso por não a vigiarmos direito? Talvez você ache que não é sua função, já que é o motorista, mas eu sou o *segurança* delas. Esqueceu?

– E o que eu deveria ter feito? Ele telefonou quando ela não estava por perto. E queria falar com Badriya também. Se eu não tivesse dito que ela não estava aqui, Badriya teria contado. Com certeza ele cortaria o meu pescoço se achasse que eu escondia alguma coisa dele.

– Sim, é verdade. Bem, espero que ele tenha entendido que ela saiu sem nosso conhecimento. Não quero voltar e descobrir que é conosco que ele está furioso.

– Basta falar o que combinamos: ela escapou sem nos dizer nada e saiu com aquelas mulheres depravadas. Ele vai acreditar. Você sabe que ele não gosta muito dela, de qualquer maneira. Já deve ter ouvido falar dos planos. Ele perdeu o interesse. Ela não é mais tão excitante para ele quanto era no começo. Você se lembra do dia em que ele a viu no mercado?

Maruf deu uma gargalhada.

– Parecia que ele queria agarrá-la ali mesmo, depois mandar um bilhete e alguns afeganes para os pais dela!

– Teria sido muito mais fácil se ele tivesse feito isso. Que dor de cabeça aquela família deu. Fazendo o maior drama, como se viessem da realeza ou algo assim.

– Mas eu me lembro da sua cara quando ele nos fez parar para que pudesse observá-la... Você pensou que era um menino de verdade, seu idiota!

– Você também pensou! – exclamou Maruf para se defender. – Ela parecia um menino. Como diabos eu ia adivinhar que havia algo mais interessante sob aquelas roupas?

– Você provavelmente gostava mais dela do outro jeito! – Hassan riu. – O que achou do novo corte de cabelo dela, hein? Abriu seu apetite?

Recuei devagar, do modo mais silencioso possível, a mente acelerada.

Eles tinham me denunciado para meu marido. Estremeci ao ouvir como falavam de mim.

Meus pensamentos se atropelaram até eu enfim compreender o que acabara de ouvir.

Eu não estava segura.

Virei a maçaneta, observando o corredor para ver se os homens tinham notado minha presença. Não notaram. Fechei a porta e fui direto para o banheiro. Não consegui olhar para Badriya naquele momento, sabendo que ela não seria de nenhuma ajuda para mim. De qualquer maneira, ela parecia dormir.

Meu marido era um homem violento e eu sabia que não tinha visto nem um décimo do que ele era capaz. Era um homem da guerra, das armas, do poder. Exigia respeito e obediência, e os seguranças tinham acabado de lhe dizer que eu estava fora de controle. Ele devia estar louco de raiva.

Ele planejava tomar mais uma esposa e não pretendia ficar com cinco. Sabia o que isso significava para mim.

Pensei na mulher do abrigo. Ela desobedecera ao marido e ele cortara sua orelha fora. Eu não tinha dúvidas de que Abdul Khaliq podia ser igualmente cruel. Encostei-me na parede, o coração martelando de medo. Eu precisava pensar rápido.

Íamos voltar para casa em três dias.

CAPÍTULO 64

Shekiba

Os pés de Shah batiam com força no chão de terra batida. Só porque era obrigado a acompanhar a irmã na volta da escola, não significava que não pudesse apostar corrida com ela até a porta de casa. Ofegante, virou-se de costas e viu Shabnam caminhando apressada para alcançá-lo. Ela parecia frustrada.

– Por que você está sempre com tanta pressa? Não sabe que não é fácil correr de saia? Além disso, Madar-jan ficaria zangada se me visse correndo atrás de você pelas ruas!

– Não tenho culpa se sou mais rápido do que você. Eu já podia estar em casa há muito tempo se não tivesse que esperá-la!

Era a mesma discussão todos os dias. Eles brigavam, mas se adoravam, alheios ao ressentimento entre as mães. Havia muito tempo que Shabnam optara por ignorar a mão da mãe tentando contê-la e ficava sentada junto a Shekiba enquanto ela lavava as roupas. Fazia-lhe uma pergunta atrás de outra sobre tudo, desde cavalos até o processo de assar pão. E Shah, que não conhecia limites, graças ao pai, gostava de atormentar Gulnaz puxando a linha de seu tricô e fugindo, as risadas dissipando a raiva por causa do trabalho que havia desmanchado.

Aasif nutrira esperanças de ter mais filhos, mas Gulnaz e Shekiba pareciam se alternar: o incômodo feminino de uma começava quando terminava o da outra. Ele se perguntava se uma maldição lançada sobre ele tinha sido suspensa apenas naqueles dois anos. Ou talvez as mulheres tivessem feito alguma coisa... Mas se cansou de ficar com raiva. Sua mãe, porém, nunca desanimou. Mesmo uma semana antes de morrer, lembrou ao filho que Alá queria que os homens tomassem mais do que apenas duas esposas.

– E onde vou colocar outra esposa, Madar-jan? Em nossa pequena casa não há espaço para outra mulher e já tenho problemas suficientes alimentando as atuais.

– Case-se e Alá proverá – garantira a mãe, os olhos semicerrados de cansaço.

Ele refletia sobre o conselho dela, por mais ilógico que parecesse, no caminho entre sua casa e o Ministério das Relações Exteriores. Dois anos antes, graças à sua relação com Amanullah, fora transferido do Ministério da Agricultura, assumindo um cargo junto a um vizir de posição mais elevada.

Quando Agha Khalil chegou com a esposa, foi Shah quem os recebeu à porta. Seus joelhos estavam sujos, pois tentara subir além do segundo galho da árvore no pátio. Os visitantes sorriram e pensaram no próprio filho, que ficara em casa.

– Boa noite, meu caro menino! Seu pai está em casa? Eu gostaria de falar com ele.

– Está, sim. Entrem! Minha mãe está preparando o jantar. Por que não ficam e comem conosco? – disse ele com um sorriso, imitando a hospitalidade do pai.

A esposa de Agha Khalil não conteve o riso.

– Mas quanta gentileza! Não queremos incomodar, meu amiguinho – disse Agha Khalil no instante em que Aasif entrou no pátio.

– Agha Khalil, que prazer vê-lo!

– O prazer é meu, Agha Baraan. Perdoe-me por vir a esta hora, mas eu queria lhe trazer esses papéis, já que não vou estar no gabinete amanhã.

– Por favor, por favor, entrem – convidou Aasif, apontando para a porta da casa.

– Seu filho é um grande anfitrião e já nos convidou para entrar, mas minha esposa e eu estamos a caminho de casa após uma visita a alguns parentes. Não queremos incomodá-los.

Aasif insistiu e Shekiba logo pegou xícaras de chá e amoras secas. Gulnaz estava em seu quarto, com dor de cabeça, portanto Shekiba foi obrigada a se juntar ao marido e fazer sala para os convidados. Ela e a esposa de Agha Khalil, Mahnaz, foram apresentadas e se sentaram em um canto da sala, enquanto os homens conversavam do outro lado. Shekiba mantinha a cabeça virada para o lado, como sempre fazia quando conhecia alguém novo.

– Seu filho é um menino adorável, *nam-e-khoda*! – exclamou Mahnaz.

Shekiba baixou a cabeça e sorriu ao ouvir a bondade na voz daquela mulher. Mahnaz usava um vestido cinza-acastanhado que ia até o tornozelo, com mangas leves que se abotoavam no punho. Ela estava elegante; parecia pronta para comparecer a um evento no palácio.

– Obrigada. Que Alá a abençoe com boa saúde – disse Shekiba, não querendo atrair nenhum *nazar* com mais elogios a seu pequeno rei.

– Você tem muitos parentes em Cabul?

– Não, eu vim de uma pequena aldeia nos arredores da capital.

– Eu também. Esta cidade foi uma grande surpresa para mim! Tão diferente do lugar onde cresci...

Mahnaz era jovem, provavelmente não tinha mais do que 24 anos, e seu rosto era iluminado e alegre.

– Onde era a sua aldeia? – acrescentou ela.

– Chamava-se Qala-e-Bulbul. Duvido que tenha ouvido falar dela – respondeu Shekiba.

Aos 36, havia anos não pensava em sua aldeia, que tinha esse nome por causa das centenas de pássaros canoros que viviam lá. Então pensou na irmã, que cantava como um. A voz maviosa de Aqela e seu rosto com covinhas passearam pela mente dela, borrados e vívidos ao mesmo tempo, como todas as lembranças.

Mahnaz ficou boquiaberta. Ela pousou a mão sobre a de Shekiba.

– Qala-e-Bulbul? Você veio mesmo de lá? É a minha aldeia!

Shekiba sentiu de repente uma onda de pânico. Não se arrependia nem um pouco de não ter contato com os parentes. Olhou para Aasif e viu que os homens estavam profundamente envolvidos em uma conversa. Ele nunca havia se preocupado em lhe perguntar nada sobre sua família e ela não via motivo para que ele ficasse sabendo de alguma coisa agora.

– Saí de lá quando era muito nova e não me lembro de quase ninguém... – disse Shekiba em voz baixa.

– Que coincidência incrível! Qual é o sobrenome da sua família?

– Bardari.

– Bardari? Das terras ao norte do monte do pastor? Ah, meu Deus! Meu tio era vizinho da família Bardari. Passei tanto tempo na casa dele que os conheço bem. Não morávamos muito longe de lá. Qual é o seu parentesco com Khanum Zarmina e Khanum Samina? Eu e as filhas delas costumávamos trançar os cabelos umas das outras e cantar à beira do riacho que corria atrás das terras de meu tio.

– É mesmo? Elas são esposas dos meus tios.

– Ah, que coincidência! Então era com suas primas que eu brincava quando menina! Você escreve para elas com frequência? Minhas cartas para meus parentes levam muito tempo para chegar. Você tem o mesmo problema?

– Eu... Eu não tenho mais contato com minha família agora que estou vivendo em Cabul. Já faz muito tempo – explicou Shekiba vagamente.

– É mesmo? Eu entendo. Estive lá dois anos atrás. Para o casamento de meu irmão. A aldeia não mudou nada. Mas você... Shekiba-jan, sabe o que aconteceu com a sua avó?

Os olhos de Mahnaz se suavizaram e sua voz ficara mais baixa.

– Minha avó? O que aconteceu?

Mahnaz mordeu o lábio e olhou para baixo por um segundo. Ela balançou a cabeça e tomou as mãos de Shekiba nas suas.

– Ela faleceu dois dias depois do casamento. Foi um momento muito triste. Eu não a conhecia pessoalmente, mas ouvi dizer que era uma mulher muito forte. A aldeia inteira se admirava ao ver como ela era abençoada por ter uma vida tão longa!

Shekiba foi pega de surpresa. Parte dela esperava que a avó vivesse para sempre, conservada nos próprios humores amargos. Logo percebeu que a convidada esperava algum tipo de reação.

– Ah. Eu não fazia ideia. Que ela descanse em paz – murmurou Shekiba, baixando a cabeça.

– Sinto muito por ter lhe dado essa notícia triste, especialmente em nosso primeiro encontro. Que indelicadeza de minha parte!

– Por favor, por favor, não se preocupe. Minha avó, como você disse, viveu muitos anos além do que qualquer um esperava. A vida é assim, e o mesmo fim espera por todos nós – comentou Shekiba, esforçando-se para soar educada.

– Sim, sim, Deus a abençoe. Ela devia ter uma boa alma para ter sido agraciada com uma vida tão longa.

Você não a conhecia, pensou Shekiba.

– Mahnaz-jan – disse Shekiba, hesitante. Pensou em como perguntar o que de fato queria saber. – Por acaso sabe como estão as plantações? As terras de meu pai... As terras de meu pai costumavam produzir boas colheitas. Eu às vezes me pergunto...

– Quais eram as terras de seu pai?

– Ficavam atrás da casa de minha avó, separadas por uma fileira de árvores altas...

– Ah, sim, é claro! Bem... – O assunto obviamente a deixava desconfortável. – Pelo que ouvi dizer, houve algumas... algumas divergências sobre as terras. Quando estive lá, Freidun-jan e Zarmina-jan viviam naquela casa, mas estavam prestes a dividir a propriedade.

Shekiba entendeu o que Mahnaz era educada demais para dizer: seus tios deviam estar disputando a terra. Ela podia imaginar Kaka Freidun afirmando seu direito como o mais velho e a arrogante Khala Zarmina passando por cima de todos para ter uma casa só sua. A ganância havia dividido a família e também a terra.

– Mas eles não estavam tendo uma boa colheita quando estive lá. Eu vi a filha deles, sua prima, no casamento e ela me disse que achavam que existia algum tipo de maldição naquelas terras.

Shekiba sorriu. Mahnaz achou estranho. Shekiba percebeu, mas não conseguiu evitar. Podia ouvir a voz cacarejante de sua avó dizendo aos filhos que fora Shekiba quem amaldiçoara a terra e condenara suas colheitas.

– Como foi o casamento? Parabéns à sua família! – disse Shekiba.

Ela não tinha interesse em ouvir mais nada sobre os parentes.

Mahnaz relaxou e abriu um sorriso.

– Maravilhoso! Dança, música e comida! Foi muito animado, e eu não via minha família fazia muito tempo. Não poderia ter me divertido mais!

– Que ótimo! Desejo aos noivos uma vida feliz.

– Na verdade, eles quase tiveram que cancelar o casamento.

– Por quê?

– Bem, a família da noiva tinha pedido uma alta quantia em dinheiro como pagamento pela noiva, mas meu pai não achou razoável, especialmente depois que o rei Amanullah proibiu essa prática. O pai dela se sentiu desrespeitado, de modo que eles concordaram com uma quantia menor. Mas eu acho que entendo. Nenhum dinheiro? Quer dizer, uma noiva tem que valer alguma coisa, você não acha? Sei que eu valia!

Ela riu.

Shekiba sorriu timidamente e desviou o olhar.

– Você tem razão. As leis de Amanullah devem parecer muito estranhas em uma aldeia como a nossa. Cabul é muito diferente. Pode imaginar o que as pessoas de lá achariam se soubessem sobre as escolas secundárias inglesas e alemãs daqui?

– Você está certa, Shekiba-jan! Poucas meninas frequentaram a escola em nossa região. Você sabia que a rainha Soraya vai fazer um discurso daqui a dois dias?

– Não, eu não sabia.

– Ah, vai ser incrível. Mal posso esperar para ouvir o que ela tem a dizer. Embora me preocupe com ela. Muitos não vão acolher tantas mudanças tão depressa. Por que não vem comigo? Podemos ir ouvi-la falar!

Shekiba foi pega de surpresa. A rainha Soraya? Já pensara tanto nela que ficou entusiasmada diante da ideia de ver de perto aquela mulher revolucionária. Mas não estava acostumada a comparecer a eventos públicos.

– Ah, não posso... Quero dizer, tenho que cuidar de...

– Vamos, apenas por um dia! Vai ser ótimo vê-la falar! – exclamou Mahnaz, animada.

Em seguida, voltou sua atenção para os homens. Eles estavam tão absortos na conversa que ainda não tinham tocado no chá.

– Com licença, caro Agha Baraan.

Aasif se virou. Parecia surpreso.

– Sim, Khanum?

– Posso roubar sua esposa amanhã?

Roubar sua esposa. Eu me pergunto como isso soa para ele, pensou Shekiba. A conversa sobre Amanullah e Soraya a fizera lembrar do palácio. E de Benafsha.

– Roubar minha...

– Sim, eu adoraria assistir ao discurso e estava procurando alguém para me acompanhar! Não vamos nos demorar. Podemos levar o adorável Shah-jan conosco também!

– Vai ser um discurso importante. Não tenho dúvida de que quanto mais conhecer a rainha Soraya, mais o povo afegão vai ficar impressionado com ela – afirmou Agha Khalil.

– Você vai estar lá? – perguntou-lhe Aasif.

Shekiba assistia enquanto sua tarde era planejada para ela.

– Certamente.

– Bem, então...

– Que maravilha! Espero que não se importe de ela sair um pouco! – disse Mahnaz, satisfeita.

Aasif tentou evitar que seu rosto transparecesse o desagrado.

CAPÍTULO 65
Shekiba

— *E*LES DISSERAM POR VOLTA DE UMA HORA. Não deve demorar muito mais. Olhe para essa multidão! Todas essas pessoas vieram ver a nossa rainha Soraya! – voltou a exclamar Mahnaz, eufórica pelo fato de estar presenciando esse acontecimento incomum.

Shekiba segurou a mão de Shah com firmeza, procurando algum sinal de Amanullah no palanque. Imaginou como ele estaria. Fazia anos desde que o vira pela última vez.

Tola, disse a si mesma. *Olhe para essa multidão. Como pode ter pensado que era compatível com algo assim, que era digna de subir naquele palanque, de aparecer diante de todas essas pessoas?*

Shekiba ajeitou o véu e se inclinou para dar a Shah um punhado de castanhas para distraí-lo. Nas últimas semanas, não conseguia comer direito e até mesmo o cheiro amadeirado das amêndoas torradas a incomodava, apesar de ser um aroma que ela jamais havia notado.

O pequeno Shah estava feliz, divertindo-se com os inúmeros rostos diferentes, o homem que vendia legumes e verduras em seu carrinho de madeira, as crianças de mãos dadas com as mães. Ele não se importava por estar de pé havia mais de uma hora nem reparava na atenção que o rosto da mãe atraía. Shekiba mantinha o véu cobrindo a face esquerda e se virava quando percebia olhares curiosos. Shah tinha 7 anos agora e era esperto o suficiente para detectar olhares e cochichos. Shekiba não queria que o filho ficasse envergonhado por causa dela.

Gulnaz e Shabnam permaneceram em casa. A outra esposa não ficou nada satisfeita por Shekiba ter sido convidada para um passeio pela esposa de Agha Khalil e quase não lhe dirigira a palavra desde que soubera. Mas se contentou com o fato de que Aasif ficaria satisfeito por ela não vagar desavergonhadamente por Cabul no meio de uma multidão.

Soldados se posicionavam em volta do palanque, formando um perímetro em torno dele para que as pessoas não se aproximassem demais. No centro do tablado havia um púlpito coberto de veludo azul-marinho com borlas douradas e duas espadas cruzadas bordadas. Shekiba olhou para os soldados e pensou no Arg, nas guardas, no harém. Parecia que tinham se passado cem anos após aqueles dias em que ela andava pelos jardins do palácio de cabelos curtos e calças masculinas. Olhou para o filho, que em breve seria um rapaz, e se perguntou o que Shah teria pensado se visse a mãe vestida daquela maneira.

Ele não entenderia. Só uma menina poderia entender o que era cruzar aquela linha, sentir a liberdade de viver como o sexo oposto. Seus dedos tocaram a barriga por um instante. Ela olhou para Shah e percebeu que dessa vez seria diferente. Podia sentir.

Mahnaz protegeu os olhos do sol.

– Você já a viu?

Shekiba negou.

– Ela parece uma rainha – continuou Mahnaz. – Não sei de que outra forma descrevê-la. Você precisa ver as roupas que ela usa! Vindas diretamente da Europa! Meu marido disse que até os filhos usam roupas europeias!

– Seu marido trabalha para eles?

– Sim, ele faz alguns trabalhos de caligrafia para o rei e atua como conselheiro da rainha quando o rei não está. Em breve, vai viajar com a família real.

– Ele viaja muito, não é?

Mahnaz assentiu, o rosto revelando sua decepção.

– Sim, mas pelo menos tenho minha sogra e a família dele por perto. Eu me sentiria tão sozinha se não fosse assim...

– Como seu casamento foi arranjado? A família de seu marido é de Cabul, não é?

– Sim. Certa vez, ele e a família passaram por nossa aldeia a caminho de Jalalabad. Naquela época, o pai dele e o meu se conheceram e acertaram tudo para que nos casássemos. Eu só o vira uma vez, apenas por um segundo. Foi tão inesperado!

– E vocês moram em Cabul desde então?

– A maior parte do tempo – respondeu ela, inclinando-se para falar com mais discrição. – Meu marido tinha algumas divergências de opinião, por assim dizer, com alguns representantes do governo. Passamos por momentos difíceis naquela época. Eles nos tiraram tudo: nossos móveis, nossa casa, nossas joias. Moramos no campo por um ano e meio, até que recebemos uma mensagem dizendo que podíamos retornar. As crianças detestavam o campo. Ficamos tão felizes por voltar!

– Que situação terrível – comentou Shekiba.

Mas você poderia ter passado por coisas muito piores, pensou.

– Foi terrível. Mas foi como tinha que ser. Quando você discorda de pessoas poderosas, tem que estar preparado para perder tudo. Só espero que não precisemos passar por uma experiência como essa de novo. – Ela suspirou. – Mas é difícil dizer, já que aquilo que os homens estão dispostos a tolerar muda com a mesma frequência que as fases da lua.

Shekiba aquiesceu.

– Lá estão eles!

Mahnaz viu Amanullah e Soraya sendo conduzidos ao palanque. Havia soldados enfileirados cerimoniosamente dos dois lados do rei e da rainha, e generais se posicionaram ao lado do casal. Os dois sorriam e acenavam para os rostos conhecidos em um grupo de dignitários diante do tablado.

Um homem de terno subiu ao púlpito e começou a falar. Ele se apresentou e comentou da recente viagem do rei Amanullah à Europa. O Afeganistão estava passando por um período de renascimento, declarou, e ia crescer sob a liderança de um monarca visionário e determinado como ele. Seu discurso prosseguiu até que um dos generais não conseguiu mais suportar e sussurrou algo em seu ouvido que o levou a encerrar de maneira abrupta.

– O nosso nobre rei Amanullah! – anunciou ele e se afastou do púlpito com os braços estendidos de forma teatral para receber no palanque o líder do país.

– *As-salaam-alaikum* e obrigado! É um grande prazer estar aqui e falar com vocês!

Os lábios de Shekiba se curvaram ligeiramente em um meio sorriso. Ele parecia ainda mais nobre do que ela se lembrava, a jaqueta militar verde-

-oliva decorada com medalhas e estrelas presa por um cinto de couro. Ele tirou o chapéu e o colocou no púlpito à sua frente. Sua postura emanava segurança, uma autoconfiança que se irradiou pela multidão. Shekiba fitou os rostos ao seu redor, os olhos dos outros focados no palco, as expressões cheias de entusiasmo.

Estamos em boas mãos, as pessoas pareciam estar pensando.

Shekiba tentou se concentrar no discurso, mas sua mente vagava. Não tirava os olhos de Amanullah, desejando que fizesse contato visual com ela e imaginando se ele se lembraria da guarda do harém com o rosto coberto de cicatrizes. Desejou que seus olhos bondosos a vissem de novo. Sentiu uma vibração na barriga e não se surpreendeu com o fato de até mesmo o menor dos espíritos ficar comovido na presença de Amanullah.

Mahnaz olhava para ela de vez em quando, acenando com a cabeça. Shekiba percebeu que o rei devia ter dito algo importante. Shah puxou sua mão e, distraída, ela tirou algumas passas da bolsa. Ele as comeu uma por uma, entediado com o discurso.

A rainha Soraya se juntou ao rei no púlpito. Ela usava um lenço de cabeça muito fino, cor de ameixa, combinando com seu tailleur. Vestia um terninho justo, com um broche que refletia a luz do sol, sobre uma saia-lápis que ia até o meio das panturrilhas. Seus sapatos eram elegantes – um modelo Mary Jane preto, com salto modesto.

Essa é a esposa dele, a mulher que ele descreveu como atenciosa, dedicada e determinada. De fato, ela anda com altivez. E por que não o faria? É a rainha de nosso amado Amanullah.

De repente, a rainha Soraya olhou para o marido e tirou o véu da cabeça! Shekiba ficou boquiaberta. Ela olhou para o rei Amanullah e se espantou ao vê-lo sorrindo e batendo palmas. Mahnaz agarrou Shekiba pelo antebraço e abriu um sorriso. Uma mistura de arquejos e aplausos percorreu a multidão.

– Não é incrível? – comentou ela, emocionada.

– O que acabou de acontecer? Por que ela fez isso?

– Você não estava ouvindo? Ele acabou de dizer que o xador não é obrigatório no Islã! A rainha não vai mais usar seu lenço de cabeça!

– Mas... como ela pôde...

– É um novo tempo em Cabul! Não está feliz por eu tê-la arrastado até aqui? – disse Mahnaz, cutucando Shekiba com o cotovelo.

Amanullah proferiu mais algumas palavras com Soraya a seu lado. Declarou que ela era ministra da Educação e rainha do povo afegão. E deixou que Soraya assumisse o púlpito. Shekiba olhou para Shah, em seguida voltou a atenção para o palanque. Os discursos estavam sendo mais interessantes do que ela imaginara.

A rainha Soraya falou com uma eloquência e uma segurança que complementaram as do marido. Shekiba se sentiu deferente e a ouviu discursar sobre a importância da independência.

– Vocês acham que nossa nação, desde o início, só precisou dos homens para servi-la? As mulheres também devem fazer a sua parte, como fizeram nos primeiros anos de nossa nação e do Islã. Com seu exemplo, temos que aprender que todas devemos contribuir para o desenvolvimento de nossa nação e que isso não pode ser realizado sem que estejamos munidas de conhecimento. Então todas nós precisamos nos esforçar para adquirir o maior conhecimento possível, a fim de sermos capazes de prestar serviços à sociedade da mesma forma que as mulheres dos primórdios do Islã.

– Imagine só. Imagine ser capaz de falar como ela, para uma multidão como esta. Ela é uma mulher admirável. Ah, o povo de Qala-e-Bulbul ia desfalecer se visse uma coisa dessas, não acha? – disse Mahnaz, rindo.

Shekiba pensou nos tios. Sem dúvida eles teriam olhado com desprezo e se retirado para não ouvir aquele discurso. Uma mulher mandando suas esposas adquirirem conhecimento?

Foi um dia emocionante. Shekiba estava vagamente consciente de que aquele dia ia mudar alguma coisa, embora não soubesse bem o quê.

Ela é uma mulher sábia, pensou Shekiba. *Uma mulher como ela teria dado as terras de meu pai a mim. Teria dito a minha avó para me mandar para a escola em vez de para os campos.*

Os lábios de Shekiba se retesaram com determinação.

Ela sabia que a rainha Soraya estava falando de mudanças que não afetariam sua vida.

Minha história termina aqui, pensou. Sua vida agora era melhor do que jamais poderia ter imaginado. De alguma forma, encontrara uma forma de escapar a um *nasib* muito pior.

Mas algo em Shekiba mudou. Teve uma centelha de esperança, a sensação de que as coisas poderiam ser melhores com aquela mulher que Amanullah escolhera em vez dela. Corou ao se dar conta de que ainda achava que tinha sido dessa forma, por mais ridículo que fosse.

Lembrou-se de como fora espancada por levar a escritura até Hakim-sahib. Pensou em Benafsha sucumbindo sob o peso das pedras.

Às vezes, porém, é preciso desafiar as convenções, suponho. Às vezes, é preciso se arriscar quando se deseja muito alguma coisa.

Shekiba sabia que tudo ficaria bem para Shah, pois era um menino. E, como seu pai era bem relacionado, se certificaria de que ele tivesse todas as oportunidades. Agradeceu a Deus por isso.

E que Alá dê às minhas filhas, se eu for abençoada com alguma, a chance de fazer o que a rainha Soraya parece acreditar que é possível. Que Alá lhes dê coragem quando lhes disserem que estão desafiando as convenções. E que Alá as proteja quando buscarem algo melhor e lhes dê uma chance de provar que merecem mais.

Esta vida é difícil. Perdemos pais, irmãos, mães, pássaros canoros e pedaços de nós mesmos. Açoites golpeiam os inocentes, honrarias são concedidas aos culpados e há muita solidão. Eu seria tola se rezasse para que meus filhos sejam poupados de tudo isso. Peça demais e as coisas podem acabar sendo piores. Mas eu posso rezar por pequenas coisas, como campos férteis, o amor de uma mãe, o sorriso de uma criança – uma vida que seja menos amarga do que doce.

CAPÍTULO 66

Rahima

Precisei de toda a minha força para manter o foco, para manter a calma. Não podia deixar de maneira alguma que alguém soubesse que eu tinha ouvido toda aquela conversa. Além disso, não sabia o que fazer nem a quem recorrer. Francamente, eu achava que não podia pedir ajuda a ninguém.

Fiquei sentada ao lado de Badriya na sessão do dia seguinte, ignorando o debate sobre o financiamento de um projeto de estradas, quando todos sabiam que a decisão já estava nas mãos do presidente. E que ele já sabia o que fazer.

Naquela noite, a Srta. Franklin ia nos deixar trabalhar mais na internet. Era tão importante quanto aprender a ler e escrever, dissera ela. A internet era nossa porta de entrada para o mundo.

Eu precisava de uma porta de saída.

Enquanto o inútil debate se desenrolava ao meu redor, uma discussão mais importante ocorria em minha mente: devo ir com Hamida e Sufia ao centro de treinamento ou devo ficar com Badriya e os seguranças?

Minhas mãos estavam suadas e meus ombros, rígidos. Eu temia o fim da sessão, sabendo que precisaria tomar uma decisão.

Que diferença faz?, pensei. Ele já está convencido de que fugi dos seguranças. Como as coisas poderiam ficar piores?

Mas eu tinha medo. Talvez ele acreditasse em mim, confiasse em minha palavra quando eu explicasse que os seguranças haviam deixado que eu fosse. Que Badriya me dera permissão. Que eu não fizera nada inapropriado nem vergonhoso no centro de recursos.

Impossível.

Agora já estávamos fora do prédio. Eu olhava para os três soldados ocidentais do outro lado da rua. Eles estavam encostados em um muro, conversando com um grupo de meninos. *Jahangir poderia ser um deles se eu tivesse recebido autorização para trazê-lo comigo.* Fiquei imaginando o que os soldados fariam se eu corresse na direção deles. Estavam ali para nos ajudar, certo?

Tínhamos acabado de passar pela verificação de segurança quando Hamida me chamou. Meu coração disparou. O que Khala Shaima diria para eu fazer?

– Você não vem conosco? A Srta. Franklin está esperando por você!

Olhei para Badriya, que ergueu as sobrancelhas, perguntando-se por que eu achava que ela se importava com o lugar para onde eu ia. Ela foi na direção do carro, estacionado a poucos metros. Vi Maruf murmurar algo para Hassan, que assentiu e sussurrou algo em resposta.

Concluí que estava condenada de qualquer maneira, então respirei fundo e decidi ir com Hamida. Eu não sabia quais seriam as consequências de minha decisão.

– Eu vou... Eu vou com elas. Vou pedir ao motorista que me deixe no hotel antes de levá-las para casa. Está bem?

Badriya deu de ombros, sem se dar ao trabalho de se virar para responder. Eu sabia que ela não queria dar uma resposta formal, que talvez tivesse que explicar a nosso marido. Ela entrou no carro e eles foram embora, misturando-se ao trânsito congestionado de Cabul. Fiquei aliviada e petrificada.

Enquanto caminhávamos, Hamida falava e eu pensava em meu marido. Por duas vezes, tive a sensação de que ia vomitar no meio da rua. Sufia se juntou a nós dois quarteirões depois do edifício do Parlamento. Os seguranças andavam alguns passos atrás de nós, enquanto os motoristas ficaram com os carros. Com o tráfego, acabaríamos levando mais tempo para chegar ao centro de recursos se fôssemos de carro.

– Rahima-jan, o que está acontecendo? Você está muito quieta hoje. Está tudo bem? – perguntou Sufia.

Eu não planejara contar. Minha história simplesmente começou a fluir. Como a água que, um dia, borbulhou sobre as pedras no rio Cabul, contei a elas tudo sobre meu marido, Bibi Gulalai, Jahangir.

Caminhamos devagar, não querendo chamar a atenção dos seguranças que nos seguiam. Aquela não era uma história para compartilhar com eles.

Respondi suas perguntas seguintes antes mesmo que elas pudessem fazê-las. Contei sobre meus pais, sobre como eles nos deram em casamento e, em seguida, se deixaram tragar por nuvens de ópio. Contei que Parwin escapara do inferno em um clarão de chamas e que, como Rohila iria se casar, Sitara ficaria encolhida em um canto de nossa casa, com medo do destino que meu pai escolheria para ela. Falei sobre Khala Shaima, o único parente que se mantivera próximo ao longo dos anos, com sua coluna retorcida que espremia a vida dela pouco a pouco para fora.

Mas meu filho... Essa foi a pior parte. Comecei, mas não consegui terminar. A ferida ainda era muito recente. Pior do que perder o bebê que esperava.

Enquanto tentava controlar o tremor em minha voz, falei sobre a conversa que tinha ouvido. Sobre a esposa que meu marido queria tomar sem violar as leis que, subitamente, resolvera seguir. Não precisei descrever o que temia que ele fizesse comigo. Elas sabiam.

As duas ouviram sem demonstrar surpresa. Eu estava apenas confirmando o que já suspeitavam: que eu era uma daquelas histórias.

Eu estava alquebrada e destruída e não me importava mais com o quanto revelava, com o que elas iriam pensar, ou mesmo com o que Abdul Khaliq faria se descobrisse. Eu não suportava mais. Só pensava no rosto de Khala Shaima, sua expressão amarga, sua decepção com a sina das sobrinhas. E, então, havia Bibi Shekiba, a mulher-homem cuja história se entrelaçara à minha.

– Meu Deus, Rahima-jan! Nem sei o que dizer... – comentou Hamida.

Estávamos do lado de fora do centro de recursos.

– Deve haver algo... Tem que haver alguma maneira... – disse Hamida, mas sem convicção.

– Não podemos ficar aqui por muito tempo – sussurrou Sufia, séria. – Podemos falar sobre isso lá dentro. Vamos entrar.

Deixei Sufia me guiar com a mão em minhas costas, pensando em algo que Khala Shaima dissera quando contei a ela a história da menina do abrigo, como ela escapara do marido e fora encontrada, para ser de novo espancada e punida por tentar fugir: "Pobre menina... Ela correu, fugindo de um telhado com goteiras, e foi se sentar na chuva."

CAPÍTULO 67

Rahima

— Eu não estou me sentindo nada bem — falei, esperando soar convincente.

Badriya bufou e colocou as mãos nos quadris de forma teatral.

– O que foi agora? Espera que eu vá sozinha à sessão? E quem você sugere que preencha as cédulas que precisam ser entregues hoje?

– Sinto muito, mas é meu estômago, está embrulhado. Deve ter sido alguma coisa que comi ontem à noite. – Eu me abracei e me inclinei para a frente. – Não quero causar nenhum problema sentada ao seu lado. Talvez precise sair correndo de repente...

– Ora, já chega! Não quero ouvir mais nada. Que porcaria de assessora você é. Inútil! – berrou ela, jogando as mãos para o alto.

Badriya pegou a bolsa e saiu batendo os pés. Quando ouvi seus passos se afastando, fui até a porta e pressionei a orelha contra ela. Podia ouvir Hassan e Maruf, suas vozes fortes ecoando no corredor.

– Ela não vai?

– Não, disse que está passando mal. É melhor deixá-la aqui. Não vou ficar com ela, se é isso que estão pensando. O diretor vai reclamar se eu perder outra sessão.

– Argh. Essa menina só causa problemas – falou Maruf.

– Leve-a. Eu fico aqui com a outra – ofereceu Hassan, com relutância. – A última coisa de que precisamos agora é que Abdul Khaliq fique sabendo que a deixamos sozinha no hotel.

– Está bem.

Ouvi o metal da cadeira raspando contra o chão. Ele ia ficar em seu posto, no corredor. Meu peito estava apertado de ansiedade.

Respirei fundo, fui até a cama e peguei minha sacola de baixo dela. Procurei entre as roupas até encontrar o que buscava. Agradeci a Deus por tê-las trazido, mesmo sem prever que ia usá-las. Troquei-me rapidamente, uma leve excitação percorrendo meu corpo. Vasculhei a sacola de Badriya até achar a tesoura que ela mantinha junto com o material de costura. Fui para o banheiro, olhei para meu reflexo e terminei o que meu marido havia começado. *Clique, clique, clique.* Ficou bastante irregular, mas melhor do que o que Abdul Khaliq fizera.

Calcei as sandálias e olhei bem para minha sacola. Vista de trás, poderia me denunciar. Decidi que era melhor não levá-la e me sentei para acalmar a respiração.

Foram necessários cinco minutos escutando atentamente atrás da porta para me convencer de que ninguém se aproximava, sobretudo Hassan. Nada do barulho de seus pés pesados nem do assobio de sua respiração rouca. Imaginei que ele tinha saído para fumar um cigarro.

Meus dedos tocaram a maçaneta e se fecharam, lentamente, em torno dela. Virei-me, ainda mantendo os ouvidos em alerta.

Olhei pela fresta e, quando tive certeza de que não havia ninguém, abri a porta um pouco mais. E mais ainda quando reuni coragem para sair para o corredor. Estiquei o pescoço e olhei para o lugar onde a cadeira costumava ficar.

As costas de Hassan. Respirei fundo e me virei para a direita, onde ficava a escada. Fechei a porta o mais silenciosamente que consegui. Movi um pé após outro, passando pelas quatro portas que havia entre mim e o fim do corredor. Estava tão focada em ouvir o som dos movimentos de Hassan que minha sandália esquerda se prendeu no tapete e tropecei, mas recuperei o equilíbrio ao segurar a maçaneta do quarto ao lado.

Prendi a respiração quando ouvi o barulho das pernas da cadeira de metal.

– Ei!

Congelei, mas continuei de costas para Hassan. Tinha certeza de que ele podia ver todo o meu corpo tremendo, mesmo a distância.

– Preste atenção, seu desajeitado! – gritou ele.

Assenti e resmunguei qualquer coisa em uma voz mais grave do que a minha, mas quase inaudível.

– Garotos correndo pelo hotel... – ouvi-o resmungar enquanto retomava minha caminhada em direção à escada.

A cada passo, esperava pelo momento em que ele ia perceber que o menino que vira na verdade era uma menina com as roupas novas de Hashmat, as calças ainda sem bainha.

Eu tinha sido e deixara de ser. Eu fora Rahima. E, agora, não era mais.

Atravessei o lobby, sempre olhando para baixo. O recepcionista não estava em seu lugar. Movi-me depressa. Abri a porta e a luz do sol atingiu meus olhos. Ergui a mão e pestanejei com força. Quando minhas sandálias pisaram na rua de terra batida, olhei bem para me certificar de que não reconhecia ninguém e ninguém me reconhecera. Avistei um pardal que passava com agilidade por entre galhos de árvores, chilreando com a mesma serenidade dos pássaros sobre a sepultura de Jahangir. *Reze por mim também*, pensei.

Rahim entrou e saiu de ruas, caminhando para longe do hotel, na direção oposta ao edifício do Parlamento. Rahim, a *bacha posh*, estava atento a alguém gritando atrás dele, alerta para algum sinal de que fora identificado, de que seria arrastado de volta para o complexo de Abdul Khaliq e punido.

Rahim, tremendo tanto que achava que suas pernas iam desmontar, precisava de um lugar para se esconder.

CAPÍTULO 68

Rahima

Os táxis buzinavam. Um deles passou bem perto de mim, roçando minha roupa, enquanto eu tentava desviar dos carros em um cruzamento movimentado. Amaldiçoei-me por ter escolhido atravessar ali, na frente de tantos automóveis. Sentia um milhão de olhos sobre mim, olhos que podiam perceber que havia algo errado com aquele adolescente. Será que eu parecia assustada... como se estivesse fugindo? Será que as pessoas notavam meu peito feminino?

Eu tinha feito o máximo para amarrar os seios com um lenço de cabeça, mas era mais difícil agora do que alguns anos antes. A gravidez de Jahangir me deixara mais volumosa, com curvas mais difíceis de disfarçar.

– Ei, *bacha*! Preste atenção por onde anda! – gritou um homem pela janela do lado do motorista, um cigarro entre os dedos, enquanto gesticulava com raiva para mim.

Sem parar de andar, ergui a mão me desculpando e fiquei aliviada por saber que meu disfarce estava funcionando. Era engraçado como eu tinha assumido de novo, sem dificuldade, aquela outra persona, como eu me sentia confortável mesmo com os nervos à flor da pele.

Minhas sandálias batiam contra o chão empoeirado, minhas pernas livres nas calças compridas, uma túnica larga cobrindo meu traseiro arredondado.

Eram quase onze horas quando saí do hotel, mas a sensação era de que já fazia um ano, embora não tivessem se passado mais do que vinte ou trinta minutos. Um ônibus surgiu à minha frente, desacelerando perto de um aglomerado de pessoas e buzinando uma melodia estranha. Talvez fosse aquele. Procurei por sinais, virando a cabeça, e de repente senti minhas pernas enfraquecerem.

Um carro utilitário preto diminuiu a velocidade ao se aproximar, a apenas metade de um quarteirão de distância.

Senti-me exposta, mesmo em uma rua cheia de gente, me perguntando se teria sido identificada. Se não tivesse sido, correr poderia chamar atenção.

O motorista baixou lentamente o vidro escuro da janela e soltei um gemido de pânico.

Mas era um rosto desconhecido. Não era o carro de Abdul Khaliq.

Recompondo-me depressa, abri caminho e cheguei até as pessoas que tentavam embarcar no ônibus branco e azul.

– É este o ônibus para Wazir Akbar Khan?

Ninguém se virou.

– Agha, este é o ônibus para Wazir Akbar Khan? – perguntei de novo, agora mais alto.

Tentei engrossar minha voz para esconder o tom feminino.

Um homem se virou, irritado. Ele usava camisa de botões e calça e segurava uma maleta.

– É, sim! É melhor subir de uma vez se pretende pegá-lo.

Ele e outro homem tentavam se espremer pela porta do veículo ao mesmo tempo, na esperança de obter um espaço para ficar em pé.

Com a cabeça baixa, também consegui me esgueirar para dentro do ônibus lotado, atrás dos dois homens. Esperei que o motorista percebesse e gritasse, mas ele não fez nada. Fui passando pelas pessoas até chegar ao fundo, o mais longe possível do motorista. Olhei em volta; não havia uma única mulher ali dentro. Senti-me corar ao me ver cercada tão de perto por tantos homens. Mantive os cotovelos perto do peito e estremeci quando os movimentos do ônibus empurraram um corpo contra o meu. Estiquei o pescoço para enxergar entre tantos troncos e braços. Eu torcia para conseguir reconhecer o local onde deveria descer.

O ônibus vai parar em uma rua repleta de lojas. Procure um salão de beleza, entre uma loja de eletrônicos e uma vendinha. Costuma haver um homem com uma longa barba e metade de um braço de pé ali perto, pedindo esmolas.

Foi uma longa viagem até Wazir Akbar Khan. Gotas de suor escorriam por meu pescoço. Meus nervos começaram a se acalmar à medida que aumentava a distância entre mim e o hotel – entre mim e os seguranças de Abdul Khaliq.

Era para eu estar lá ao meio-dia. Eu pretendia deixar o hotel mais cedo, mas Badriya demorara demais naquela manhã, colocando todo o plano em risco.

Wazir Akbar Khan era um bairro ao norte da cidade, um subúrbio que abrigava várias embaixadas e muitos funcionários estrangeiros. As ruas eram mais largas do que na parte de Cabul que eu já conhecia. Havia edifícios de dois andares de ambos os lados. Tentei não parecer tão nervosa e perdida quanto estava.

O ônibus desacelerou. *Farmácia de Wazir Akbar Khan*, dizia a placa em um prédio.

É aqui, pensei, serpenteando por entre os passageiros para sair antes que o ônibus voltasse a andar.

Não reconheci ninguém e não percebi nenhum olhar suspeito. Voltei minha atenção para as lojas, procurando os pontos de referência que me foram indicados. Na frente de uma loja havia engradados, caixas de detergente e utensílios domésticos. Havia um açougue. Havia tudo exceto o que eu estava procurando.

Entrei em outra rua, mas vi apenas casas, belas moradias que deixariam Abdul Khaliq envergonhado de sua propriedade. Eram construções novas, com fachadas modernas, que eu não tinha tempo para admirar. Os minutos passavam e eu poderia perder aquela oportunidade.

Reuni coragem para perguntar a alguém, minha voz uma oitava abaixo para disfarçar.

– Agha-sahib? Agha...

– Pelo amor de Deus, rapaz, não tenho nenhum dinheiro para lhe dar! – disse o homem, sem se dar ao trabalho de parar.

Procurei outra pessoa a quem perguntar.

Uma mulher passou. Eu queria me aproximar dela, mas minha língua travou quando vi um menino de 3 ou 4 anos segurando sua mão com força. Ele apontou para um carro na rua e ergueu o olhar para ver se a mãe havia notado. Ela assentiu e disse algo que o fez rir de prazer.

Jahangir, pensei, o coração apertado.

A mulher foi embora antes que eu conseguisse me recuperar. Continuei andando pela rua enquanto enxugava as lágrimas. Parei na frente de uma vitrine; um relógio chamou minha atenção e me deixou em pânico.

Uma hora. Meu coração acelerou. Se me atrasasse muito, tudo aquilo poderia dar errado. Eu teria arriscado tudo para nada. O que seria de mim?

Meus olhos se moveram do relógio para um folheto pendurado na vitrine da loja.

Visite o Salão de Beleza de Shekiba, Sarai Shahzada. Para casamentos e todas as ocasiões.

Deve ser esse!, pensei. *Shekiba.*

Fechei os olhos, sentindo uma energia renovada por causa do nome do estabelecimento. Era como se houvesse uma mão segurando a minha e me guiando. Li o folheto outra vez.

Sarai Shahzada. Eu tinha certeza de que vira uma placa com o nome daquela rua e refiz meu caminho. Duas viradas à esquerda e eu estava lá novamente, calçadas de concreto e árvores dando ao lugar uma aparência acolhedora e limpa. Em poucos minutos, encontrei o salão, entre uma loja de eletrônicos e uma vendinha com caixas de frutas e legumes do lado de fora.

Salão de Beleza de Shekiba.

Como fora instruída, olhei para o outro lado da rua e vi uma casa de chá.

Espero não estar atrasada demais.

Desviei dos carros que passavam e atravessei a rua, tentando enxergar através da vitrine. A maçaneta chacoalhou em minha mão. Respirei fundo e torci para não parecer muito atrapalhada aos olhos de quem estava lá dentro.

Avistei-a imediatamente, sua franja fina aparecendo por baixo do lenço cinza e roxo. Seus olhos não desgrudavam da porta e pareciam tão angustiados quanto os meus. Quando me reconheceu, cobriu a boca aberta com a mão e se levantou.

Passei por entre as mesas, os afegãos falando inglês, os estrangeiros bebendo chá verde com infusão de cardamomo.

– Você conseguiu! – sussurrou ela quando me aproximei de sua mesa.

– Sim, Srta. Franklin – falei, desabando na cadeira.

CAPÍTULO 69

Rahima

Nove dias se passaram antes que eu visse Hamida e Sufia. Elas se mantiveram longe, com medo de levar alguém até mim sem querer. Hamida ficou com os olhos marejados quando me viu. Sufia soltou um grito triunfante, com uma energia que eu nunca a vira exibir nas sessões parlamentares.

A Srta. Franklin e eu havíamos ido diretamente da casa de chá para um abrigo de mulheres que ela localizara. Não era o mesmo sobre o qual tínhamos ouvido falar. Era outro, muito mais distante do edifício do Parlamento, na periferia a oeste da capital.

O abrigo era, ao mesmo tempo, triste e inspirador. Havia histórias que me fizeram estremecer, cicatrizes que nunca iam desaparecer.

Conheci uma mulher que vivia lá com os três filhos. Quando os sogros souberam da morte de seu marido, a acusaram de tê-lo matado. Prestes a ser presa, decidiu fugir para não se arriscar a perder as duas meninas e o menino.

Outra mulher havia fugido de um marido violento, um homem que estava tendo um caso com a irmã mais nova dela. Uma noite, enquanto ele roncava ao lado, ela se esgueirou para fora de casa e caminhou dois dias e duas noites até chegar a uma delegacia.

E havia uma menina. Ela era da minha idade e sua história me fez perceber que eu não estava sozinha. Aos 12 anos, fora obrigada a se casar com um homem cinco vezes mais velho. Sua família mandou que ela colocasse um vestido branco e a levou a uma festa. No fim da noite, partiram sem ela. Quatro anos depois, ela fugiu, escapando dos parentes do marido, que a tratavam como escrava.

Eu ainda não estava pronta para compartilhar minha história. Mesmo ali, naquela sala aberta, com tapetes afegãos e aroma de cominho, podia sentir as garras de meu marido. Se ele soubesse onde procurar, levaria apenas um dia para chegar até mim. Esse pensamento me deixava tão nervosa que eu mal conseguia comer.

Hamida e Sufia só foram me ver uma vez. Eu sentia saudade delas, mas não podia esperar nada mais, sabendo que o caminho era longo e que elas tinham obrigações para com as próprias famílias. Visitar um abrigo poderia atrair a atenção errada e colocar em perigo todos os envolvidos. Eu sempre me lembraria delas com afeto e profunda gratidão, sem jamais me esquecer de como elas e a Srta. Franklin elaboraram um plano para me ajudar a escapar do *nasib* que me aguardava caso eu tivesse voltado para meu marido. Meu plano, porém, não levara em conta o que poderia acontecer a Badriya. Hamida e Sufia a viram uma vez, um dia depois de meu desaparecimento. Ela estava furiosa e desconfiada, segundo contaram, mas pareceu acreditar na surpresa das duas ao ficarem sabendo que eu havia fugido. Eu tinha certeza de que Abdul Khaliq nunca mais a deixaria voltar a Cabul e detestava pensar no que devia ter feito a ela quando voltou para o complexo. Embora Badriya não tivesse sido bondosa comigo, eu não desejava que ninguém fosse objeto da ira de Abdul Khaliq.

No abrigo eu tive tempo para, finalmente, sentar e pensar em tudo o que tinha acontecido. Ficava envergonhada ao me lembrar do dia em que discuti com Khala Shaima e lhe disse que toda a educação que ela me incentivara a buscar não me fizera nenhum bem.

Não era verdade.

Foi só pelo fato de ser alfabetizada que pude me juntar a Badriya em Cabul. Foi só porque sabia ler e escrever que consegui ser sua assessora e me sentir confortável para me juntar a Hamida e Sufia no centro de recursos. Foram meus poucos anos de escola que me permitiram ler o folheto do salão de beleza na vitrine da loja e encontrar a rua onde a Srta. Franklin me esperava ansiosa para me ajudar a encontrar meu escape.

Perdoe-me, Khala-jan. Perdoe-me por nunca ter lhe agradecido por lutar por mim, por tudo que me ensinou, pelas histórias que me contou, pelo escape que me ofereceu.

Meu único pesar era não ter conseguido avisar Khala Shaima, para que ela soubesse que eu conseguira fugir e estava segura. Eu esperava que ela não pensasse que Abdul Khaliq havia me matado. Rezei para que não tentasse me visitar no complexo dele, sabendo que seria recebida por um homem extremamente furioso. Mas queria mandar uma mensagem para ela de alguma forma – precisava tentar. Resolvi pegar caneta e papel e escrever algumas palavras para minha tia, para que ela descobrisse o que eu fora capaz de fazer, o que ela me dera forças para fazer.

Por fim, convenci a Srta. Franklin a enviar uma carta para ela.

A carta era de sua prima de segundo grau e não falava de nada a não ser do ar fresco, do som maravilhoso de pássaros cantando e da esperança de que a família pudesse visitá-la em breve.

Eu não tinha como saber se a carta chegara, então só me restava ter esperanças de que Khala Shaima a tivesse recebido. Apenas muitos anos depois, na verdade toda uma existência depois, fiquei sabendo que a carta fora descoberta nas mãos dela por sua irmã mais nova, Khala Zeba, que não conseguiu decifrá-la, pois nunca fora à escola e não aprendera a ler. Ficara perturbada demais ao encontrar a irmã morta e acabara não dando muita atenção à carta. Entretanto, após duas semanas, quando o ritmo de sua vida foi retomado e os pássaros já haviam rezado tudo o que podiam sobre a sepultura de Khala Shaima, pediu ao marido que lesse a carta para ela e ficou intrigada, imaginando que prima teria escrito para sua irmã aleijada falando de coisas tão mundanas quanto pássaros e o tempo.

A carta estava assinada por Bibi Shekiba.

NOTA DA AUTORA

A pérola que rompeu a concha é uma história que eu simplesmente tinha que contar. Sou uma mulher afegã-americana e, durante minha vida, a reação a minha identidade mudou de maneira drástica. Quando eu era pequena, as pessoas costumavam me perguntar, confusas, se o Afeganistão ficava na África. Nos dias seguintes ao 11 de Setembro e ao envolvimento dos Estados Unidos no Afeganistão, o mundo aprendeu muito sobre esse país onde as mulheres são oprimidas e aterrorizadas por fundamentalistas linha-dura. Mas, como de costume, a história não é tão simples assim.

Meus pais nasceram e cresceram no Afeganistão dos anos 1950 e 1960, uma época em que tudo era bem diferente no país. Minhas tias se formaram na faculdade e minha mãe chegou a viajar para a Europa com uma bolsa de estudos para se formar em engenharia. Em nossas paredes e penteadeiras havia fotografias desbotadas de tias, tios e avós, as mulheres vestindo saias da moda ou calças boca de sino; os homens usando ternos de lapelas largas. Estabelecimentos que vendiam kebab, onde se tocava música popular e se recitava poesia eram parte da vida de todo mundo.

Tive dificuldades para conciliar essas imagens e impressões com o que via na televisão ou lia nos jornais. As mulheres perderam muito nos anos violentos que se seguiram à emigração de meus pais. Muitos afegãos nutrem o desejo ardente de expressar que o que se vê hoje não é a história completa. Muitos de nós queremos gritar para o mundo que nossa cultura foi surrupiada e que nossas mulheres foram brutalmente privadas de seus direitos. Nossas meninas, nossas jovens mulheres, nossas futuras mães são obrigadas a lutar, mais uma vez, para serem valorizadas como parte da sociedade.

As tradições patriarcais do Afeganistão valorizam os filhos em detrimento das filhas. Em áreas mais remotas do país, as mulheres nunca usufruíram das liberdades que as mulheres de Cabul vivenciaram. Décadas de guerras e regimes fundamentalistas deixaram as afegãs feridas e marcadas, seus direitos enterrados sob uma pilha de destroços. O gênero é de gigantesca importância no Afeganistão. A vida como menina é muito diferente da vida como menino. Era essa a história que eu queria contar.

O país é assolado por problemas: casamentos infantis, senhores da guerra, instabilidade política, dependência de drogas, corrupção e muito mais. Entrelacei essas questões no romance, pois fazem parte da realidade do Afeganistão. Li tudo o que consegui encontrar sobre as mulheres das gerações de Shekiba e Rahima. Conversei com amigas, parentes e mulheres que trabalham no parlamento afegão. Ouvi suas frustrações, suas dores e seus triunfos. Por fim, escrevi esta história para compartilhar a experiência das mulheres afegãs em uma obra de ficção que é feita de mil verdades.

Rahima é uma ex-*bacha posh* obrigada a se casar com um senhor da guerra quando acaba de entrar na adolescência. Ela é o legado vivo de sua trisavó Shekiba e extrai forças dessa conexão. Apesar de tudo, elas têm em comum a tenacidade, o desejo de sobreviver. Essa tenacidade é o que eu vejo mudando a face do Afeganistão hoje e dando esperanças para o amanhã.

AGRADECIMENTOS

Agradeço a meus pais, que me deram as ferramentas para escrever sobre uma menina que merece tudo de bom que há no mundo. Pertenço a vocês, eternamente. A Zoran e Zayla: vocês fizeram desta história algo importante a ser contado – amo vocês. Agradeço a meu marido, Amin, por suas ideias e discussões e por sua fé em mim; você fez com que meus sonhos se tornassem realidade. A Fawod, meu irmão sagaz e espirituoso, meu primeiro e eterno fã, obrigada por sua absoluta confiança. A Fahima, minha musa, a centelha que inspirou esta história e minha primeira leitora; fico muito agradecida por seu apoio, todos os dias! Sou grata pelo legado que herdei, pela criatividade e pelas tradições de meus antepassados, e espero prestar uma homenagem a eles por meio desta história.

Um grande e afetuoso abraço a minha agente, Helen Heller, que pegou meu manuscrito e se dedicou a ele. Obrigada por sua confiança e orientação durante todo esse processo. Um agradecimento especial a minha editora, Rachel Kahan, por abraçar esta história e jamais abandoná-la! Seus comentários e avaliações foram extremamente valiosos e sou muito grata por trabalharmos juntas. Muita gratidão a toda a equipe da William Morrow – marketing, design, editorial, publicidade, todo mundo! – por transformar um manuscrito em algo real. Nenhum texto de agradecimentos estaria completo sem o reconhecimento pelo impacto de professores e cafeterias na realização de sonhos. Minha gratidão a Tahera Shairzay, por me fornecer em primeira mão informações inestimáveis sobre o funcionamento do parlamento afegão e por sua contribuição para o progresso em Cabul. Minha gratidão a Louis e Nancy Dupree, por sua contribuição para documentar a cultura e a história do Afeganistão. Suas obras foram um recurso de valor inestimável.

Esta história é livremente baseada em figuras históricas do Afeganistão, assim como em cidadãos contemporâneos. É uma obra de ficção e tomei grandes liberdades, mas não tenho dúvidas de que é mais factual do que gostaríamos. Um reconhecimento especial às filhas, irmãs, mães, tias e professoras do Afeganistão e aos indivíduos e grupos que trabalham, de maneira incansável, para fazer do mundo um lugar melhor. Às filhas do Afeganistão, que o sol aqueça seus rostos enquanto forjam seus caminhos.

ENTREVISTA COM NADIA HASHIMI

Você nasceu nos Estados Unidos e cresceu em Nova York e Nova Jersey. Seus pais são afegãos e vieram para a América no início dos anos 1970. Como foi crescer sendo a primeira geração americana da família? Como eles lidavam com as novas e as antigas tradições dentro de casa?

Agora, já adulta, relembro meu passado e não acho que tenha sido tão diferente da infância dos meus vizinhos. (É mais difícil enxergar isso quando se é jovem, é claro!) Os Estados Unidos são um país cosmopolita e Nova York ostenta uma diversidade cultural excepcional. Cada família celebra a própria cultura de alguma forma. Eu tive a felicidade de nascer em meio a muitos tios e primos, nós jejuávamos juntos durante o Ramadã e recebíamos o primeiro dia da primavera como o começo do ano-novo. Nossa herança afegã manteve-se viva por meio de histórias e costumes. Além disso, junto com nossos vizinhos, comíamos peru no jantar do Dia de Ação de Graças e, às vezes, até comemorávamos o Natal, com troca de presentes e um pinheiro. Meus pais se sentiam felizes por fazer parte da comunidade americana e me ensinaram que adotar novas tradições não significava renegar as antigas.

Você fez sua primeira viagem ao Afeganistão em 2002. Essa foi também a primeira vez que seus pais voltaram ao país desde que se mudaram para os Estados Unidos. Como foi essa experiência para você? Como ela serviu de inspiração para escrever *A pérola que rompeu a concha*?

Essa viagem a Cabul foi comovente e empolgante para mim. Pessoalmente, foi minha chance de conhecer tios, tias, primos e parentes distantes. Sou muito próxima da minha família que vive nos Estados Unidos e, ao ver pela primeira vez minhas primas de lá, eu me perguntei como teria sido nosso relacionamento se houvéssemos crescido juntas.

Fiquei impressionada também com a determinação delas quando se tratava de instrução e de objetivos de vida. Algumas viveram como refugiadas em países vizinhos e retornaram a Cabul. Apesar das dificuldades, estudaram e estavam decididas a construir algo para si mesmas. Também visitei duas escolas locais que haviam sido reabertas. Fui surpreendida ao ver como as estudantes eram focadas e sorriam com alegria enquanto se enfileiravam para começar as atividades do dia. Constatei o quanto as meninas afegãs valorizam a educação. As salas de aula foram reorganizadas e recuperadas com muito entusiasmo naquela época. Até meninos e meninas ainda pequenos entendiam que precisavam dar valor ao aprendizado. Naquele momento, eu não fazia ideia de que escreveria A *pérola que rompeu a concha*, mas ver aquelas jovens me ajudou a entender o que é ser uma garota no Afeganistão.

O livro fala de duas gerações de mulheres que viveram parte da vida como meninos. Essa prática ainda existe no Afeganistão?
Sim. Infelizmente, não sabemos qual é a disseminação da prática do *bacha posh* porque ninguém faz essa contagem. É algo que as famílias fazem de maneira discreta, sem alarde. Essa tradição não tem origem religiosa, mas vem das culturas do Afeganistão e do país vizinho, o Paquistão. Algumas teorias afirmam que ela surgiu da falta de meninos ou homens para lutar em tempos de guerra e se desenvolveu para preencher outro "vazio". Ela não ocorre em todas as casas, mas quase todos os afegãos com quem conversei conheciam algum *bacha posh*. Era tão comum que não a consideravam um problema, até que as famílias emigraram para os Estados Unidos e analisaram esse costume sob outra perspectiva. A prática é claramente motivada pela disparatada desigualdade de gênero. A desvalorização das mulheres acontece em toda parte, mas a cultura afegã é fortemente misógina. Espero que, em um futuro bem próximo, meninas não sejam obrigadas a mudar sua identidade para conquistar o mesmo respeito e liberdade dos meninos.

Shekiba e Rahima viveram em períodos diferentes do Afeganistão: a primeira, no início do século XX, quando o país era governado pelo rei Amanullah Khan; a segunda, logo após a queda dos talibãs. Ao escrever o livro, como você diferenciou os dois períodos enquanto descrevia os cenários? Como essas diferenças refletem as mudanças políticas e físicas que aconteceram na vida real?
Ambientar uma história em um país estrangeiro é uma tarefa delicada, mas voltar no tempo é ainda mais desafiador. É como tentar trazer à

vida um cartão-postal amarelado. Quando eu estava criando o mundo de Shekiba, tive que considerar a tecnologia da época, assim como os eventos-chave (como a epidemia de cólera). Li relatos de pessoas que viajaram pelo Afeganistão naquele período e procurei fotografias antigas de lugares marcantes, como o palácio do rei. Shekiba vive em um Afeganistão à beira da independência e do progresso, algo que experimenta quando chega a Cabul.

O Afeganistão de Rahima é bem diferente. É um país destruído pela guerra, com atividades econômicas escassas, poucas oportunidades e um governo central frágil. A situação do país se reflete nas casas das pessoas que vivem afastadas dos grandes centros. A comercialização de ópio, que se estendia por todo o Afeganistão, por exemplo, fez com que pais e mães se tornassem dependentes. Eletrodomésticos como televisores e uma infraestrutura organizada ainda não haviam chegado a algumas regiões do país. Rahima fica perplexa com Cabul porque vê um mundo bem diferente de sua aldeia. Cabul é uma cidade movimentada, com panoramas mais cosmopolitas. Existe uma disparidade entre as grandes cidades (nas quais as mudanças chegam primeiro) e as aldeias. Tanto Shekiba quanto Rahima sentem essa diferença quando a vida as leva até Cabul e elas começam a enxergar como a cena política molda o seu mundo.

A tradição é de extrema importância no Afeganistão retratado em seu livro. Entretanto, contra todas as probabilidades, Shekiba e Rahima a desobedecem. Escrever sobre essas regras para um público com diferentes valores e tradições culturais pode ser complicado. Como você conseguiu equilibrar essas diferenças?

Embora os leitores possam não diferenciar qual tradição específica Shekiba e Rahima deveriam honrar, acredito que se identificam com o espírito rebelde dessas duas mulheres. Tradições são importantes em qualquer sociedade, porém ainda mais importante é a necessidade de quebrar as regras de tempos em tempos. Testar os limites é desconfortável, mas necessário, em qualquer sociedade em desenvolvimento. Rahima e Shekiba desobedecem algumas tradições porque não lhes parecem certas. Considerei que o desejo delas de questionar o status quo transcenderia quaisquer diferenças culturais que pudesse haver entre elas e os leitores.

Khala Shaima, a tia de Rahima, é uma mulher imprevisível. Apesar dos problemas físicos, ela é audaz e forte. Você poderia nos contar um pouco sobre o processo de criação dessa personagem?

A burca criou a imagem das afegãs como mulheres encobertas, meras sombras de seres humanos, mas, se deixarmos isso de lado, aposto que muitos leitores ficariam surpresos ao saber como elas são irreverentes! É um ambiente rigoroso, no qual é preciso ser forte para sobreviver. As mulheres contam piadas picantes, falam palavrões e lutam por seus direitos. Canalizei todas essas forças, que vi em tias e avós, para moldar Shaima, que ganha vida logo no início da história. É como se eu pudesse ouvi-la e meu papel fosse apenas dar voz a ela nas páginas do livro. Não tenho a metade de sua irreverência!

Você poderia explicar o que é *nasib* para aqueles que desconhecem a palavra? Como isso influencia o pensamento afegão? Você acha que existe algo equivalente na cultura americana?

Nasib como conceito é equivalente a "destino" na cultura americana. A diferença, pelo menos para mim, é que "destino" tem uma conotação positiva, algo que você gostaria de concretizar. Na cultura afegã, *nasib* é usado para justificar qualquer evento na vida de um indivíduo, mas, com frequência, para racionalizar o infortúnio. Por exemplo, para uma afegã, *nasib* explica por que ela ficou doente, ou por que perdeu um filho. Embora seja uma palavra utilizada para boas e más experiências, é sem dúvida a que traz mais consolo para os piores momentos.

De várias maneiras, a história de Rahima é uma versão mais moderna das lutas de Shekiba. O que a levou a escrever o livro com duas narrativas paralelas? Uma das histórias por acaso foi mais difícil ou mais interessante de narrar do que a outra? Você as escreveu de forma simultânea?

Eu queria muito escrever uma história que demonstrasse os perigos de nascer mulher na sociedade afegã. O costume do *bacha posh* foi o condutor natural para a discussão de gênero. A dupla identidade de Rahima nos mostra o que é nascer menino ou menina no Afeganistão. A inspiração para as narrativas em paralelo surgiu de um artigo do *The New York Times* sobre a tradição do *bacha posh* que também mencionava o período da história no qual o rei Habibullah usava mulheres vestidas como homens para proteger seu harém.

Essa conexão, duas jovens separadas por um século vestindo-se como homens, pareceu uma forma interessante de unir a história afegã ao presente. Queria conectar as afegãs através do tempo e da geografia e, de alguma forma, esperava que uma aprendesse com o legado da outra. Escrevi as duas histórias ao mesmo tempo, embora não avançassem no mesmo ritmo, o que fazia com que eu retrocedesse em alguns momentos. Foi difícil narrar alguns eventos do livro, pois eram sombrios e emocionalmente extenuantes. Entretanto, devo dizer que, agora que já me apeguei aos personagens, esses episódios são mais penosos de ler do que foram para mim ao escrever.

No meio da história, Parwin toma uma decisão assustadora. Você vê as atitudes de Parwin como inevitáveis, ou ela poderia ter seguido outro caminho? E quanto às ações de Benafsha?

Eu lutei muito contra a decisão de Parwin. Na minha opinião, ela possui uma força delicada, é uma menina cheia de talentos que acaba soterrada pelas circunstâncias da vida. Parwin representa a música e a arte no mundo de Rahima, e toda essa beleza é desfeita quando ela fica "noiva" ainda criança. Sua vida se torna insuportável, assim como acontece a tantas afegãs. A autoimolação é uma prática assustadora e comum no Afeganistão e retrata o desespero que essas mulheres experimentam. Acredito que Parwin não toleraria por muito mais tempo a vida na qual foi atirada. Tudo o que tinha alguma importância para ela lhe foi tirado.

Já o caminho de Benafsha é fundamentado no amor. É estranho, mas mesmo em um país de casamentos arranjados e estrito recato, o romance tem seu lugar. A poesia e a música afegãs são ricas de paixão e devoção. A história de Benafsha mostra esse tipo de amor – como o vivido por Romeu e Julieta, que desafia a razão e as circunstâncias. Seu comprometimento com o amado só faz sentido porque ela acredita que a relação deles é tão profunda que transcende este mundo. Ela aceita seu destino porque conhece os riscos que acompanham o perigoso relacionamento. Se Benafsha escolhesse outro caminho, o romance perderia a qualidade de conto de fadas.

Todas as suas personagens lidam com grandes dificuldades: Madar-jan, Rahima, Shekiba, Parwin, Khala Shaima e Benafsha. Como mulher e criadora de todas elas, se tivesse que levar a vida de alguma delas, qual seria e por quê?

Socorro! Para ser honesta, eu não levaria a vida de nenhuma delas! Quando você já experimentou a "boa vida", é inimaginável viver de outra maneira. Fui abençoada com uma formação e um ambiente que me proporcionaram oportunidades, liberdade e autonomia. Quando pensamos nessa pergunta, percebemos como é difícil para um *bacha posh* retornar à sua condição de menina comum, sem qualquer controle sobre os próprios caminhos.

Mas, se fosse preciso escolher alguém, eu escolheria Khala Shaima, a tia de espírito livre que está sempre presente na vida das sobrinhas. Ela tem ousadia e exerce papel fundamental ao trazer à família uma perspectiva diferente a ser considerada. Apesar dos problemas físicos, ela é resoluta e ninguém a controla. Admiro sua perspicácia e coragem e o impacto que ela causa na vida dessas meninas.

A *pérola que rompeu a concha* discute muitas questões importantes no Afeganistão: política, corrupção, casamento infantil, violência contra as mulheres e desigualdade de gênero. Se seus leitores quiserem saber mais sobre essas questões, que livros ou artigos você recomendaria que lessem? E quanto às organizações renomadas, dedicadas a ajudar o povo afegão e que podem dar fim a essas injustiças?

Eu fiz um esforço considerável para levantar algumas das questões mais importantes do Afeganistão, pois acredito que saber sobre elas é o primeiro passo para fazer qualquer mudança positiva. Para os que se interessarem em saber mais, recomendo *Opium Nation*, de Fariba Nawa. Ela viajou pelo Afeganistão seguindo a trilha do comércio de ópio e descreveu, por meio de histórias reais, como o comércio internacional de drogas afeta o cotidiano das pessoas. Quanto às organizações, a Women for Afghan Women trabalha de maneira incansável nas questões ligadas às mulheres e é muito presente no Afeganistão. A Skateistan é uma organização especialmente inovadora, que promove educação, liderança e criatividade em meio à juventude afegã. Aprecio em particular o fato de que ensinam as meninas a andar de skate. É formidável vê-las de capacete deslizando pelas rampas com os braços abertos e desafiando as normas sociais.

O livro termina com uma nota de esperança. Quais são os seus pensamentos sobre o futuro do Afeganistão?

"Uma nota de esperança" é uma ótima maneira de resumir o final. Acho que a nação inteira é desafiada pela geopolítica da região. Enquanto houver países como o Paquistão e a Arábia Saudita financiando facções extremistas, o Afeganistão jamais alcançará a paz. O novo governo precisa aprender a andar com os próprios pés e a se livrar da cultura interna da corrupção.

Será um longo processo de recuperação, mas é viável se as novas gerações seguirem motivadas. Tenho esperanças, apesar dos muitos obstáculos. Na eleição presidencial de 2014, 60% dos eleitores compareceram às urnas (percentual equivalente ao número de votantes nos Estados Unidos durante a eleição presidencial de 2002), apesar dos sequestros, ameaças violentas e ataques suicidas a centros eleitorais.

Uma mulher concorreu à vice-presidência e muitas outras disputaram cadeiras de suas províncias. Estamos vendo, mais uma vez, médicas, advogadas e outras profissionais fora do lar. Esse é um bom indicador de progresso, pois, há pouco mais de uma década, as mulheres eram banidas da vida pública.

A geração mais nova em especial está determinada a ter voz no futuro do país e tem trabalhado duro para promover mudanças. Acredito que essa energia levará o Afeganistão a uma nova era.

Talvez essa pergunta seja pessoal demais, mas algo mudou para você ou sua família depois do 11 de Setembro? E suas atitudes em relação aos Estados Unidos e ao Afeganistão?

Na verdade, fiquei muito surpresa pelo que eu e minha família vivemos depois do 11 de Setembro. Sendo filha de imigrantes, sabia que minha família não era totalmente americana, mas tive a sorte de crescer em uma cidade de mente aberta, onde nos sentíamos parte da comunidade. Eu morava no Brooklyn na época dos ataques e estava assistindo a uma aula na faculdade de medicina naquela manhã. Minha prima (e melhor amiga) foi retirada do seu local de trabalho no então World Financial Center. Vi fumaça sobre o rio e esperei, junto com meus colegas, por alguma notícia de que minha família estava bem.

Na minha cabeça, eu era como qualquer outro americano: estava chocada e amedrontada por ataques tão perto de casa. Naquele dia, fui pega de surpresa pelos comentários de ódio que gritaram para mim quando caminhava de volta para casa junto com três colegas de pele morena.

Tive medo por meus pais quando algumas pessoas jogaram pedras nas vitrines de nossa loja de conveniências na bucólica Warwick, no estado de Nova York, onde conhecíamos quase todo mundo. Não conseguia acreditar que alguém pudesse direcionar sua raiva contra nós. Pouco depois, muitas pessoas foram à casa de meus pais para se lamentar pelo vandalismo vivido em nossa tão unida comunidade. Foi uma atitude comovente e abriu espaço para discussões.

Quando eu era pequena, poucas pessoas sabiam localizar o Afeganistão no mapa. Durante décadas, o país foi esquecido, explorado por extremistas e poderes estrangeiros. Tudo isso mudou após o 11 de Setembro. O mundo ficou sabendo que o povo afegão também era vítima. Os Estados Unidos enviaram seus soldados, homens e mulheres, ao país de meus pais, e minha esperança é que o sacrifício que fizeram não seja em vão. O Afeganistão agora é um nome conhecido e a consciência que veio depois do 11 de Setembro ajudou a unir minhas identidades afegã e americana. Espero que a situação melhore.

Como você descreveria a sua experiência como autora estreante?

Escrever um romance parecia um sonho impossível para mim, mas meu marido estava convencido de que eu deveria tentar. Duvido que eu tivesse começado este livro sem o incentivo dele. Trabalhar com o apoio da família e dos amigos tem sido uma experiência emocionante. É empolgante saber que o projeto no qual trabalhei de maneira discreta e independente durante meses agora é divulgado pela internet e pode chegar à casa das pessoas.

Fico emocionada com os comentários que recebo, de leitores que se identificaram com os personagens e aprenderam algo sobre as dificuldades enfrentadas pelas afegãs. Sou bastante grata porque a história chamou a atenção das pessoas para uma série de questões que afetam as mulheres no Afeganistão e em outras partes do mundo. É uma honra saber que estão lendo o livro e adoro ouvir a opinião delas.

Se os seus leitores quisessem viajar ao Afeganistão para ver de perto os pontos turísticos e aprender sobre a cultura, aonde você recomendaria que eles fossem? O que deveriam fazer?

Para mim é difícil recomendar uma viagem ao Afeganistão nas atuais circunstâncias. Espero que a segurança melhore para que os turistas possam ter a oportunidade de absorver tudo o que o Afeganistão tem a oferecer. O país já foi um destino turístico bem popular, famoso por sua hospitalidade e pelas paisagens de tirar o fôlego. Cabul é uma impressionante mistura de construções antigas e novas: mercados agitados, áreas tranquilas e edifícios históricos.

Fora da capital, há locais famosos, como a majestosa Mesquita Azul de Mazar-i-Sharif e impressionantes cadeias de montanhas. Tenho certeza de que a maioria da população deseja ver o renascimento do turismo. Os afegãos têm orgulho de seu país e de sua história e anseiam por compartilhar esse sentimento com o resto do mundo!

Você também é pediatra e trabalha na emergência de um hospital infantil em Maryland. Aposto que seus dias são longos! Como você equilibra a carreira médica com as funções de mãe e escritora? Você escreve enquanto dorme?!

Acho que o malabarismo é parte essencial da maternidade, independentemente de você trabalhar fora de casa. Eu adoraria dizer que acordei às três da manhã e escrevi até o dia clarear, mas, no meu caso, foi algo bem menos estruturado. Eu estava esperando a minha filha na época e desacelerei meu ritmo de trabalho para ter tempo de escrever (e relaxar!).

Algumas vezes, escrevo durante o dia; em outras, depois que as crianças vão dormir. Amo meu trabalho como pediatra, mas também é estimulante tentar algo bem diferente. Sou abençoada por poder fazer as duas coisas que amo, além de ser mãe. Aliás, estou digitando esta resposta quase à meia-noite, então talvez eu seja mesmo capaz de escrever enquanto durmo!

O que é o Lady Docs Corner Café e como ele foi formado?

Lady Docs é um grupo de médicas de Maryland. É um tipo de irmandade formada por médicas (e outras profissionais da área de saúde) que se encontram em "campos de treinamento" aos sábados de manhã, em jantares e em várias outras atividades. Nosso site coletivo fala sobre bem-estar, com blogs sobre tópicos como medicina adulta, pediatria, psicologia e até receitas para uma alimentação sadia. Eu me juntei a elas há pouco tempo e estou feliz por ter conhecido esse fabuloso grupo de profissionais dedicadas e dinâmicas.

Amo escrever e espero que possa continuar a contar histórias. O processo é desafiador, mas incrivelmente recompensador. Com certeza mais livros estão em meu *nasib*!